KB086359

창과 벽 외

전광용문학전집 3

창과 벽 외

초판 제1쇄 인쇄 2011년 11월 20일
초판 제1쇄 발행 2011년 12월 15일
지은이 | 전광용
엮은이 | 전광용문학전집 간행위원회 편
펴낸이 | 지현구
편집장 | 박종훈
편 집 | 김수영 김보미
디자인 | 이보아 이효정
펴낸곳 | 태학사
등록 | 제406-2006-00008호
주소 | 경기도 파주시 문발동 파주출판도시 498-8
전화 | 마케팅부 (031) 955-7580~82 편집부 (031) 955-7585~89
전송 | (031) 955-0910
전자우편 | thaehak4@chol.com
홈페이지 | www.thaehaksa.com

전6권 150,000원

ISBN   978-89-5966-464-1 04810
       978-89-5966-461-0 (세트)

전
광용 문학전집
3

창과 벽 외

태학사

『전광용문학전집』을 내면서

소설가이며 국문학자이셨던 백사(白史) 전광용(全光鏞) 선생의 모든 저작을 한데 모아『전광용문학전집』전6권을 새로 펴낸다. 1권, 2권, 3권에는 선생이 발표한 소설들을 수록하였고, 4권과 5권은 단행본으로 발간된 바 있는『한국현대문학논고』와『신소설연구』를 각각 수록하였다. 그리고 6권은 선생이 생전에 발표한 수필과 산문들을 찾아 한 권의 책으로 꾸몄다.

전광용 선생은 호적부에 1919년 3월 1일 출생으로 기록되어 있지만 실제로는 1918년 음 9월 5일 함경남도 북청군 거산면(居山面) 하입석리(下立石里) 1011번지에서 태어났다. 성천촌(城川村)이라는 작은 마을의 과수원집에서 성장한 선생은 부친 전주협(全周協)과 모친 이녹춘(李彔春)의 2남 4녀 가운데 장남이었다. 고향인 북청에서 북청공립농업학교를 졸업한 후 경성경제전문학교에 입학하였는데, 해방 직후 이 학교가 서울대학교 상과대학으로 바뀌자 2년을 수료한 후 진로를 바꾸었다. 1947년 9월 서울대학교 문리과대학 국어국문학과에 입학하면서 문학에 뜻을 두게 된 것이다.

전광용 선생의 글쓰기 작업은 소설가로서의 창작활동을 통해 그 특징이 잘 드러나고 있다. 선생은 1948년 11월 정한숙(鄭漢淑), 정한모(鄭漢模), 남상규(南相圭), 김봉혁(金鳳赫) 등과 함께 《주막(酒幕)》동인을 결성하고 창작활동을 시작하였고, 1955년 1월 조선일보 신춘문예에 단편소설 「흑산도(黑山島)」가 당선되면서 정식으로 소설문단에 등단한다. 비록 다작은 아니었지만 열정을 담은 많은 문제작을 내놓았다. 선생의 작품은 주로 냉철한 현실적 시각으로 인간의 삶을 그려놓고 있기 때문에, 현실에 대한 비판적 의미가 두드러지게 나타나고 있다. 선생은 생전에 『흑산도』, 『꺼삐딴 리』, 『동혈인간』, 『목단강행 열차』 등의 작품집과 장편소설 『태백산맥』, 『나신(裸身)』, 『창과 벽』, 『젊은 소용돌이』 등을 발표하였다. 이러한 소설적 작업은 '동인문학상', '대한민국문학상' 등의 수상으로 더욱 그 권위를 인정받게 되었다. 선생의 소설은 대부분 인간의 삶과 현실에 대한 진실 탐구에 그 목표를 둔 것이었고, 엄격한 윤리적 가치관에 의해 그 주제가 표출되곤 하였다. 선생은 창작활동 후반기에 이르면서 망향의 정을 그린 소설을 자주 발표하였다. 북에 두고 온 가족과 고향에 대한 사무친 그리움이 단편집 『목단강행 열차』에 감동적으로 스며들어 있다.

전광용 선생은 국문학자로서 모교인 서울대학교 국어국문학과에서 교육과 연구에 평생을 바쳤다. 선생이 주로 관심을 두었던 학문영역은 우리 근대문학의 성립 단계에 형성된 신소설에 대한 연구이다. 6·25전쟁 직후 한국현대문학 연구가 대학에서 학문적 기반을 제대로 갖추고 있지 못한 상태에 놓여 있을 때, 선생은 아무도 거들떠보지 않는 신소설 연구에 몰두하였다. 처음으로 서울대학교 문리과대학 국어국문학과 전임교수가 되어 한국현대문학 강의를 맡으면서 그 학문적 체계화를 위해 힘을 기울였다. 선생의 신소설 연구는 철저한 자료조사, 정밀한 해독, 엄격한 가치평가로 이미 널리 알려져 있거니와, 그 성과에 힘입어 한국현대문학의 첫머리에서 서술되게 마련인 신소설에 대한 설명이 명확한 소설사적 체계를 갖출 수 있게 되었다. 이러한 학문적 성과는 '사상계논문상'으로 높이 평가되기도 하였다. 선생은 모교에서 정년퇴임을 맞이할 무렵에 제자들의 권유에 따라 그동안 발표한 연구논문들을 모아 『한국현대문학논고』와 『신소설연구』를 발간하였다. 선생의 「이인직연구」를 서두에 싣고 제자들이 논문을 모아 한국현대소설사를 정리한 정년퇴임 기념논문집인 『한국현대소설사연구』가 만들어지자 당신의 저작을 책으로 묶는 것을 허락하였다. 이 두 권의 책은 선생의 학문적 열정과 태도를 확인할 수 있는 중요한 업적이라고 할 수 있거니와『한국현대소설사연구』와 더불어 현대문학 연구의 학문적 토대가 쌓여진 과정을 그대로 드러내고 있는 것이라고 하겠다.

전광용 선생은 고향인 함경도 북청을 떠나 문학 공부를 위해 서울로 올라왔고, 분단 후 다시 고향을 찾을 수 없었다. 그렇기 때문에 단신으로 온갖 어려움 속에서 문학과 학문의 꿈을 키워야만 하였다. 문학이 유일한 길이었고 삶의 전부였던 것이다. 선생은 문학에 대한 열정을 강조하면서도 이것을 생업으로 삼기에는 너무 고달픈 일이라고 하였다. 창작이든 문학 연구든 간에 각별한 사랑과 열정이 없이 문학을 한다는 것은 잘못이며, 거기서 물질적인 것을 구한다는 것도 기대할 수 없는 일이라는 거였다. 아마도 이러한 충고와 훈계는 모두 개인적 경험에서 비롯된 것이 아닌가 생각된다.

전광용 선생은 언제나 학문의 성과에 대한 엄격한 평가를 강조하였지만, 다른 학자들의 연구업적에 대해 결코 무시하는 법이 없었다. 학위논문을 쓰면서, 선배들의 연구업적에 대한 소개를 소홀히 하거나, 자기주장에만 매달린 학생에게는 몹시 꾸중을 하였다. 이는 앞서 걸어간 사람들의 고통을 생각하지 않는 경망을 훈계하기 위한 일이었다. 그러면서도 선생은 결코 당신께서 해온 연구작업을 부추겨 내세우는 법이 없었다. 1950년대 중반부터 시작된 신소설 연구가 거의 10여 년에 걸쳐 지속되었고, 그것을 함께 모아 한 권의 책으로 묶을 수 있는 분량이 훨씬 넘었을 뿐만 아니라, 국문학계에서도 그 업적의 발간을 기다렸지만 선생님께서 한사코 이를 사양하였다. 책을 간행한다는 것이 자칫 자기 학문의 불필요한 과시가 될 수도 있다는 말씀을 하신 일이 있다. 그러나 이보다도 한국현대소설사의 윤곽을 해명할 수 있을 때까지 그 간행을 미루었던 것이 아닌가 생각되기도 한다.

전광용 선생은 1988년 6월 21일 세상을 떠났다. 이제는 다시 선생의 모습을 뵈올 수 없고 그 음성을 들을 수도 없지만, 선생이 남긴 소설과 연구 논문은 한국문학의 한복판에 자리하고 있다. 선생의 가르침을 따라 한국현대문학 연구의 학풍을 이어가는 것이 우리 제자들이 선생의 뜻을 기리는 일일 것이다. 오늘『전광용문학전집』이라는 이름으로 한데 묶여진 선생의 책과 글 속에 담긴 소중한 뜻이 조금도 헛되지 않게 이어지길 기대한다. 이 책을 엮는 데에 참여한 모든 제자들은 함께 머리 숙여 선생의 명복을 빈다. 어려운 여건 속에서 전집의 간행을 맡아준 태학사 지현구 사장께 감사드린다.

2011년 가을에 권영민

목
차

젊은 소용돌이

제1장

천구백육십년 이월 하순.

한욱(韓旭)은 희곡(戱曲) '제십삼공화국'의 연출대본을 꾸며가고 있었다.

실재하지 않는 가상(假想)의 십삼공화국. 그러나 배경은 열대식물이 무성한 남국의 도시. 등장인물은 야윈 몸뚱이에 누더기를 걸친 반나체의 니그로 토인들. 작품 전체를 일관하는 주류는 오랜 세월에 걸친 전제정치하의 공포분위기.

극단의 부패와 무능과 학정에 시달리다 못해 봉기한 군중들이 정권을 전복시키고, 독재자 백인 국왕을 수도 한복판 네거리에서 총살형에 처하는 장면은, 아무리 그것이 흑백의 인종차별로 위장(僞裝)한 허구라고 할지라도, 썩을대로 썩어빠진 한국의 현실을 빗대놓고 풍자하는 것이 너무 노골적으로 드러나, 욱은 적이 마음에 걸렸다.

연극공연 후의 사상문제를 싸고돌 복잡한 사태도 예기되려니와, 우선 원작 그대로는 대학당국의 상연허가절차를 통과해낼지 그것조차가 의문이었다.

'자식'

욱은 그러면서도 혼자 뇌까렸다.

'쓰기는 통쾌하게 썼군!'

작자인 이건일(李健一)에 대한 솔직한 감탄이었다.

건일이 쓴 것이 아니라 욱 자신이 원작자인 것만 같은 공감에 휩싸여 갔다.

그럴수록 욱은 그 이상 대본에 손을 댈 수가 없었다.

아무튼 건일을 만나 서로의 의견을 교환하고야만, 상연을 위한 대본 개작을 서두를 수 있을 것 같아서였다.

욱은 각본을 접어들고 책상 앞에서 일어섰다. 지금 곧 건일을 찾아가 야만 했다. 그러지 않고는 그 이상 더 일을 진전시켜낼 수 없었다.

그는 어깨위에 걸쳤던 나일론 하프 코트를 바로 끼고 현관을 나섰다.

"오빠, 나가?"

진옥(眞玉)의 목소리가 어깨 너머에서 들려왔다.

"응."

욱은 돌아보지도 않고 대답만을 보냈다.

"저녁땐데 어디로 가?"

"건일이한테로."

"입학시험이 바로 앞에 다가와 눈코 뜰 새가 없다던데."

"응?"

욱은 진옥이쪽으로 고개를 돌렸다.

"너, 언제 만났니?"

"어저께."

"그런데 바쁘다면서 너는 만나주구……, 나는 안된다던?"

"아니, 오빠두."

진옥인 가볍게 눈언저리를 쌩긋했다.

"입학시험이 끝날 때까진 만날 겨를이 없을 거라구 그랬어."

"응, 알았다, 알았어."

욱은 대문을 밀치고 밖으로 나왔다.

중학입시가 며칠 남지 않았으니, 건일의 가정교사 아르바이트도 마지막 피치를 올려야 할 때라고 생각되었다. 그러나 욱은 그를 지금 꼭 만나야만 했다. 그만큼 욱은 격해있었다.

한 길가에 나섰다. 담벽에 붙어있는 커다란 벽보에 눈이 갔다. 여당의 선거 선전포스터였다. 천연색으로 된 대통령 입후보자 R박사와 부통령 입후보자 L씨의 상반신 사진이 영화포스터 이상으로 화려하게 꾸며져 있었다.

그 옆의 흑백으로 된 야당 부통령 입후보자 C씨의 조그만 사진은 초라한 대조를 보여주었다.

욱은 뭉클하게 구역질을 느꼈다.

총선거 일개월을 남겨놓고 미국에까지 가서 위암수술 중 세상을 떠난 야당 대통령 입후보자 C박사의 수수께끼 같은 죽음이 떠올랐다. 야릇한 분노가 치밀었다.

사년전, 그래도 선거 바로 한달 전에 야당 대통령 입후보자인 S씨가 선거유세차 광주로 내려가던 도중, 호남선 열차 속에서 원인 모르게 객사를 했었다.

참말 여당 대통령 후보자이며 현직 대통령인 R박사는 떠도는 소문을 그대로 요술같은 독기(毒氣)를 품고 있는 것일까, 하고 욱은 생각에 잠겼다. R박사가 밉게 보는 사람에겐, '요놈'하고 그 특유의 안면신경의 경련을 일으키면서 노리면, 벼르던 대상은 살맞듯이 죽어 없어진다는 풍문까지 떠돌았다. 그러한 간접적인 독기로서만이 아니라, 사실 R박사가 해외 망명에서 귀국한 후, Y씨 C씨 그리고 K선생 등 당시의 최고 영도자로 물망에 오른 거물급의 인사들, 말하자면 R박사의 정적(政敵)들이 속속 자객(刺客)에 의해 암살되었다.

그것만이 아니었다. 그 후 유력한 대통령 후보자였던 혁신계의 J씨는 반역자의 죄목으로 불투명하게 교수형을 당했었다.

그 범인들이나 처형자의 배후가, R박사에까지 줄이 닿은 것인지 아닌지는 아직도 밝혀지지 않았고 욱으로서도 알 길이 없었다.

그러나 그 배후조정의 고위층에 R박사가 직접 간접적으로 관여되었을지도 모른다는 일련의 풍설과 더불어, 끝내 미궁에 싸인 채로 내버려진 이러한 테러사건들은, 젊은 욱의 마음속에 의아와 호기심을 더욱 짙게 해주었다.

여당은 헌법에서 금지된 대통령의 사선(四選)을 강행하기 위해, 야당의 반대를 물리치고 국민 전체의 여론을 묵살해가면서, 이미 개헌(改憲)을 단행했다. 속은 곪을대로 곪았어도 그것은 덮어두고, 겉치레로 제도상의 합법성을 땜질하는 데만 급급했다.

야당 국회의원들은 의사당 안에서 의장석을 점령하고 손찌검을 하다 못해 다수의 폭력에 항거하는 단식투쟁에 들어갔지만 여당은 아무 반응도 보이지 않았다. 다시 그들은 당수를 선두로 가두에까지 나와 여당의 비민주적인 불법을 규탄하는 데모를 벌였었다. 그러나 그것도 여당의 일방적인 독주에 아무 변화도 일으킬 수 없었다.

이러한 사태가 거듭될수록, 욱은 R박사에 대한 어쭙잖은 풍설까지도 어느 정도 믿겨지는 심정으로 쏠려져갔다.

삼월 십오일 실시예정인 정부통령 선거는 앞으로 삼주일 밖에 남지 않았다. 신문, 잡지는 물론, 라디오, 텔레비전 할 것 없이 매스컴은 선거피알 일색으로 변해갔다. 모이는 자리마다 사람들의 입에서는 선거이야기가 오르내렸다. 그러나 그들은 다방이건 음식점이건 낯선 사람들 앞에선 목소리를 낮추고 외면하면서 곁눈질을 던지기 일쑤였다.

꼭 위급한 최악의 사태라도 터질 것만 같은 험악한 분위기가 짙어갔다. 사람들의 가슴마다 막연한 기대와 불안감이 한데 엇갈려 감돌았다.

깡패 두목을 반공(反共)의 이름아래 선거의 앞잡이로 내세워, 국회의장과 내무장관에게 직통하는 경비전화까지 가설해주고, 폭력의 선봉부대로 이용한 다음, 선거가 끝나는 대로 문교장관에 임명할 밀약이 거래되었다는 불순한 풍문도 떠돌았다. 그 깡패두목의 명령에 복종하지 않은 영화배우가 즉석에서 반숨이나 지게 구타를 당하고 입원했다는 신문보도는 욱에게 거센 충격을 주었다.

그는 무엇인가 해야만 할 것 같은 의분에 쫓기고 있었다. 그것이 단순한 의사표시로 끝나든, 행동으로 나가든 아무튼 무엇인가 하지 않고는 배겨낼 수 없는 심정에 몰리고 있었다.

욱은 건일이 가정교사로 있는 영구(英求)네 집 앞에 다다랐다. 대문 귀퉁이에 붙어있는 초인종 꼭지를 눌렀다. 뜰 안에선 개가 짖어댔다. 육중한 철문 한쪽에 젊은이와 시선이 마주쳤다.

"누구 찾아요?"

말소리가 좀 퉁명했다. 욱의 아래 위를 훑어보는 상대의 눈길엔 의아의 빛이 스쳤다.

"건일이 있어요?"

"네? 누구요?"

잘 알아듣지 못한 눈치다.

"가정교사로 있는 이건일 군 말이오."

욱은 가정교사에 악센트를 넣어 큰소리로 말했다.

"네에, 이 선생님이요."

사병은 문을 더 열려다 주춤했다.

"좀 기다려요. 연락할게요."

그는 문을 닫고 안쪽으로 들어가 버렸다. 철조망으로 장식된 울타리 너머에서 개는 더욱 영악스럽게 짖어대고 있었다.

한참 있다가 건일이 뛰어나왔다.

"욱이야? 들어와."

"아니, 면회사절이라면서."

욱은 대문 안으로 들어서며 말했다.

"누가 그래?"

"진옥이가."

"응, 지금 한참 하고 있는 중이야, 막 고비에 오르지 않았어?"

"땀 빼는군."

"별수 있어?"

"그래 아이 컨디션은 어때?"

"응, 현재까지는 호조야."

욱은 건일을 따라 뜰 안으로 걸어 들어갔다.

말 같은 셰퍼드는 매어놓은 사슬을 끊을 듯이 날뛰며 짖어댔다.

"이놈의 개가……."

건일이 조약돌을 집어들고 때리는 시늉을 했다. 개는 주춤 뒤로 물러섰다가 다시 목을 빼들고 솟구치며 짖었다. 현관 앞에 놓인 개장에서도 불독이 뛰어나와 등을 사리며 기세를 올렸다.

"역시, 장군집 개들은 다르군, 용맹스럽기가……."

"낯이 서니까 그렇지, 길은 잘든 개들이야……."

"길이 잘들었대야 개는 개지 뭐, 어디 사람으로 변신하겠나?"

"사람이 개보다 더 험상궂은 세상인데 뭐."

욱은 건일을 따라 그의 방으로 들어섰다.

전에 왔을 때 얼굴이 익은 영구가 욱에게 인사를 했다.

"영구, 너 공부 잘하니?"

"몰라요."

영구는 해쓱해진 얼굴에 수줍음을 띠었다.

"시합은 이기고 보는 거야."

"아무렴 이겨야지."

욱의 말을 건일이 받았다.

"산다는 것이 다 전쟁이니까……, 영구도 고생문에 들어섰어."

"너무 그러면 기가 질려서 안돼."

"안되긴, 걔들이 우리보다 한술 더 뜨는걸."

"그런 점도 없지는 않지만……."

"영구도 군인 아버지를 닮아 전투엔 자신이 있을 거 아냐. 입학시험도 이젠 하나의 전투로 화했다니까."

"영구, 넌 조금 나가 쉬지."

건일이 영구에게 말했다.

"선생님, 나 만화 하나만 보구 올게요."

"그건 안돼."

시험준비의 마지막 고비에 접어들면서부터는 정신을 집중시키느라고 만화보는 것은 절대로 허락하지 않았다.

영구는 손님이 온 좋은 찬스를 놓칠 세라고 약삭빠르게 샐 구멍을 찾는 눈치였다. 그러나 즉각 거절을 당하자 좀 시무룩한 표정이었다.

"어때, 좀 풀어놓으면……, 너무 긴장만 계속되는 것도 좋지 않은 거야, 당겼다 늦췄다 해야 탄력이 생기지!"

"그럼, 꼭 한 권만 보구 와."

"네."

영구는 구속에서 해방된 듯이 기쁜 얼굴로 웃음을 띄우며 밖으로 뛰쳐나갔다.

"이 집 별은 집에 없나?"

욱이 엄지손가락을 들어보이며 말했다.

"응, 일선에 가있어."

"집엔 가끔 안 오구?"

"자주 와. 엊저녁에도 왔다 아침에 떠났어."

"근데, 저 졸병은 뭐야?"

"집을 지키는 거지."

"아니, 부대근무는 안하구 늘 저렇게 와있는 거야?"

"가끔 교대를 해."

"흥, 잘들 한다. 국비를 써가며 개인집 지키는 사병(私兵)을 기르는 셈이군. 망했어, 망해……."

욱은 상을 찡그렸다.

"전쟁도 없는 판에 너 좋고 나 좋고 하는 격이지. 그자도 아마 큰 빽을 가지고 있는가봐."

"잘들 한다. 결국 바지저고리들만 녹아나는 셈이군."

"나도 이렇게 더부살이로 와있지 않아?"

건일은 약간 뒤틀린 말투였다.

"넌, 어엿한 아르바이트가 아냐, 노동을 하고 떳떳하게 그 대가를 받는 건데 뭐……."

"현역군인의 사택근무쯤은 약과야. 입대도 하지 않고 버젓한 제대증을 가지고 다니는 놈이 없는가, 그보다 한손 더 써서 병역도 필하기 전에 외국유학이랍시고 날아버리는 놈이 없나, 돈과 권력만 있으면 안되는 것이 없다니까."

"밑바닥까지 썩었어, 인제 곪아터지거나, 제풀에 꼭지가 문드러지거나 해야 할 거야."

"어림도 없어, 억지 개헌까지 해가지고 저렇게 발악들을 쓰는 판인데, 꼭지가 문드러지긴……."

"그러게, 무슨 일이 터져야만 하겠어. 사태를 관망하고만 있을 것이 아니라 능동적으로 무엇을 해야만 하겠단 말이야."

욱의 어조는 차츰 흥분을 띠어갔다. 건일의 표정도 심각해졌다.

영구의 누나 혜란(蕙蘭)이 과일접시를 들고 들어왔다.

"영구는 어디 갔어요?"

"조금 쉬라고 했어."

"엄마가 알면 또 야단맞을 건데……."

"지금까지 공부하다 금방 나갔어. 좀 있으면 들어올거야."

자기를 찾아오는 손님을 꺼리는 안주인의 성미를 잘 알고 있는 건일은 약간 어색한 기분이었다.

"나도 곧 가야 할 텐데……."

재빨리 눈치를 챈 욱은 혜란이 들으라는 듯이 사이에 끼어들었다.

"이거나 들구 가지."

건일은 욱에게 과일을 권하면서도 난처한 기미를 보였다.

"앞뒤에서 감시를 받고 있구만……."

혜란이 나간 다음, 욱이 편에서 오히려 더 미안쩍어했다.

"괜찮어."

"이런 때 찾아와서 정말 미안해."

"괜찮대두, 옆에서 아무리 뭐라 해두, 나는 내 계획대로 진행하고 있으니까, 요는 입학만 시켜주면 될 거 아니야?"

"그런데 이 집 주인은 해방 후, 쭉 군대생활만 했다면서 어디서 이렇게 치부를 했어?"

욱은 건일의 신경이 거슬리는 일에서 화제를 돌리고 싶었다.

"어디, 치부한 건 이 집 주인뿐이야, 고급 장성이란거 개 다 그렇지."

"이 호화로운 저택만 해두 어마어마하지 않아, 거기다 영업차도 두 대나 가지고 있고 또 집도 몇 채 더 있다면서……."

"아마 그런 모양이야."

"글쎄 군대봉급이란 뻔한 것일텐데 어디서 이렇게 긁어모았단 말이야."

"졸병들의 밥그릇에서 긁었겠지."

"고급관리나 장사치들이 서로 맞물고 돈 번다는 것은, 외국원조든 적산이나 국유지 불하든 간에 무슨 큼지막한 구멍이 있을 법한 일이지만, 정말 군인이 거부가 된다는 건 이해할 수 없는 일이야."

"다 전쟁 덕분이겠지, 원조나 국가예산의 대부분이 국방비로 들어간다니까 다 그 속에서 얌생이질 한 거겠지……."

"모두가 도둑놈으로밖에 보이지 않는다니까."

"얘, 병들고 썩은 이야긴 다 시시해, 이제 그런 건 생각하지 말기로 하지."

"글쎄 눈에 보이는 걸 어떻게 해."

건일의 말을 들으며 욱도 맥이 탁 풀려왔다. 그러나 남의 일처럼 바라다보고만 있을 수는 없었다. 그 썩은 구렁텅이에서 벗어나야만 할 것 같았다.

"사실은 이것 때문에 왔어."

욱은 '제십삼공화국' 대본을 건일 앞에 내놓았다.

"이것이 어떻게 됐게?"

건일은 대본을 뒤지며 물었다.

"이대로 상연하면 아무래도 말썽이 날 것 같아서."

욱은 건일의 반응을 살피며 말했다.

"글쎄."

건일은 대본에 눈을 박은 채 별다른 표정을 나타내지 않았다.

"때가 때인만큼, 섣부르게 걸릴 것 같단 말이야."

"……."

건일은 묵묵했다.

"잔뜩 신경들이 날카로워져 있으니까, 별 것 아닌 것 가지구두 트집을 잡을지 모르지 않아."

"그것도 그렇긴 하지만."

"아무튼 속 시원하게는 털어놓았어, 통쾌하단 말이야."

욱은 긴장된 분위기를 완화하려는 듯이 큰 웃음을 터뜨렸다.

"나야, 내 생각대로 썼으니까, 무대에선 연출자의 생각대로 하면 되지 않아?"

"그래 너무 과격한 대사 같은 건 좀 부드럽게 바꾸어 놓으면 어떨까 해서."

"응, 좋도록 해."

건일은 심각한 생각에 잠기는 듯하다가 말을 이었다.

"하지만, 냉수에 숭늉을 탄 것처럼 미지근해서, 이것도 저것도 안되면 김빠진 연극이 되지 않을까?"

건일의 말끝은 열기를 띠어갔다.

이번엔 욱이쪽에서 묵묵했다. 자기가 건일이보다 더 소극적인 것만 같은 비굴감이 욱의 가슴에 밀려왔다.

"지금, 사회에선 학생들을 아주 무기력한 것으로 보고, 거의 멸시하고 있지 않아? 학생값이 똥값이야. 거기다 기성극단은 매너리즘에 빠져 현실에 외면하면서 권력에 아부하고 있는 판에, 학생연극이라면 좀더 청신하고 발랄한 패기가 있어야 하지 않겠어. 우리까지 속물들처럼 현실에 타협해버리면, 이 시궁창에서 영원히 헤어날 수는 없을 거야."

건일의 말은 독백처럼 나직이 이어져갔다.

욱은 가슴에 부닥쳐오는 괴로움을 느꼈다.

"우리는 이대로 방관자가 될 수는 없어, 대외적인 실지의 행동은 그런 계기가 성숙될 때를 기다려야 하겠지만, 학내행사에까지 너무 위축될 필요는 없다고 생각해……."

"알았어."

욱은 힘주어 대답했다.

"나도 결심했어, 이대로 상연하기로 하지."

욱의 결의에 찬 눈에는 생기가 돌았다.

"한번 밀고 나가보지, 모든 책임은 작자인 내가 질 터이니까."

건일도 말끝에 힘을 주었다.

"아니야, 연출자도 함께 책임지는 거야."

욱은 건일 앞에 손을 내밀었다. 건일은 욱의 손을 힘을 주어 꼭 잡았다.

욱은 프린트가 된 '제십삼공화국'의 상연대본을 가방에 넣어가지고 집을 나섰다.

선거 선전용 차의 스피커가 소음을 울리면서 거리와 골목을 누벼가고 있었다.

'기호는 이번, 작대기는 둘……'

작대기, 작대기……욱은 입속으로 몇 번이나 되뇌었다. 작대기 선거에서 무슨 민주주의를 찾을 것인가. 입후보자의 성명은 고사하고 자기 이름 석자도 못 쓰는 무리들이 수두룩한 속에서, 어떻게 인간의 자유나 존엄성이나 권리를 찾을 수 있을 것인가, 하는 개탄이 앞서기만 했다.

해방 십 수 년에 위정자가 해놓은 일이란 대체 무엇인가. 제 이름도 못 쓰는 문맹을 퇴치할 수 있었던가, 살림살이를 좀 편하게 할 방도를 세웠던가, 의무교육 하나 바로 터전을 잡지 못하고, 산에 있던 나무 한 그루 제대로 간수할 수도 없지 않았던가. 삼십여 억 달러에 달한다는 막대한 외국원조는 대체 어디로 다 흘러간 것일까. 세궁민은 밀가루 몇 됫박 얻어먹었거나, 낡은 군복조각을 몸에 걸쳤다는 것이 고작 원조의 혜택이 아니었던가. 발전소나 비료공장이나 제철소 하나 제대로 이룩해놓지 못하고, 그 많은 무상원조를 깡그리 잡아먹은 셈이 아닐까. 그 덕분으로, 집권당 간부나 고급 관리들이 치부를 하고, 관권과 결탁한 신흥재벌 몇 개를 만들어준 것밖에 남은 것이 있는가. 생각할수록 메스껍고 분통이 터졌다.

게시판은 물론, 담벽마다 모퉁이마다에 범람하는 화려한 선거포스터, 몇 번 선거를 치르는 사이에 저들이 저렇게 번지르르하게 내세운 선거공약을 단 한번이나 제대로 지킨 적이 있었던가.

욱은 선 채로 벽보판의 선거포스터를 뚫어지게 바라보고 있었다. 여당 입후보자의 총천연색 사진 속의 눈동자가 손톱으로 할퀴어지고 얼굴에 잉크가 뿌려져 있었다. 내뱉을 길 없는 선량한 한 시민이 뿜어낸 분노의 자죽만 같게 느껴졌다.

욱은 연극 연습장소인 학생휴게실에 닿았다. 아직 아무도 나와 있지 않았다.

그는 구내식당에 가서 무연탄 불씨를 얻어다 난로에 불을 피우고 있었다.

선거 방송차의 발악을 쓰는 듯한 여인의 목소리는 고요한 아침공기를 뚫고 캠퍼스 속 깊숙이 들어앉은 이곳까지 흘러들어왔다.

욱은 그 소리에 관심을 가지지 않으려고 애를 썼으나, 찢어지는 듯한 울부짖음은 자꾸만 귀에 거슬려왔다.

'빌어먹을 것들, 해먹겠으면 혼자 조용히나 해먹지, 왜 저렇게 들볶기만 하는 걸까.'

그는 혼자 중얼거리며 눈길을 유리창 밖으로 던졌다. 앙상한 나뭇가지를 바람이 뒤흔들고 지나갔다. 그러나 한겨울처럼 그렇게 스산하지는 않았다. 그 바람속에도 벌써 새봄의 입김이 서려있음을 느꼈다. 가지 끝은 푸릇푸릇 봄 물기가 흐르는 듯 윤기를 띠었다.

입학시험이 끝나면 새학기, 그러면 최고학년이 된다. 졸업논문에도 손을 대야 하고 대학원 진학도 생각해야 한다. 그리고 취직걱정도 해야만 한다. 무거운 부담감이 지질려왔다.

입학 전의 선망어린 동경과 입학 초의 화려한, 꿈 부풀은 희망, 끝없는 이상에 비하면, 현재의 자신은 꿈을 잃고 현실에 집착하는 일개 범속한 인간에 지나지 않는 것만 같았다.

교사 본관 옆 상록수 사이로 김현(金賢)이 큼지막한 몸뚱이에 베레모를 얹고 걸어오는 것이 욱의 눈에 띄었다.

'작자가 일찍 나타나는군.'

난로가에 앉아 물끄러미 바깥쪽을 바라보며 생각에 잠겼던 욱은 혼자 끄덕였다.

창가에 가까이 온 현은 유리창을 거쳐 안에 있는 욱을 보자 손을 번쩍 들며 웃음을 터뜨렸다. 욱도 손을 들어 대답했다.

"역시 제일착이군."

현은 도어를 열고 들어서면서 소리쳤다.

"온 지 오래?"

"아니, 얼마 되지 않아."

"프린트는?"

"응, 다 됐어."

욱은 책가방을 열고 대본프린트 한 부를 끄집어내어 현에게 주었다.

"제십삼공화국이라……"

"제목이 어때?"

"이거, 무엇이 들어있는 것 같은데……"

"괜찮지?"

"응, 서양 영화제목 같구만."

"동양엔 공화국이 없나 원, 이차대전 후 흔해빠진 것이 공화국인데!"

"그런데 이 십삼이란 숫자가 좋지 않아, 불길하단 말이야."

"기독교 신자도 아니면서 왜그래?"

"글쎄 예수는 믿지 않지만, 이왕이면 남들이 싫어하는 십삼이야?"

"작자는 무슨 생각이 있어서 그렇게 붙인 거겠지."

"건일이 쓴 거지?"

"응."

"나, 건일일 만나야겠는데……, 욱 너 한번 같이 갈래?"

현은 그거 알지 않느냐는 표정이다.

"그러지."

욱도 현의 심중을 알고 있었다. 신학기 초에 있을 학도호국단장 선출에 현이 입후보할 의사를 암시해 온 것은 지난 크리스마스 때였다. 해마다 겪어서 아는 것이지만, 서울과 지방의 대결이 아니면, 서울 안에서 합격자를 제일 많이 내고 있는 두 학교의 각축전이었다. 대부분의 경우 시골학교 출신의 입후보자를 포기시키고 그 표수를 흡수하는 쪽의 승리로 돌아갔다. 그러한 실정을 욱도 알고 있었다. 시골출신에서 두각을 나타내고 있는 건일에게 접근하려고 하는 현의 의도도 그만큼 복선이 깔려있는 계산이었다.

그것만이 아니었다. 현이 손수 나서서 연극부의 재정을 맡아, 학생과와 절충하여 경비를 타내오고 자기 호주머니를 털어가며 부원들에게 호의를 베푸는 것도, 그러한 원대한 계획의 테두리 안에 속하는 일들이었다.

욱은 연극을 무대에 올리는 데에만 전념하면 되었다. 그밖의 학교당국이나 대외적인 절충은 현에게 일임하고 신경을 쓰지 않아도 좋았다.

사실 학도호국단장이란, 욱에게는 아무 관심거리도 되지 않았다. 그러나 현을 비롯한 몇몇 친구들은 그것을 사회진출의 커다란 발판으로 생각하여, 당선을 위한 적극적인 태세를 갖추어가고 있었다.

"공연비는 언제 준대?"

욱이 물었다.

"신학년도 예산에 계산된 대로 등록만 끝나면 지불한다는 거야."

"이번엔 충분할까?"

"그것 땜에 지난번 사무담당자와 절충하지 않았어. 잘 해준다고 했으니까, 어떻게 되겠지."

현은 자신있게 대답했다.

"이것도 외상으로 찾아왔어."

욱은 프린트대본을 가리키며 말했다.

"그건 얼마 안되니까, 우선 내가 선대해도 좋아."

"구내 프린트 싸니까, 얼마동안은 융통될 수도 있을거야."

"저자들이 오는군."

현이 바깥쪽을 손가락질하며 말했다.

욱은 그쪽으로 시선을 돌렸다.

남자 연기진의 주역급을 맡을 박덕호(朴德鎬)와 윤태수(尹泰洙)가 들어오고 있었다.

"차 한잔 마시느라고 늦었어."

안으로 들어서며 덕호가 말했다.

"형 수고했어요."

욱의 고등학교 후배인 태수가 허리를 굽신하며 인사했다.

욱은 그들에게 대본 하나씩을 나누어 주었다.

"그럼 나 학생과에 가 자세한 것 알아보고 올께."

"응."

현은 털털거리며 본관쪽으로 나갔다.

"이것들 아직 안 왔어?"

덕호가 실내를 돌아보며 말했다.

"누구 말야?"

욱은 덕호의 말뜻을 알아차리면서 되물었다.

"여학생들 말야."

"아직 안 왔어."

"형두 원, 여자들은 준비에 더 시간이 걸리지 않아요."

태수가 웃으며 받았다.

"참, 욱, 무대장치는 어떻게 할까?"

덕호가 물었다.

"경비가 나오는 걸 보아, 맞추어 떼어야지."

"이번엔 장치도 좀 근사하게 했으면 좋겠어요."

태수가 말했다.

"결국 돈이 문제니까."

"또 미술과 학생들을 동원할 모양이군."

욱의 말을 덕호가 되받았다.

"할 수 있어, 그 방법밖에."

"한번 기성 장치가에게 부탁해보문 어때?"

덕호는 장치에 유다른 관심을 기울이는 말투였다.

"글쎄, 경비가 풍부하면 그것도 좋겠지만."

"학생들 장치는 아무래도 촌띠기 냄새가 풍긴단 말이야."

"그러나, 덕호, 그 약간 촌띠기 냄새가 풍기는 속에 신선미가 있고, 학생극의 특색이 사는 것이 아닐까?"

"그래도 무대가 환하면 관객의 눈을 더 끌지……."

"그건 그래, 그렇지만 원작에서부터 연출 장치 연기 등 모든 분야를 학생의 손으로 하는 속에서 학생극의 진정한 의의를 발견할 수 있지 않을까? 기성극단의 매너리즘에 빠진 그 아류를 보이기보다는, 싱싱한 신인들의 아직 타성에 물들지 않은 청순한 감각을 보여주는 것이 말야……."

"그것도 일리는 있어."

"저것들이 지금이야 오네."

태수가 문밖을 바라보면서 말하는 소리에, 욱과 덕호는 그쪽으로 시선을 옮겼다.

김선영(金善英)과 조미애(趙美愛)가 얼굴에 웃음을 함빡 머금고 즐겁게 재잘거리면서 들어오고 있었다.

미애의 빨간 코트가 유난히 화사하게 이들의 눈에 띄었다. 가느다란 목덜미를 스쳐 어깨 위에 철철 흐르듯 내려드리운 긴 머리는 걸음을 옮기는 대로 하느작거려 늘씬한 키에 제대로 어울려 보였다.

우윳빛 레자 코트 호주머니에 두 손을 찌른 채, 미애와 나란히 걷고 있는 선영은, 하이힐에 머리마저 후까시로 높게 다듬어올려 둘이 가지런한 키꼴이었다. 그의 세련된 맵시는 미끈한 다리의 선과 더불어 싱싱한 인상을 풍겨주었다.

이들의 모습은 그대로 제 나름의 특색을 지니면서 서로 조화를 이루는 좋은 대조를 보이는 듯했다.

"어어이……."

덕호가 유리창을 열어제끼며 소리쳤다.

밖의 시선들은 이쪽으로 쏠리며 활짝 핀 웃음들이 솟아나왔다.

새봄이 한 발자국 다가 재빨리 찾아오는 것만 같은 기분이었다.

그들은 난로 가에 둘러앉았다.

"쨍구가 왜 여태 안 나타날까."

덕호가 바깥쪽으로 눈길을 돌리며 말했다.

"글쎄, 이제 영남이와 순옥이만 오면 시작할 수 있는건데……."

욱이 대본의 배역표와 둘러앉은 사람들을 살펴보면서 말했다.

"그들만 오면 다 돼요?"

태수가 물었다.

"그 밖의 단역(端役)들이야, 천천히 와도 괜찮겠지만……."

욱이 대답했다.

"우리가 제일 늦을 줄 알았는데……. 그래 미안해서 이걸……."

선영이가 호주머니에서 드롭스 봉지를 끄집어내며 말했다.

"역시 미스 김이 넘버원이야."

덕호가 반기며 말했다.

"비행기를 태지 말아요. 그러다 떨어지겠네요."

선영이는 셀로판 봉지를 떼어 드롭스를 돌려주며 말했다.

"아니, 진심에서요."

덕호는 드롭스 알을 입속에서 굴리며 여전히 빈정거리는 말투로 익살을 부렸다.

난로의 불길은 빨갛게 달아오르고, 그들의 얼굴들도 열기에 익어갔다.

"미스 조, 어머니께서 돌아오셨더군요?"

욱이 미애를 바라보며 물었다. 연극과 연화에 베테랑으로 이름을 날리고 있는 미애의 어머니가, 한중 합작영화의 홍콩 로케를 마치고 귀국했다는 신문보도를 욱은 어저께 석간에서 보았었다.

"네."

미애는 어머니가, 자기들의 화젯거리에 오르는 것이 그렇게 달갑지 않은 눈치였다.

"참, 프레젠트가 근사했겠는데……."

덕호가 끼어들었다.

"……."

미애는 대답 없이 웃기만 했다. 그러나 그의 시선은 무의식중에 새로 찬 팔목시계로 갔다.

"다이야 반지? 밍크 목도리?"

덕호는 제멋대로 따져댔다.

미애는 선영이를 바라보며 웃을 뿐이었다.

선영이의 시선이 미애의 팔목에 가 멈추는 순간,

"응, 바로 이거로군."

덕호가 미애의 시계를 가리키며 소리쳤다.

미애는 반사적으로 시계를 손으로 가렸다. 모두의 눈길이 미애의 팔목으로 몰려졌다.

"저 친구가 오는군……."

욱이 바깥을 보며 말했다.

"응, 순옥이도……."

선영이의 목소리가 뒤따랐다.

짱구 이영남(李英男)이 안순옥(安順玉)과 함께 무엇인가 속삭이는 듯 고개를 갸웃거리며 천천히 걸어 들어오고 있었다.

앞뒷골이 두드러지게 튀어나온 영남은 고등학교 시절부터 짱구라는 별명을 가지고 있었다. 그것이 대학에 와서도 고등학교 동창들끼리는 그대로 불리어졌다. 축구선수로 헤딩의 명수인 그는 친구들이 부르는 그러한 별명에는 별로 개의치 않았다.

"이거 늦어서 미안해……."

영남은 들어서면서부터 손을 내저으며 미안쩍은 표시를 했다.

"미스 안을 이렇게 모시구 오느라구 그만……."

순옥은 영남을 슬쩍 흘기는 시늉을 하고 나선,

"참 미안합니다."

하고 깍듯이 인사를 했다.

"순옥이, 너, 남은 이렇게 기다리고 있는데, 재미는 혼자 보구 있구나."

선영이 순옥의 손을 잡으며 핀잔어린 농담을 걸었다.

"자, 이거 늦게 온 벌이야."

선영은 순옥이와 영남에게 드롭스를 나누어주었다.

"날씨가 더워지는데……."

영남이가 가죽잠바를 벗으며 말했다.

"날씨야 춥지, 가슴속이 화끈거리니까 그렇겠지……."

덕호가 슬며시 비꼬아댔다.

"왜 이래……, 슬그머니 사람 병신 만들랴구……."

둘은 서로 마주보며 웃음을 터뜨렸다.

"자, 그러면 시작해볼까요……."

욱이 부원들을 돌아보며 말했다.

각기 연극대본을 펴든 그들은 난로를 가운데 두고 그 둘레에 죽 둘러 앉았다.

"오늘은 주로 대본 윤독(輪讀)을 하겠는데, 우선 배역부터 발표하겠어요."

수선거리던 방안은 잠시 고요해졌다.

"이 배역표는 초안으로 잡은 건데, 연습해가다가, 각자의 성격이나 체질에 덜 어울리는 것이 있으면 그때그때 알맞은 역으로 바꾸어가기로 하겠어요."

"그래, 그래."

짱구가 받았다.

"자, 그러면 제일차적인 배역표를 발표하겠습니다."

부원들은 조용히 귀를 기울였다. 욱의 목소리가 방안에 퍼져갔다.

"국왕에 박덕호, 왕비에 김선영 그리고……."

"그거 콤비가 그럴듯한데……."

짱구가 덕호와 선영이를 번갈아보며 웃었다. 다른 사람들도 따라 웃음을 터뜨렸다.

"그 다음……."

욱은 계속해갔다.

"공주에 조미애, 시종무관장(侍從武官長)에 윤태수, 시녀에 안순옥, 그리고 반란파 수령에 이영남, 그 참모에 김현……."

"응, 그러면 현이 내 부하야? 그게 고분고분할까?"

짱구는 머리를 가로저으며 말했다.

"절대 복종시켜야 하지……."

덕호가 덧붙였다.

"현은 빼도록 하지, 어때?"

"아니야, 현 자신이 꼭 끼어달라고 했어, 그 역이 현에겐 가장 적격인

걸······."

짱구의 제의에 욱이 대답했다.

"나머지 배역은 어떻게 해요?"

태수가 물었다.

"그 밖의 것은 대사가 그렇게 많지 않으니까, 부원들이 나오는 대로 정하도록 할까하는데······."

욱은 부원들을 바라다보며 의사를 타진했다.

"좋두록 해요."

장구가 대답했다.

"자, 그러면 이제부터 윤독을 시작하겠습니다. 내용에 미흡한 곳이 있으면, 여러 사람의 의견을 참작하여 수정해가도록 하겠어요. 우선 여러분은 자기 맡은 역의 대사 위에다 표시를 해놓아요, 눈에 쉽게 띨 수 있게요."

부원들은 제각기 자기가 가지고 있는 대본을 넘겨가며 자기 대사가 나오는 대목마다 동그라미, 엑스표 등을 쳐갔다.

욱은 배역이 결정되지 않은 등장인물과 현이 맡은 역의 대사에 표시를 해가고 있었다.

"왕비 마마!"

시녀를 맡은 순옥이가 자기 배역의 표시를 끝마치자, 선영이를 바라보며, 지극히 엄숙한 표정으로 한 마디 던지는 통에 모두가 한바탕 웃음보를 터뜨렸다.

"다, 표시가 끝났지요?"

"예."

"그러면 처음부터 읽어가겠습니다."

"가만있어요."

욱의 진행을 막고 장구가 나섰다.

"우리, 담배나 한 대씩 피고 시작합시다. 일단 시작하면, 한 막이 끝날 때까지는 휴식이 없어야 하니까……."

숭굴숭굴한 짱구의 말은 웃음바탕을 이뤄 분위기를 윤택하게 해주었다.

"그렇게 하지……."

욱도 웃으며 동의했다.

"여배우들은 사탕이나 먹고……."

짱구는 여학생들을 돌아보며 익살을 부렸다.

"담밸 피워도 괜찮겠지만……."

"지당하외다."

순옥이가 농조로 받았다.

또 한바탕 웃음이 터졌다.

이따금 먼 밖에서 들려오는 선거선전의 스피커 소리도 아랑곳없이, 캠퍼스 속은 평온하고도 평화로운 것만 같았다.

"그럼 계속합시다."

욱은 바리톤의 투명하고 가라앉은 목소리로 읽어갔다.

"시대는 현대. 장소는 적도 하의 전제왕국. 등장인물은 아까 정한 배역표와 같습니다."

욱은 숨을 돌리고 다시 계속했다.

"제일막, 국왕의 생일날 저녁, 무대는 궁성내의 비원, 연못가에 있는 영빈루(迎賓樓)에서 축하연이 한창 무르익어가고 있음. 흥겨운 풍악 속에 막이 오르면……."

욱은 잠시 공간을 두었다가 말을 이었다.

"자, 국왕 시작."

욱은 국왕역을 맡은 덕호를 건너다보며 손을 들어 시작의 신호를 했다.

고개를 끄덕여 욱의 신호를 받은 덕호가 대사를 읽기 시작했다.

"짐은 심히 만족하오. 조국과 민족을 위하여 생애를 바쳐온 보람을 새삼 가슴깊이 느끼오. 특히 경들의 짐에 대한 단성의 충성과 일사불란한 애국충정에 대하여 고마움을 금치 못하오. 그러나 변경에 떨어져있는 영토는 아직 오랑캐들의 말굽에 짓밟히고 있으니, 이 적들을 몰아내고 국토통일을 달성하는 것이 짐의 소원이오. 특히 경들 속에 짐의 치성에 불복하여 우매한 백성의 무분별한 반항심에 불을 질러 모반의 선동을 꾀하는 자 있다는 풍문이 들려오니 이는 허설이기를 바라거니와, 만일 엄밀한 사찰 후에 반역의 혐의가 발견될 때에는 추호도 용서 없이 철추를 내려 일망타진 극형에 처할 것이니, 이것이 한갓 짐의 기우이기를 바라오. 경들이여, 아니 만백성은 나를 따르라……."

욱은 시종무관장 태수를 행하여 손짓했다.

"황공하옵니다."

태수와 함께 문무백관의 화음제창 대목이었다.

"황공하기는 뭐가?"

반란과 수령역을 맡은 짱구가 대사에도 없는 말을 불쑥 내뱉으며 껄껄 웃었다. 다른 사람들도 덩달아 웃었다.

"아니, 그렇게 마음대로 창작하지 말고 대사에 있는 대로 해요."

욱이 정색을 하고 말했다.

"이거야, 대본이 잘못된 거지, 이 대목에 반란과 수령이야 이렇게 나올 수밖에 없지 않아?"

짱구의 농담에 욱도 따라 웃었다.

"자, 그럼 계속합시다."

욱의 말이 떨어지자마자, 아직도 웃고 있던 덕호가 웃음을 참느라고 킥킥거리다가 방귀를 뿡 뀌었다.

"상감마마 시원하시겠습니다."

옆에 앉아있는 시종무관장 태수가 거의 간격을 두지 않고, 자작의 대사를 덧붙였다.

"그거 참 창작극 치고는 적재적소의 명역이군."

짱구가 덧붙였다.

모두들 배를 끌어안고 웃음보를 터뜨렸다.

이승만 대통령이 어느 별장엔가 갔을 때, 옆에 있던 내무장관인가 치안국장인가 하는 아첨배가 대통령의 방귀에 대한 즉각 충성의 반응으로 "각하 시원하시겠습니다"했다는 이야기가 이들의 머릿속에 함께 떠올라왔기 때문이었다.

"나 참 기분 나빠서……."

학생과에 갔던 현이 툴툴거리며 돌아왔다.

"왜 그래?"

덕호가 물었다.

"불쾌하기 짝이 없어."

현은 담배만 푹푹 빨아대며 극도로 흥분되어있었다.

"무엇이 불쾌하단 말이야, 얘기를 해봐."

욱이 현의 앞으로 다가가며 물었다.

"경비관계로 학생과에 가니까, 담당직원이 과장에게도 직접 상세한 얘기를 해놓는 것이 사무집행상 좋을 거라고 하지 않아."

"그래서?"

짱구가 바싹 다그쳐 들었다.

"그래 학생과장을 찾아갔었지. 그랬더니 어떠한 내용의 연극을 하는 건가고 묻지 않겠어. 그래서 공연대본은 수정 중에 있으므로 그것이 완료 되는대로 공연허가에 대한 정식절차를 밟겠지만, 이건 아직 수정하지 않은 것이라고 하며, 내가 들고 있던 대본을 참고로 내놓았지."

"그런데 어떻게 됐단 말이야?"

덕호는 다급하게 물었다.

"글쎄 들어봐, 그랬더니 학생과장은 대출 훑어보고 하는 말이, 나는 문학작품은 잘 모르니까, 정식서류가 들어오면 전공분야의 지도교수에게 공연여부를 위촉하겠다고 그랬어."

"그것은 전에도 있었던 일이야. 그러나 그 방법도 고쳐져야 해. 학생들의 자치활동에 좀더 자율적인 자유가 보장되어야 해."

욱은 그것쯤으론 대수로운 일이 아니라고 느껴졌다.

"그런데 말이야, 그 다음부터가 문제란 말이야."

여학생들까지 자리에서 일어나 부원 전부가 현의 주위에 모여들었다.

"그런데 그 옆에 앉아있던 색안경의 작자가 말이야, 뒤에 알고 보니까 이 구역을 담당한 형사라지 않아, 나 원."

욱도 마음속이 평온하지 않았다. 첫코에서 일이 삐그러졌구나 하는 생각이 들었다.

"그자가 대본을 당기어 뒤적이더니, 이거, 첫머리부터 이상한데, 하고 국왕의 맨 첫 대사를 꼬집어들지 않아."

"그래 뭐라고 했어?"

욱이 물었다.

"그래 이건 아직 초고고, 다각도로 검토해서 수정한 후에 상연할 것이라고 그랬지."

"그건, 대답 잘했다."

짱구가 곁들었다.

"그랬더니, 프린트까지 다 된 걸, 이제 와서 수정한다니 말이 되느냐고 그러지 않아. 그래 지금 학생과장에게 이야기한대로, 수정을 전제한 초고라고 버티었지."

"그건 잘했어, 그러니까 뭐라고 해?"

욱은 현의 그다음 말을 기다렸다.

"아무튼 책임상 그대로 돌려줄 수는 없다는 거야, 내용 검토도 할겸 그것은 일단 가지고 가겠다면서 안주머니에 집어넣지 않아."

"그래 그대로 가만히 있었어?"

덕호가 머리를 내밀며 반문했다.

"가만히 있지 않으면 별수가 있어?"

"도로 뺐지, 몸집이 그렇게 큰 게 덩치값도 못해……."

짱구가 약간 야유조로 대들었다.

"야, 너문 별수 있을 줄 알아?"

현은 노기에 차 소리를 높였다.

"가만있어,"

욱이 사이에 끼어들며 말렸다.

"그래, 학생과장은 뭐라고 했어?"

"멍청하게 보구만 있었지."

"학생과장 그것도 쑥이야, 아니 학내의 일을 학내에서 자체 해결하겠다고, 왜 책임 있는 대답 한 마디 못한단 말이야, 그 경우에……."

욱은 안타까움에서 흥분했다.

"도대체 신성한 학원 내에 왜 경찰을 끌어들이느냐 말야, 응. 그건 경찰보다 학교당국자들이 더 나쁜 거야, 옹졸하게 배짱들이 없으니까 그래."

짱구는 손을 내저으며 격분했다.

"모처럼 얻어 쓴 감투가 날아갈까 봐 그렇지."

덕호가 받았다.

"총장이나 학장은 물론, 책임자들이 주체성이 없어 그러는 거야, 일개 순경이 찾아와도 주책없이 머리를 꾸벅꾸벅하니 될 게 뭐야……."

욱은 통분하여 참을 수 없었다.

"아무튼 내가 가보구 와야지."

욱은 현과 함께 연습장을 나섰다.

학생과장을 찾았으나 아무도 없었다. 학생과 직원에게 알아보니, 손님들과 함께 점심하러 나갔다는 것이었다.

"못나게, 학생과장의 직책을 가진 교수가 일개 형사를 따라다니며 점심대접을 하니, 되겠어? 직원들을 상대시켜도 모르겠는데……."

욱은 모든 것이 안타깝기만 했다. 현더러, 민하게 왜 그 대본은 정식 절차도 밟기 전에 거기로 들고 갔느냐고 나무라고 싶었으나, 그것으로 말미암아 내분까지 일어날까봐 꾹 참았다.

아무튼 무슨 방법을 써서든지, '제십삼공화국'은 꼭 무대에 올려야 하겠다는 생각만 다져갔다.

욱은 현과 함께 다시 연습실로 돌아갔다.

태풍이 지나고 난 뒤처럼 방안은 조용했다. 그렇게 명랑하고 활기를 띠던 부원들은 서리 맞은 듯이 한풀 꺾여 욱의 입만을 지키고 있었다.

"어떻게 된 거야?"

짱구가 물었다.

욱은 아무 일도 없는 듯이 담담한 표정을 지었다.

"괜찮아……."

그는 범연하게 대답했다.

"그자 만났어?"

장구는 다시 되물었다.

"못 만났어, 벌써 나가버렸어……."

"초장부터 왜 이렇게 복잡해, 아무튼 우리 연극이 한 번도 쉽게 공연돼본 적은 없었으니까. 그러나 결국은 다 상연되지 않았어. 자, 시작한 일이니까 끝까지 해보자구."

짱구의 말은 믿음직스러웠다. 맥풀린 부원들의 용기를 북돋아주었을 뿐더러 욱에게도 적잖이 힘이 되었다.

"자, 그러면 계속 연습을 시작합시다."

욱은 불안과 울분에 휩싸여 서성거리는 대원들을 진정시켜 다시 자리에 앉혔다.

"아직 검열대본을 정식 제출한 것은 아니니, 너무 걱정할 건 없어요."

욱은 부원들에게 힘주어 말했다.

대사의 윤독은 다시 계속되었다. 그러나 아무도 아까처럼 신명이 나하지는 않는 눈치였다.

욱은 실지 무대상연에서는 어떻게 하든지 간에, 우선 허가용 대본의 수정대상이 될 만한 거슬리는 구절엔 표시를 하며 진행했다.

시간이 경과함에 따라 분위기는 다소 회복되어가는 듯했다.

오후의 연습이 거의 끝날 무렵 건일과 진옥이 같이 나타났다.

진옥에겐 대사 몇 마디에 잠깐 무대에 나타났다 사라지는 단역이 배정되었다. 그러나 무대화장의 메이크업에 소질이 있는 그는 공연시에는 퍽 중요한 역할을 담당해야만했다.

"잠깐만 기다려, 거의 끝나가니까."

욱은 연습을 중단하지 않기 위하여, 건일을 기다리게 하고 그대로 진행해갔다.

건일은 부원들이 윤독하여가는 대사에 신경을 모으고 있었다.

그는 문자로 원고지에 써놓은 대본을 눈으로 읽을 때보다, 청각으로 들려오는 대사는, 아무래도 세련되어 있지 않다는 감을 느꼈다. 역시 대사는 연출 도중에서 유창하고 함축성 있게 다듬어져야 할 것이라는 생각이 들었다.

또한 건일은 국왕이 민중 앞에서 처형될 때, 부하들에게 책임을 전가하며 비굴하게 구명을 애걸하는 장면은 희극적인 풍자를 노려 설정한 것이지만, 모든 책임을 한 몸에 지고 떳떳하게 죽어가도록 고치는 편이 극적 효과로도 나을뿐더러, 전제군주의 성격표현에도 일관성이 있을 것이라는 개작의 구상을 세워가고 있었다.

반란군 두목, 즉 민중의 영도자를 선두로 한 군중의 시위와 함성 속에서 '제십삼공화국'의 피날레는 맺어졌다.

윤독을 끝마치고 난 부원들의 입에서는 후, 하고 한숨이 터져나왔다. 그것이 극 자체에 대한 감격의 탓인지, 연습 첫날의 일과를 끝마친 안도감에서인지, 건일로선 분간할 수 없었다.

"수고했어."

건일은 욱에게 손을 내밀었다.

"역시 가슴에 거세게 부딪치는 것이 있어!"

욱은 건일의 손을 잡으며 말했다.

"지금 끝장면만 들어봤지만 역시 연출과정에서 대사가 미끈하게 손대어져야겠어."

건일은 솔직히 말했다.

"미끈하게 고치는 건, 별문제가 아니야. 그건 배역을 맡은 사람들이 대본 없이 말할 때, 입에 익은 말투로 풀려나오기 쉬우니까, 거기서도 적잖은 암시를 받을 수 있는 거야."

욱은 침을 삼키고 계속 말을 이어갔다.

"그것보다는 새로운 사태가 하나 발생했어."

"뭔데?"

건일에게도 이상한 예감이 왔다.

"아무래도 너무 거슬리지 않게 대본에 약간의 수정을 해야 할 것 같아……."

"왜?"

전에 욱을 만났을 때 그 문제는 이미 피차간에 해결을 본 것이므로, 건일은 즉각 반문했다.

욱은 아까 학생과장실에서 삐그러진 일을 현을 시켜 건일에게 상세히 설명하게 했다.

듣고 있는 동안 건일의 모습도 긴장해갔다.

"그건 다시 잘 의논하기로 하지."

건일이 말했다.

"그럼 저녁에 내가 찾아갈게. 아르바이트에 지장이 되지 않을까?"

"열시 이후면 괜찮아."

"그럼 열시에 그 집 앞골목에 있는 그 다방에서 만나지."

"그래, 알았어."

욱과 건일은 심각한 표정으로 서로 머리를 끄덕였다.

"그럼 내일은 연습 안해요?"

오후부터 대사를 외우는 이외엔 거의 말이 없던 선영이 물었다.

"왜 안해, 내일은 오후 한시에 전원 집합해요."

욱은 부원 전체를 둘러보며 말했다. 내일 오전중까지는 대본수정을 마친 작정에서였다.

"욱."

현이 욱을 한쪽구석으로 이끌고 가며 말했다.

"오늘 첫날인데, 기분들도 우울하고 그러니까 우리 전원이 어디 가서 간단히 저녁이라도 같이하면 어때?"

"글쎄 나도 그런 생각이 없는 건 아니지만, 경비도 나온 것이 없고……."

"공연비 속에서 지출하는 건, 모두의 의견들을 들어야 하겠지만, 식사비 정도는 내가 지출해도 좋아."

현은 욱의 망설이는 말끝을 받아서 자기 의사를 나타냈다.

그러나 욱은 공적행사에 개인에게 폐를 끼치는 것이 그렇게 탐탁하게 느껴지지 않았다. 그러면서도 낮의 일이 있은 후 모두들 잡친 기분이어서 그대로 헤어지고 싶지는 않았다. 어디 가서 간단히 기분이라도 푸는 것이 다음날부터의 진행에 도움이 될 것같이 느껴지기도 했다.

"그럼 다방이나 가면 어떨까?"

욱의 어쩔 수 없는 제안이었다.

"그것도 괜찮지, 하지만 이 많은 식구가 다방에 가서야 어디 같은 분위기를 가질 수 있겠어?"

현의 그 말에는 욱도 수긍이 갔다.

"그럼 좋두록 하지."

욱은 현의 의견에 끌려갔다.

"미스 김."

욱과의 대화에 결론을 맺은 현은 선영을 손짓하며 불렀다.

현은 선영과 이마를 마주대고 무엇인가 소근대고 있었다. 아마도 대중식당을 경영하고 있는 선영의 집으로 가자는 교섭일 것이라고 생각하면서도 욱은 그 이상 간섭하기가 싫었다. 머릿속이 몹시 무거웠다.

건일이도 묵묵히 생각에 잠겨있는 표정이었다.

"자, 그러면 같이 나갑시다. 어디 가서 간단히 식사나 하게……."

현이 부원들에게 알렸다.

"어디를 가는데?"

짱구가 물었다.

그러나 여학생들은 벌써 짐작이 간 눈치였다.

"청계천에 있는 영락정(永樂亭)으로……."

영락정엔 전번 공연 때에도 선영의 초청으로 부원들의 대부분이 갔었다. 그러므로 그것이 선영이네가 경영하는 음식점이라는 것은 다들 알고 있었다. 오층 빌딩의 기업화된 맘모스식당이다. 선영 자신도 자기집의 그러한 업종에 대하여 조금도 비굴하게 느끼지 않았고 다른 학생들도 예사롭게 생각하고들 있었다.

"어차피 기분 잡친 판에 술이라도 한잔 해야겠어."

"나도 찬성이야."

짱구의 제의에 덕호도 즉각 동의의 의사를 표했다.

침울하던 얼굴들엔 차츰 웃음기가 솟아나기 시작했다.

"나는 곧장 가봐야겠어."

교문 앞에 나오자 건일은 욱에게 말했다. 아르바이트가 역시 걱정되는 모양이었다.

"아니, 잠깐 들렸다 금방 가면 되지 않아?"

욱은 건일의 팔을 붙잡으며 만류했다.

"왜 그래, 같이 가지."

현은 뿌리치려는 건일을 막아서며 권했다.

"아무래도 안되겠어, 잠깐 나갔다 온다고 했는데……."

건일의 사정을 잘 알고 있는 욱으로서는 그 이상 강권할 수가 없었다.

"십분만 더 늦으면 될 건데……."

현은 건일과 꼭 자리를 같이하고 싶어했다.

"저녁 잡숫고 먼저 가시면 되지 않아요?"

진옥이 나섰다.

"이거 곤란한데……."

그러나 건일은 난처한 웃음을 지으면서도 그 이상 고집은 부리지 않았다.

"역시 레이디의 말은 중량이 있다니까."

옆에서 보고만 있던 짱구가 한 마디 쏘아댔다.

그제야 굳어졌던 공기는 웃음 속에서 차츰 풀려갔다.

음식점에서 나와 부원들과 갈라진 욱은 진옥이를 먼저 집으로 보냈다. 그는 건일이와 만나기로 한 다방으로 가야만 했다. 약속시간까지는 아직 여유가 있었으므로 그는 천천히 걷기로 했다. 몇 잔 마신 술기운이 얼굴에 달아올랐다.

술잔을 주고받으며 히히덕거리던 사이에는 잠시 잊었던 불쾌감이 다시 치밀어 올라왔다.

현이 학생과장실에서 저지른 행동은 아무리 생각해도 졸렬하게만 느껴졌다. 그 다음엔 학생과장의 처사가 비굴하게 여겨졌고, 끝내는 경찰을 학원에까지 침투시킨 위정자의 간악한 수법이 메스꺼워서 견딜 수 없었다.

학원의 자유, 그리고 인간의 자유, 그것은 주어지는 것일까, 그렇잖으면 획득하는 것일까, 하고 그는 곰곰이 생각에 잠겨갔다. 주어지는 자유는 그 시발점에서부터 이미 구속을 전제하거나 부자유를 내포하고 있는 것이 아닐까, 누가 자유를 만들어서 고스란히 바쳐줄 것인가?

획득하는 자유, 아니 그보다 역시 자유는 전취해야 할 것이 아닐까?

그는 늘 되풀이하고 있는 상념이면서 새삼스럽게 스스로의 의식 속에 환기시키며 몇 번이고 되풀이하여 확인해가고 있었다.

아무것도 달라진 것은 없다. 이념으로 반추만 할 것인가, 실천적인 행동으로 옮길 것인가, 하는 차이뿐이다. 그는 스스로에 다짐하듯 되뇌었다.

그런 의미에서 '제십삼공화국'은 원작 그대로 무대에 올리고 싶었다. 그러나 곧 뒤를 이어 공연허가 문제가 엇갈려 떠올랐다. 가능한 한 검열망을 뚫을 최소한의 수정으로 상연할 방향으로 나가자. 그것이 자기 자신의 삶에 충심할 수 있는 길이 아닐까. 그는 다시 한번 다져갔다.

어느 결에 왔는지 모를 사이에, 그는 벌써 다방앞에 와 서있는 자신을 발견했다.

그는 층층대를 올라 이층 다방에 들어섰다. 자리에 앉자 시계를 보았다. 아직 삼십분이나 남아있었다. 그는 비교적 불빛이 밝은 자리로 옮겨 앉았다. 그리곤 코트 안주머니에서 '제십삼공화국' 대본을 끄집어내었다.

그는 볼펜을 들고 너무 과격한 대사의 대목에다 다시 표시를 해가며 대본을 넘겨갔다.

원작의 생명을 죽이거나 깎지 않는 한계 내에서 손을 댔다. 호신을 위한 비굴한 회피는 택하고 싶지 않았다. 어떤 부분은 암시적인 표현으로 바꿔놓은 것이, 오히려 함축성과 여운이 풍겨져, 노골적인 표현만이 능이 아니라는 생각도 들었다.

옆구리를 쿡 찌르는 서슬에 머리를 치켜들었다.

건일이 옆에 와있었다.

"좀 늦었어, 시키던 문제의 매듭을 짓느라구……."

"자, 앉지."

욱은 한쪽으로 비켜 앉으며 건일에게 자리를 권했다.

둘은 대본을 앞에 놓고 나란히 앉았다.

밖에서 갓 들어온 탓인지, 건일은 눈알이 침침해짐을 느꼈다. 그는 후끈한 단기에 흐려진 안경을 벗어 손수건으로 알을 닦았다. 그의 움푹 파인 눈엔 피로가 어려보였다.

"이거 한번 봐."

욱은 '제십삼공화국' 연출대본을 건일 앞으로 밀어놓았다.

건일은 욱이 표시해놓은 빨간 볼펜의 자국을 훑어갔다. 그러나 높이 매달려있는 빨강, 파랑, 주홍의 희미한 샹들리에 불빛으론 프린트의 잔글자가 아물아물하여, 그에겐 선명하게 눈에 들어오지 않았다.

"아무것도 아닌 걸 가지구 이렇게 신경을 써야 하니, 원……."

건일은 안경테를 치켜올리며 중얼거렸다.

욱은 프린트에서 시선을 돌려 건일을 바라보았다. 그도 건일과 같은 심경이었다.

욱이 메마른 입술에 담배를 물었을 때, 건일도 거의 때를 같이하여 담배를 꺼내들고 있었다.

욱은 라이터를 켜 건일에게 붙여주고 자기도 불을 붙여 길게 들여빨았다. 입에서 뿜어져 나오는 뿌연 연기가 엉클어 퍼져가는 것을 바라보며 둘은 한참 말이 없었다.

욱은 무엇엔가 얽매어있는 것만 같은 안타까움에 갇혀있었다. 건일의 눈동자도 솟구치는 흥분에 젖어 열기를 띠어갔다.

"글쎄 외부에 나가서 하자는 것두 아닌데……."

건일이 담배를 길게 빨곤 말을 이었다.

"학내 행사에까지 이렇게 자유가 없으면, 대체 어떻게 하자는 건가, 자식들⋯⋯."

그는 누구에게랄 것 없이 투덜대듯이 내뱉었다.

"글쎄 말이야."

욱이 받았다.

"정, 이렇게 시끄럽게 굴면 상연을 중단하지 뭐."

건일은 담배연기가 돌돌 말려올라가는 허공을 바라보며 여전히 독백처럼 뇌까렸다.

"너무 그렇게 속단할 것까지는 없다니까."

욱은 낮은 목소리로 말했다. 그는 낮에 학생과장실에서 벌어졌던 일이 생각나 자기도 격해오는 것을 억눌러갔다. 이 경우 자기까지 흥분하고 보면 아무것도 될 것 같지 않았다.

"학원내에까지 외부세력이 침투하여 이렇게 간섭이 심해서야 어디 견디어 내겠어⋯⋯."

건일은 손가락 끝에까지 타들어온 담배꽁초의 불을 다시 새 담배에 붙이며 말했다.

"그거야 어디 어제 오늘 생긴 일이야?"

"그 도가 점점 심해가니 말이지⋯⋯."

"그러니까 무슨 일이 생겨야겠어."

"아니, 바깥 사회에서 생기는 것을 기다릴 것이 아니라, 우리 자체부터 내부에서 스스로의 자세를 가다듬어야 하지 않겠어?"

욱은 생각에 잠긴 채 묵묵했다.

"자기 자체의 주체성이나, 행동의 지표도 없이, 남이 무얼 해주겠거니 하고 기다리고만 있다는 것은 너무 소극적인 태도가 아닐까?"

건일은 거의 반문하는 어조로 말했다.

"그런 점에서도 이번 공연은 포기할 수가 없어. 끝까지 강행해야 해."

욱의 눈동자가 번쩍 빛났다.

"아니 병신이 다 된 연극을 상연만 하면 뭘 해?"

"그러니까, 그 검열망을 교묘하게 빠져나가잔 말이야……."

"그러자니 오죽해. 자칫하면 죽도 밥도 안되는 거지."

건일의 말끝은 맥이 빠져있었다. 그는 건침을 삼키며 소리를 내어 입을 다셨다.

욱은 한참 있다 서서히 말을 시작했다.

"이왕 연습을 시작한 거니까, 끝까지 밀고나가야 하지 않겠어. 몹시 거슬리는 데만 눈가림으로 조금씩 손대기로 하고 말이야."

건일은 개운치 않은 양 양미간에 주름을 잡은 채 듣고만 있었다. 욱은 말을 계속해 갔다.

"이대로 중단하면 부원들도 낙망할 거구……, 또 이 대본은 무슨 일이 있든지 기어코 상연해야 우리의 의도가 반영될 거 아니야? 이 마당에서 포기한다는 건 그대로 패배를 의미하는 것밖에 안돼. 안그래?"

건일은 말없이 머리만 끄덕였다.

"아무튼, 공연은 기정사실로 하고 생각하자구……."

"그건 좋아. 그러나 무대에 올리려면 뜯어고쳐야 하고, 이대로는 상연할 순 없다고 하니, 그게 문제란 말이야."

"그러니까 적당히 손을 대자는 거야."

"그 적당히가 문제야. 결국은 작자가 악센트를 넣은 중요한 대목이 커트되거나 수정돼야 하겠으니까……."

"거기서부턴 기술문제야. 원작의 의도를 죽이지만 않으면 될 거 아니야?"

"그게 어디 쉬운 줄 알어?"

"그건 내게 맡기래두, 원칙에만 동의하면 내가 적당히 할께……."

"그 땜질이 여간 기술을 요하는 게 아니래두."

건일은 맥빠진 웃음을 비시시 번졌다.

"알았어. 그건 내가 할게……."

욱은 건일이 밀어놓은 대본을 앞으로 당기어 첫 페이지부터 다시 넘겨 갔다.

"이제 내가 구체적인 예증을 들터이니 거기 대해 작자로서의 의견을 말해보란 말이야."

건일도 대본으로 시선을 옮겼다.

"이런 대목 말이야."

욱은 대본에 붉은빛으로 줄쳐놓은 부분을 가리키며 말을 이었다.

"독재왕국, 전제군주, 탐관오리, 경찰주구, 유산계급, 매판자본, 압박과 착취, 이런 자극적인 단어가 계속 나오는데, 이런 것은 꼭 필요할 때만 번득이게 하고, 큰 효과도 없이 거듭 되풀이하여 신경을 건드릴 필요는 없다고 생각해."

욱은 건일을 지그시 쳐다보며 말했다. 건일은 자기도 긍정이 가는지 싱거운 웃음을 비죽이 헤벌렸다.

"그것보다는 차라리 장면이나 분위기에서 그 독재성이나 무패된 현실을 시각적으로 부각시키고, 함축성 있는 대사의 여운 속에 관중을 끌어 들이는 것이 더 효과가 있을 것같단 말이야."

"응, 옳아."

건일은 짧은 한 마디 대답으로 끄덕였다.

"노골적인 표현만이 능수가 아니라고 생각해. 그보다는 오히려 암시적인 표현이 상대에게 더 거센 감명을 줄 때가 있지 않아?"

"그건 그래. 알았어."

건일은 처음보다 훨씬 누그러져 있었다. 이번엔 욱쪽이 더 열기를 띠어갔다. 그는 대본 끝쪽을 넘겨가다가 한 군데를 손가락으로 가리키며 말했다.

"이 장면 말이야. 국왕이 민중 앞에서 처형되는 장면인데, 여기서 삼라만상을 전율케 하던 일국의 전제군주가, 죽음에 직면하여 태연하지 못하고, 부하들에게 책임을 전가하며 비굴하게 구명을 애걸하는 것은, 독재자로서의 성격에 일관성이 없다고 생각해. 그렇지 않을까?"

욱은 건일의 반응을 주시하며 말했다.

"글쎄, 그런 해석도 가능하겠지만, 나는 희극적인 풍자의 효과를 노렸어. 또한 얼마나 바닥없는 허세의 권위였겠는가를 폭로하기 위해 일부러 그렇게 전환을 시도한 거야."

건일은 이 경우 욱의 견해에 녹녹히 굽어들진 않았다.

"그보다는 차라리 독재군주답게 모든 책임을 한 몸에 지고, 국왕의 칼날같은 서슬을 지닌 채 굽히지 않고 떳떳이 죽음을 기다리게 하는 것이, 독재자로서의 성격도 살뿐더러 극적 효과도 더 낫지 않을까 싶어."

건일은 한참 생각하다가 대답했다.

"나도 처음엔 그렇게 구상했었어. 그러나, 그렇게 되면 오히려 굴지 않는 독재자를 간접적으로 찬양하는 것이 되지 않을까 싶어서 풍자의 각도로 바꾼 거야."

"그건 나와는 좀 관점이 다르다고 생각하는데. 등장인물의 성격이 굴치 않고 일관성 있다고 해서, 반드시 관객이 그 인물에 동조하거나 동정을 가지는 것으로 생각하는 건 오산이 아닐까 싶어."

욱은 대본을 처음 접하였을 때 느꼈던 자기의 주장을 그대로 내세웠다.

"그 장면은 끝머리니까 좀 더 두고 생각해보기로 하지."

건일은 약간의 양보기미를 비쳤다.

"지금 이야기된 몇 가지 원칙에만 작자가 동의한다면, 세부적인 것은 내가 해가지고 같이 검토하기로 하지."

"나는 이제 그 대본을 보기만 해도 지긋지긋하다니까. 아무튼 작자를 줏대 없는 무골충으로만 만들지 않는 각도로 해."

"그건 염려 없어. 그보다는, 검열에 걸리지 않고 어떻게 원작자의 의도를 고스란히 살리는가, 그리고 어떻게 관중에게 어피일할 수 있게 하는가가 문제야. 나도 이 경우 비굴하고는 싶지 않아."

"차 안 드세요?"

레지가 옆에 와 있었다.

"참, 나는 들었는데……, 건일이 뭘 들겠어?"

"별로 흥미없어?"

"피로도 풀겸, 커피나 한잔 들지."

욱은 레지쪽으로 시선을 돌렸다.

"커피 한잔만."

제2장

욱은 눈을 뜨자 시계를 보았다. 아직 이른 시간인데 창살이 환했다. 그는 창문을 열었다. 밖엔 눈이 쌓여 있었다. 그 위에 진눈깨비가 눅직하게 내려덮쳐지고 있었다. 마루 앞 시멘트바닥은 질펀했다. 대문 옆에 신문이 떨어져있었다. 간밤 라디오 뉴스를 들은 이후 그의 기분은 짓눌린 채였다.

그는 이불을 차고 벌떡 일어났다. 팬츠바람으로 밖으로 나갔다. 축축이 젖은 신문을 집어들었다.

"政治에 짓밟힌 學園"

그의 시선은 톱기사의 주먹만큼한 타이틀 활자에 못박혔다. 그는 전신의 피가 거슬러 흐르는 듯한 전율과 함께 거센 충격을 느끼며 신문의 소제목을 주워갔다.

"大邱 學生, 日曜 登校指示에 反撥코 데모"

"騷亂나자 菓子주어 撫摩"

"두 學校선 쇠 채워 한때 監禁"

"二百餘名을 連行"

"警察과 衝突로 三名 負傷"

그는 심장의 거센 고통을 느꼈다. 전신이 오싹해왔다. 그것은 추위 탓만은 아니었다.

방으로 돌아온 그는 이불을 뒤집어쓰고 기사의 내용을 훑어가기 시작했다.

토요일인 그저께, 대구(大邱)에선 오후 한시부터 수성천변(水城川邊)에서 여당의 선거유세 강연회가 있었다. 그때 교육공무원들을 의무적으로 참가시키기 위해 시내 중고등학교는 오후수업을 전폐하였다는 소식을 욱도 어저께 신문보도에서 알고 있었다. 이 관계로 수업이 없는 많은 학생들은 자의반 타의반 강연회장으로 몰려갔다는 것이었다. 말하자면 선거유세에 대한 학생들의 간접적인 동원이라는 것이다.

그렇지 않아도 연극대본 검열관계로 신경이 잔뜩 날카로워진 욱은, 그 보도를 보는 순간 솟구치는 울분을 참을 길 없었다.

그런데 지금 이것은 또 무엇인가? 그 이튿날 야당의 선거연설이 있었다. 여기엔 또다시 해괴한 일이 벌어지지 않았는가. 공휴일인 일요일, 학생들을 임시수업의 명목으로 모두 등교시켜 억지로 학교 안에 매어두었다고 하니……. 눈 감고 아웅해도 어느 정도 곧이들을 수 있을만한 뒷받침이 있어야 한다. 이건 털도 안 뽑고 통째로 먹겠다는 격이다. 학생을 소꿉장난의 노리개쯤으로 아는 것인가. 아니, 국민을 우롱해도 분수가 있지……. 여당이나 위정자의 얕잡은 잔꾀가 치졸하기 짝이 없다. 그보다는 그 조열한 시책에 아무 비판도 없이 맹종한 학교책임자들의 허수아비 꼴이 더 혐오를 느끼게 한다.

욱은 긴 한숨을 들이켜곤 계속 다음을 읽어갔다.

신성한 학원을 휩쓴 불순한 정치바람에 그 이상 견딜 수 없었던 학생들은 그날 오후 한시 삼십분, 경북고등학교 천여 명을 필두로, 교문을 박차고 뛰어나왔다. "학원을 정치 도구화 하지 말라." "학원의 민주화를 살리라." "학생의 인권을 옹호하자." 등의 구호를 외치면서……. 그 뒤를 이어 대구고등학교, 경북여고, 부속고등학교 등이 계속가두시위에 나섰다. 이백사십여명이 연행되었고 경찰과 충돌하여 부상자까지 났다고 한다.

학원의 정당방위, 혼자 외치며 욱은 주먹을 불끈 쥐었다. 너무 격앙한 끝에 머리가 띵했다. 드디어 올 것이 왔구나 하는 심정이었다.

욱은 집을 나섰다. 오전 중은 틀어박혀 레포트를 쓰려던 계획을 바꾸었다. 그대로 앉아서 견디어낼 수가 없었다.

더욱이 일부 학교에선 당국자들이 학생들의 동향에 대한 기미를 알고, 전학생을 강당에 몰아넣은 다음, 못 나오도록 밖으로 쇠를 잠갔다든가, 또는 학생들을 일일이 호명하여 교실에 들여놓고 밖으로 쇠를 채우니 안에 갇힌 학생들이 유리창을 깨뜨리고 뛰어나오는 소동이 벌어지자, 학교 측에서 학생 일인당 과자 두 개와 눈깔사탕 한 알씩 나누어 주었다는 대목을 생각하면 메스꺼워 견딜 수 없었다.

욱은 오래 막혔던 것이 트이는 것만 같은 통쾌함까지 느꼈다. 그 사이 무수한 행사 때마다 속칭 "관제 데모"에 얼마나 많은 학생이 동원되었던 것인가. 그러나 학생 자신이 자기들의 판단에 의하여 능동적으로 반발적인 집단행동을 취한 것은 이번이 처음이 아닌가. 이 짓눌린 현실 속에서, 독재와 부패로 만신창이가 된 부자유의 정치풍토에 속에서, 과감히 자기 의사를 표명하며 항거에 나섰다는 것, 기적 같은 신기함을 느끼기까지 했다. 숨 쉴 구멍 없이 강압된 분위기에서, 자유의 존엄성에 대한 실오리만한 한 가닥의 서광이 비쳐오는 것만 같은 환상마저 떠올랐다.

용감하고 떳떳했던 그들에게 가슴이 터지는 함성과 박수를 보내고 싶었다.

이 땅의 젊은이는 아직 죽지 않았다. 아니 학생은 살아있다. 그는 몇 번이고 혼자 되뇌이며 걸었다. 거리의 모든 사람들은 심각한 표정 속에서도 활기를 띠고 있는 것 같이만 보였다.

건일을 찾아갈까, 김현이네 집으로 갈까. 욱은 생각하고 있었다. 학기 말 강의도 대충 끝나가는 판에, 아무도 아침 일찍부터 학교에 나와있을 것 같지 않았다. 오후엔 연극연습 관계로 그들도 학교로 나올 것이었다. 한참 망설이던 끝에 욱은 우선 학내 신문사에 들러보기로 했다. 거기 가면 좀 더 자세한 소식을 들을 수 있을 것만 같았다.

욱은 교문 앞에서 선영이를 만났다.

"일찍 나오시네요."

선영이는 미소로 반기며 욱의 옆으로 다가왔다. 욱도 웃으며 그를 맞았다.

"벌써 연습장소 가세요?"

"아니, 학교 신문사에 좀 들러보려구……."

"저도 신문사로 가는 길인데요. 오늘이 편집마감날이야요."

학생기자인 선영은 언제나 신문사 일에 신바람이 나했다. 그것만이 아니었다. 연극이고 여학생회 일이고 간에 자기가 맡은 일엔 열중했다.

욱은 선영이와 나란히 걸어 교문 안으로 들어섰다.

"저희들 연극도 학교신문에 예고를 내야 하지 않아요?"

선영이 말했다.

"아직 날짜가 있는데 예고는 천천히 해도 괜찮지 뭐."

"이번엔 좀 대대적으로 선전을 했으면 좋겠어요. 작품도 의욕적인데……."

선영은 의욕적이라는 데 힘을 주어 말했다.

"제목이 자극적인 데다, 내용도 벌써부터 말썽이 나 있으니까 빈틈없이 해가지구, 공연 승인을 맡은 다음에 광고하는 것이 더 안전할 거야."

"참, 그러는 것이 좋겠군요."

"지난 번 공연처럼 되면 야단이니까요."

"다 연습해 놓은 다음에 불이야 불이야 레퍼토리를 바꾸었으니까, 시간과 정력이 얼마나 낭비됐어요."

"그렇기 땜에 이번엔 다각도로 치밀한 계획아래 진행해야겠어. 섣불리 걸리면 아무것도 안되니까."

진눈깨비는 잦았으나 하늘은 회색으로 꽉 덮여있었다. 교정 나뭇가지에 쌓인 눅직한 눈덩어리의 뚝뚝 떨어지는 소리가 이따금씩 들려왔다. 발자국을 옮길 때마다 질척한 눈길은 물방울을 튕겼다.

"참 신문 보셨어요?"

선영이 말했다.

"봤어."

"큰일났어요."

선영이도 자기와 같은 충격을 받은 것이라고 욱은 생각했다.

"글쎄 말이야. 그래 방안에 그대로 처박혀있을 수 없어 이렇게 일찍 나온거야."

"저도 그래서 빨리 나왔어요."

"아마 우리들뿐만 아니라, 모두가 심한 충격을 받았을 거야, 학생들은 말할 것도 없지만, 일반 시민들까지도. 집권층은 더할 거구……. 지금까지는 모두 죽어있는 줄만 알고 마음대로 짓밟았으니까……."

"이대로 끝날 것 같지 않아요. 자꾸만 불안한 예감만 들어요."

욱을 쳐다보는 선영의 얼굴엔 불안한 모습이 어려 있었다.

"오래오래 곪았던 것이 제물에 터지는 셈이니까."

욱은 혼잣소리처럼 중얼거렸다.

이들은 신문사 앞 가까이 다다랐다.

"어어이, 욱이."

둘의 시선은 소리나는 쪽으로 돌려졌다.

도서관 쪽에서 학림(學林)클럽의 책임간사인 주인식(朱仁植)이 이쪽으로 걸어오며 소리쳤다.

"어어."

욱은 손을 쳐들어 호응하곤 그 자리에 멈춰 서서 그가 가까이 오기를 기다렸다.

"기어이 터지고 말았는걸."

인식은 욱의 손을 덥석 잡으며 말을 계속했다.

"결국, 올 것이 오고만 셈이지 뭐."

"암만해도 사태가 간단하지 않을 것만 같아."

욱이 받았다.

"고등학교엘 다니는 동생 놈이 걱정된단 말이야. 그놈은 나보다 더 과격파니까."

대구가 고향인 인식은 동생의 걱정을 하고 있었다.

"아무래도 집에 좀 다녀와야 할까봐."

인식의 표정은 심각했다.

"좀 더 귀추를 두고 보지."

욱은 그들과 함께 신문사로 들어서며 말했다.

학생기자인 덕호는 벌써 나와 있었다. 테이블에서 무엇인가 쓰고 있던 그는 이들을 보자 자리에서 일어나 가까이 다가왔다.

"기사거리가 생겼어, 무미건조하던 판에."

덕호는 싱글벙글 웃으며 말했다.

"덕호씬 남의 일같이 말하네요. 당장 우리들 발등에 불이 떨어졌는데……."

선영이 약간 핀잔조로 찔렀다.

"누가 아니래요. 아무튼 신나는 일이란 말이야."

덕호는 여전히 웃고 있었다.

"그래, 그 후 다른 소식은 없어?"

욱이 물었다.

"오늘 아침에 또 사건이 하나 생겼어……."

"어떤 사건 말이야?"

인식이 간격을 두지 않고 되물었다.

"내무장관이 말이야, 야당이 선거연설장으로 한강 백사장 사용을 요청해왔는데, 거긴 거리가 너무 멀 뿐 아니라, 치안관계로 복잡하여 허가할 수 없다고 언명했다니까. 아무튼 점입가경이야."

"대구는 그 이후 아무 사태로 더 벌어지지 않고?"

인식이 다시 물었다.

"그 후 별다른 사태는 아직 일어나지 않은 모양이야."

"그래, 연행된 학생들은 다 석방됐다는 게 사실이야?"

"그런 모양이야."

"그러나 그 뒤가 문제란 말이야. 우선은 다 석방했다 쳐도, 그대로 방임해 둘지, 그 뒷수습이 간단치 않을 것 같아……."

욱은 이번 사태가 우발적인 단순한 것이라고 생각되지 않았다. 오래 잠재했던 울분이 어떤 계기를 타서 불가피하게 폭발한 것인 만큼, 그 연쇄적인 반응과, 당국의 보복적인 사후처리가 우려되었다.

"자, 이런 중대단계에 우리는 그저 보구 있을 수만 없지 않아?"

인식이 열띤 소리로 말했다.

다른 사람들은 한참 서로의 얼굴들을 둘러보고 있었다.

"중대한 단계에 우리가 방관하거나, 비굴한 태도를 취할 수는 없지만……."

욱이 나직한 목소리로 말을 시작했다.

"좀 더 사태의 귀결을 보고 냉정히 판단한 다음에 어떤 행동의 단계를 취하는 것이 좋을 것 같아."

"그런 신중론에도 일리는 있겠지만."

건일이 되받았다.

"그렇다고 위급한 현시점에서, 중고등학생들이 불의에 대항하여 나서는 판에, 명색 최고학부에 있는 우리들이 관망하고만 있을 수는 없지 않아?"

"참말 그래, 당장 어떤 행동을 취할 수는 없다손 치더라도, 무슨 의사 표시라도 있어야 할 거야."

덕호가 인식에 동조하는 의견을 표명했다.

욱은 자기를 응시하고 있는 선영이와 눈길이 마주쳤다. 그는 한참 생각에 잠겼다가 입을 열었다.

"나도 그 원칙에는 찬동해. 그러나 학기말이 돼서 지금 현재로는 대부분의 학생들이 등교하지 않고 있으니까, 우리대학으로서의 의사표시도 좀 곤란하단 말이야. 학생총회든지 또는 학도호국단 간부회의든지 열어서 학생들의 전체 의사를 대변할 수 있는 어떤 절차는 밟아야 할 거 아냐."

"그러나 이렇게 절박한 단계에 어떻게 그런 복잡한 절차를 밟을 수 있어?"

인식은 약간 불만어린 말투였다.

"그렇지만, 우리 몇 사람의 의견을 가지고, 우리대학 전체 학생의 의사처럼 발표할 수도 없는 일이 아니야?"

선영이는 아무 말도 없지만, 자기 의견에 긍정하는 표정을 욱은 엿볼 수 있었다.

"그것도 그래."

이번에는 덕호도 수그러져 오는 눈치를 보였다.

"그러면 남아있는 학생들만이라도 의사를 규합하는 방법을 취해야 하지 않을까?"

인식은 약간 누그러지면서도 역시 그 어세는 강경했다.

"그럼 당장 가능한 것으로 어떠한 방법을 취하는 것이 좋겠어?"

욱은 인식의 의견을 타진했다.

"학생총회를 소집하잔 말이야."

인식은 서슴지 않고 즉각 말했다.

"그것도 문제란 말이야. 학내의 게시로써 학생들이 모일 수 있다면 별 문제지만, 신문에라도 공고하여 외부에 알리면 사전에 방해가 올 거 아니야."

"그렇게만 생각하면 아무것도 할 수 없지 뭐……."

"그런 게 아니야. 중대한 일일수록 치밀한 계획 위에서 실천에 옮겨야 된다고 생각해."

"그건 평화시의 생각이구, 이런 위기에선 그렇게 너무 소극적이면 아무것도 안되는 거야……."

인식은 퍽 격해 있었다.

"아니, 나는 조금도 소극적이거나 비굴한 생각은 가지고 있지 않아. 실현 가능성이 있는 행동을 취하자는 거야."

"그건 인텔리의 우유부단이야."

인식을 핏대를 올렸다.

"왜들 이래. 우리들의 가장 정확하고도 보람있는 행동을 취하기 위해 의견을 교환하는 데, 이렇게 너무 흥분할 것까지는 없어."

덕호가 사이에 끼어들었다.

"저기 누가 오네."

선영이 출입문 쪽을 가리키며 말했다. 이들은 말을 멈추고 그쪽을 바라다보았다.

학도호국단 총무를 맡고 있는 최원우(崔元宇)였다. 그가 다가오자 그들은 서로 악수를 교환했다.

"왜들 이렇게 흥분하고 있어?"

"바로 그 대구 학생데모에 대한 의견교환을 하고 있는 참이야."

덕호가 예사롭게 대답했다.

"응, 그래……."

원우는 덕호의 말에 새삼스레 놀라는 표정은 아니었다. 이미 다 알고 있는 것, 그런 일도 있을 수 있는 것, 거저 그런 예사로운 태도였다.

주위에 있는 이들도 평상시에는, 원우가 현직 장관의 아들이라는 그러한데 연관되는 생각을 유다르게 가져본 일은 없었다. 그것은 원우가 좀 스케일이 크달까, 자질구레한 일에 거의 신경을 쓰지 않는 것 같고, 이해관계를 꼬치꼬치 캐는 일도 없이 대범한 편이고, 감정을 별로 노출시키지 않아, 예리하다기보다 오히려 둔감하게 느껴지는 탓인지도 몰랐다. 거기에다 그는 아버지의 권력이나 금력을 등에 업고 그것으로 으스대거나 무슨 냄새를 피우는 그러한 메스꺼운 내색도 나타내는 일이 없기 때문이기도 했다.

다만 원우가 친구들 간에 모임이 있으면 즐겨 그것을 맡아, 자기 집에서나 밖에서 자리를 마련할 때, 본인은 그런 행사 치다꺼리가 그저 좋아서 하는 일이지만, 일부에서는 마음 한쪽 구석에 약간의 비굴감이나 어렴풋한 시기 같은 것을 느끼는 축이 없지 않았다. 그러나 그것도 그렇게 대수로운 것은 아니었다. 그만큼 그는, 그릇이 크다면 크고 좀 더 깊은 곳에 보스의 관록 같은 엉큼한 것이 자리 잡고 있다면 있다고도 해석될 만 했다.

그러나 지금의 경우는 그 분위기가 좀 다르게 번져가는 느낌이었다. 모두가 대구학생사건에 충격을 받아 심정들이 격해있고 특히 인식이는 극도로 흥분되어 있는 판이라, 원우의 그러한 오불관언의 태도를 그의 성미거니 하고 그저 넘겨버리기에는 너무 긴장된 공기였다. 그들의 머릿속에는 순간 원우와 그의 아버지를 연결시키는 가느다란 반감 비슷한 것이 거의 같은 찰나에 스쳐갔다.

원우를 빤히 쏘아보고 있는 인식의 입모서리가 일그러지며 씰룩거리는 것이 눈에 뜨인 욱은, 이 딱딱한 공기를 누그리기 위한 무엇인가를 해야 되겠다고 조심성스럽게 생각하고 있었다.

"자, 그렇게 서 있지들 말고, 여기 앉아서들 이야기하자구……."

눈치 빠른 덕호가 재빨리 의자며 벤치를 돌려놓으면서 서성대었다.

"모두들 앉으세요."

선영이가 덕호를 거들어 벤치를 맞들며 말했다.

말하자면 신문사에 직접 관계를 가지고 있는 덕호나 선영이 쪽이 주인격으로 서두르는 폭이었다.

"자, 앉지."

욱은 인식이와 원우의 소맷자락을 끌어 의자에 앉히곤 자기도 벤치 한 모퉁이에 걸터앉았다.

욱은 무엇인가 말하려 하다가 조금 전 인식이 내솟던 인텔리의 우유부단이라는 말이 다시 목에 걸려 자기 생각이 덜컥 정지됨을 느꼈다. 그는 그 한토막의 단어를 몇 번이고 입속에서 궁굴려갔다.

인텔리, 우유부단……

아무것도 아닌 단순한 말겻이라고 대수롭지 않게 생각되기도 했지만, 도무지 기분이 개운하지 않았다. 자기가 너무 소극적이거나 그렇잖으면 비굴하다고까지 해석되는 모욕감마저 빗겨감을 느꼈다. 아까 듣는 순간에는 무뚝하는 반발이 거세게 치솟았었다. 그것이 원우가 나타나는 바람에 중단되었다가 다시 꿈틀거리기 시작했다. 그러나 그 사이 시간이 경과된 탓인지 자기가 본의 아니게 곡해되고 있는 것같이 느껴지기도 했다. 그것만이 아니었다. 어쩌면 인식의 말에도, 자기의 약점을 찌른 얼마간의 진실이 그 속에 담겨있는지도 모른다는 약간의 수긍이 가기도 했다. 그것은 '제십삼공화국' 대본 수정문제를 가운데 놓고 서로 맞선 건일과 자기의 자세에서도 어렴풋하게나마 느껴진 일이었다. 건일의 직선적인 적극성에 비하여, 자기는 소극적으로 우회하고 있는 것만 같이 건일은 느끼고 있는 말투가 아니었던가. 자기 입으로 나도 비굴하고는 싶지 않다고 거듭 말한 것은, 그러한 자기 약점에 대한 반사적인 엄폐나 의식적인 변명이 아니었던가. 침착성, 심사숙고, 어떤 절차, 이러한 외형적인 것으로 자기는 자기 자신을 가식하거나 변호하고 있는지도 모른다. 이러한 자기의 취약성에 대한 잠재의식이 인텔리라는 야유적인 말의 충격으로 그 베일을 벗고 노출되는 계기인지도 모른다는 자기 회의와 비판이 뜨끔하게 가슴에 부딪쳐 옴을 그는 느끼기까지 했다.

극히 짧은 시간이었지만, 산발되었던 의식이 한 초점을 향하여 응결되면서 번득이는 야릇한 자기반성의 쇼크 같은 것이었다.

덕호는 담뱃갑을 꺼내어 한 대씩 쭉 돌리고 있었다.

욱은 덕호가 권하는 담배를 받아쥐며 생각의 각도를 서서히 현장의 위치로 돌려오고 있었다.

"자, 미스 김도 한 대……."

덕호가 선영이 앞으로 담배통을 내미는 바람에 웃음이 터지며 굳어졌던 분위기가 약간 풀리기 시작했다.

"저두요?"

선영이는 웃으며 머리로 도리질을 했다.

"이럴땐 여성도 한 대 피는 거야."

덕호의 말뜻을 알아차렸다는 듯이 끄덕이며 선영이는 담배 한 대를 받아들었다. 막혔던 둑이 터지기라도 하는 듯이 이들이 길게 들이켰다 내뱉는 연기로 좌중은 금세 부옇게 흐려져 갔다.

"나는 지금 막 욱더러 인텔리 운운하고 공격했지만…"

말소리는 나직하나 인식의 얼굴에는 아직 흥분기가 남아있었다.

"원우 너는 너무 초연한 자세야."

원우를 비롯한 이들의 시선은 인식이 쪽으로 쏠렸다.

"모두들 지성이라는 미명의 가면 속에서 몸을 사리고 있지 않으면, 초탈한 듯한 무관심을 가장하고 현실을 회피하고 있단 말이야."

인식은 다른 사람이 말을 넣을 틈도 주지 않고 계속했다.

"숨 막히는 현실에 외면하는 그런 상아탑 속의 지성은 쓰레기만 못한 거야. 그뿐인가, 우리 이십대에서 벌써 현실에 초연하다면 그건 폐쇄적인 자기기만이 아니면 위선에 지나지 않는다고 생각해……."

원우는 담배만 뻐끔뻐끔 빨고 있을 뿐 그 표정에는 아무 변화도 보이지 않았다.

욱은 사리판단을 따져서 인식의 오해를 풀게끔 차근차근 이야기하고도 싶었으나, 흥분되어 있는 인식을 납득시키려면 그것이 어느 정도 가라앉을 때까지 기다려야겠다고 생각하고 있었다.

"표현방법이 다를 뿐이지, 우리도 너나 다 같은 생각이야."

덕호가 말했다.

"아니야, 모두들 너무 움츠리고 있어……."

"움츠리긴 누가 움츠리고 있어? 직접 겉에 나타내고 안 나타내고 하는 차이뿐이지."

"그런 게 아니야, 욱. 너는 이론만 내세우고 너무 몸을 사린단 말이야."

욱은 인식의 말을 그대로 듣고 있을 수만은 없었다.

"그렇게 해석될지도 모르지만 그건 너무 곡해야, 생각의 방향은 다 같아. 다만 행동의 각도에 차이가 있다면 약간 있을 정도지……."

"그 행동이 문제란 말이야, 이렇게 긴박할 때는 이론보다 실천이 앞서야 한다고 생각해……."

"난, 그건 반대야. 이론의 근거 위에서 행동을 해야지, 덮어놓고 실천에만 옮기면 어떻게 해. 그건 만용이 되기 쉬워……."

욱의 목소리도 약간 높아져갔다.

"만용? 흥, 그러니까, 허울 좋은 지성이니, 창백한 인텔리니 하는 말들이 나오게 되는 거야."

욱은 지성이니 인텔리니 하는 말들이 몹시 귀에 거슬려왔다. 그러나 그러한 시시껍질한 단어를 가지고 입씨름할 생각은 나지 않았다.

"야야, 그 지성이니 인텔리니 하는 입에 바른 케케묵은 말들은 좀 집어치워."

덕호가 손을 저으며 나섰다.

"도대체 아직 풋내기인 우리가 무슨 썩어빠진 지성이고 인텔리고 할 것 있어? 그저 젊은 정열이라면 몰라도, 그것부터 인식이 너 자신도 좀 과장벽이 있단 말이야."

덕호는 웃음을 섞으며 농담조로 말하고 있었다.

그러나 인식의 표정은 좀체 돌려지지 않았다.

"과장이 아니야, 이건 사실이란 말이야. 그리고 원우 넌 너무 태연자약하는 오기가 있어. 새파란 놈이, 그게 싫단 말이야……."

흥분된 인식이와는 반대로, 원우는 웃고 있었다.

"왜 웃어? 그 야유적인 냉소가 오만이란 말이야. 남은 진실하게 이야기 하는데……."

"그럼 웃지 말고 울면 좋겠어? 야 인식이 대한민국은 민주공화국이란 말이야. 그런데……."

"누가 그걸 몰라서 설교조야?"

원우의 말을 가로채며 인식이 반발했다.

"글쎄, 그렇게 흥분만 하지 말고 내 얘기 좀 들으란 말이야. 민주주의 국가에서 학생들이 시위를 하는 것도 의사표명의 한 방법이 아니야? 나는 그래 두 가지로 생각하고 있어. 그렇게 데모를 하지 않을 수 없는 동기와 방법의 정당성 여부, 그리고 의사표시의 자유가 허용되는 민주주의의 본질적인 특색 말이야. 이게 전제주의 국가라면 어디 있을 수나 있는 일이야?"

"야, 그건 궤변이야. 지금 학생들이 막 붙잡혀 들어가 있는 판에 그런 썩어빠진 민주주의 운운하는 것은, 대중에 역행하는 반동적인 언사가 아니면, 이름 좋은 상아탑 속에 묻힌 고답적인 방관자의 논리에 불과한 거야……."

"피차에 좀 냉정히 생각해보자구."

원우는 여유 있으면서, 능글맞기까지 한 말투였다.

욱은 둘의 논쟁을 들으면서 자기의 위치나 견해를 생각하고 있었다. 지금 자기는 분명 인식이와 같은 위치에 서 있는 것이다. 그 사이에 약간의 소극성과 적극성의 차이가 있는 것은 부인할 수 없다. 그러나 원우의 말이 그의 본심에서 우러나는 진정이라면, 자기는 거기에 동조할 수는 없는 것이다. 아니 아무리 이론의 근거 위에서 냉정한 행동을 취한다 할지라도, 원우와는 전혀 다른 각도에 서있는 자신임을 호가신할 수 있었다. 학생들의 적수공권으로 봉기한 이 마당에서 새삼 민주주의니 자유니 하고 늘어놓는 것은 그 사고나 생활 자세의 기본바탕이 벌써 다른 것만 같은 느낌이었다.

"너희들 대가리는 다 썩었어. 정의를 위해 순진한 학생들이 총칼에 대결하여 맨주먹으로 나섰는데 값싼 지성입네 하고 무슨 궤변들이야."

인식은 나가려는 몸짓으로 자리에서 일어서며 말했다.

덕호가 금방 막아서며 인식의 어깨를 붙잡았다. 그는 낮은 목소리로 거의 속삭이듯이 말했다.

"야, 너만 혼자 애국자인 체 하지마. 그 지성이니 인텔리니 정의니 하는 따위 말들은 이젠 다 퇴색된 단어야, 너무 진부하단 말이야. 그 보다 너의 그 애국자연하는 영웅주위가 더 위험할지도 몰라……."

"이 자식이 너까지 설교야?"

그러나 인식이의 어조도 그렇게 거세지는 않았다.

"아니야, 인식이 말이 옳아, 그리고 덕호의 말도 일리가 없는 것은 아니야. 우리는 다 방향이 같으면서 그 속도에만 완급의 차이가 있을 뿐이야."

욱이 말했다.

"야, 골치 아프다. 이런 부질없는 논쟁이나 싸움이 없는 사회는 없나?"

원우가 여전히 초연한 듯한 투로 말했다.

"야, 원우. 네 그거가 바로 허황한 관념론이란 말이야. 산속에 가서 혼자나 살럼."

그러나 원우는 별다른 반응을 보이지 않았다.

"관념론이건 뭐건 다 좋아. 남의 생활을 간섭하지 말고 편안히 살게 됐으면 좋겠어……."

"그게 바로 부르주아 근성이란 말이야."

이번에도 원우는 담담한 태도였다.

"부르주아? 흥, 무식한 소리 작작해라. 이 땅에 언제 부르주아 계급이 형성될 사회적 여건이나 조성된 일이 있었댔어……."

"그러니까, 정치권력과 결탁한 매판자본의 비정상적인 치부근성이란 말이야."

"아무래도 좋아. 너 인식이 아직 할 말이 많은 것 같은데, 저기 나가 커피나 마시며 속을 풀자꾸나."

원우는 능란하게 구슬려갔다.

"자식이……."

완강히 반발해 오는 대화의 상대를 상실한 탓일까, 인식의 말투도 약간 김빠져있었다.

욱은 이들 대화 속에서 자기의 놓일 자리와 행동의 방향을 가늠해갈 뿐이었다.

선영은 이들의 논쟁을 들으며 무엇을 생각하고 있었음인지, 신문사 문을 나서며 눈길이 마주친 욱에게 가벼운 미소를 보내고 있었다.

다방에서 나온 욱은 덕호, 선영이와 함께 곧장 연극 연습장으로 갔다. 부원들은 난로 가에 둘러앉아 이야기에 열을 띄우고 있었다. 알고 보니 그들의 화제도 대구 학생데모사건이었다. 모두들 얼굴이 벌겋게 닳아 있었다. 그러나 그것은 불기가 신통치 않은 난로의 탓은 아니었다.

"그러니까, 우리도 가만히 있을 수는 없단 말이야, 안 그래?"

짱구가 소리를 높이며 주위를 둘러보고 있었다.

"참말 그래요."

미애가 짱구의 말을 받으며 바로 옆에 앉은 순옥의 반응을 살피듯 돌아보았다. 순옥이 아버지가 경무대(景武臺) 비서로 있다는 사실을 알고 있는 미애의 미안쩍은 동작이었다.

순옥이는 평소의 쾌활한 성격과는 달리 침울해 있었다. 그는 친구들이 이야기를 주고받는 속에서 그 대화에 끼어들지 않고 묵묵히 듣고만 있었다. 그러면서 그는 머릿속 한쪽에서 아버지를 생각하고 있는 것이었다.

아버지는 어저께 아침에 나간 후 아까 자기가 집을 나올 때까지 돌아오지 않았다. 어제 저녁 통행금지 직전에 일이 바빠 집으로 오지 못한다는 전화가 왔을 뿐 그 후에 아무 소식도 없었다. 서울에서 일어난 일이 아니니, 아버지 신변에 직접 어떤 불상사라도 생길 것은 아니었겠지만, 그러나 순옥은 간밤부터 계속 불안해 왔다. 아버지가 경무대 측근자로 출세한 이후, 단 한 번도 걱정이나 근심거리가 되는 일없이 탄탄대로 십 년의 세월이 흘러왔다. 피난 중에도 남들은 죽을 고생을 했다지만 자기들은 육·이오사변이 터진 다음 다음날 대통령을 모시고 한강다리를 넘어 수원으로 피난했다가, 곧장 다시 부산으로 내려갔기 때문에, 인명이나 재산에 아무 피해 없이 난리를 겪을 수 있었다. 피난 중에도 그리운 것이란 없었다. 서울이 수복되어 환도한 후에는, 사회가 안정되어가고 정치체제가 궤도에 오르게 됨에 따라 모든 조건은 상승일로였다. 세상에 안되는 일이란 없다고 생각한 아버지였고, 가족들도 또한 그런 타성에 젖어갔다.

그런데 이번 일은 자기 집에 처음으로 가져다준 가느다란 불안이었다.

그것도 평소에는 권력만능으로 만족하던 아버지가 근래에 와서, 극심한 부패를 우려하는 대화를 어머니와 나누는 것을 엿들은 탓에, 그러한 불안한 파동은 사회의 험상궂은 물결을 모르고 자란 순옥이의 가슴에까지 파문을 일으켜온 결과로 되었다.

이번 연극만 해도 순옥인 그저 연극한다는 그 자체가 좋아서, 국왕(國王)의 시녀(侍女)역을 맡아 그 연습 중에 현실풍자의 익살까지 부려왔지만, 그것도 무슨 운명의 작희(作戲)만 같게 느껴졌다. 아버지가 경무대에서 대통령의 현실적인 시종(侍從)이라면, 자기는 연극 속에서 국왕의 시녀로 되어있으니, 웃음으로만 넘기지 못할 이상한 대조로 된 감이 없지 않았다. 그것도 세상이 떠들석하게 대구사건의 보도가 있기 전까지는 아무런 감응도 없었던 것이, 일이 이처럼 벌어지고 보니 쑥스럽기 짝이 없게 느껴졌다. 그렇다고 지금 당장 그 배역을 하느니 못하느니 하고, 아무도 모르는 속에서 평온한 부원들의 분위기에 굳이 풍파를 일으킬 수도 없는 일이었다. 거기다 그 반란수령의 역할을 맡은 짱구 영남이는 자기가 좋아하는 사람이니, 그것은 더욱 아이러니한 일만 같았다. 적제적소의 배역이라지만, 꼭 자기의 가정조건이나 자기 자신의 주변을 풍자할 의도로 고의적인 배역을 정한 것만 같은 우연의 일치가 더욱 그의 마음을 괴롭게 했다. 그렇다고 어느 누구를 보고 그러한 자기의 심중을 토로할 대상은 이 경우 아무도 없는 것만 같았다. 다만 자기의 가정환경을 대충 알고 있는 미애나 선영이, 그리고 영남이 정도가 자기의 심경을 어느만큼 추측할 수 있다면 있을 형편이다.

그런데 그 영남이가 지금 대구사건에 누구보다 더 흥분하고, 거기에 맞장구를 치고 있는 것이 미애가 아닌가. 순옥이는 그들을 탓하거나 나무랄 생각은 조금도 없었다. 그러나 이러한 공동의 화제에서 외톨로 따돌려진 것같이 되고 보니, 그들이 의식적이건 무의식적이건 간에 서운한 감이 들었고, 자기 혼자 외로이 버림을 받은 것만 같은 허전한 고독감을 금할 길 없었다.

"오늘은 참말 연습할 기분이 안 나는데……."

짱구가 욱을 보며 말했다.

"왜?"

욱은 짱구의 마음속을 짐작할 수 있으면서 굳이 반문했다.

"아니, 알면서 왜 그래. 한쪽에서 학생들이 불의를 꺾기 위해 데모에 나서고 경찰에 붙잡혀 가는데, 우리는 남의 일같이 태연히 연극연습을 할 수 있어?"

"참말 기분이 안 나요."

태수가 끼어들었다.

"우리도 좀 대책을 강구해봐야겠어."

옆에 앉은 현이 말했다.

욱은 신문사에서 한참 격론을 벌이고 난 뒤라, 그 문제에 대해서는 건일이와도 의견을 교환하고, 자기 혼자서도 좀 더 자기대로의 어떤 기본자세에 대한 생각을 가다듬기 전에는 더 이상 터치하지 않으려고 마음먹었지만, 이쯤 화제가 돌고 보며 덮어놓고 모른 채 쓱싹해버릴 수만은 없었다. 그뿐만 아니라 모두들 마음속이 흥분되고 들떠있어서 연습도 제대로 될 것 같지 않았다. 그렇다고 모처럼 모여가지고 연습도 하지 않고 그대로 흐지부지 헤어질 수는 없는 일이었다. 어떻든 그는 연습으로 들어갈 수 있는 분위기로 이끌어야만 했다.

욱은 한참 생각하다가 가장 적극적으로 나오는 짱구에게로 말을 돌렸다.

"그러면 이 경우 우리로선 어떠한 자세로 나가는 것이 좋겠어? 영남이."

"글쎄, 중고등학생들이 학원의 자유를 쟁취하기 위해 전제정권에 항거하고 나섰는데, 우리 대학생이 그대로 있을 수 있어?"

"우리도 일어나야 해."

태수가 곧 뒤를 이어받았다.

"그런데, 구체적인 방안의 제시가 있어야 하지 않겠어?"

욱은 다시 짱구에게 물었다.

"그러니까, 우리가 여기서 그걸 의논하잔 말이야, 여럿이 의견을 교환하면 구체적인 방안도 나올 거 아니야."

욱은 신문사에서 벌어진 분위기의 연장같게만 느껴졌다. 한차례 겪고 난 탓인지, 덕호나 선영이는 별로 말없이 부원들의 대화를 듣고만 있었다. 현도 적극적인 발언은 하지 않았다.

한참 대화가 오고갔으나 이렇다 할 결론은 얻어지지 않았다. 그러나 그들의 생각이 적극적이건 소극적이건 간에, 대구에서 있은 학생들의 항거에 전적으로 동조하는 방향은 같은 것이었다.

연극연습으로 들어갔으나, 부원들은 신이 나 하지 않았다. 그만큼 대구데모사건은 그들의 가슴에 부딪친 격동이 컸었다. 특히 순옥인 거의 맥빠진 대사를 외우고 있었다. 다만 짱구가 반발적인 기세로, 반란군 수령의 의거장면에서 홀로 열을 뿜고 있을 뿐이었다.

한 차례의 연습이 거의 끝나갈 무렵 학생과에서 직원이 찾아왔다. 연극부 책임자를 학생과장이 부른다는 것이었다.

연습은 부원들끼리 피날레까지 밀고나가게 하고 욱은 현과 함께 학생과로 갔다.

이들은 과장의 표정에서 첫눈에 심상치 않은 분위기를 예감했다.

"그런데 저어……."

학생과장은 약간 난처한 모습을 지으며 더듬더듬 말을 이어갔다.

"사실은 저어, 신문에도 났으니까, 다들 알고 있겠지만……. 대구에서 학생들의 시위가 벌어지지 않았어?"

욱과 현은 아무 대답도 없이 과장의 다음 말을 기다렸다.

"그래서, 당분간은 학내에서 크고 작고 간에 일체의 집회를 중지하라고 당국에서 긴급 시달이 왔어요."

욱은 벌써 그 다음 말을 짐작할 수 있었다.

"따라서 연극연습도 무슨 지시가 있을 때까지는 곧 당분간 중지하는 수밖에 없겠어요……."

욱과 현은 서로 얼굴을 마주 보았다. 지금까지 줄곧 학내 행사에 간섭해온 전례로 보아서 있을 수 있는 일이라고 생각되었지만, 욱은 실망과 함께 반발이 치켜옴을 느꼈다.

욱은 잠시 생각하다 입을 열었다.

"잘 알겠습니다. 그러나 연극연습이야 어디 꼭 집회라고 볼 수도 없지 않습니까, 한데 모아서 회의를 하는 것도 아니구……."

"그러나 당국에선 이유나 종류 여하를 막론하고 모든 모임을 엄금하라고 하니까……."

"지금 만약 중단을 하게 되면 여태껏 시간과 정력을 들여 연습해온 것은 수포로 돌아가게 됩니다. 새로 시작할 때는 또 처음부터 새출발해야 하니까요……."

욱은 덧붙여 설명했다.

"그건 나도 이해가 가는 일이지만……."

학생과장은 담배를 길게 빨고 나서 찌푸린 얼굴로 말을 이었다.

"전번엔 그 대본이 이미 저쪽의 신경을 자극한 일도 있는데……. 이런 복잡한 단계에 굳이 불의를 일으키게 할 필요는 없다고 생각해……. 자칫하면 오해받기도 쉽고……."

욱은 그 이상 변명을 늘어놓을 수는 없었다.

"대본도 목하 검토 중에 있고 하니, 좀 사태가 완화된 다음에 다시 시작하도록 하지. 그밖에 도리가 없어요."

"네, 알겠습니다."

학생과장실을 물러나온 욱은 전신의 기운이 쭉 빠지는 허전함을 느꼈다. 연습이 한창 고비에 올라가려는 판에 부원들의 실망은 자기 이상 더욱 클 것 같았다.

"무슨 일이야?"

이들이 연습장소로 돌아오자 짱구가 성급하게 물었다. 부원들의 시선
은 초조한 빛을 띤 채, 욱은 지켜보고 있었다.

"연습을 중단하래⋯⋯."

"응, 뭐, 중단?"

짱구는 놀라며 반문해왔다.

"아니, 왜 그래요?"

선영이 뒤따랐다.

예상외의 사태 통고에 부원들은 경악과 실망이 엇갈린 착잡한 표정들
이었다.

"당국의 지시래."

"당국?"

짱구는 다시 되물었다.

"모든 집회는 당분간 일체 중지한다는 거야⋯⋯."

현이 설명을 덧붙였다.

"자식들⋯⋯, 에이⋯⋯."

짱구가 손에 들었던 대본을 마룻바닥에 내던지며 소리쳤다. 다른 부원
들도 제각기 불평을 내뿜으며 웅성댔다.

갑작스러운 사태에 욱은 어떻게 사후대책을 세웠으면 좋을지 전혀 막
연하기만 했다.

"아니, 가만히 이대로 연습을 진행하면 안될까?"

짱구가 나직이 말했다. 모두들 잠시 고요해졌다.

"글쎄, 정식으로 중지명령을 받았는데 그럴 수도 없고⋯⋯."

"지금, 우리가 반대로 나가면 후에 공연할 때도 지장이 있을 거야⋯⋯.
물론 경비를 타내오기도 힘들 거구⋯⋯."

현이 욱의 말을 뒷받침했다.

여러 가지 의견들이 옥신각신 벌어졌으나, 이렇다 할 신통한 방도는 나타나지 않았다.

한참 생각한 후에 욱은 부원들을 돌아보며 무거운 어조로 말했다.

"연습은 오늘로 일단 중지하는 수밖에 없다고 생각합니다."

부원들의 입에서는 거의 같이 큰 숨이 터져 나왔다.

욱은 잠시 쉬었다 말을 이었다.

"다시 연락이 있을 때 다시 모이기로 하고, 그 사이에 각자 대사를 완전히 암송하도록 합시다. 나는 현과 함께 계속 학교측과 절충하겠으니까……."

분위기는 식어빠진 대로 다시 웅성거리기 시작했다.

그러나 그들은 좀 체로 연습장에서 떠날 염을 하지 않고 미련어린 모습으로 이야기들을 주고받고 있었다.

욱은 건일을 찾아가, 상세한 대책을 논의해야 되겠다고 생각하며 울적한 기분으로 연습장을 나섰다.

선영이 욱의 뒤를 따라 나왔다.

흩날리던 눈발은 멈췄지만 하늘은 여전히 잿빛으로 흐린 대로였다. 저물녘의 날씨는 귓밥이 싸늘했다. 엷은 얼음으로 굳어져가는 땅바닥은 발자국을 옮기는 대로 바삭바삭 여린 소리를 내며 부서졌다.

골똘히 생각에 잠겨 아래로 떨군 채 걷고 있던 욱은 교문 못 미쳐서 교사쪽으로 몸을 돌렸다. 그는 그 길로 곧장 건일을 찾아가려고 마음먹었으나, 우선 그에게 전화를 걸어볼까 하는 생각에서였다.

"도로 들어가세요?"

선영이 물었다.

"아아니……, 생각중이야, 전화를 걸어볼까 하구……."

"누구에게요?"

"건일이에게."

"……"

"같이 갈까?"

"전화 거는 데로요?"

"아니, 건일이한테로."

"어디서 만나는데요."

"글쎄, 건일이 하숙으로 찾아갈까 하는데……"

"거긴 싫어요, 밖에서라면 몰라도……"

욱은 잠깐 머뭇거렸다.

"그럼 어디서?"

"르네쌍스……"

"아르바이트 하는 사람보구, 자꾸만 밖으로 나오랄 수도 없구……"

"아르바이트도 좀 쉼이 있어야죠, 나오라구 하세요."

선영이는 거침없이 말했다.

욱은 잠시 생각을 가다듬어갔다.

"나, 전화를 걸고 나올게……"

말을 맺는 둥 마는 둥 그는 잰 걸음으로 본관 쪽을 향해 걸었다.

"나야."

수화기에서 건일의 목소리가 바뀌어 나오자 욱은 대뜸 말했다.

"응, 욱이야? 그렇잖아도 꼭 만나야겠다고 생각했었는데……"

"르네쌍스로 나와."

욱은 단도직입이었다. 전화에선 긴말을 하고 싶지 않았다.

"이리로 오면 어때?"

"거기 가면 방해가 되지 않아?"

"괜찮아."

"그러나 마음이 내키지 않어……, 잠깐 나오지 뭐."

"가만 있자……"

한참 말이 끊겼다가 계속되었다.

"지금 진행중이니까, 삼십분 후에 나가지."

"그럼 기다릴게."

"거긴 어디야?"

"학교야."

"학교야? 그런데……."

"르네쌍스에 가있겠어."

"응, 알았어."

"그럼 만나."

욱은 수화기를 놓고 밖으로 나왔다. 건일이도 역시 학생 데모사태에 신경을 쓰고 있는 것이라고 그는 생각했다.

"전화 됐어요?"

선영이 물었다.

"됐어."

"나온대요?"

"그래."

"거 봐요, 그쪽에서도 해방되는 것을 좋아할텐데……."

"아니야, 한창 진행중인데, 억지로 시간을 내어 나오는 모양이야."

"그럼 또 주인 눈치를 보면서 나와야겠네요."

"글쎄……."

둘은 교문을 나와 보도를 나란히 걸었다. 간들바람이 목덜미에 선뜻하게 느껴져왔다.

선영이는 검은 바탕에 빨간 무늬가 진 스카프를 머리까지 올려 조여매고 있었다. 그 짙은 빛깔이 우유빛 래자 코트의 연한 색과 한층 어울려 보였다. 욱은 나일론 하프 코트의 깃을 올려 세우며 옴츠려졌던 목을 길게 폈다.

선영의 의견에 따라 얼결에 건일을 르네쌍스로 나오라고는 했지만, 음악감상실인 그곳이 아무래도 긴장된 이야기를 주고받는 데는 적합할 것 같지 않았다. 그렇다고 지금 금방 변경할 수는 없었다. 건일을 만나서 적당한 곳으로 옮기리라 생각하며 그는 묵묵히 걷고 있었다. 여느 때는 선영이와 이렇게 나란히 걷고 있으면 기분이 경쾌했었다. 그러나 지금 이 시각은 짓눌린 기분의 연속 그대로 울적하기만 했다.

　"연극은 언제 다시 연습을 계속하게 될까……."

　선영이 혼잣소리처럼 중얼거렸다.

　"아무래도 빨리 계속될 것 같지 않은 걸요."

　아무 반응도 보이지 않는 욱을 쳐다보며 선영이 다시 말을 걸어왔다.

　"글쎄."

　욱은 맥빠진 대답을 했다.

　"꼭 이대로 중단된 것만 같은 불길한 예감이 들어요."

　"두고 봐야 알지."

　욱은 여전히 생기 없는 대답이었다.

　"어쩐지 불안해요."

　욱의 마음속에도 그 같은 불안한 예감이 감돌고 있었다. 꼭 이것이 무슨 큰 사태로 번져갈 것만 같은 그러한 예감, 아니 자기 스스로 그렇게 되어야만 할 것 같고, 어떤 의미에선 은근히 그렇게 사태가 확대되기를 바라고 있는 것 같은 충동이 없지 않기도 했다.

　"선영이는 어떻게 생각해?"

　"뭐 말이에요?"

　선영이는 반문하는 말투였다. 욱은 자기의 질문이 너무 막연했던 것을 느꼈다.

　"응, 아까 신문사에서 벌어졌던 논쟁 말이야."

　욱은 선영의 표정을 살피며 말했다.

"글쎄요……."

선영은 대답을 조심하는 듯했다.

"그 의견들을 종합한 방향감각 같은 거 말야……."

"방향감각?"

"아니, 그 이야기들 속에서 느껴진 것이 없어?"

"각자의 의견에는 제 나름으로 그것을 뒷받침할만한 이유가 다 있지 않았어요."

아까 그 자리에서 선영의 얼굴에 어렸던 표정과는 다른 것만 같았다. 선영이는 명확한 자기 의사표시를 회피하고 어떤 단정을 내리기를 주저하는 것만 같이 욱에게는 느껴졌다.

"아까 그 분위기에서 선영이는 무엇인가 느낀 것이 없어?"

"다 일리가 있다고 생각했어요."

"그것뿐인가?"

욱은 말끝을 물고 반문했다. 억양이 거세었다. 그는 자기가 흥분해가고 있다고 생각하며 스스로를 늦춰갔다.

"뻔하지 않아요?"

"뭐가?"

"그렇게 캐고 물어야 속 시원하겠어요?"

선영이도 약간 발끈해오는 것 같았다.

"아니야."

욱은 오므려 들어갔다.

"결국, 두 사람의 생각은 적극적이든 소극적이든 같은 거구, 한 사람의 이론은 약간 이질적이랄까……."

선영은 말끝을 흐리고 있었다. 욱은 자기가 선영이에게 자기 의사에 동조할 것을 강요하고 있는 것만 같은 감을 느끼고 있었다.

"이젠 속 시원하죠?"

선영이 오히려 웃으며 말했다. 그 웃음이 욱에겐 냉소같게만 느껴져 자기가 옹졸하고 꾀죄죄하게만 보였다.

"내가 좀 지나쳤나봐……."

욱은 쑥스러운 웃음을 지었다.

"아니예요. 그러나 내가 남자라면, 난 이 경우 더 적극적인 자세를 취하겠어요."

욱은 뒤통수를 방망이로 거세게 얻어맞은 것같이 머리가 쩌릿해왔다. 태연히 웃으며 자기를 바라보는 선영이 얄미울 정도로 깜찍하게 느껴졌다.

욱은 선영의 뒤를 따라 '르네쌍스'에 들어섰다.

희미한 등불, 자욱한 담배연기, 둔중한 교향악의 선율, 홀 안의 공기는 그의 헛갈린 머릿속을 더욱 무겁게 짓누르는 듯했다.

그는 선영이와 나란히 복스에 앉았다. 주위를 둘러앉았다.

빈자리라곤 거의 없이 가득 차있는 복스, 깊은 명상에 잠긴 듯 심각한 표정으로 비스듬히 기대앉은 자기 또래의 젊은이들, 소근대는 속삭임마저 심포니의 음향 속으로 빨려드는 듯한 가라앉은 분위기, 다만 음악소리가 멈추는 틈을 타서 찻잔이 부딪는 달가닥 소리가 들릴 뿐이다.

그는 온몸이 후끈 달아오름을 느꼈다. 선영이와의 대화의 여운이 아직도 머릿속을 감돌고 있었다.

"적극적인 자세!"하고 그는 곰곰이 입속으로 되뇌었다. 옆에 앉은 선영이에게 자기의 어색한 표정이 정면으로 뚜렷이 보이지 않는 것이 오히려 다행스러웠다.

여기에선 건일이와 큰소리로 마음 놓고 이야기하긴 어려울 것이라고 생각하며 그는 출입구 쪽으로 시선을 주고 있었다.

약속시간은 이미 지났다. 그러나 건일은 좀체 나타나지 않았다. 악곡은 계속 바뀌어 울려나오지만 그는 아무 흥미도 없었다. 선영이는 음악을 감상하는 건지 생각에 잠겨있는 건지 분간할 수 없게 두 손바닥을 턱에 고인 채 눈을 감고 있었다. 신문사에서의 논쟁이나, 연극연습의 중지나, 모두 생각할수록 착잡하고 불쾌하기만 했다. 무료한 시간이 흘러갔다. 건일이 들어오는 대로 같이 이곳을 나가리라고 그는 생각하고 있었다.

"저거, 진옥이 아니야?"

선영의 약간 놀라는 목소리였다. 욱은 도어 쪽으로 눈길을 돌렸다. 입구에 들어서 주위를 두리번거리는 누이동생 진옥을 발견했다. 곧 그 뒤에 건일이 따라 들어섰다.

선영이 그쪽을 향하여 손짓을 했다. 이들을 알아본 그들은 이쪽으로 다가오고 있었다.

"집을 막 나서려는데 진옥이가 찾아오지 않았어……."

건일의 목소리가 의외로 컸다. 늦게 온 데 대한 변명 같았다.

"쉬, 조용히 해요."

선영이 손가락 하나를 자기 입에다 대며 제지했다.

"선영이 너도 와 있었구나!"

진옥의 의외였다는 듯한 말투였다.

"둘이 같이 오느라구 그렇게 늦었었군!"

선영이도 고대 농어린 응수로 나왔다.

"자, 우리 어디 다른 데로 나가지."

새로 온 두 사람이 자리에 앉기도 전에 욱이 말했다.

"글쎄, 왜 하필이면 여기다 정했었나 싶었어."

진옥인 벌써 앉았는데, 그 곁에서 엉거주춤 앉을 자세를 하던 건일이 대답했다.

"아니, 덜덜 떨면서 왔는데, 추위나 녹이구 가야지."

진옥이 반대하고 나섰다.

"차라도 들구 가야잖아요."

선영이 덧붙였다.

"참, 그렇지."

그제서야, 욱은 자신이 너무 서둘러댄 것을 좀 미안쩍어 했다.

"차, 뭐들겠어? 이야기는 이따 나가 하기로 하고. 이 분위기에서야 어디 마음 놓고 말을 주고받을 수 있어야지."

욱이 주위를 돌아다보며 나직이 말했다. 유달리 떠들썩하는 이들 자리에 이웃 테이블의 눈길들이 쏠려져 왔다. 차 주문을 하고 난 뒤 욱은 잠잠히 말이 없었다. 건일도 물을 염을 하지 않았다.

"얘, 연극이 중단됐단다."

찻잔을 들어 한 모금 겨우 마시고 난 진옥이를 건너다보며 선영이 들릴락말락한 목소리로 속삭였다.

"응?"

진옥이가 놀라며 큰소리로 반문했다.

"그거, 정말이야?"

그 뒤를 잇는 듯 따라 나오는 건일의 목소리도 경악에 찬 어조였다.

"그렇게 됐어."

욱이 맥빠져 대답했다.

"왜?"

건일은 거의 사이를 두지 않고 금방 반문해왔다.

"이따 이야기할게."

욱이 대답했다.

건일은 적이 실망한 듯한 표정으로 들었던 찻잔을 테이블 위에 내려놓았다. 그 부딪는 소리가 크게 울렸다. 그는 그 이상 더 캐어묻지 않고 묵묵히 앉아 있었다.

그러나 선영은, 궁금증이 나서 고개를 테이블 위에 쑥 내밀고 있는 진옥이 귀에 입을 대고 손으로 자기 입을 막아가며 옆에서도 알아들을 수 없게 무어라고 소근거리고 있었다.

"자, 그럼 나가자."

이번엔 건일이 편에서 서둘러댔다.

"가만있자, 그러면 진옥인 여기 둘이서 더 앉아있겠어?"

욱은 건일이하고 둘이서만 이야기하고 싶었다. 아까 교문을 나설 때는 선영이도 같이 건일에게로 가자고 했지만, 지금 생각하니, 동생도 있고 해서 역시 여학생들은 끼지 않는 것이 좋을 것 같았다.

"글쎄, 오빠 좋은 대로 해요."

진옥인 선선히 대답했다.

"같이 가도 괜찮지, 그거 어디 비밀인가요 뭐?"

선영이는 가로 달아나고 있었다. 건일인 욱의 태도를 살피며 아무 단안도 내리지 못하는 눈치였다.

"참말, 아까, 건일씨가 오늘 월급을 탔다면서 한턱 낸다고 했는데……."

욱은 건일을 건너다보았다.

"좋아, 우선 나가 저녁이나 같이 하지."

건일이 제안했다. 결국 절충안으로 낙착된 셈이었다.

넷은 함께 르네쌍스를 나왔다.

식사가 끝나자 선영과 진옥인 먼저 나간 뒤 욱은 건일과 단둘이 마주 앉았다. 몇 잔씩 들이킨 독한 배갈기운이 어떨떨하게 돌아왔다.

"대체 어떻게 된 거야?"

건일이 물었다.

"연극 말이지?"

"응."

"결론부터 말하면 당분간 연습을 중지하라는 거야."

"그 이유는 뭔데?"

"결국 대구에서 학생사건이 벌어졌으니까, 당분간은 학내에서의 모든 집회를 금지한다는 거야."

"그래? 좀 더 구체적으로 이야기해봐."

욱은 학생과장실에서 벌어졌던 전후의 전말을 자세히 설명했다.

"그럼, 결국, 아주 중단돼버리는 게 아닐까?"

사태의 경위를 다 듣고 난 건일은 실망어린 표정으로 쓸쓸히 말했다.

"긴장된 분위기가 좀 완화되면, 다시 계속할 수 있을 거야."

그렇게 희망어린 관측을 하면서도 욱은 건일과 같은 거의 절망적인 예감이 없지 않았다.

"그 대본이 처음부터 말썽을 부리더니, 끝내 그 꼴이 되는군……."

건일은 혼잣소리처럼 중얼거렸다.

"대본이야 눈에 거슬리지 않게 다 수정하지 않았어."

"그렇지만 당국자들에겐 첫 시작부터 선입관이 좋지 않았거든……."

"괜찮을 거야, 그래 부원들도 언제든지 연락만 있으면 다시 연습을 계속할 수 있게, 대사를 완전히 암송하도록 당부를 해두었어."

실망어린 건일에 대한 위로의 뜻이었지만, 어떤 면에서는 맥이 탁 풀려져가는 욱 자신에 대한 자위 같은 것이기도 했다.

"자아식들……."

건일은 내뱉듯이 말했다.

"한데 모이지 못하게 하니 기다리는 수밖에 없지 않아?"

"하는 수 없지. 그건 그렇구……. 그 대구사태는 아무래도 심상치 않을 것 같애."

건일은 술기운이 어린 얼굴에 더욱 긴장을 띄워갔다.

"나도 그렇게 생각돼."

"아무튼 아이들이 통쾌하게는 했단 말이야, 역시 문둥이가 제일이야."

마산이 고향인 건일은 경상도 사투리를 섞어 침을 퉁겨가며 말했다.

"이 경우, 우리는 어떠한 자세를 취하는 것이 좋을까?"

욱은 건일의 반응을 살피면서 그의 의견을 타진했다.

"물론 호응해야지, 이 마당에 가만히 앉아 있을 수 있어?"

건일의 눈빛이 빛났다.

"나도 그 원칙엔 동감이야."

욱은 잠시 말을 끊었다가 다시 이었다.

"그런데 여기엔 두 가지 문제가 선행돼야 할 것 같아."

"뭐 말인데?"

건일이 다급하게 반문했다.

"하나는 우리가 행동하는 데 뒷받침이 될 대의명분의 문제고 다른 하나는 학내 전체학생이 움직일 수 있는 절차의 문제야……."

욱은 가라앉은 목소리로 차근차근 말했다.

"대체 그건 뭔데?"

건일은 잘 납득이 안간다는 듯이 머리를 갸우뚱하며 되물었다.

"즉 이런 거야. 이번 사태의 원인이나 결과가 우리 학교 학생이 집단적으로 호응해야 할 객관적 타당성이 있는가 하는 것과, 만약 그렇다면 행동으로 옮기는 데는 전체학생이나 그렇잖으면 최소한도 학도호국단 간부들만이라도 의사를 규합할 모임을 가지고 행동통일을 해야 하지 않을까 하는 점이야."

"응, 알았어, 그 두 가지 다 수긍이 가는 의견이야."

건일은 담배 한모금 길게 빨아 내뿜으면서 심각한 모습으로 말을 계속했다. "첫째, 그 객관적 타당성 말이야. 그건 뻔하지 않아? 학생들이 학원의 자유를 침해당한데 대한 정당방위로 항거하는데 그 이상의 타당성이 또 어디 있겠어, 그렇잖아?"

"나도 거기까지는 의견이 같아. 그런데, 그것이 우리 대학이 아니고,

대구에 있는 다른 학교란 말이야. 이 경우, 우리도 학원의 자유침해라는 대전제아래 직접 피해자의 일원으로 대항하는 건가, 그렇잖으면 같은 학생이라는 뜻에서 동정적인 행동으로 호응할 것인가 하는 문제야."

"그거야 응당 직접 피해자의 연대의식에서 대항하는 거지."

건일은 딱 잘라 말하고 있었다.

"나도 처음 그 보도를 들었을 때는 너와 똑같은 심정으로 흥분했었어. 그러나 곰곰이 생각할수록, 학생들이 학내에서 의사표시를 하는 것과 교문밖에 나가서 대외적인 행동을 취하는 것 사이에는 어떤 엄연한 계선이 있어야 되지 않을까 하는 자기 회의에 빠지고 있어."

"이번 사건은 독재정권의 학원탄압에 대한 봉기가 아니야?"

"거기에 대한 항거방법은 반드시 교문 밖으로 뛰쳐나가야만 할 것인가 하는 문제야."

"그건 너무 이론만으로 따지려는 궤변에 빠지기 쉬운 거야. 이번 경우는 이론에 앞서는 역력한 현실의 증언이 있지 않아……."

건일의 어조는 약간 격해 갔다.

"나도 그 현실을 외면하는 건 아니야. 우린 대학생이니까, 그 현실에 대한 정확한 분석의 과정은 밟아야 하지 않겠어?"

욱은 담담히 말했다.

"그러나 이 경우는 뻔한 건데, 분석하고 따지고 뭐 할 것 있어? 덮어놓고 나가는 거지."

"그, 덮어놓고가 개운하지 않단 말이야."

"그렇게 너무 따지고 재고 하니까, 결국 인텔리는 약하다거나 약삭빠르다는 비난을 듣는 거야."

욱은 낮에 들은 주인식의 말이 떠올랐다. 그 인텔리 운운하는 말만 들으면 슬그머니 구역질나는 불쾌감이 들먹이는 것이었다.

"인텔리? 좋아, 그건 그렇구. 그러면 우리의 행동에 대한 학내의 절차는 어떻게 하는 것이 좋아?"

욱은 흥분을 눌러가며 다음 문제로 화제를 옮겼다.

"그거는 역시 욱의 말대로 학생들의 전체의사를 반영할만한 모임을 거쳐야 할 거야."

"그러나 지금은 학생들이 거의 등교하지 않아 그 모임이 불가능하지 않아?"

"그러니까, 긴급대책으로 학도호국단 간부회의 같은 걸 열 수밖에 없겠지. 아무튼 빨리 우리들의 의사를 표시해야 해, 이대로 방관할 수는 없으니까."

"아까 이야기한대로 나도 그 원칙엔 찬동이야. 그렇지만 간부회의도 오늘 내일 금방 소집될 수는 없지 않어?"

"사실 그렇기는 해."

"그렇다고 한두 사람의 의견으로 학생 전체의 의사인 양, 섣불리 대외적인 의사표시를 하거나 어떤 행동을 취할 수는 없지 않어?"

"하긴 그래."

이쯤 되니 건일이도 퍽 누그러졌다.

"그래, 나는 학림클럽의 긴급회의를 소집하여 우리들 자체의 자세부터 결정한 다음, 다음 단계를 밟는 것이 좋다고 생각해……."

"아무튼 이대로 구경꾼이 될 수만은 없어. 중학생이 불의에 항거하고 나섰는데, 우리 대학생이 침묵을 지키고 있을 수는 없는 일이야."

건일은 욱은 또렷이 바라보며 말했다.

"결국 우리의 방향은 같은 거야. 다만 완급의 차이가 있을 뿐이야. 자, 가지."

둘은 자리에서 일어섰다.

건일은 낮게 쪼이는 엷은 아침 햇살을 받으며 운동장 한 모퉁이에 서

있었다. 국민학교를 갓 졸업한 올망졸망한 수험생들은 이미 시험장으로 들어갔다.

그는 자기가 가정교사로 가르쳐온 영구의 실력에 대해 확고한 자신을 가질 수 없었다. 운명의 당사자인 영구나, 그리고 그 시험결과로 나타날 모든 책임을 도맡아 혼자 지어야 할 자기의 행운을 비는, 그런 요행을 그리는 심정에 쫓기고 있었다.

중 이하의 성적이던 영구를 이년간에 걸쳐, 십등 이내로 끌어올리기는 했지만, 원래 그렇게 뛰어난 머리가 아닌 그를 그 이상의 성적권내로 떠받들어 올리려는 억지는 들어먹지 않았다. 말하자면 영구의 두뇌로서는 도달할 수 있는 최고의 한계선까지 다다른 셈이었다.

한 단계만 격을 낮추어 지원하면 합격을 장담할 수 있었다고 끝까지 우겨댄 자기의 정당한 주장은 영구 어머니의 고집에 완전히 짓밟히고만 결과로 되었다.

실증에 의한 건일의 구체적인 계수의 제시를 무시하고, 자기의 주장만을 끝내 버티어온 영구의 어머니는, 운동장 복판에 삥 둘러서 떠들어대는 자모들 틈에 끼어, 손을 내저으며 무엇인가 조잘거리고 있는 것이 그의 눈에 띄었다.

"영구 어머니, 입학시험은 제비뽑는 것이 아닙니다. 실력으로 싸우는 것입니다. 그러니까 제 실력에 맞는 대로 그 다음 학교로 지원하도록 합시다."

이것은 입학지원서를 앞에 놓고 건일이 마지막으로 내세운 선의의 권유였다.

"아니, 떨어져도 좋으니까 나는 꼭 이 학교로 보내겠어요."

젊은 장군의 부인인 영구 어머니는 후려들려 하지 않았다. 아니, 전혀 말발이 설 수 없었다. 그보다는 차라리 허영에 찬 아집이라는 편이 더 옳을 것이었다.

"떨어질 걸 알면서 왜 억지로 시험을 보입니까. 만일의 경우, 이차 학교는 형편없는 차이가 있는데……."

"아니, 영구 선생." 영

구 어머니는 늘 건일을 이렇게 불렀다.

"하필이면 그런 불길한 말을 해요. 나는 무슨 일이 있어도 일류학교로 보내겠어요."

건일은 순간 자기 의견을 완전히 포기해버릴까 하고 생각했다. 그러나 자기의 책임감에 앞서 영구에 대한 어떤 애착이 앞섰다. 영구의 장래를 위해서도 그런 무모한 도박은 하고 싶지 않았다.

"어디 그 학교만 일류학굡니까, 두세 학교는 다 비슷비슷한 게 아닙니까?"

"아니, 나는 꼭 이 학교로 보내야겠어요. 영구 선생도 이담에 자식을 가져보시오. 그때는 내 심정을 알게 될 거예요."

그 말에는 건일도 할 말이 없었다. 그러나 그 말의 내용은 도무지 실감이 가지 않았다.

"영구 선생."

영구 어머니는 갑자기 어조를 바꾸어 부드럽고 나직한 말씨로 말했다.

"그 학교를 시험보아야 만일의 경우, 보결이라도 구멍을 뚫을 수가 있지 않겠어요?"

그의 말끝은 거의 애원하는 듯한 가락이었다.

"그렇게까지 해서……."

게까지 말하고 건일은 뒷말을 목구멍으로 도로 삼켰다. ―일류학교에 넣으려는 그런 썩어빠진 허영을 버리시오―이렇게 말하려던 참이었다.

한쪽으로 자식을 생각하는 부모의 애정이라고 폭넓게 해석도 해보았지만, 그러나 인생의 정도라고 긍정되지는 않았다.

"영구 어머니 좋은 대로 하시지요."

사람 좋게 나오는 말 같았으나, 사실은 자기 포기와 더불어 상대에 대한 경멸어린 푸념이었다.

"영구 선생 고마워요, 참."

영구 어머니는 약간 비굴한 듯한 웃음을 어색하게 머금고 있었다.

"빌어먹을……."

건일은 그러나 이 한 마디를 밖으로 내뱉지는 않았다.

건일은 지금 이 해괴하고도 부질없는 대화의 장면을 회상하고 있는 것이다. 그는 무심결에 쓴웃음을 지으며 침을 칵 내뱉었다.

"건일이……."

욱이 앞으로 다가왔다.

"수고한다."

"너도 누구 시험 보나?"

"아니, 네가 이렇게 초조하게 서있는 꼴을 보고 싶어 온 거야."

"고마워……."

건일은 코허리가 시큰했다. 그러면서 막혔던 울분이 꽉 솟구치는 것만 같은 충격을 느꼈다. 눈시울이 저려왔다.

"우리 저기 나가 차나 한잔 하구와. 시험이야 애가 보지, 자네가 보나."

건일은 욱의 뒤를 따라 교문 밖으로 묵묵히 걸어 나갔다.

제3장

대통령과 부통령의 선거날짜인 삼월십오일도 며칠 남지 않았다.

밤을 자고 나면 그만큼 더 거리의 분위기는 삼엄해지고 불안은 더욱 짙어지기만 했다.

학생이, 그 속에서도 대학생이, 자기 주변의 현실에 대해서 관심을 가져야만 하는 농도, 그리고 실지의 행동에 있어서의 한계선, 욱은 이런 문제에 대하여 자기 자신과의 심각한 내적 대결에 휘몰리고 있었다. 자기 자신의 당위성에 대하여 스스로 책임져야 할 떳떳한 자세, 집단사회의 일원으로서의 연대의식에 대한 의무, 그리고 학생의 본분으로서 지켜야 할 자기 충족과 객관적인 타당성. 소용돌이치는 정열 그대로 자신을 연소시키면 만용에 흐르기 쉽고, 냉철한 지성입네 하고 그 감정을 억누르면 남의 비판에 앞서 스스로 비굴감이 덮쳐오는 심정. 창백한 인텔리, 시덥지 않은 어감의 여운과 더불어 건우나 인식의 멸시어린 시선이 앞을 가려가는 듯했다.

날이 날마다 선거전략에 얽힌 추잡한 사태가 꼬리를 치는 신문지면, 정의란 애초에 쓰레기통에서도 찾아볼 길없어, 이성을 잃고 수단방법을 가리지 않는 최후의 발악이 노골화되는 무법상태. 이러한 파문은 욱의 가슴속까지 물결쳐와 극도의 혐오와 울분을 불질러놓기만 했다.

여당의 청탁에 의해 인쇄된, 정규 투표용지와 똑같은 규격의 모의투표용지 칠만 매가 경주(慶州)시내에 있는 인쇄소에서 발견되어 야당의 손에 들어온 사실에 겹쳐, 여당의 비밀지령에 의한 당원 오백만 명의 삼인조 및 구인조로 된 투표협작 세포조직이 경기도 광주군 관하에서 탄로된 사실, 이에 따른 "경악할 육천만매 모의 투표용지의 인쇄계획", "국민의 자격과 당원의 자격을 혼동해서는 안된다"는 등의 신문사설들은 눈앞에 다가온 선거의 암담한 분위기에 불안을 짙게 하기만 했다.

그것만이 아니었다. 신문광고란에는 유석(維石)학생 동지회의 야당조직에서의 이탈성명이 보이는가 하면, 비겁한 야당당원의 개인별 및 연명의 속출되는 탈당 성명서, 남선전기노동조합 추진위원회, 주간 신문발행인회 등의 여당 정부통령 당선추진결의문, 서울상공회의소를 비롯한 칠십여 개 기업협회의 연기명으로 된 여당입후보자 지지성명서, 그 같은 실존단체가 있는지 없는지도 모를 전국대학생 학술연구회의 산하의 한국반공예술인단, 한국무대예술원, 한국영화제작가협회, 대한국악원, 대한영화배급협회, 전국극장연합회 등의 '조국을 위해 예술인은 이렇게 외친다'는 여당입후보자 지지선언문, 심지어 배재(培材)동창회의 전국 동창들에게 고하는 여당입후보자 당선촉진에 대한 공고 등 눈앞이 어지러울 정도였다.

욱은 매일매일 머릿속이 헛갈리게 계속 쏟아져 나오는 지저분한 결의 성명 호소문 등에 메스꺼움을 느끼면서 스쳐보았으나, 밤낮 진리와 정의를 입버릇처럼 내뱉는 학생이나 교육단체가 불의에 정면으로 가담하고, 입술에 침이 마를 사이 없이 예술이니 참된 인생이니 하는 방패를 삶의 신조인양 내세우던 예술인 집단이 부정의 선봉에 서서 날뛰는 꼴을 보는 순간 참을 수 없는 구역질과 함께 격한 분노를 느꼈다.

그 사이 대전과 수원에서는 각각 전후하여 야당강연 방해를 비롯한 부정선거 예비행위에 항거하는 고등학교 학생들의 가두시위가 계속되어 많은 학생들이 경찰에 연행되었었다.

자기 주변의 현실이 실리에 눈이 멀고 권력에 아부하여 부정에 동조하여갈수록, 그리고 양식이 썩어빠진 일부 학생의 부화뇌동하는 망동에 비하여, 건전한 대부분의 학생들의 순수한 정열의 불꽃이 튀면 튈수록, 자신의 감정도 비판의 한계를 초극하여 적극적인 행동의 방향으로 쏠려감을 욱은 뚜렷하게 의식해갔다.

선거를 하루 앞둔 삼월십사일 오후, 욱과 건일은 학교로 나갔다. 오후 세시에 발표예정인 신입생 합격자 발표를 보기 위해서였다.

그러나 교문은 굳게 닫혀있고 그 앞엔 밀려든 수험생들이 한데 모여 웅성거리며 문을 열라고 아우성을 치고 있었다. 조마조마하여 발표결과만 기다리던 얼굴들은 점차 반발적인 열기를 띠워갔고, 급히 출동된 경찰백차와 기마경찰대에 의해 이리 몰리고 저리 몰리며 허둥대었다.

수험생들이 경찰곤봉과 말발굽의 세례에 못 이겨 해산하기 시작할 무렵에야 욱은, 라디오와 신문을 통해 합격자발표를 한다는 교문 옆 담벽에 붙어있는 학교 당국의 게시를 발견할 수 있었다.

불합격된 지원자들이 그 분격을 풀기 위해 데모에 나설지도 모른다는 풍문이 떠돌지 않은 것은 아니었지만, 지레 겁을 집어먹고 서둘러대는 꼴들이 그에게는 비열하고 치졸하게만 느껴졌다.

수험생들은 적의에 찬 표정으로 제각기 불평을 늘어놓으며 큰길로 흩어져갔다. 그 모습을 한 모퉁이에서 우두커니 지켜보고 있던 욱은 무엇인가 모를 서글픔을 막을 길 없었다.

선량한 국민, 특히 순진한 학생들까지도 믿지 못하는 정치, 인간 모두가 서로 불신에 가득 찬 현실, 그것은 그대로 불행한 비극인 것만 같았다.

"자식들……."

교문에서 돌아서, 서슬이 퍼래 날뛰는 기마대의 옆을 스치며 건일이 내뱉었다.

욱은 가슴속이 꽉 막혀옴을 느끼며 묵묵히 걸었다.

밖이 어둑어둑해질 무렵, 욱은 건일과 함께 종로 네거리 건널목을 지나가고 있었다.

낮에 굳게 닫힌 교문 앞에서 열기를 띠고 아우성치던 수험생들의 적의에 찬 영상은 좀체로 욱의 머리에서 가셔지지 않았다.

거리에는 골목과 모퉁이마다, 권총을 찬 정복경관이 버티고 서있거나 긴장된 빛으로 서성거리는 모습이 눈에 걸렸고, 그것을 힐끔힐끔 훔쳐보며 지나가는 행인들의 표정은 굳게 얼어 발걸음들이 유달리 재빨랐다.

"아, 저거……."

건일이 욱의 옆구리를 주먹으로 쿡 찌르며 바쁜 소리를 쳤다. 욱의 시선은 건일이 가리키는 쪽으로 쏠렸다.

안국동 로터리 쪽에서 새까만 데모대열이 한길이 꽉 차게 쏟아져 나오고 있었다. 대열 속에서 외치는 함성에 섞여 경찰의 호각소리가 밤하늘에 엇갈려 퍼져왔다. 성난 짐승의 포효같이 밀려닥치는 대열은 둑을 끊은 홍수의 기세로 스크럼을 낀 채 한길바닥을 훑어가고 있었다. 검은 제복의 고등학교 학생들이었다.

욱은 가슴 속이 뿌듯해옴을 느꼈다. 무엇인가 충일되어오는 것같은 감정, 그는 저도 모르게 두 주먹에 힘을 주어 꽉 쥐고 있었다.

"어느 학굔가?"

옆에 서있는 중년부인이 조심스럽게 혼잣말로 뇌까렸다.

"대동상업인가봐요."

그 열의 청년이 큰 소리로 대답했다.

양쪽 보도의 군중들은 데모대를 따라 같은 방향으로 움직여가고 있었다. 욱도 건일도 군중의 물결에 따라 저절로 이동되어갔다.

욱은 목덜미가 선뜻하던 한기가 완전히 가셔지고, 전신에 열기가 퍼져오름을 느꼈다.

데모대열 속에서 가두에 있는 군중을 향하여 삐라가 뿌려졌다.

욱은 그것을 한 장 집어들었다.

"대한민국은 민주공화국이다."

대한민국 헌법의 제일조였다.

"학원의 자유를 수호하자."

"취소하라 삼인조. 실시하자 공명선거."

목이 터져라고 외치는 데모대의 열띤 구호는 하늘을 찌르고 메아리쳤다. 대열 속뿐 아니라 보도의 군중들까지 들끓고 있었다.

갑자기 데모대가 중간에 동강이 나고 뿔뿔이 흩어지기 시작했다. 좌우 골목에서 쏟아져 나온 정사복 경관의 곤봉이 학생들의 머리에 휘둘러졌다.

"저놈 잡아라, 저놈 잡아."

달아나는 학생들의 뒤를 쫓는 경찰의 발악어린 소리가 귀를 쩡, 하게 됐다.

뛰다가 넘어져 붙잡힌 학생들의 몽둥이엔 경관의 구둣발이 마구 내려 퍼부어졌다. 학생들의 비명이 가슴속을 에이듯 짜릿하게 부딪쳐왔다.

"올 테면 오라."

몸집이 뚱뚱한 학생이 경관에 붙잡힌 손을 뿌리치며 대들다가 주위에 모여든 여러 명의 구둣발에 짓밟히며 트럭으로 끌려 올려졌다. 경찰은 성난 이리떼처럼 잡히는 대로 학생들을 붙잡아 싣고 있었다. 보도의 행인들도 경찰의 제지에 따라 하나 둘 흩어져갔다.

욱은 튀어지려던 가슴이 다시 막혀져옴을 느꼈다. 건일도 아무 말없이 이 처참한 역사의 현장을 지키기라도 하려는 듯이 눈을 박고 있었다.

학생들이 다 흩어지고 난 거리는 전쟁 뒤의 폐허만 같았다. 모자 신발 책가방들이 여기저기에 나뒹굴고 있었다. 아직 그 자리에 버티고 있는 경관의 서슬에 아무도 그 물건들에 손대는 사람은 없었다. 그것은 귀중한 증거품인양 경찰백차에 실려져가고 있었다. 백차의 사이렌소리가 상처를 찌르듯 더욱 쓰리게 가슴속을 후벼댔다.

아무래도 새날의 선거가 심상치 않은 사태를 빚어낼 것만 같은 불안한 예감을 느끼며 욱과 건일은 그 자리를 떠났다.

욱은 건일과 함께 집으로 돌아왔다. 생생한 데모장면이 그대로 살아 망막에 아른거렸다. 중학교 때부터 관제데모는 수없이 해왔었다. 그것도 경찰의 치밀한 호위아래, 교통차단까지 사전에 예고하고 질서정연하게. 휴전협정 반대, 유엔결의에 대한지지 호소, 미군 철수 반대, 이 박사지지 시위, 그밖에 무슨 반대, 무슨 지지, 무슨 옹호, 무슨 환영 등등, 이루 헤아릴 수 없었다. 본의 아니게 끌려 다니는 시위행렬, 아무 감동도 의식도 없이 악대를 앞세우고 기계적인 구호를 외치는 맥빠진 대열, 후줄근하게 늘어져 지쳐서는 맥풀린 다리를 끌고 돌아왔었다. 시위자체는 별 흥미나 관심이 없어 싫증이 났지만, 수업을 전폐하고 밖에 나가 노는 것이 오히려 좋았었다.

그런데 이번의 그것은 확실히 질과 차원이 달랐다. 누가 시키는 것이 아니라, 자기가 자진하여 적극적으로 참여하는 능동적인 의사표시, 자기 의지에 의하여 자기 자신이 선택한 행동, 끌려가는 맹종의 대열이 아니라 스스로 일어선 약동과 열광의 대열이었다.

밤이 이슥하여 불을 끄고 자리에 든 후에도 흥분은 도무지 가라앉질 않았다. 둘의 대화는 자꾸만 되풀이되었다.

"참, 통쾌해. 그런데 뒤가 아주 시시하단 말이야."

건일은 못내 아쉬운 듯한 말투였다.

"참말 속 시원해. 아직 우리는 죽지 않았어."

욱이 받았다.

"그런데, 그 다음이 문제란 말이야. 끝이 그렇게 흐지부지 되지 않게 하려면……."

"맨주먹으로 덤벼드는 거니까, 그 이상 갈 수 있어?"

"아니, 원체 대부대로 터져나가면 그자들도 어쩔 수 없을 거야. 양이 질을 변화시킨다고 하지 않아?"

건일은 베개에서 고개를 들먹이며 말소리를 높였다.

"글쎄, 그런데 우리가 다 평소에 그런 훈련을 받아보지 못하고 자랐으니까, 대규모로 통일전선을 취하기는 어렵지 않아?"

"그래, 자칫하면 오합지졸이 되기 쉬울 거야."

"그러나, 이런 기적은 바랄 수 있어. 불란서혁명도 똑같은 시간에 전체 군중이 함께 일어선 것은 아니니까, 산발적인 연쇄반응으로 각 학교가 일어서고, 거기에 민중이 적극적으로 호응한다면, 어떤 가능성을 예기할 수도 있을지 몰라."

욱은 이론으론 막연한 이상론 같은 것을 내세우면서도 그 방향에 대한 어떤 자신은 가져지지 않았다.

"모든 것이 실패로 돌아간다 할지라도, 민중의 자발적인 봉기는 새로운 사회구조의 혁신을 위한 전진의 구실은 될 거야."

건일이 말했다.

"아무튼 내일 선거를 치르고 나서 우리는 좀 더 확고한 행동의 방향을 잡아야겠어."

욱은 말끝에 힘을 넣었다.

"선거야 뻔한 걸 뭐. 무슨 협잡을 하든지 간에, 여당의 압도적인 승리로 돌아갈 건데……."

"그건 기정사실이지만, 그 다음에 오는 사태의 추이를 지켜보잔 말이야."

"그런데, 욱!"

건일은 욱을 불러놓고 대답을 기다렸다.

"왜 그래."

"우린 내일 난생 처음으로 투표에 대한 주권행사를 하는 거 아냐?"

"그래서……."

"그런데, 부통령 투표는 뻔한 거지만, 대통령은 야당 입후보가 죽고 없으니 어떻게 한다?"

"글쎄 말이야."

욱도 그 문제에 대해선 아직 자신의 방향을 확정하지 못하고 있었다.

"나머지 야당입후보자라고 나선 것들은 대통령의 감이 될 수 없고……."

건일은 일어나 앉아 담배에 불을 붙이며 말했다.

"그래도 할 수 없지, 야당입후보자 속에서 하나를 골라야지."

"아니, 쓸모없는 것들에 표를 주어선 뭘 해, 차라리 기권하는 것이 낫지."

"아니야, 기권은 그만큼 우세한 여당에 표를 던지는 결과로 되는 거야. 그리고 자기 줏대가 없는 거구. 비록 당선은 못된다 하더라도 야당 전체에 대한 득표수는 국민의 현정권에 대한 비판의 바로메타로 되니까."

"나는 차라리 죽은 사람에 대한 추모투표를 할까 해."

"그건 잘못이야."

욱이 자리에서 일어나며 말했다.

"그건 값싼 센치에 불과한 거야. 죽은 사람에게 던지는 표는 기권이나 매한가지야. 득표수의 계산에서도 그건 무효투표에 지나지 않은 거지."

"오죽해야 그렇게 생각했겠어."

건일은 다시 자리에 누우며 맥이 풀린 소리로 중얼거렸다.

"그렇지만, 표는 살려야 한다고 생각해. 아무 소용없는 죽은 표를 알면서 던질 수는 없지 않아. 추모투표를 강요하는 그 정당도 나쁘단 말이야. 그건 다른 야당에 대한 간접적인 견제라고 볼 수밖에 없는 거야."

"하기야 야당이고 여당이고 뭐 뚜렷한 정강정책이나 내세운 것이 있어, 그저 그게 그거지. 오히려 정권쟁탈전이라고 하는 것이 옳겠지."

"그러니까, 못 살겠다 갈아 보자라는 유치하고도 상식 이하의 선전구호가 들어맞는 거야. 이것이 신통치 않으니까 그 밖의 다른 것은 아무것이라도 좋다는 심정, 그 표적이나 방향 없는 요행심 말이야……."

"참 이렇게 훑어가면 맥이 쑥 빠진단 말이야."

"그래도 한걸음 점진적인 방향으로 나가야 하지. 포기할 수는 없지 않아?"

"그 놈이 그 놈같이 다 도둑놈만 같으니."

"그러니까, 우리 세대부터는 조금이라도 건전한 방향으로 나가야지……."

"그러기 위해선 데모다."

건일이 버럭 소릴 질렀다.

"자, 이젠 자지. 내일 아침에 또 다시 생각하기로 하고……."

욱은 담뱃불을 끄고, 이불을 머리 위까지 끌어 덮었다.

그러나 도무지 잠은 오지 않았다. 건일도 이불 속에서 부스럭거리기만 하는 모양이었다.

반장이 와서 떠들썩하는 소리에 욱은 눈을 떴다. 건일은 잠든 지 얼마

되지 않는 모양으로 한창 녹아떨어져 자고 있었다.

"더 복잡하기 전에 일찍 나와 투표하시오. 그리고 저…… 이왕이면 일생을 독립운동에 바친 이 박사가 다시 대통령이 되시면 좋지 않겠어요." 반장은 한바탕 웃음을 터뜨리고 나선 말을 계속하고 있었다. "부통령도 역시 이 박사와 노선을 같이하는 이 의장으로 하면, 이제는 다 닦아놓은 길에 나랏일이 쉽게 나가지 않겠어요."

평소에 유들유들한 반장은 역시 말끝에 웃음을 덧붙이는 것을 잊지 않았다.

"네, 그러믄요."

어머니의 동의하는 듯하면서도 건성 대답하는 목소리였다.

"빌어먹을……."

욱은 자리에 누운 대로 담배를 길게 빨아 천장으로 뿜어올리며 혼자 입을 다셨다.

조간신문은 간밤 부산에서 여학생들까지 끼인 팔개 고등학교 오륙백 명이 "부정선거 물리치자", "우리의 선배는 썩었다. 우리가 민주재단 지키자" 등의 구호를 부르며 시위에 나서 경찰과 충돌했고, 원주에서도 백여 명의 고등학교 학생들이 구호를 외치고 삐라를 뿌리며 데모를 했다고 보도했다. 그것만이 아니라, 전남 광주에서는 투표장의 기표소를 투표자들이 서로 볼 수 있게 내통식(內通式)으로 하였고, 서울 마포구에서는 야당측 선거사무장이 정체불명의 괴한들에게 구타를 당하였다는 등 신문지면은 어수선하기만 했다.

아침 후 건일이 돌아가고 난 뒤에도 욱은 한나절이 지나도록 방안에서 뒹굴었다. 사태는 더욱 긴박해감을 느끼면서도 선거나 투표 자체에는 별 흥미가 가져지지 않았다.

그러나 기권을 할 수는 없다고 자신에게 다짐하면서 그는 집을 나섰다. 길거리에서는 말쑥이 차린 부인네들이 입후보자의 기호와 사진이 찍힌 종이쪽지를 나누어주며 부탁합니다를 연발하고 있었다. 선거에 대한 그 같은 치밀한 계획이 욱에게는 오히려 반발적인 기분을 불러 일으켰다.

그는 종이쪽지를 구겨진 채 선거투표장인 동회사무소로 갔다. 벌써 거의 다 투표를 끝낸 것인지 입구에 늘어선 사람의 수는 몇 되지 않았다.

자기 순번을 기다려, 욱은 투표절차를 밟기 시작했다. 그는 도장을 내어들고 선거사무원이 넘겨가는 선거인명부를 물끄러미 내려다보고 있었다.

그런데 이상한 일이 그의 눈에 걸렸다. 일년전까지 몇 해 동안 자기집에 있다가 시골로 내려가 버린 식모 금순의 이름이 자기 이름 옆에 기록되어 있는 것이었다. 그것까지는 좋았다. 아마도 아직 기류계를 떼어가지 않은 것이라는 생각이 들었다. 그러나 그 이름 밑에는 벌써 투표가 끝난 표식이 되어있는 일이었다.

"가만있자, 이건……."

욱은 금순의 이름을 손가락으로 짚으며 불현듯 입을 열었다.

"뭔데요?"

사무원이 퉁명한 소리를 치며 욱을 쏘아보았다.

순간 욱은 주춤했다. 괜한 소리를 했다싶은 생각이 곧 뒤따랐다.

"아니오……."

그는 흐리멍텅하게 말하며 주춤 오므라들었다. 어떻게 된 연유도 모르고 무턱 내댈 자신이 없었다. 오히려 자신이 잘못을 저지른 것만 같은 착각이 들었다.

"자, 저쪽에 가서 써넣어요."

욱은 어떨떨한 속에서 계원이 주는 투표용지를 받아들고 광목조각이 상반신을 가리게 된 기표소로 들어갔다.

그러나 미리 마련되어 있는 붓뚜껑에 인주를 묵혀 투표용지 소정란에 찍으면서도 도무지 마음속은 개운하지 않았다.

그는 투표용지를 되는대로 접어 투표함에 집어넣고는 밖으로 나왔다.

꼭 아무 소용도 없는 헛수고를 치르고 나온 것만 같은 허전한 기분을 막을 길 없었다. 모든 것이 더욱 짙은 의혹 속으로 감싸져 가기만 했다.

욱은 울적한 기분에 짓눌려져있었다. 술이라도 실컷 마시고 싶었다. 무엇인가 친구들과 더불어 울분을 토로해야만 할 것 같았다.

그는 학교로 나갔다. 우선 학생 휴게실에 들러보았다. 가까운 친구라곤 아무도 눈에 띄지 않았다. 자기 학과연구실에 가볼까 생각하다가 그는 도서관 쪽으로 발길을 돌렸다.

"어, 욱!"

본관 현관 앞에서 짱구와 순옥이 자기 쪽을 바라보며 손을 흔들고 있었다. 욱은 그들 앞으로 다가갔다.

"너를 찾고 있는 중이야."

짱구가 말했다.

"나를?"

"응."

"오늘, 현이 한턱낸대."

그 순간 욱은 현의 말이 떠올랐다. 동생이 합격만 하면 그걸 겹쳐 자기 생일축하를 톡톡히 하겠다던 이야기가.

"아까부터 찾고 있었어. 구석구석을 뒤져봐야 어디 나타나야지. 그래 하는 수없이 집으로 찾아가려는 참이야."

"그런데, 왜 하필 오늘이야?"

욱은 친구들이 한데 어울리게 되어 마침 잘 되었다고 생각하면서도 선거에 엇갈린 개운치 않은 기분 탓으로 불쑥 한 마디 내뱉었다. 거긴엔 또 정권과 결탁하여 졸지에 거부가 된 현의 집안에 대한 잠재적인 반발의식 같은 것이 현실과 결부되어 슬며시 작용되지 않은 바도 아니었다.

"오늘이 바로 현의 생일이 아니야. 그래 네 연락은 내가 맡았어."

짱구가 말했다.

"그럼 건일인?"

"응, 지금 막 연락이 됐어."

"온대?"

평소에 헌더러 돈냄새를 풍기고 다니는 것이 불쾌하다고 하던 건일이었기에 욱은 그렇게 물었다.

"너한테 연락이 됐느냐고 묻지 않아, 그래 됐다고 적당히 대답했지. 그랬더니, 욱이 가면 자기도 가겠다고 그러지 않아."

건일의 심정을 눈치채고 있는 짱구는 거기까지 신경을 쓴 말투였다.

"그럼, 건일을 불러 같이 만나 가기로 하지."

"아니, 벌써 떠났을거야."

"내 전화 걸어볼게."

욱은 짱구의 다음 대답은 기다리지도 않고 본관 복고를 지나 서무실 쪽으로 걸어갔다.

건일의 하숙에 전화를 거니 그는 방금 나갔다고 했다.

"뭐래?"

되돌아온 욱을 보고 건일이 물었다.

"금방 떠났대."

"그것 봐, 내 작전이 들어맞지 않아?"

짱구는 씽긋 웃으며 고개를 끄덕거렸다.

"그럼, 다른 축들은?"

욱이 물었다.

"응, 다 연락이 됐어, 연극부원하구, 그 밖의 치들도 더러 모일거야."

"선영씨는 물론이구요."

줄곧 말없이 두 사람의 대화를 지키고만 있던 순옥이 끼어들었다. 셋은 함께 웃음을 터뜨렸다.

"생일축하, 합격축하, 그 밖의 일도 있고 해서, 오늘은 아마 굉장한 파티가 될거야."

버스에서 내려 가회동 입구로 들어서면서 짱구가 말했다.

"올나이트가 될지도 모를거예요."

순옥이가 덧붙였다.

"그 밖의 일이라니?"

욱이 짱구에게 시선을 돌리며 물었다.

"아니, 그거 있지 않아, 현의 원대한 계획 말이야."

짱구는 알고 있지 않느냐는 듯한 표정이었다.

"원대한 계획이라니?"

욱은 금방 알아차릴 수 없어 가벼운 반문을 던졌다.

"학도호국단장 말이야, 진작부터 그걸 꿈꾸고 있지 않아?"

"응, 그거……."

그제야 욱은 납득이 갔다. 그러나 그런 일의 사전공작이 개재한다는 것은 어딘가 불순한 동기같아 그에게는 그리 유쾌하게 느껴지지 않았다. 그런 일엔 늘 무관심하면서도, 정작 부닥치게 되면, 그 무관심은 멸시나 불쾌감으로 금방 뒤바뀌어지는 그였다.

"이번엔 아마도 치열한 경쟁이 벌어질거야."

짱구는 예사롭게 늘어놓고 있었다.

"최소한 격심한 삼파전으로 벌어질 것은 거의 틀림이 없을 거구……."

"누구누군데요?"

순옥이 물었다.

"김현과 현재 호국단총무를 맡고 있는 최원우, 거기다 지방 출신들은 주인식을 밀고 나온다는 소문이 있으니까……."

"주인식?"

의외라는 듯한 어조로 욱이 물었다.

"응, 이번엔 지방출신들이 서울을 꺾으려고 단합공세를 취한다는 거야."

짱구가 대답했다.

김현에게서는 이미 암시받은 바 있고, 최원우가 거기에 적지 않은 관심을 가지고 있다는 것쯤은 욱도 어렴풋이 짐작하고 있는 일이지만, 주인식까지 끼었다는 것은 도무지 수긍이 가지 않았다. 그만큼 주인식은 시류에 타협하지 않는 솔직담백한 성격의 소유자로 욱은 느껴왔었다.

"인식이야, 뭐……."

"글쎄, 본인의 심경은 몰라도, 주위에서 들은 그렇게 생각하고 있는 모양이던데. 그래도 어느 정도 본인의 의사표시라든가 또는 그러한 것을 수락할 가능성이 엿보이기에 그런 말들이 터져 나온 게 아니겠어?"

"글쎄……."

그렇다면 전번 학내 신문사에서 대구학생데모를 계기로 논쟁이 벌어졌을 때, 인식이나 원우가 제각기 자기 견해를 고집하며 핏대를 세운 것도 그런 라이벌 의식에서 나온 것이 아닐까 하는 생각도 욱에게는 들었다.

"아무려면 어때, 이렇게 초대나 받고 구경이나 하는 거지."

짱구가 의미있게 코허리에 주름을 지으며 눈을 씽긋했다.

"그 잘난 건해서 대체 뭐하는 거야?"

"그 잘난 거라니……. 그건 너같이 그런 것에 관심이 없는 사람의 말이지. 전국학도호국단장만 하면, 시시한 국회의원보다 낫다는 거야."

짱구는 욱을 한번 건너보곤 열을 올리며 말을 이었다.

"그 관록이 사회로 진출하는 데 여간 큰 정치적 기반이 되는 게 아니란 말이야. 단과대학 호국단장만 해도, 당선만 되면 정당이나 국회의원으로부터 자진해서 자금이 공급된다는 거야."

욱은 짱구와 나란히 걸어가며 묵묵히 듣고만 있었다.

"그래요?"

짱구의 옆에 선 순옥이 기이하다는 듯한 눈매로 의아에 찬 반문을 했다.

"아니, 화수회(花樹會)니 군민회(郡民會)니 하는 모임에도 정치자금이 마구 흘러나가는 판인데……. 무슨 군(郡) 학우회(學友會)하는 것도 자체의 어떤 필요성이 있어서 하는 줄 알아? 돈은 어디 있어? 그것도 다 그렇구 그런 거여. 그런 거 하나 만들어 하면 돈 나올 구멍은 저절로 생기게 마련이라는 거야. 그런 행사에 맛들인 축들은 행사기간중은 돈을 망탕 쓰다가 그것이 끝나고 나면 주먹이 깡깡 말라버리는 거야. 그러니까 권력층이나 국회의원들에게 끄나불을 달구, 행사를 꾸미느라구 밤낮 혈안이 돼 있지 않아?"

"그럼 너 연남이두 하나 만들지 왜……."

욱은 약간 비꼬는 어조로 말했다.

"나야 어디 용돈이 아쉬운가? 정치와는 이미 담쌓았어. 내가 운동을 하구 거기다 비교적 아는 친구들이 많으니까 얻어들은 것이 많아 그렇지. 나야 단순하지 않아?"

말끝이 어색한지 짱구는 목덜미에 손을 올리며 멋쩍게 웃었다.

"또 자화자찬이시군……."

순옥이 눈을 끔벅이며 말했다.

밖에서는 김현과 늘 어울리지만, 욱이 김현의 집으로 초대받은 것은 처음이었다. 그러나 짱구는 자주 드나드는 모양이어서 대문깐에서 초인종을 누르는 솜씨부터 퍽 자연스러워 보였다.

철문을 거쳐 들여다보이는 경사진 정원, 상록수가 빽빽히 우거진 널찍한 뜰안 저 안쪽에 석조전 건물의 상반신이 겨우 눈에 띄었다.

욱은 손바닥만한 뜰, 그것도 온통 시멘트로 발라, 나무는 고사하고 흙이란 한 발자국도 밟을 곳이 없는 자기집을 떠올리며 대문 안에 들어섰다. 좌우로 돌아 올라가는 타원형 아스팔트 차도의 가운데를 질러 나무숲속으로 난 돌층계를 올라 다시 평퍼짐한 잔디밭을 거쳐 현관 앞에 닿으니 도심지가 한눈에 내려다보였다.

현이 현관문을 열고 나왔다.

"난, 욱이한테 연락이 안됐을까봐 퍽 걱정을 하고 있었는데……."

그는 반기며 맞아주었다.

"다들 왔어?"

짱구가 물었다.

"응, 많이들 와 있어."

"건일이도?"

욱의 심경을 알고 있는 짱구는 앞질러 그것부터 물었다.

"방금 전화가 왔었어. 약도를 얘기해주었더니, 이 부근 지리는 잘 모른다고 하지 않아. 그래 저 아래 한길 입구에 있는 다방까지 오라구했지. 거기다 동생을 내려보냈어."

"역시 병아리 정치가는 치밀하군."

짱구가 슬그머니 농을 부렸다. 그러나 현은 싫지 않은 표정으로 빙그레 웃음을 번지고 있었다.

이들은 긴 복도를 돌아 별관의 맨 끝 방으로 안내되었다.

방안에선 전축의 빠른 템포 가락이 울리고, 거기에 뒤섞여 웃음소리가 터져나오고 있었다.

먼저 온 덕호 태수 미애 등 가까운 친구들이 함성을 치며 이들을 반겼다. 학도호국단장 이철수(李哲洙)가 자리에서 일어나며 욱의 손을 잡았다. 욱은 그와 악수를 나누며, 역시 현은 외형으론 덤덤한 것 같으면서, 속으로는 빈틈이 없다는 생각이 들었다. 그 밖에 욱이 얼굴을 알면서 이름을 잘 기억할 수 없는 학우들도 몇몇 끼어있었다.

화사하게 단정된 넓은 방안에 벽을 기대어 늘어놓은 으리으리한 가구들을 바라보면서, 욱은 선영이에게 전화를 걸어볼 것을 잊었다는 생각을 하고 있었다.

얼마 안되어 건일이 들어왔다. 그는 욱의 곁에 와 앉았다. 곧 미애가 그들 옆으로 살금이 다가와 입에다 손을 대고 속삭이듯 말했다.

"진옥인 선영일 데리러 갔는데 아마 둘이 같이 곧 올 거예요."

미애의 의미있는 듯한 눈웃음을 바라보며 욱과 건일도 서로의 눈길을 마주치며 웃음을 번졌다.

"자, 그러면 시작할까?"

현이 도어를 열어젖히고 이들을 바라보며 말했다.

"합시다."

"빨리빨리 시작합시다."

앞뒤에서 말소리가 뒤섞여져 나왔다.

"그러면, 미안하지만 이쪽 방으로 옮겨주시오. 식사는 옆방에서 하구, 레크레이션은 이방에서 가지기로 하겠으니까?"

"좋소."

"좋아요."

농담에 얼려 기성까지 뒤섞였다.

이들이 현이 인도하는 옆방으로 들어서자 방안에선 일제히 박수소리가 터져나왔다. 순간 모두들 어리벙벙했다.

고등학교를 갓 졸업한 듯한 상고머리 남학생들, 거기에 여학교 학생들까지 끼어있었다. 그들은 식탁 한쪽 가에 일렬로 늘어서서 방으로 들어서는 이들에게 시선을 박은 채 계속 환영의 박수를 치고 있었다. 맨 끝으로 들어선 욱은 무슨 영문인지 몰라 약간 어리둥절했다.

"자, 그럼 모두들 앉으시오."

박수가 멈추자 현이 좌석을 둘러보며 말했다.

"이쪽은 제 친구구, 저쪽은 제 동생의 동창과 그 친구들입니다."

이번에는 대학생 쪽에서 그들에게 보내는 박수가 예고도 없이 거의 동시에 호응되고 있었다.

현은 동생 신(信)을 끌어세우며 말을 이었다.

"이번 고등학교를 졸업하고 그리 우수하지 못한 성적으로 대학에 진학한 제 동생 신입니다."

현은 조크를 섞어가며 동생을 소개했다. 웃음과 박수소리가 뒤엉켜 터져나왔다.

"오늘 밤은 동생 신의 합격을 자축하기 위해 마련된 자리입니다. 거기에 제 생일도 곁들이구…… 이렇게 와주셔서 감사합니다. 그러면 식사에 들어가기 전에 우선 서로 개별적인 인사를 교환하기로 하겠습니다."

"그거 좋아요."

덕호가 소리쳤다.

"그러면 신, 네 친구부터 먼저 소개하지……."

현이 동생의 어깨를 치면서 말했다.

가죽잠바 차림의 체구가 듬직한 신은 형보다 더 커 보였다. 그는 기쁨에 넘쳐 싱글벙글하며 입을 열었다.

"지금 소개받은 김신입니다. 이 집의 둘째아들. 에에 또, 특기는 아코디언, 나중에 보여드리겠습니다."

박수와 환호성 속에서 분위기는 자연스럽게 익어갔다.

"그럼 지금부터 제 친구들을 하나씩 소개하겠습니다."

신은 자기 옆에 앉은 키 큰 학생을 일으켜 세웠다.

"이름은 이선우, 별명은 노뽀. 취미는 등산, 저의 학교 산악반 리더이고. 이번 공과대학에 합격한 수재입니다."

"수재는 빼놓고 다른 것은 다 사실입니다. 잘 부탁합니다."

노뽀가 덧붙이며 인사를 했다.

"다음은 후라이로 통하는 박현구. 기타의 명수입니다."

후라이의 뒤를 이어 그 옆에 앉은 여학생이 소개되었다.

"이에 또, 그다음은 트위스트 아가씨, 한영미. E여대 정외과에 우수한 성적으로 합격한 재원입니다."

트위스트 아가씨는 신을 흘기는 시늉을 하며 몸을 틀어 비꼬면서 인사를 했다.

신의 걸직한 익살 속에 그의 친구들이 계속 소개된 다음, 이번에는 현이 일어나서 자기 동창들을 하나씩 소개했다.

"오, 웰컴."

도어 쪽 가까이에 앉은 짱구의 큰소리에 좌중의 시선은 그쪽으로 몰렸다.

진옥이와 선영이 말쑥한 차림으로 들어섰다. 방안이 떠나갈 듯한 박수가 터졌다.

"자, 그럼 파티로 들어가겠습니다."

현이 말했다.

신은 샴페인 병에 타올을 감싸쥐고 조심스럽게 뚜껑을 밀어올리고 있었다. 탕 소리와 함께 병마개가 천장에 가 부딪는 순간, 또다시 박수소리는 방안을 뒤흔들어 놓았다.

유리잔에 연분홍 샴페인이 차례로 따라졌다.

"그럼 다 같이 축배를 듭시다."

현이 잔을 높이 들며 말했다.

"우리 모두의 젊음과 앞날을 위하여……."

신이 소리쳤다.

"브라보……."

학도호국단장 이철수가 소리높이 외쳤다.

그들은 젊음을 마음껏 불사르기라도 하려는 듯이, 잔과 잔이 맞부딪는 속에서 흥겨운 축배의 첫잔을 들었다.

"자, 이렇게 술은 얼마든지 있습니다. 위스키, 맥주, 정종, 구미에 맞는 대로 자유선택하십시오."

현이 한쪽 구석에 늘어놓은 술병을 가리키며 말했다.

"자, 건일이……."

욱은 옆에 앉은 건일에게 잔을 건네고 양주병을 들어 술을 따랐다.

"욱, 암만해도 우리는 이 분위기에 잘 어울리는 것 같지 않아."

건일이 잔을 든 채 욱을 바라보며 말했다.

"글쎄……."

욱도 내심 그러한 거리감을 느끼고 있는 참이었다. 자기가 살고 있는 현실과는 어딘가 동떨어져있는 별세계만 같은 그런 기분이었다.

건너편에 자리 잡은 신이 친구인 여학교 학생들도 맥주잔을 거뜬히 비우고는 남학생들에게 척척 권하는 품이, 자기들과는 어딘가 세대가 다른 것만 같은 느낌을 주었다.

"자, 욱이 한잔 들어."

현이 욱의 곁에 와서 잔을 내밀며 말했다.

"오늘은 좀 취하도록 마셔."

"나 많이 들었어."

욱은 잔을 받으며 대답했다. 사실 그는 더블 잔에 스트레이트로 들이킨 양주 몇 잔에 약간 알딸딸해 옴을 느꼈다.

현은 차례로 돌아가며 잔을 권하고 있었다. 맥주 두어 잔을 쭉쭉 들이키던 미애는 눈동자까지 발개졌고, 콜라에 위스키 몇 방울씩 타서 입술을 적시고 있던 순옥이도 얼굴이 발갛게 상기되어있었다.

식사가 끝나자 이들은 전축이 있는 옆방으로 다시 옮겼다. 그러나 술은 여전히 계속되고 있었다.

한두 가지 간단한 게임이 끝난 다음, 대학 패와 고등학교 패는 두 팀으로 갈라져 노래자랑이 시작되었다.

신의 아코디언과 후라이의 기타 반주에, 얼큰한 술기운마저 겹쳐 판은 점차 흥겹게 무르익어갔고, 결국에는 댄스파티로 옮겨졌다.

고교패들은 트위스트에 맘보 림보 할 것 없이 저희 세상으로 기세를 올리고 있는데, 대학패들은 거기에 지질려 꼭 구경꾼 노릇을 하고 있는 꼴이었다. 그래도 현이나 짱구는 미애, 순옥이와 함께 그들 속에 끼어 제법 기분들을 내고 있었다.

그러나 사교춤이란 한 발자국도 떼어본 일이 없는 욱과 건일은 한쪽 구석에서 술잔만을 기울이고 있을 뿐이었다.

"저들에 대면 우리는 벌써 낡은 세대야."

한창 신이 나서 돌고 있는 고교패들을 바라보며 건일이 말했다. 욱도 그 말엔 동감이 갔다. 기껏 삼사년 밖에 안되는 연륜의 차, 그것이 먼 거리인 것만 같이 그에게는 느껴졌다. 그러나 자기들쪽에서도 여학생들은 거의 못 추는 사람이 없고, 남자들도 자기와 건일이 외에는 다 조금씩 흉내들은 내고 있었다.

"여기서 이러구만 있지 말고, 너 욱이 좀 일어나 봐."

욱은 현에 억지로 끌려 자리에서 일어났다.

"미애, 욱을 좀 리드해줘."

현이 욱의 한쪽 손을 미애에게 쥐어주며 말했다.

"자, 음악에 따라 발만 떼셔요. 트로튼데……."

미애가 욱의 손을 붙잡고 말했다. 현은 곁에서 둘의 몸뚱이를 한데 얼려놓고 있었다.

욱은 취기에 다리가 후둘후둘해 옴을 느꼈다. 현이 둘을 붙잡고 놓지 않는 바람에 몇 발자국 발을 옮기는 시늉을 하다가 욱은 제자리로 돌아왔다. 그러나 술기운이 확 깨며 이상한 감정이 느껴져 왔다. 지금까지 무관심 속에서 전연 도외시해왔던 춤에 대한 불쾌감 같은 것이었다. 알면서도 안한다는 것과, 몰라서 못하는 것과의 미묘한 계선, 모욕을 당한 감정이 섬광처럼 뒤엉켜 스쳐감을 느꼈다. 김현이 벌여놓은 전시장에 선부른 전시품으로 진열된 것만 같은 패배의식이 곁들기도 했다.

그는 계속 술잔을 거듭했다. 마시는 대로 건일에게 잔을 권하곤 주는 대로 폭음했다. 엉뚱하게 비꼬인 자학일지도 모른다고 생각하면서도 그는 계속 술을 마셨다.

차츰 춤추는 군상들이 흔들려 보이고 음악소리조차 헛갈려 들려왔다.

욱은 자리 속에서 흐리멍텅한 머리를 치켜들었다. 창문 가득히 아침햇살이 비치고 있었다. 입에서는 아직도 술냄새가 뭉클했다. 간밤에 되는 대로 폭음한 주기가 육신의 구석구석에 배어있는 것만 같았다. 그는 도로 이부자리 위에 몸을 던졌다. 그리곤 늘 하는 버릇대로 예사롭게 라디오 스위치를 돌렸다.

"부정선거에 항거하는 일대 소요사건이 마산(馬山)에서 벌어졌습니다."

아나운서의 목소리는 열을 띠고 있었다. 욱은 가슴에 쇠붙이가 와 닿는 듯한 충격을 느끼며 다시 몸을 일으켰다. 그는 허겁지겁 라디오의 음향을 조절하며 다음 소리를 기다렸다.

"십오일 하오 여섯시 반부터 아홉시 반까지 사이에 마산시에서는 학생들을 중심으로 한 데모가 급기야 유혈 소요사건으로 발전하였다는 현지 보도입니다. 이 소요사건으로 마산시내 수천 개의 경찰지서가 소각 혹은 파괴되었으며 수십 명의 사상자를 내었습니다. 경찰에서는 군중들을 해산시키기 위해 최루탄을 사용하다 못해 총격전을 감행하였으며 주모자 등 삼십칠 명을 연행 문초 중에 있다고 합니다."

그 이상의 상세한 이야기는 없이 뉴스는 끝나버리고, 그런건 아랑곳없다는 듯이 코멘 유행가 소리가 흘러나오고 있었다.

욱은 자리에서 벌떡 일어났다. 황급히 안방에 가서 조간신문을 찾아 들고왔다. "動機는 不正投票"라는 굵다란 활자 제목의 톱기사, "서울 三月 十五日發 AP 至急電"의 외신보도(外信報道)부터 훑어내려갔다.

"십오일 소란한 한국 대통령선거 투표에 이어 부정투표를 규탄하는 격분한 군중들은 마산의 시가를 휩쓸었다. 경찰과의 충돌에서 십 명이 사망하고 사십삼 명이 부상을 입었다고 보도되었다. 한국 내 통신보도는 수십 명의 시민이 경찰에 돌질을 했으며 서울에서 이백오십마일 떨어진 마산의 개표소에 몰려들었다고 보도하였다. 정부에서는 중과부적의 경찰을 돕기 위하여 중무장의 군대를 투입할 것이라는 고려가 행해지고 있다. 동 사태를 논의하기 위하여 송요찬(宋堯讚) 육군 참모 총장이 내무부로 소환되었으며 한국정부는 확대되어 가는 불온사태를 논의하기 위하여 특별국무회의를 소집하였다. 그러나 폭동에 관한 공식성명은 아직 없으며 정부는 마산에서의 폭동과 기타 지역에서의 사고에 관한 국내의 보도관제(報道管制)를 발표하였다. 공보실은 신문 통신사에 대하여 공보실 발표나 또는 중앙선거위원회 및 경찰의 발표만을 보도할 것을 요청하였다. 공보실 경찰 및 중앙선거위원회 등 삼개처에서는 폭동에 관하여 아무런 발표도 하지 않았다. 미확인 보도에 의하면 마산의 군중들은 사개 지서를 파괴했다고 한다. 일개 지서는 소진되었다고 국내의 통신은 보도하였다. 마산에서는 총성이 일어난 것으로 보도되었다. 폭동은 또한 광주(光州)와 서울에서도 있은 것으로 보도되었으며, 서울에서 백칠십 마일 떨어진 동해안의 포항(浦項)에서는 삼백 명의 시민이 시위를 했으며 경찰과 충돌하였다. 대구(大邱)경찰서에서는 이와 같은 사태의 발생을 두려워한 나머지 밤 열시에 통행금지 사이렌을 울렸다. 마산의 폭동은 일곱 시간 동안 계속되었으며 밤 열한시가 좀 지나서야 질서가 잡히었다고 보도되었다. 그 밖의 미확인 보도는 마산의 군중들은 자유당 마산시당부의 건물과 전기회사 지사 및 경찰서를 불지르고 파괴하였다고 전하였다."

부정투표, 학생, 데모, 투석, 방화, 총격, 사상자. 심상치 않은 사태의 영상이 연쇄적으로 욱의 머리를 꽉 메워왔다.

그는 다시 신문 삼면을 펼쳤다.

"主權 病들고 民意는 피흘리고", 전 칠단의 큰 타이틀 밑에 "男女老幼 示威行列 長長 一킬로" "熾烈한 石戰 끝에 드디어 發砲까지" 등 소재목이 눈을 아리게 했다. 그는 잦게 뛰는 심장의 고동을 눌러가며 현지에 파견된 특파원의 기사에 눈박아갔다.

"경향각처에서 선거를 앞두고 산발적으로 일어나던 학생들의 데모가 십오일 선거일을 맞이한 마산에서는 드디어 소요로 화하고 이날 밤 자정까지 확인된 것만도 팔십여 명의 사상자를 내는 사태에까지 이르렀다. 이날 데모가 확대되기까지의 경위를 살펴보면, 하오 세시 반경 민주당 마산시당부 이십여 명이 머리에 수건을 두르고 거리에 나가서 공명선거를 외치다가 그중 육 명이 경찰에 연행된 것이 직접 동기가 되었다. 그리하여 그 뒤를 따르던 약 칠백 명의 군중이 마산시 남성동(南城洞)에 있는 민주당 시당본부에서 시청으로 행진을 하자 그 뒤를 이어 점점 군중이 모여들어 하오 여섯시 반 경에는 만여 명을 헤아리게 되었던 것이다.

군중들은 돌과 몽둥이를 들고 본부에서 약 일 킬로미터 떨어진 시청 앞까지 꽉 차게 모여들었다. 이 군중은 국민학교생으로부터 중고등학생 남녀노소가 뒤섞인 것이었으며, 이들은 "협잡선거를 배격하자"는 구호는 외치고 애국가를 부르면서 데모를 개시하였다. 이에 당황한 경찰은 시청을 중심으로 포위망을 펴고 군중이 모여드는 것을 최루탄을 쏘아 해산시키려 하였으나 많은 군중이 물밀 듯 모여든 관계로 뜻을 이루지 못하고, 공포를 쏘기 시작하였으나 역시 해산시키지 못하고, 데모가 시작된 지세 시간이 경과된 밤 아홉시 반 경 세 트럭에 분승한 경남경찰국 경찰대의 후원을 얻어 비로소 진압하였다.

이 데모로 말미암아 발생한 경찰과 시민들의 사상자는 상당수에 달할 것이 예상되나, 현지에서 기자가 확인한 바에 의하면 경찰의 총탄에 맞아 사망한 시민이 사명, 부상을 입고 시내 각 병원에 입원중인 중고등교생과 시민이 사십팔 명을 헤아리고 있고, 부상을 입고도 시청 사층에서 경찰의 문초를 받고 있는 부상자만도 삼십여 명인 바 이들 부상자중 생명이 위독한 사람이 또한 십여 명으로 확인되었다.

이날 데모는 선두에서 학생들이 "학도들이여 궐기하자", "공명선거를 하쟈" 등의 구호를 외치다가 이와 같이 예기치 않은 참상을 빚어낸 것이다.

데모대는 경찰대의 발포가 있기 전인 하오 여덟시 사십분 경에는 북마산파출소를 점령하고 이에 방화하여 완전 소각하였으며 화재를 진압하기 위하여 출동한 소방차를 뒤집어엎어 소방관 이명이 행방불명되고 일명이 중상을 입었다. 그리고 남성동파출소 건물도 거의 파괴하였으며 주임도 중상을 입었다.

이로 말미암아 마산시청 앞 광장은 돌멩이가 깔려 자갈밭이 되었고, 마산시의 가장 번화가인 남성동 상가는 데모대들이 던진 돌에 의하여 여기저기 파괴되었다. 이 데모를 진압하기 위하여, 현지경찰에서는 일곱시부터 팔시까지에 총격을 가했던 것이나 진압되지 않아 도경에 긴급응원을 요청했던 것이다. 총격이 데모대에 가해질 때 데모대는 이리 밀리고 저리 밀려 마산시는 소란과 공포의 도가니로 화하였다."

욱은 강직해오는 신경의 경련을 느끼며 다음으로 시선을 옮겼다.

"무더기표 공개투표", "야당 참관인 퇴장 철수," "폭행 납치 피습 충돌" 등 신문지면은 온통 부정투표에 대한 보도기사로 차있었다.

급기야 야당은 "삼·일오不正選擧 無效"를 선언했다고 보도되었다.

"도둑놈들⋯⋯."

욱은 저도 모르게 내뱉었다. 그의 머릿속에는 기사 속의 "학생"이라는 단어가 짙게 엉겨져왔다. 너무도 어처구니없어, 그는 분격이라기보다 오히려 허탈상태로 김빠져가는 자신을 느꼈다.

욱은 옷을 차려입고 집을 나섰다. 건일을 만나려는 생각에서였다.

부정선거의 태풍이 휩쓸고 간 거리, 로터리의 라우드 스피커는 개표상황을 알리고, 인부들은 빗자루에 물을 묻혀 담 벽에 나붙은 선거관계 포스터를 뜯어버리느라고 애를 쓰고 있었다. 귀에 들리고 눈에 보이는 그러한 것들이 욱에게는 모두 역겹기만 했다. 바삐 지나가는 통행인들도 다 자기와 같이 찡그린 표정들로만 보였다.

그는 길거리 공중전화통 앞에서 걸음을 멈췄다. 아무래도 건일이 하숙인 그 셰퍼드 있는 집으로 찾아가는 것이 기분이 내키지 않아 망설여졌다. 그는 우선 전화를 걸어보리라 마음먹었다.

"건일이야? 나 욱이야."

"그런데, 나 시골에 다녀와야겠어."

"왜?"

다짜고짜로 시골에 다녀와야 되겠다는 건일의 흥분된 어조에서 불길한 예감을 느끼며 욱은 즉각 반문했다.

"집에서 전보가 왔어, 고등학교 다니는 동생이 부상했다구."

"부상?"

"응."

"데모 때문이야?"

욱의 음성도 흥분되어있었다.

"글쎄, 잘 모르겠어."

"그럼 지금 곧 갈게."

"아니, 나 지금 정거장으로 나가려는 참이야."

"그래? 그럼 이등대합실 앞에서 만나지."

"응, 알았어."

수화기를 놓고 난 욱은 입맛이 씁쓸했다. 고향이 마산인 건일, 그 부상이 어저께 일이니, 소요사건임이 틀림없다는 생각이 들었다.

집에 가 진옥에게 알릴까 생각하다가 그는 그대로 서울역행 버스를 탔다. 꿀컥 치미는 분격에 부들부들 다리가 떨렸다. 위급한 사태가 직접 자기 주변에 부닥쳐 옴을 절실하게 느꼈다.

욱은 역전광장, 사람들이 득실거리는 사이를 헤쳐 이등대합실 쪽으로 다가가서 건일을 찾았다.

"어, 욱."

건일이 입구에서 소리쳤다.

"대체 어떻게 된거야?"

욱은 건일의 손을 잡으며 말했다.

"글쎄, 잘 모르겠어."

"전보엔 뭐라고 했어?"

건일은 호주머니에서 꼬깃꼬깃 구겨진 전보를 꺼내 욱에게 내밀었다.

"이것 가지고야 부상했다는 것밖에 알 수 있어?"

"그러게 말이야, 가봐야 알겠어."

"틀림없이 데모 때문일 거야."

"나도 그렇게 생각돼."

아까 전화에서의 흥분조와는 달리, 건일은 핏기가 가신 얼굴에 불안이 깃들어있었다. 미군작업복을 검은 빛으로 염색해 입은 건일의 후줄구레한 옷차림, 왼쪽 가슴의 학교 배지가 유난히 도드라져 보였다.

"이 차로 가면 몇시에 도착하나?"

개찰구 쪽으로 발을 옮겨가며 욱이 물었다.

"삼랑진에서 밤 아홉시에 갈아타니까, 아마 열시쯤 될거야."

"그럼 언제쯤 돌아오게 될까?"

"가봐야 알겠어, 영구 입학시험도 박두했고 해서 곧 돌아와야겠는데."

"아무튼 동생이 무사하기를 바래."

"글쎄, 그저 부상이라고 했지만, 이미 죽은 걸 가지고 그러는지도 몰라."

"설마, 그러기야."

말은 그렇게 하면서도, 욱도 그러한 불안감이 없지 않았다.

"그럼 갔다올게."

개찰구로 나가며 건일이 손을 내밀었다. 욱은 건일의 손을 꼭 잡으며 말했다.

"응, 잘 다녀와."

건일의 돗수 높은 안경을 거쳐 들여다보이는 그의 깊숙한 눈시울은 젖어있었다.

욱은 무거운 기분으로 역구내를 벗어 나왔다. 건일이 말 그대로 그의 동생이 이미 죽었는지도 모른다는 생각이 더해져갔다. 가슴 속에서 분노가 왈칵 치밀어 올라왔다. 이젠 자기들도 무엇인가 의사표시를 해야 할, 그리고 그것을 행동으로 옮겨야 할 계제에 달했다고 생각되었다. 그러나 공교롭게도 방학으로 학생들이 뿔뿔이 흩어져있다. 선거날짜를 일부러 대학생들이 집결할 수 없는 방학 중을 택한 것이 아닌가 하는 생각마저 곁들었다.

세브란스병원 벽돌담에 붙어있는 "못살겠다 갈아보자"라는 야당의 선거구호가 패잔병의 계급장처럼 초라해보였다.

통로까지 빽빽한 삼등차간 한구석에 겨우 껴앉은 건일은 대화를 잃은 사람처럼 묵묵히 눈을 감고 있었다. 그는 동생 건중(健中)의 얼굴만을 망막에 그렸다 지우곤 했다. 선혈이 낭자한 장면, 붕대에 감겨 병원 침대에 누워있는 모습, 금방 귓전을 할퀴는 듯한 신음 소리, 숨마저 끊어진 송장, 그러다간 얼굴에 웃음을 함빡 머금은 건강한 옛 모습으로 돌아오는 환상 등을 더듬어갔다. 그 위엔 간간이 아버지와 어머니의 모습이 겹쳐져 나타났다가는 꿈같이 사라져가곤 했다. 귀향길의 기차여행이 이같이 지루한 적은 없었다.

밤 아홉시가 지나 삼랑진에서 차를 내린 그는 곧 진주행 열차를 갈아탔다.

고향에 가까워질수록 불안은 더해만 갔다. 혹시나 하고 기적같이 바라던 요행은 점점 엷어지고, 불길한 결과로만 심상은 이끌려져갔다. 가슴은 조이고 입술은 바싹바싹 말라갔다. 혀끝으로 까실한 입술은 적시노라면, 무언지 모를 분노가 뭉클 솟구치곤 했다.

차는 밤 열시가 지나서야 마산에 닿았다. 방학에 고향으로 돌아올 때의 즐거운 기분과는 정반대의 착잡하고 불안한 심정이었다. 플랫홈이나 대합실 안의 공기부터가 싸늘하고 삼엄했다. 사람들은 서로 슬금슬금 눈치를 보아가며 말수가 적었다. 무장한 정복경관이 여기저기 눈에 띄어 더욱 무시무시한 기분을 자아냈다.

거리는 초비상경계 속에 초저녁부터 통행금지가 되어있다는 것이다. 차에서 내린 손님으로 정거장 안팎은 가득 차있었다. 밖으로 흩어지려는 사람들을 제지하려는 호각소리가 전율을 느끼게 했다.

새벽 다섯 시까지는 한발자국도 꼼짝할 수 없다는 것이다. 사내들의 거친 승강이, 아낙네들의 아귀다툼, 어린애들의 울음소리, 주위는 삽시간에 소란해졌다. 무거운 정적보다는 차라리 그 편이 나음직도 했다. 그러나 묶인 발들은 한발자국도 거리 쪽으로 움직이지 못하게 했다.

건일은 초조함을 이길 수 없었다. 무슨 방법을 써서라도 빨리 집으로 가야만 했다. 무장경관과 시비를 따지던 사람 중에서 예외가 인정된 사람은 아무도 없었다. 우격다짐도 간청도 하소연도 아무소용이 없었다.

건일은 거의 체념하다시피 하고, 정거장 벽에 기대서서 이러한 광경들을 눈여겨보고만 있었다. 그러나 그 체념은 오래 가지 않았다. 곧 불안감이 밀려오고 조바심으로 몸을 가눌 수 없었다. 꼭 동생이 이 시각에 목숨이 끊어져가는 것만 같은 그러한 절박감이 온 몸뚱이를 조여오곤 했다.

그는 취체경관 앞에 나가 자기의 절박한 형편을 말할까 하고 몇 번이나 망설였다. 그러나 그것이 통할 수 있는 기미란 조금도 보이지 않았다. 단 하나의 증거물인 전보를 내댄다면 덮어놓고 데모에 관련시켜 오히려 더 불리한 입장에 놓이지 않을까 하는 염려도 없지 않았다. 그것만이 아니었다. 동생의 부상이 틀림없는 데모관계라고 단정하고 있는 지금의 심정에서, 그들 무장경관에 대한 증오감과 적대의식이 오히려 자신을 제어하고 있다는 그 비중이 더 큰 것이었다.

시간이 흘러갔다. 이젠 그는 동생을 가운데 두지 않고, 자기와 부패한 위정자의 끄나풀인 무장경관과 직접 대결하고 있는 자신을 의식하고 있었다. 밤이 깊어질수록 밖은 점점 추워져왔다. 대합실 안은 발 들여놓을 자리가 없이 꼬박 차있었다. 하는 수 없이 그는 대합실과 변소 사이를 서성거리며 오그라드는 육신을 녹이려 애썼다.

그리고 머릿속에는 동생의 일이 단속적으로 감돌았고, 그 사이사이에, 서울에서 겪은 일들이 끼어들어 생각의 실마리는 끝이지 않았다.

먼동이 터왔다. 새벽 다섯 시, 통행금지 해제 사이렌이 울렸다. 정거장에 갇혔던 사람들은 둑을 끊은 물결처럼 거리로 흩어져나갔다.

건일은 이들 틈에 끼어 역구내를 벗어났다. 거리에는 모퉁이마다 검은 제복의 무장경관들이 엷은 어두움 속에 촘촘히 박혀있었다. 그는 자기집 쪽을 향하여 잰 걸음으로 걸었다. 발끝에는 돌멩이가 채이고, 발자국을 옮기는 대로 유리조각 부서지는 소리가 잠자는 새벽 공기에 음산한 음향을 울렸다. 쓰러진 전봇대, 찌그러진 깡통조각, 깨어진 유리병, 찢겨진 종이 부스러기, 흩어진 자갈, 담벽을 긁어간 총알자국, 전쟁을 치르고 난 뒤같이 거리는 스산했다.

그는 남성동파출소 앞에 이르렀다. 문짝은 떨어져나가고, 벽은 무너지고, 책상 의자 등 남아있는 집기는 곤두박질을 한 채 팽개쳐져 소요의 상흔을 그대로 남기고 있었다.

건일은 큰 거리를 벗어나 자기집으로 가는 좁은 골목에 들어섰다. 잠시 방관자처럼 변모된 거리모습을 구경하던 자신이 갑자기 본 자세로 돌아옴을 느꼈다. 동생의 얼굴이 확대되어 시야 전체를 가리워 왔다. 심장의 고동이 거세게 뛰었다. 그의 걸음은 집이 가까워질수록 더욱 빨라졌다. 숨이 차왔다. 입김이 뿌옇게 내뿜어졌다.

대문 앞에 다다랐다. 인기척이 없이 고요하다. 그 정적이 더한층 불안을 유발해왔다. 대문을 두드리는 손이 떨렸다.

"어머니……."

거의 신음에 가까운 소리였다.

"어머니이."

"응."

안의 대답을 기다릴 사이도 없이 다시 불렀다.

"응."

대답과 함께 문소리가 났다.

"건일이 왔노?"

"예."

대문을 열고 나온 어머니는 아들을 보자 넘어질 듯이 감싸안으며, 금방 울음이 북받쳤다.

"건중이 어떻게 됐어요?"

대문 안에 들어데몬가 뭔가 나갔다가……."

"이노무 자식들 어디 두구보자."

건일은 참았던 분노가 덩어리져 솟구쳐, 이를 부드득 갈았다.

"그래, 죽었어요?"

자세한 경위야 어떻든 그것이 궁금했다.

"아니 죽진 않았다만……."

"건중이 어디 있어요?"

그는 다그쳐 물었다.

"도립병원에 있다."

"도립병원에요?"

건일은 마루로 올라서다 말고 그대로 몸을 돌려 대문 밖으로 뛰쳐나갔다. 누가 뭐라 하던 상관없이 그는 도립병원 쪽으로 달음질쳤다. 거리의 광경도 눈에 들어오지 않았다. 그는 숨이 찬 줄도 모르고 헐떡이며 계속 뛰었다.

병원 정문과 병동 입구에도 무장경관이 배치되어 무시무시한 분위기를 이루고 있었다.

건일이 병실 앞에 다다랐을 때, 입에다 거즈 마스크를 하고 위생복을 입은 사람들이 안에서 들 것은 맞들고 나오고 있었다. 뼈를 가는 듯한 애끓는 울음소리가 그 뒤를 따라 나갔다. 들것에 누운 사람은 흰 천으로 전신이 덮여져 누군지 알 수 없었다.

건일은 가슴이 철렁했다. 바로 자기 동생이 그렇게 된 것만 같아서였다. 그러나 뒤를 따라 나오는 사람들 속에 자기가 아는 사람은 아무도 없었다.

"개 같은 놈들, 총을 함부로 쏘다니, 아이구, 이를 어쩌면 좋아."

노파는 거의 실신상태였다. 그 발악에 찬 외침은 가슴을 에이는 듯했다.

건일은 들것이 계단으로 사라질 때까지 넋을 잃고 멍청히 바라보고 있었다.

그는 병실 도어를 열고 안에 들어섰다. 방안은 무겁게 가라앉아 있었다. 저쪽 구석에 침통한 표정으로 서있는 아버지가 보였다.

그는 그쪽으로 다가갔다. 자기를 발견한 아버지는 놀라며 손을 덥석 쥐었다.

"이런 법이 어디 있노……."

아버지의 목소리는 낮았으나 오열에 목메어 있었다.

"건중아……."

건일은 동생의 침대를 부둥키면서 소리쳤다. 지금껏 참았던 눈물이 왈칵 터져 나왔다. 교복을 입은 건중의 학우들이 환자에 접근하지 못하게 자기를 제지해왔다.

동생은 오른쪽 어깨에 관통상을 입고 누워있었다. 수술을 받고 이제 겨우 의식이 회복되어가는 중이라고 했다. 숨소리가 거칠고 뒤틀린 신음소리가 간간이 섞여 나왔다. 그러나 우선 그것만으로도 천만다행이라고 느껴졌다. 건일이 상상하던 어느 경우보다도 나은 편인 것만 같았다.

나란히 늘어놓은 침대에는 머리를 싸맨 학생, 눈만 내놓고 얼굴 전체를 붕대로 감은 학생, 다리에 관통상을 입은 사람, 모두 허우적거리며 앓음소리를 치고 있었다.

"사내자식이 오른팔을 못 쓰게 됐으니……."

아버지가 한숨에 섞여 혼잣소리처럼 중얼거렸다.

"다른 데는 다친 데 없어요."

건일은 나직이 물었다.

"없나보다만, 피가 많이 빠진 모양이야……."

건일은 동생을 물끄러미 바라보았다. 통증이 나는지 이따금 얼굴의 근육이 경련을 일으키며 입에서 애처로운 신음소리가 터져 나왔다. 침대 옆에 서있는 건중이 친구들도 피로한 모습으로 환자의 움직임을 지키고 있었다.

아침 회진시간이 되어 수술을 담당했던 주치의가 조수와 간호원을 앞세우고 들어왔다.

상처의 국부에서 핏자국이 말라붙은 붕대 거즈 탈지면들이 하나씩 벗겨져나갔다. 환자는 비명을 지르며 몸뚱이를 비틀고 있다. 상을 찡그리며 눈을 비스듬히 떴다간 다시 감아버린다. 건일은 그 모양을 직시할 수 없어 시선을 돌렸다. 전신이 오싹 조여옴을 느꼈다.

치료가 끝난 다음 주사 몇 대가 꽂혀졌다. 아마도 진통제인가 보아 한참 뒤 환자는 조용해졌다. 건일은 동생의 이마에 내솟은 땀방울을 수건으로 닦아주며 파리해진 얼굴을 들여다보았다. 평온한 안식의 모습이 아니라, 여전히 분노를 짓씹고 있는 인종의 자세같게만 느껴졌다.

건일은 회진을 끝내고 병실을 나가는 의사의 뒤를 따라 복도로 나갔다.

"선생님."

그는 의사의 앞을 막아서며 말했다.

"맨 첫머리에 누운 환자 어떻습니까?"

의사는 무엇을 생각하는 듯 눈을 껌벅이며 말했다.

"저, 어깨를 다친 환자말인가요?"

"네, 바로 그 학생말입니다."

"글쎄요, 경과를 봐야 알겠지만, 생명에는 지장이 없는 것 같아요."

"피는 많이 빠졌다는데요."

"수혈을 했으니까……."

의사는 다음 병실로 들어가 버렸다.

건일은 동생 곁으로 돌아왔다. 간호원이 링거병을 달아매고 동생의 팔에 주사바늘을 꽂고 있었다.

링거병에서 물방울이 한 방울씩 떨어져 고무줄을 타고 동생의 혈관으로 흘러들어가는 것을 멍청이 바라보며 그는 서글픔을 참을 수 없었다. 어디에선가 이 원통한 울분을 풀어야만 할 것 같았다. 아니 기어코 피의 대가를 찾아야만 되겠다고 생각했다. 데모 대열 선두에 서서 함성을 치며 씩씩하게 돌진했을 동생이 대견하게만 느껴졌다.

창가에 놓은 조그만 의자에 비스듬히 몸을 기대앉은 아버지는 눈을 감고 있었다. 부쩍 늘어난 흰 머리카락, 햇살에 반사되어 더욱 두드러져 보이는 얼굴과 목덜미의 푹 파인 주름살, 그는 그 노고에 보답할만한 서울 생활에서의 얻어진 소산을 자문자답 해보는 것이었다. 삼년간의 서울유학, 그사이 자기가 얻은 것은 무엇일까, 계속되는 가정교사에서 절은 멍든 자존심과 비비꼬인 비굴감, 학교에서 배운 것이라야 기껏 서론의 반복이 아니면 겨우 입문서 정도, 사고 싶은 책자 하나 마음대로 사고 그것을 탐독할만한 겨를이나 있었던가, 친구들과의 모임에서 언제 한번 떳떳하게 호주머니를 풀어본 적이 있었던가, 그저 시간에 쫓기고 학비에 몰려 온 세월이었다. 그는 자기가 걸친 꾀죄죄한 염색 미군작업복을 훑어보며 지그시 눈을 감았다. 욱과 진옥의 모습이 눈앞에 아른거렸다. 그리고 그 밖의 몇몇 가까운 친구들이. 오직 그것만이 서울에서 얻어진 귀중한 수확의 전부인 것만 같았다. 금방 서울로 뛰쳐 올라가고 싶은 충동을 느꼈다. 그리고 이번엔 꼭 무엇인가 현실에 참여하는 적극적인 행동을 취해야만 하겠다고 생각했다.

건일은 눈을 뜨고 아버지를 보았다. 의자가 기우뚱했다. 아버지는 졸고 있었다. 두 밤을 꼬박 새운 탓으로 피로에 짓눌려있는 성싶었다.

"아버지."

그는 나직이 불렀다. 아버지는 눈을 떴다. 핏기어린 눈알이 게슴츠레했다.

"집에 들어가 좀 쉬세요."

"너나 들어가 쉬려무나, 어젯밤 못 잤을텐데."

"저는 괜찮아요, 어서 들어가세요."

"아니, 나도 괜찮다."

아버지는 건중의 베드에 눈길을 던지며 말했다.

"의사의 말이 건중이도 이젠 괜찮다니까요."

그는 아버지를 의자에서 일구며 말했다.

"어서 들어가세요, 저희들이 있겠으니까요."

건중이 친구들이 옆에서 거들었다.

"그럼 내 잠깐 들어갔다 나오지."

아버지는 권에 못 이겨, 마지못해 자리에서 일어났다. 아버지가 나간 뒤, 건일은 의자에 앉았다.

스팀의 온기에 전신이 나른해왔다. 그는 흐리멍덩한 의식 속에서 끝없는 환상을 더듬어가고 있었다.

저물녘 건일은 잠시 병원 밖으로 나왔다. 여전히 검은 제복은 거리의 요소마다 지키고 있었다. 점방의 문이란 하나도 열려있지 않고 상가는 완전히 철시되어 있었다. 통행인도 드물고 그 표정들은 모두 굳어져보였다. 얼굴을 아는 친구들을 만나도 한두 마디 인사를 나눌 뿐 총총히 사라져버린다. 제고향이 아니라 낯선 땅에 온 이방인 같은 서글픈 심정이었다.

서울서 대학에 얼마간 적을 두었다가 돌아와 정치운동에 관여하고 있는 K군을 만났다.

"허, 이런 무법천지가 어디 있어."

악수를 나누자 첫마디부터 이렇게 나왔다.

"대체 어떻게 된 거야."

건일은 사태의 경위를 좀 더 자세히 알고 싶었다.

"아니, 글쎄 저 도둑놈들이 정전을 시키고 전 시내를 암흑세계로 만든 다음, 협잡선거를 하니까 이런 결과가 됐지 뭐야."

본래 배짱이 좋은 그는 옆에 누가 지나가든 말든 개의치 않고 막 내뱉었다.

"가만있자, 어디 좀 들어가 얘기를 해야겠는데, 다방도 다 문을 닫았고, 이거 어떻게 한다."

그는 주위를 두리번거리며 말했다.

"이대로 걸으며 얘기하지, 뭐."

건일이 말했다.

"하는 수 없지, 그런데 언제 내려왔어?"

"어제 저녁에."

"그래? 참 방학이지."

"아니, 동생이 다쳤다는 소식을 듣고 갑자기 내려왔어."

"총에 맞았나?"

그는 즉각 알아듣는 눈치였다.

"응."

"그래, 생명에는 관계없어?"

"그건 겨우 면한 모양이야."

"저런, 어디에 맞았는데?"

"오른쪽 어깨야."

"말도 말아, 저 개 같은 놈들이 홍수같이 터져 나오는 데모대를 막을 수 없으니까 마구 실탄 발사를 했단 말이야, 나도 하마터면 죽을 뻔했어, 내 앞에 섰던 사람이 그 자리에서 꼬꾸라졌으니까…… 발사탄환이 자그마치 사백오십 발이라니까…… 아무튼 군중을 향해 무차별 사격이야."

너무도 어처구니없는 건일은 듣고만 있었다.

"그래 경과는 좋아?"

"괜찮다는데, 아직 잘 모르겠어."

"글쎄, 현재 알려진 것만 해도 사망자가 십 명, 부상자가 칠십여 명, 거기다 오늘 정오까지 연행된 사람이 이백구십구 명이라니까."

"그렇게 피해가 컸었나?"

"아직 더 나올지도 모르지, 그리군 겁이 나니까, 오늘부터 중고등학교는 전부 휴학하고, 학생들은 저녁 다섯 시부터 아침까지 금족령이 내리지 않았어. 거리에 나타나기만 하면 다 붙잡아 넣는다는 거야."

"민중은 죽어있는 줄만 알았겠지."

"그러게 말이야, 어때, 서울에선 아무 움직임도 보이지 않아?"

"역시 심상치 않은 공기야."

야당인 민주당 당사 앞에 가까이 왔다.

"저것 봐, 저렇게 무장경관이 둘러싸고 있지 않아, 그러면서 자유당 당사에서는 축하파티를 하고 있단 말이야, 참 넌센스지."

"아무튼 무슨 결단이 나야겠어."

"그럼, 이대로 내버려둘 수는 도저히 없는 일이야."

민주당 당사 앞에서 K는 손을 내밀었다.

"난, 여기 좀 들러봐야겠어, 동생 간호를 잘해."

"고마워."

K는 태연히 손을 흔들고 현관 쪽으로 걸어가고 있었다. 건일은 K가 집안으로 사라진 다음 다시 병원 쪽으로 발길을 돌렸다. 그 사이 동생의 증세에 무슨 이상이라도 일어나지 않았나 싶어 궁금했다.

저물어가는 삼엄한 거리를 혼자 걸으며 그의 상념은 끝이 없었다. 꼭 큰 사태로 번질 것만 같은 현실의 정세 속에서, 자신이 취해야 할 행동의 방향, 그는 서울 친구들의 모습을 그리며 그러한 생각에 골똘해갔다.

제4장

멍든 선거바람의 여파에 휘감긴 채 삼월도 거의 저물어갔다.

썩어빠진 인간들의 불순하고 일그러진 잡다한 그런 일들엔 아예 외면한 듯 이른 봄의 화창한 날씨는 짓눌린 젊음에 정열의 불길을 활활 당구어 왔다.

교정에 들어선 욱은 양지쪽에 따스한 햇볕을 받고 띄엄띄엄 봉오리를 벌린 개나리에 눈길을 돌리며, 새삼스럽게 짙어지는 새봄의 입김을 느꼈다. 그 옆의 라일락도 꽃망울이 부풀어 만지면 터질듯한 탄력이 느껴져 왔다. 머리를 짓누르던 엉클어진 생각들이 잠시 멀어져가는 시간이었다.

해마다 개나리가 필 때면 입학하던 날을 연상하게 되고, 그 뒤를 이어 한 학년이 어느 새 지나가고 다시 새로운 학년을 맞는다고 시간의 흐름을 절실하게 느끼게 하는 그 심정이 또다시 되풀이되어 떠올랐다. 그러나 그것이 이번엔 더욱 그 도가 짙었다. 이제 최고학년, 내년이면 졸업이다. 아무것도 한 것 없이 어느 사이에 삼년이 흘렀는지 모르게 엄벙덤벙 꿈같이 흘러간 세월만 같았다. 자기 노력의 미흡함에 대한 부담감에 겹쳐 가느다란 아쉬움이 스쳐감을 느꼈다. 무엇인가, 마지막 이 한 학년을 보람있게 보내야 하겠다는 스스로의 다짐이 꿈틀해왔다.

새학기 등록이 시작되어, 방학 동안에 헤어졌던 얼굴들이 서로 만나는, 기쁨에 찬 웃음소리가 흐뭇하게 봄빛어린 캠퍼스를 누비어 퍼져왔다.

욱은 도서관 쪽으로 발을 옮겼다. 입구 계단에는 학생들이 줄을 쳐있었다. 며칠 전만 해도 언제나 들어갈 수 있게 한산했었다. 그것이 새학기가 시작될 무렵이 되자 갑자기 달라졌다.

그는 줄 뒤에 서서 자기 차례를 기다리며, 하나씩 도서관 안으로 사라져가는 맨 앞쪽에 눈길을 던지고 있었다. 입구 도어 앞에 바싹 다가선 여학생, 욱은 우윳빛 레자 코트의 선영을 발견했다. 그러나 선영은 한눈도 팔지 않고 곧 도어 안으로 사라져버렸다. 욱은 한 사람씩 들어갈 때마다 발자국을 옮기며 무료히 자기 차례를 기다렸다.

"욱!"

갑자기 어깨를 흔드는 바람에 놀라며 욱은 고개를 돌렸다. 학림회(學林會) 간사 주인식이었다.

"아, 인식이야, 언제 왔어?"

인식이 고향으로 내려간 것을 알고 있었기에 욱은 그렇게 물었다.

"어저께 왔어, 그런데 욱 좀 의논할 일이 있어."

"그럼, 나, 자리 잡아놓고 나올게, 만원이 될지도 모르니까."

욱은 어떻게 할까 망설이다가 대답했다.

"응, 그래, 그럼 학생 휴게실에서 기다리고 있을게."

"그래."

한참만에야 욱은 도서관으로 들어갈 수 있었다. 좌석표를 받아들고 자기 번호를 찾아갔다. 주위를 둘러보았다. 빈자리란 거의 없이 꽉 차있었다. 물 끼얹은 듯이 고요한 실내, 책장 넘기는 소리밖에 들리는 것이 없었다.

그는 대출표에 필요한 서적목록을 써서 담당계원에게 제출해놓고 밖으로 나왔다. 그는 그길로 학생 휴게실 쪽으로 곧장 갔다.

"욱, 몸조심하지."

인식은 웃음 속에 약간 비꼬는 농이었다.

"왜?"

"그렇게 너무 파지 말고……."

그제야 알아차리고 욱도 웃었다.

"좀, 참고할 것이 있어 며칠째 도서관에 나왔댔어."

욱은 변명 비슷이 말했다.

"그렇게 미리 발뺌할 것까지는 없고. 나도 참말, 이젠 슬슬 논문준비도 해야겠는데……, 어디 이런 어수선한 분위기에서야 공부가 돼야지."

"하긴 그래."

욱은 인식과 마주앉았다.

"학림회 한번 모여야겠는데."

인식이 말했다. 욱도 그 문제에 대해 한번 인식이와 상의해야겠다고 생각하고 있는 참이었다.

"빨리 모여야 하지 않겠어."

욱은 즉석에서 찬의를 표했다.

"벌써 진작 모였어야 할 건데."

"그건 간사의 태만이야."

그간의 사정을 잘 알고 있으면서도 욱은 일부러 한번 비틀어보았다.

"그거야, 방학이 돼서 어디 회원들이 다 모일 수 있었어. 등록이 모레까지니까, 시골에 내려간 학생들도 이삼일 사이면 다들 돌아올거야."

"그럼 이번 주일 안에 할 수 있지 않아?"

"그래, 사월 초에 열기로 하지. 오는 토요일이 어떨까?"

"그사이 연락만 될 수 있다면야……."

"응, 연락은 될 수 있을 거야."

"그런데, 건일이 그때까지 돌아올지 모르겠어."

욱이 말했다.

"아니, 건일이 여태 안 왔나?"

"아직 안 왔어."

"그 부상당한 동생은?"

"경과는 괜찮은 모양이야, 그런데 엽서에 몇 줄 적은걸 가지구야 자세한 내용을 알 수 있어야지."

"우선 죽지 않은 것만도 다행이야, 이 무법천지 하에서."

인식은 약간 말씨가 거세어졌다.

"언제 오겠다는 말은 없었어?"

"등록기간 중에는 꼭 올라오겠다고 했으니까."

"그런데, 발포의 총책임자인 내무장관은 경질되지 않았어, 부정투표의 총지휘자도 그자인 모양이던데."

"그러니까 현직에서 물러나, 사태를 흐리게 연막을 치는 모양이지."

욱의 견해도 인식과 동감이었다.

"아무튼 사태는 심상치 않아. 지난 이십사일에는 부산서 학생데모가 일어났지, 그 다음날에는 또 동래와 부산에서 터졌지, 거기다 여학교 학생들까지 들고 나서지 않았어."

"그래 대구는 어때?"

"극도의 긴장상태야, 성냥 한 가치만 그어대면 금방 폭발할 단계야."

둘은 긴장한 얼굴에 나직이 대화를 주고받았다.

"거기다 마산사건은 아직 다섯 명의 행방불명자에 대한 시체도 발견하지 못했다고 하지 않아."

욱이 한참 이야기하고 있는 도중에 학생과에 드나들고 있는 관할경찰서의 형사가 들어오고 있었다.

욱은 그와 눈이 마주치자 본체만체하고 시선을 돌렸다.

"저자 봐."

그는 구석자리에 가 앉는 형사를 인식에게 눈길로 알렸다.

"응, 저 자식은 왜 또 여기에 나타났어, 치근치근하게."

"출근이 아니야?"

"나 참 더러워서, 경찰대학인가?"

"보기만 해도 기분 나빠, 자 나가지."

둘은 자리에서 일어났다.

욱은 다시 도서관으로 들어갔다. 그는 대출계에 가서 신청해놓은 책을 찾아가지고 자기 번호 좌석으로 돌아왔다. 책을 펴놓았으나 마음속은 딴 생각으로 쏠리기만 했다. 아까 형사를 만난 이후의 꺼림칙한 기분이 좀체 가셔지지 않았다.

그는 무심결에 民主主義, 獨裁政權, 不正選擧, 學園의 自由, 警察國家, 學生데모, 催淚彈, 反抗, 抗拒 따위 이루 헤아릴 수 없는 낙서(落書)만을 노트 뒷장에 까맣게 해나가고 있었다.

주위를 둘러보아야 누구 하나 자기처럼 잡념에 사로잡힌 듯한 학생은 없이 모두들 정숙한 분위기 속에서 묵묵히 공부에만 열중하고 있었다. 몇 줄 건너에 앉아있는 선영이도 무엇인가 열심히 베끼고 있는 모습이었다.

소란한 거리의 풍경과는 동떨어진 세계, 모든 권세나 영리나 사욕을 초탈한 분위기, 현실의 온갖 것이 다 썩고 문드러져도 무엇인가 한 줄기의 올바른 빛이 비치고 새로운 싹이 움틀 것만 같은 희망의 요람, 그는 이 도서관 안에서 일찍이 느껴보지 못했던 진실미를 새삼스럽게 체득하는 것만 같은 엄숙한 위압감에 눌리고 있었다.

욱은 한참만에야 겨우 마음을 가라앉히고 참고문헌을 뒤져가며 그 속의 것을 추켜 카드에 옮겨가기 시작했다.

그러면서도 그는 실력이 인정받지 못하고, 진실보다는 허위가, 정직보다는 부정이, 인간중심의 본질적인 권위보다는 금력이나 권력의 외형적인 장식이 모든 가치의 기분인양 판을 치는 극도로 부패하고 왜곡된 현실 속에서, 대체 성실하게 공부는 해서 무엇에 쓰느냐 하는 노상 되풀이되는 회의를 완전히 씻어버릴 수는 없었다.

그러나 그는 또다시 "자기 충실"이라는 극히 자위적이고도 소극적인 방패를 내세워 체념이나 포기로 미끄러지려는 자신을 무마해가면서 카드 기록을 계속해 갔다. 그의 머릿속에는 건일 김현 영남 원우 등 자기 주변의 얼굴들이 그 가정환경과 더불어 대조되어 스쳐갔다.

오후 다섯 시, 폐관시간을 알리는 종이 울려서야 욱은 대출도서를 반환하러 대출대쪽으로 갔다.

관내의 좌석은 이미 반 이상이 비어있었다. 선영이는 아직도 자기 자리에서 무엇인가 끄적거리고 있는 것이 보였다. 욱은 돌아오는 길에 선영이 자리로 다가갔다.

"어머나, 들어와 있으면서 모르는 척했어요?"

옆에 서서 자기가 쓰고 있는 것을 바라보고 있는 욱을 쳐다보며 선영은 놀라는 표정을 짓고 황급히 노트를 덮으며 말했다.

"피차 공부에 방해가 될까봐."

욱은 본의 아닌 말을 터뜨리며 웃었다.

"언제부터 그렇게……."

선영이도 말끝을 맺지 않고 얼버무리며 웃음으로 메웠다.

"그만하시지?"

"그렇잖아도 끝내려는 참이었어요."

선영이는 가방에 책을 주워 넣으며 말했다.

"책을 다른 사람이 먼저 빌려가면, 볼 수 없기 때문에 한 단락을 끝내느라구 늦어졌어요."

선영이 책을 반환하고 돌아오는 것을 기다려 욱은 그와 함께 도서관을 나왔다.

겨울 같으면 어두워질 시간인데 해는 아직 높이 떠있었다. 저물녘의 훈훈한 바람기가 간지럽게 살갗에 스며들어왔다. 욱은 어디든 걸으면서 짓눌린 듯한 가슴속을 시원히 풀고 싶었다.

"어디 갈 데 있으세요?"

선영이 물었다.

"아니."

어떻게 할까, 망설이고 있던 참에 욱은 선영에게 역습을 당한 셈이었다.

"제가 저녁 한턱 할게요."

사실 욱은 자기가 선수를 쓰려도 가지고 나온 돈이 없었다.

"오늘 신문사에서 월급 탔어요."

그 월급얘기가 아니라도 선영이 호주머니에는 언제나 돈이 마르는 일이 없는 성싶게 욱에게는 느껴졌다. 그뿐만 아니라, 대체로 여학생들이 남학생보다 용돈이 더 푸짐하게 지니고 다니는 것을 욱도 잘 알고 있었다.

욱 자신이 새학기부터 학관에 아르바이트를 나가기로 마음먹은 것도, 취학하고 있는 형제가 많은 속에서, 잡비까지 필요한대로 긁어내는 것이 어쩐지 부모에게 미안한 감이 들어서였다.

욱은 남이 내는 것을 얻어먹는 것보다 자기 자신이 돈을 치르는 것이 더 마음 편하고도 신이 났다. 그것이 상대가 여학생일 때는 더욱 그랬다. 다른 사람 앞에서 돈에 대한 비굴은 보이고 싶지 않았다.

"아무튼 나가세요."

그러한 욱의 심중을 재빨리 눈치 챈 선영은 욱을 끌다시피 하여 교문 밖으로 함께 나갔다.

새로 개업한 경양식집에 들어가 욱은 선영이와 마주 앉았다. 넓은 홀에 가득찬 손님의 대부분은 자기또래의 젊은이들이었다. 그리고 그들은 거의가 다 자기와 같은 남녀 혼성팀이었다. 그것이 내부장식이나 흘러나오는 음악과 어울리는 자연스러운 분위기를 자아내고 있었다. 그 속에 끼어있는 한두 쌍의 중년부부 팀이 오히려 이방인같은 이색감을 풍겨주는 듯했다.

"참, 영락정에 가서 저녁을 먹을 걸 그랬어."

웨이터가 음식주문을 받아가지고 간 다음, 욱은 일부러 선영의 신경을 건드리는 말을 꺼냈다.

"네? 저의 집에요? 거긴 맛이 없어요."

선영은 아무 색다른 반응도 보이지 않고 예사롭게 받아넘기고 있었다.

"외식은 이렇게 돈을 내고 먹어야 맛이 나거든요. 특히 저는 양식을 좋아하니까요."

"사실 그렇기도 하지만, 나는 한식을 더 좋아하니까."

"한식은 늘 집에서 먹잖아요."

욱은 선영이와 마주앉으면 답답하지 않아서 좋았다. 그 탁 트인 성격과 넓은 포용력이 자신의 막혔던 것을 시원하게 씻어주는 것만 같은 통쾌감을 느끼게 했다.

웨이터가 수프 접시를 들고 왔다.

"참 술은 뭘로 할까요?"

선영이 욱을 건너다보며 말했다.

"글쎄, 소주는 없을거구, 정종 한컵 할까?"

"맥주로 하세요, 그래야 저도 한잔 얻어먹지 않아요."

선영이는 욱의 대답을 기다릴 사이도 없이 웨이터에게 말했다.

"저, 맥주 가져오세요."

웨이터가 날라 온 맥주병을 받아 선영이 욱의 컵에 따랐다. 욱은 다른 병을 들어 선영이 앞에 놓인 컵에 따랐다. 둘은 잔을 들어 서로 맞부딪치며 첫잔을 들었다.

욱은 찬 맥주에 가슴속이 씻겨 내려가는 듯한 시원함을 느꼈다.

선영이는 욱이 잔을 비우는 대로 계속 맥주를 따르고 있었다.

반쯤 마신 선영의 잔을 건너다보며 욱이 맥주병을 들었다.

"싫어요. 전, 꼭 한잔이면 돼요. 끝날 때까지 이건 다 비우겠어요. 기집애가 술 많이 먹으면 뭘해요."

선영이는 금방 눈언저리가 불그레 해왔다.

"보세요, 이렇게 효과가 빠른걸."

그는 화끈해오는 얼굴을 어루만지며 말했다.

"지금이 꼭 보기 좋은걸."

불그레하게 상기가 도는 선영의 얼굴이 욱에게는 참말 그렇게 호감이 가는 모습이었다.

"오늘은 맥주 양껏 드세요, 이렇게 비행기까지 태워주시는데."

선영은 욱의 잔에 맥주를 따르며 사뭇 명랑한 표정이었다.

욱은 맥주를 거듭 들이켰으나, 배만 불러오고 별로 주기가 돌지 않았다. 평소 자기들끼리 모여 앉으면 으레 소주로 다루던 몸에 맥주로는 별로 효과가 없었다. 결국 그는 정종 두 홉을 시키다 컵에 쏟아서는 쭉쭉 단숨에 들이켜고 나서야 약간의 소식이 옴을 느꼈다.

"정종을 더 하시겠어요? 맥주?"

선영이 빈 잔을 바라보며 말했다.

"아니, 그만 하겠어."

"욱씨도 사양할 때가 있어요."

"그만하면 됐어."

"오늘은 정말 취하도록 드세요."

선영은 고집을 부리며 술 한 홉을 더 시켰다.

"술은 마시는 것보다 드는 것을 구경하는 것이 더 재미있어요."

"누굴 동물원 원숭인줄 아나보군, 구경거리로 삼게."

"아니, 점점 취해가는 과정이 재미있단 말이예요."

"그것은 여성의 본능적인 잔인성과 통할지도 몰라요."

주기가 차츰 돌아온 욱은 예사롭게 말했다.

"어머나, 그건 여성에 대한 모독이예요."

"아니, 모독이 아니라, 사실이 그런 걸……."

"어디 예를 들어보세요."

"레슬링이나 권투 같은 잔인한 운동은 여자가 더 좋아하지 않아?"

"남자는 안 좋아하는가요?"

"남자야 본래부터 억세게 돼먹은 동물이지만……."

"동물?"

남자를 동물이라는 말에 선영의 대수롭지 않은 즉흥적인 반발은 약간 꺾긴 모양이었다.

"우리 어디 영화구경 갈까요?"

식사가 끝난 다음 선영이 제의했다.

"이렇게 취하구야 어디 구경이 되겠어?"

"그깟 정도의 술을 가지구."

"누굴 고주로 아는가보군."

"그만하면 A급이야요, B급이라면 서운해 하실거구."

"천만에, 건일이 주량에 대면 나는 어림두 없어."

"건일씬 특A급이구요."

"참, 그자 어떻게 됐는지 모르겠어, 곧 올라와야겠는데."

욱은 잠시 잊었던, 건일과 연결시켜 학림회의 모임을 생각하고 있었다.

"그럼, 우리 음악실에 갈까요?"

선영은 딴 쪽으로 화제를 비약시키고 있었다.

"글쎄."

욱은 음악실이란 곳이 그렇게 마음에 내키지 않았다. 친구들을 따라 한두 번 가보았지만, 소란스럽고 연기투성이의 그 속이 자기 생리에는 맞지 않았다.

"오늘은 한번쯤 양보해 보세요."

욱의 성미를 알면서 선영은 굳이 고집을 부렸다.

욱은 선영이를 따라 음악실 '쎄·씨·봉'에 들어섰다. 후끈하는 단기가 이마에 닿자 주기가 갑자기 상기 되어왔다. 젊은 남녀의 체취에 화장품 냄새, 거기에 커피와 담배연기가 뒤섞인 역겨운 취기가 한순간 코끝을 아리게 했다.

희미한 등불 아래 자욱한 연기 속에, 빽빽이 들어찬 얼굴들, 그 사이를 누벼 이들은 한쪽구석에 자리 잡았다.

욱은 어리둥절한 속에 흐려지는 눈동자를 깜박거리며 홀 안을 둘러보았다. 목청을 훑어내는 듯한 발악에 찬 노래, 장내를 휩쓸어갈 듯한 급템포의 광적인 리듬, 앉아있는 젊은이들의 육신도 그 음악의 선율 속에 실려 함께 물결을 치고 있는 것만 같았다. 그 선정적인 분위기에 견디다 못해 어떤 축은 자리에서 일어나 남녀가 마주서서 제자리 스텝을 밟고 있고, 대부분의 군상들은 손뼉을 치고 발을 구르며, 그 정열의 도가니 속으로 용해되고 도취되어가고 있었다.

선영이도 신이 나는 듯 박수를 치며 그 끓는 분위기에 호응해갔다.

욱은 혼자 멍청히 앉아 바라만 보고 있었다. 그러한 분위기가 싫지 않게 어느 정도의 공감은 가나, 손뼉을 치고 발을 구르기에는 어딘가 쑥스러운 기분이 없지 않았다.

방관자, 아니 구경꾼. 그는 그 소용돌이치는 젊음의 물결 속으로 텀벙 뛰어들지 못하고, 엉거주춤 앉아있는 자신이 멋쩍기만 했다. 그러나 아무리 생각해보아야, 자신은 그대로 그 물결에 젖어지지 않을 것만 같았다. 같은 세대의 젊음을 지니면서 자기는 그들과 동떨어진 다른 물에서 헤엄치고 있는 심정이었다.

아마, 학교 안에서 느낀 도서관 내의 분위기가 어지러운 현실에서 격리된 유폐의 세계라면, 음악실의 분망한 이런 분위기는 현실 속에 직결되면서도 더 첨단적으로 개방된 정열의 배설장으로만 느껴져 두 개의 상반되는 대조가 의식되어 왔다.

"뭘 드시겠어요?"

옆에 온 레지가 물었다.

"커피?"

선영이 그 뒤를 따랐다.

"선영이는?"

욱은 선영에게 되물었다.

"난 커피."

선영이 대답했다.

"그럼 난 위스키 티."

욱은 막연한 반발인지도 모른다고 생각하며 대답했다.

"괜찮지?"

그는 곧 선영이쪽을 바라보며 다짐하듯 말했다.

선영이는 재미있다는 듯이 미소를 지으며 고개를 끄덕였다.

시간이 흘러갈수록 장내의 흥분은 고조되고 음악인지 소음인지 분간할 수 없는 아우성으로 꽉 찼다. 쉬지 않고 발을 굴러대는 통에 연기 속에 먼지가 뒤섞여 불빛은 엷은 안개 속에 싸인 듯 보얗게 흐려져 갔다.

"위스키 티 한잔 더?"

"노—"

욱은 손을 내저으며 대답했다. 섞어 마신 주기가 전신을 노곤하게 휩싸왔다.

"자, 이젠 갑시다."

선영의 대답을 기다리지도 않고 욱은 자리에서 일어났다. 이젠 그 이상 앉아 견딜 수 없게 속이 거북했다.

"한바탕 이렇게 하구나야, 억눌렸던 정열이 발산되지 않아요."

음악실 문을 나와 층층대를 내려오면서 선영이 말했다.

"정열, 흥."

욱은 콧소리를 쳤다.

"카타르시스가 되지 않아요."

"카타르시스?"

"네."

"모두가 어쩌면 변태된 정신적 사치의 과잉일지도 몰라……."

욱은 입에서 나오는 대로 혼잣소리처럼 지껄였다.

밖에 나오니 이른 봄의 밤공기가 훨씬 시원했다. 욱은 두 팔을 들어 길게 큰 숨을 들이켰다. 뱃속의 메스꺼움을 토해내기라도 하려는 듯이…….

선영의 손에 쥐어진 욱의 손은 선영이의 레자 코트 호주머니 속에서 그 체온에 녹여지고 있었다.

건일이 창백한 얼굴로 나타났다. 그의 도수 높은 안경속의 눈동자는 더욱 움푹 파여 보였다.

욱은 쓰고 있던 등록서류 카드를 밀쳐놓고 건일의 손을 잡았다. 본래 야윈 손이 더한층 싸늘하게 느껴졌다.

"언제 왔어?"

"어제 밤차로."

"동생은?"

"겨우 목숨은 건졌어."

건일의 대답은 맥이 빠져있었다.

"어디를 다쳤는데?"

"오른쪽 어깨에 관통상이야."

"저런."

"자식이 병신이 될지도 몰라."

"……."

욱은 뭐라고 위로할 말이 없었다.

"목숨이 붙어있는 것만도 다행으로 생각해야지."

건일은 거의 체념한 듯한 말투였다.

"아직 입원중이겠지?"

"응, 병원에 그대로 누워있는 걸 보구왔어."

욱은 흩어져있는 등록서류를 책가방 속에 집어넣고 건일과 함께 합동
연구실을 나왔다.

등록 마지막 날이나, 교정에는 학생들이 득실거렸다.

"오빠."

도서관 쪽에서 진옥이와 선영이 뛰어오고 있었다.

"언제 왔어요?"

진옥이 건일을 바라보며 물었다.

"어제 저녁에."

"아, 돌아오셨어요."

선영이 뒤따랐다.

"동생은 어때요?"

진옥이 물었다.

"괜찮대."

욱이 건일의 대답을 기다리지 않고 앞질러 말했다.

"얼굴이 안됐네요."

진옥이 걱정 어린 어조였다.

이들은 교정을 질러 본관 뒤쪽에 있는 학생휴게실에 들어섰다.

"대체 어떻게 된 거야?"

의자에 앉자 욱이 물었다.

"글쎄 낸들 알아, 사후에 대충 이야기를 들었을 뿐인데."

"뻔하지 않아, 자식들의 무차별 발포였지."

건일은 욱이 권하는 담배에 불을 붙여 길게 빨아서는 한숨과 함께 내뱉고 자기가 들은 사건의 경위를 이야기하기 시작했다. 맥이 풀려있던 건일은 이야기가 진행됨에 따라 점점 열기를 띠고 흥분된 어조로 격앙되어갔다. 듣는 축들도 긴장을 띠고 있었다.

"아무튼 자식들, 학생이나 일반시민들을 개돼지만도 못하게 생각하고 있는 거야."

욱은 신문보도에서 마산사건에 대한 어느 정도의 윤곽은 파악하고 있었지만 건일의 이야기를 듣고는 걷잡을 수 없는 전율이 스쳐옴을 느꼈다.

이번 사태를 제삼자의 위치에서 냉정하게 보구만 있을 것인가, 또는 같은 학생이나 국민이라는 의미에서 연대의식으로 자기대로의 자세를 가지느냐, 그렇잖으면 직접 피해자의 위치에서 주동적인 행동을 취하느냐 하고 여러 각도로 다지던 자신의 의식 속에 불 튀는 듯한 적극적인 의지가 꿈틀거림을 느꼈다.

"총칼로 억누르면 만사가 다 될 줄 아는가 보지."

욱은 불쑥 내뱉었다.

"쏘아죽인 것을 분명히 목격한 사람이 있다는데, 아직도 고등학교 학생 김주열의 시체가 발견되지 않아 온 시가가 뒤끓고 있어……."

건일의 해쓱한 얼굴이 흥분으로 불그레해왔다.

"그럼 아직도 앞일을 예측할 수 없지 않아요?"

선영이 말했다.

"간단하게 수습되지는 않을 것 같아, 또 이대로 흐지부지해버릴 수는 없지 않아?"

건일이 반문하듯 말했다.

"오히려 서울이 조용한 편이네요."

진옥이 눈동자를 빤짝이며 말했다.

"머지않아 그 여파가 밀려올 거야, 나부터도 피의 대가를 찾지 않고는 못 배길 터인데."

건일이 결연한 태도로 말했다.

욱은 앞으로 다가올 심상치 않은 사태를 예기하며 자기가 취할 자세의 방향에 대하여 묵묵히 생각하고 있었다.

"참 등록했어요?"

긴장된 분위기를 전환이라도 시키려는 듯이 진옥이 화제를 돌렸다.

"아니."

"오늘이 마감날이 아니에요."

"하면 하구 말면 말구."

건일의 말은 다시 김빠져갔다.

"그래도, 아무튼 등록은 해놓구 봐야지."

욱이 말했다.

"이 썩어빠진 세상에서 꼭 졸업을 해야 한다는 의의를 발견할 수 없어."

"그러니까 학생들이 일어나지 않았어요."

선영이 받았다.

"글쎄, 산다는 데 대한 어떤 서광이나 의욕이 있어야지."

건일은 담배만 계속 빨고 있었다.

"그러나, 사태는 어찌 되었건, 지금까지 해온 학업에 대한 정상적인 단계는 밟아놓아야 하지 않겠어."

욱이 말했다.

"옳고 그른 것이 있어야지, 실력이란 건 아예 인정되지 않구, 부정이 판을 치는데."

"이렇게 사회의 가치기준이 엉망이 된 때일수록 거기 등불이 될 정통적인 것이 필요하지 않아."

"글쎄 난 모르겠어. 욱 너도 이번 사태엔 한손 뜬거야, 나는 피붙이가 총에 맞은 직접 피해자야, 나에게는 이성이 마비되었어, 그러한 이론도 어느 정도 여유가 있을 때의 이야기야, 내 마음속에는 복수심밖에 없어."

욱은 할 말이 없었다. 역시 자기는 이론으로 뭐라 하지만, 가슴 깊은 속에선 방관자의 위치에 머물고 있다는 생각을 지울 수 없었다.

학생휴게실에서 나온 욱은 건일을 합동연구실에 앉혀놓고, 교무과에 가서 건일의 등록관계 서류를 타왔다. 그는 건일의 옆에서 등록서류에 필요한 사항을 기록해갔다.

지금의 그로선 그것만이 건일에 대해 도움이 될 수 있는 유일한 방법이었다. 다가오는 사태는 그때대로 또 대책을 세워야 하겠지만, 현재로선 우선 등록을 하고, 마지막 학년을 끝마쳐 졸업을 하는 것이 건일이나 자기의 정상적인 갈 길이라고 생각되었다.

등록서류의 기록을 끝마치고 난 욱은 머리를 들어 건일을 건너다보았다. 건일은 무표정한 시선으로 등록 카드를 바라보고 있었다.

"자, 다 됐어. 등록금 준비됐어?"

"모자라."

건일은 시무룩히 대답했다.

"얼마나 돼?"

"반밖에 없어."

욱은 건일이 고향으로 내려가기 전 가정교사로 모은 돈으로 등록금을 마련해놓은 것을 알고 있었다. 그것이 돌발사로 시골에 다녀오느라고 일부를 썼다는 것에 생각이 미치자 더 묻지 않았다.

"여기서 잠깐 기다려."

욱은 건일과 자기의 등록서류를 거머쥐고 연구실을 나왔다.

그는 학림회 지도교수인 장태봉(張泰鳳) 교수의 연구실을 찾아갔다.

"선생님, 부탁이 있어서 왔습니다."

그는 단도직입으로 용건부터 내세웠다.

"무슨 부탁이길래."

장 교수는 보고 있던 책에서 눈을 떼고 욱의 다음 말을 기다렸다.

"다름 아니라, 저 이번에 등록금이 반밖에 준비되지 못했습니다. 그래 나머지 반액은 사월말까지 한 달만 연기할 수 있게 선생님께서 좀 보증을 서주셨으면 해서 왔습니다."

"한 달 후 ……."

"네, 그때까지는 집에서도 장만이 되겠지만, 그밖에 또 이번부터 밤에 학관에 나가 아르바이트를 하기로 했습니다."

"그래, 졸업반이 돼서 논문준비에도 바쁠 터인데……."

"그 대신 낮에는 쭉 도서관에 나와 있겠습니다."

"알았어."

욱은 장 교수가 써주는 연기보증서를 첨부하여 자기와 건일의 등록을 끝마치고 합동연구실로 돌아왔다.

건일은 지루하게 기다리다 못해, 피로가 밀려왔던지 의자에 기댄 채 졸고 있었다.

"피곤해?"

"깜박 잠이 들었어."

건일은 게슴츠레한 눈을 비비며 비시시 웃음을 슴새었다.

욱은 건일의 엷은 웃음을 보자 마음이 다소 풀렸다.

"다 됐어."

욱은 건일 앞에 등록금 영수증을 내놓으며 말했다.

"어떻게?"

"연기했어."

"연기가 그렇게 쉽게 되나?"

"장 선생님의 보증서를 첨부했지."

"미안해."

"자, 나가지."

욱은 건일과 함께 교정을 걸으며 대학의 마지막 한 해를 어떻게 하면 가장 효과 있게 보낼까 하는 생각을 하고 있었다.

그러나 무언지 모를 암운이 그러한 부풀은 동경 위에 덮쳐오는 것만 같은 불안감을 또한 지울 수 없었다.

학과 등록도 끝나 강의는 거의 본 궤도에 올랐다.

오전 강의가 끝나자 욱은 도서관으로 들어갔다. 그는 세미나에서 자기가 발표할 주제 요지를 정리했다. 그가 학림회(學林會) 세미나 장소인 별관 계단교실에 들어섰을 때는 벌써 이십여 명의 회원들이 모여 있었다.

세미나의 주제는 "學生의 現實參與 問題"였다.

얼마 있지 않아 학림회 간사 주인식이 지도교수인 장태봉 교수를 모시고 들어왔다.

자리가 정해지자 사회를 맡은 주인식이 연단으로 나갔다.

"그럼 지금부터 우리 학림회의 월례행사인 이달의 세미나를 시작하겠습니다. 이번의 주제는 '학생의 현실참여 문제'로 되어있습니다. 이 문제는 상아탑과 현실의 상관관계 속에서 우리에게 늘 관심거리가 되는 문제입니다만, 작금같이 사회정세가 불안하고 데모사태가 계속 발생하고 있는 현실적인 여건 속에서는, 더욱 간절한 문제가 아닌가 생각됩니다. 주제 발표자 세 사람의 의견을 들으시고, 회원 각자의 기탄없는 견해를 토로하여, 오늘의 이 모임이 착잡한 현실문제 해결에 다소라도 도움이 되었으면 하는 마음 간절합니다. 그럼 첫째 번으로 최원우 군의 발표가 있겠습니다."

말을 마친 사회자가 자리에 와 앉아 최원우가 연단에 올라섰다.

"현실참여 또는 사회참여, 이것은 즉 앙가주망을 뜻하는 말입니다."

그건 다 아는 소리가 아니냐는 듯이 청중 속에서 가벼운 웃음소리가 터졌다.

그러나 원래 몸집이 크고 배짱이 좋은 원우는 그런 것엔 아랑곳없다는 듯이 담담한 표정으로 말을 계속했다.

"그런데 저는 이 앙가주망을 두 가지의 각도로 해석하고 싶습니다. 즉 그 하나는 학생들이 학문적인 이론면에서 현실에 참여하든가 또는 캠퍼스 내에서 자치활동 서클운동 등을 통하여 대 사회적인 의사표시를 하든가 하는 것이 그 하나요, 다른 하나는 학생들이 캠퍼스를 벗어나서 실지의 현실 사회문제에 개입하여 직접적인 행동을 취하는 것이라고 봅니다."

원우는 이같이 허두를 떼고 이에 대한 자기 나름의 견해를 장황히 늘어놓은 다음 결론에 해당하는 자기 의사를 힘주어 강조하고 있었다.

"결국 나 자신은 이상과 같은 앙가주망의 개념과 현실적 조건을 참작하여, 우리 학도에 있어서의 현실참여는, 그 첫째 번 분류에 속하는 학리적인 참여, 그리고, 그것을 행동으로 옮길 때에도 학내의 자치활동이나 서클운동의 범위를 벗어나지 않는 한계 내에서, 현실사회에 직접 간접으로 영향을 주는 데 그 의의가 있다고 생각하며, 따라서 그 계선을 넘는 사회참여는 학생의 본분을 어기는 것이라고 생각합니다. 또한 그런 일은 절대로 있어서는 안된다고 확언하고 싶습니다."

원우의 말이 끝나도 장내는 아무 반응도 없이 고요했다.

원우는 손수건을 꺼내어 이마의 땀을 닦으며 자리로 돌아왔다.

다시 사회자가 일어났다.

"이번에는 이건일군의 발표가 있겠습니다."

최원우의 발표에서 약간 충격을 받은 건일이 긴장된 모습으로 연단에 올라섰다. 그는 큰 기침을 하고나서 안경테를 한번 추키고는 말을 시작했다.

"저는 현실참여라는 말 자체에 대하여 최원우 군과는 다른, 독단일지 모르지만, 저 나름의 견해를 가지고 있습니다. 그것은 사회참여라고 하나 앙가주망이라고 하나 다 마찬가지겠습니다만. 아무튼 학생의 대 사회적인 문제에 대해서 말입니다."

건일은 서두를 떼어놓고 흥분을 가라앉히느라고 잠시 숨을 돌리는 눈치였다.

"물론 현실참여라는 말이 뜻하는 바는 학문적인 것, 학내에서의 움직임, 캠퍼스를 벗어난 실사회에서의 행동, 이것은 다 포괄하는 것이라고 하겠지만, 특히 현실참여라는 말이 굳이 쓰이는 이유는 대 사회적인 직접적인 행동을 중시하기 때문에 생긴 것이라고 생각됩니다.

따라서 제가 생각하는 현실참여는 그것이 실질적인 행동면에 있어서는 소극적이건 적극적이건 간에, 캠퍼스 밖에서의 학생의 사회적인 관심과 행동의 표시에 중점적인 해석을 두어야 한다고 생각합니다.

그런 면에서 학생의 현실참여 하면 벌써, 연구실이나 도서관 속에서의 사회참여를 뜻하는 것은 아닐 뿐만 아니라, 학내에서의 자치활동 같은 실험적인 단계를 넘어선, 현실 사회문제에 직결되고 거기에 대한 관심이나 행동의 대외적인 표시라고 보는 것입니다."

건일의 어조는 점점 격하여 갔다.

"아니, 학내에서 논문으로 발표하고, 캠퍼스 안에서 서클운동을 아무리 한댔자, 그것이 이렇게 눈부시고 거세게 돌아가는 우리의 사회현실에 무슨 적극적인 영향을 준단 말입니까."

건일의 목소리는 선동조로 더욱 높아져갔다. 그는 자기의 이 견해를 뒷받침할 상세한 이론을 전개하고 구체적인 예증을 한 다음, 한층 어조를 높여 결론을 맺었다.

"정상적이고 건강한 사회라면 몰라도, 이렇게 탐관오리가 발호하여 극도로 부패하고 부정과 모리의 악적독소가 범람하는 사회에서는, 나라의 간성인 젊은 학도의 정의감과 정열에 호소하는 적극적인 사회참여가 어느 때보다도 긴요하고도 시급하다는 것을 거듭 강조하고 싶습니다."

건일은 얼굴이 상기되어 벌개진 채 연단에서 내려왔다.

욱은 서로 대조되는 원우와 건일의 발표를 들으면서 자기의 견해가 회원들에게 미묘하게 해석될 것만 같은 의구를 느꼈다.

사회자가 다시 일어섰다.

"이번에는 끝으로 한욱군의 발표가 있겠습니다."

욱은 자리에서 일어나 연단으로 나갔다.

그는 청중을 돌아보고 나서 숨을 돌렸다. 그리고 침착한 어조로 말을 시작했다.

"저는 현실참여가 뭐냐, 앙가주망이란 어떤 것이냐 하고 굳이 개념규정부터 하고 싶지는 않습니다만, 다만 이 현실참여가 일반사람보다 학생이나 예술가에 결부되어 사용되고 있는 점에 관심을 가지고 있습니다.

현실사회에 살고 있는 사람들은 적으나 크나 다 제 나름의 현실참여 또는 사회참여를 하고 있다고 저는 생각합니다. 그것이 유독 예술가나 학생과 결부시켜 문제되고 화제에 오르는 것은, 이들이 현실사회와 동떨어져 예술의 세계나 학문의 세계에서 상아탑 속에 유폐되거나 격리될 우려가 있기 때문이라고 생각됩니다.

예술가나 학생도 사회 구성원의 일원인 만큼 현실사회와 격리되어 존재할 수도 없고, 또한 생존해갈 수도 없다고 생각합니다.

즉 학생은 학문 자체에 있어서나, 학내 행사에 있어서나 또는 학원을 벗어난 대 사회적인 면에 있어서나, 항상 현실사회와 연관을 가지고 그 움직임 속에 공존하고 있는 것입니다.

그러므로 학생의 현실참여는 사회의 구조와 여건에 따라서, 학문면으로 족할 때는 그것에 멈추고, 학내 행사로 족할 때는 또한 그 범위에 멈추고, 한걸음 더 나아가, 사회나 국가가, 학생이 학원을 뛰쳐나와 현실면에 적극 참가해야 할 필연적인 여건을 놓였을 때는 또한 서슴지 않고 그 방향으로 나가야 한다고 생각합니다.

요는 학생과, 사회나 국가의 현실 여건과의 상관관계, 그리고 그 현실을 정확하게 판단하는 비판의식, 거기에 응할 수 있는 현실적인 학생의 자세, 이러한 여러 가지 요소에서 학생의 대외적인 행동은 결정된다고 생각합니다."

욱은 결론으로 못을 박을 한마디가 있는 것을, 이따 질문에서 대답하기로 마음먹고 연단에서 내려왔다.

"그럼 지금 세 사람이 발표한 내용에 대하여 질문을 받기로 하겠습니다."

사회자가 말했다.

"대답하는 사람의 혼란을 막기 위하여, 질문은 가능한 한, 한 사람에게 하나씩 제시하여 그 대답을 들은 다음, 차례로 옮겨주셨으면 감사하겠습니다."

짱구가 맨 먼저 손을 들었다.

"그럼 맨 처음으로 이영남군의 질문이 있겠습니다."

사회자의 뒤를 따라 짱구가 말을 시작했다.

"최원우 군에게 질문이 하겠습니다."

원우가 짱구 쪽으로 시선을 돌렸다.

"지금 발표한 최원우 군의 의견대로 한다면, 어떤 위급한 경우든지 학생은 캠퍼스 밖에서는 절대로 사회참여를 해서는 안된다는 거지요?"

"나의 견해는 그렇습니다."

원우가 즉각 대답했다.

"아니 사회가 엉망이 되고 조국이 망그러져도 학생은 학원 속에 박혀 있어야 한다는 말이지요?"

짱구가 다시 물었다.

"나는 그렇게 생각합니다. 그럴 때는 그것을 시정하고 진압할 행정관

청도 있고, 경찰도 있고 또한 군대도 있지 않습니까?"

원우는 자세를 굽히지 않고 대답했다.

"아니, 정부도 군대도 경찰도 다 썩었는데도……."

뒤에 앉은 다른 학생이 질문을 덧붙였다.

"경찰도 군대도 손을 쓸 수 없을 때는 벌써 학생의 힘으로는 어찌 할 수 없을 때일 것입니다."

원우가 단호히 대답했다.

"그런 억지 궤변이 어디 있어."

또 다른 학생이 소리쳤다.

"질문은 야유를 하지 말고 질서정연하게 해주십시오."

사회자가 말했다.

원우에 대한 질문과 대답이 한참 옥신각신한 뒤에 김현이 손을 들고 질문을 청했다.

"이건일 군에게 하나 질문하겠습니다."

건일은 아직 긴장된 얼굴을 김현쪽으로 돌렸다.

"이건일군의 발표내용대로 한다면, 우리는 지금 당장 교문을 박차고 길거리로 뛰쳐나가 행동을 취해야 한다는 요지로 들리는데, 한두 학교가 우발적으로 데모를 한다고, 우리까지가 거기에 휩싸여 무비판적으로 행동한다는 것은 우리 지성인으로선 좀 경솔한 부화뇌동 같은 행동이 아닐까요?"

"알았어요, 알았어요."

건일은 손을 내저으며 일어섰다.

"그건 저하고 전혀 견해가 다릅니다. 그래 지금 현재 데모에 나선 학교학생은 다 우매하고 가만히 있는 우리만이 현명한 학생이라는 뜻인 것 같은데요, 그것이 지극히 우졸한 독존사상입니다. 지금 더 판단하려도 판단할 여지가 없이 푹 썩은 판에 무엇을 주저할 게 있어요. 만약에 그 질문같이 이 막바지에 오른 현실을 아직 관망하고만 있다면 그것은 그야말로 창백한 인텔리의 도피가 아니면, 비굴한 자기 합리론 밖에 안되는 겁니다."

"그건 너무 극단적인 표현인데."

"그만, 그만."

사회자가 두 손을 벌리고 제지하며 나섰다.

"다른 사람 질문하세요."

"네."

박덕호가 손을 들고 일어섰다.

"한욱 군에게 질문을 하겠습니다. 아까 한욱 군이 발표한 요지는 대체로 수긍이 가지만, 맨 끝에서 말입니다. 학생과 현실 여건의 상관관계, 비판의식, 학생의 자세 등 요소를 들어 이야기했는데, 그러면 현시점에서 우리의 현실을 비판하면, 학생이 캠퍼스 밖으로 뛰쳐나가 행동으로 현실 참여를 해야 할 때라고 생각합니까, 그렇잖으면 아직도 상아탑 속에서 관망해야 할 시기라고 생각합니까?"

급소를 찌른 질문이어서 좌중에는 웃음이 터졌다.

욱은 자기가 결론으로 덧붙이려고 하다가 확실한 단안이 내려지지 않아 보류한 부분에 걸려들었다고 생각하며 자리에서 일어났다.

"그 문제는 좀 대답하기 곤란한 문제지만 제 소견으로는, 사태가 조금만 더 악화하면 우리도 이대로 더 좌시할 수는 없는 단계에 놓여졌다고 보아집니다."

"그럼 지금 현재는 아직 일어설 필요가 없다는 그런 해석이군요?"

덕호가 다시 반문했다.

"글쎄, 그렇게 해석되는 셈이지만……."

"그 문제는 좀 델리케이트한 것이니까 그쯤 해두고 발표자의 의도를 참작함이 좋지 않겠어요."

사회자가 가로막고 나섰다.

욱은 건일이 쪽으로 시선을 돌렸다. 건일은 못마땅한 듯한 표정으로 앞쪽만 멍하니 바라보고 있었다.

한참 격론이 벌어지고 난 뒤였다.

"그럼 질의는 이만 끝내기로 하고, 마지막으로 우리 연구회의 지도교수이신 장태봉 선생님의 말씀을 듣기로 하겠습니다."

사회인 주인식이 말했다. 그는 곧 장 교수 앞으로 다가가서 이야기 해 주기를 청했다.

장 교수자리에서 일어나 연단으로 나갔다.

"오늘 세미나에 있어서, 발표자나 또는 질의하는 사람이나 모두 진지한 태도로 주제를 다루고, 문제의 핵심을 추구하려는 학구적인 성실성을 보인 점은, 그 자체만으로도 커다란 수확이라고 생각합니다. 나 자신도 여러 가지 면에서 자극을 받은 바 큽니다."

허두를 떼고 난 장 교수는 잠시 멈췄다가 다시 말을 계속했다.

"오늘 발표된 주제와 같이, 단순히 학문적인 이론전개에 그치는 것이 아니고 사회적인 현실문제와 직결되는 주제를 다루는 때에는, 여러분 자신이 직접 정치에 관계하고 있는 정객이나 또는 평범한 일반시민이 아니고, 어디까지나 학원내에서 공부하고 있는 학생이라는 점에서, 이것도 재확인이 더한층 요망되는 계기라고 생각됩니다."

장 교수의 이러한 전제 속에는 복선으로 깔리는 여러 가지 문제가 내포되어있는 것이라고 욱은 생각하며, 다음 이야기를 기다렸다.

"특히 학생들의 사고나 행동이 사회의 현실면에 파급되는 영향력이 예민한 후진사회에서는, 학생들의 그러한 기본자세의 확립이 더욱 중요시된다고 봅니다, 이 말은 바꾸어 말하면 학생들의 순수한 정의감이나 단순한 애국심이나 또는 순진하고 분방한 정열이 자칫하면 일부 불순한 정객의 역이용의 대상이 되기 쉽다는 상대적인 의미로 포함하고 있는 것입니다. 이러한 논리는 학생들의 적극적인 현실참여를 저지하거나 억제하려는 의미로 곡해되기 쉽지만, 절대로 그러한 소극적인 회피에서 하는 말은 아닙니다. 말하자면 하나의 원칙의 제시에 불과한 것입니다."

그 뒤에 무슨 말이 나오나 하고, 장내는 고요한 속에 긴장이 서려있었다. 학생들의 눈동자는 장 교수에게 집중된 채로였다.

"위와 같은 전제하에서 긴 말을 하지 않고 간단히 내 소견을 덧붙이겠습니다. 지금 여러분이 발표한 내용에는 서로 엇갈리는 여러 가지 의견이 있었습니다마는, 그것은 각자가 보는 관점에 따라 각각 제 나름의 주장을 뒷받침하는 타당성 있는 이유가 제기되었다고 보아집니다. 좀 더 요약하면 현실참여 자체에 대한 해석의 문제가 그 하나요, 현실의 상황 판단에 대한 기준점의 차이가 다른 하나라고 할 수 있겠습니다."

욱은 침을 꿀꺽 삼키며 장내를 돌아보았다. 아무도 움직이지 않고 앞쪽을 주시하고 있는대로 였다.

장 교수는 학생들을 쭈욱 훑어본 다음 말을 이었다.

"나는 지극히 편협하고 또 보수적인 생각인지는 몰라도, 제일차적으로 학생운동은 학원 안에 국한되어야 한다고 생각합니다. 학생은 원칙적으로 부질없이 학원 밖으로 뛰쳐나가서는 안된다는 것입니다."

장내는 약간 동요하는 듯한 기미가 보였다.

욱은 또 그 원칙론이 나오는구나 생각하면서 그 뒤를 기다렸다.

"그러나 어떤 원칙에든지 반드시 예외가 있는 것입니다."

몇몇 학생의 내뿜는 큰 숨소리가 들려왔다.

"이 이상 견딜 수 없다, 방관할 수만은 없다, 학원 내에서만은 도저히 버틸 수 없다. 만약에, 만약에 말입니다."

장 교수는 만약에를 힘주어 거듭 되풀이하고 있었다.

"그러한 경우가 생긴다면, 그런 절대적인 경우까지도 상아탑 속에 칩거하라는 뜻은 물론 아닙니다."

건일의 얼굴엔 순간 긴장이 풀리며 웃음기가 번져옴을 욱은 발견할 수 있었다.

"최후의 어쩔 수 없는 극한적인 조건, 이런 절박한 경우에 직면했을 때 말입니다. 그러나, 그것은 확고한 이론적인 무장이 선행되어야 하고, 그 위에 현실을 차단하는 데 있어서, 냉철한 지성에 의한 비판의식이 번득여야 하며, 이에 겹쳐 젊은이다운 피 끓는 정열이 용솟음쳐야 하는 것입니다. 이제, 최고학부에 있는 여러분에게는 남이 하니 나도 한다는 식의 부화뇌동은 있을 수 없습니다. 확고한 자기 판단에 의한 주체의식 위에서 모든 행동은 출발되어야 합니다."

장 교수는 어조를 낮추어 말했다.

"냉철한 이성, 거기에 병행되는 피 끓는 정열, 그것은 젊은세대만이 지닐 수 있고, 여러분 자신의 올바른 판단에 의하여 여러분 자신만이 쓸 수 있는 보배요 또한 무기입니다. 끝으로 한마디 덧붙이겠습니다. 자유와 방종, 용기와 만용, 자중과 비굴, 이것은 다 종이 한 장의 차이입니다. 그 판단과 선택은 오직 지성과 감정의 교차점에 서있는 여러분 자신에 달려있는 것입니다."

장 교수의 이야기가 끝나자 장내에는 박수소리가 터졌다.

회원들은 장 교수의 이야기를 제 나름의 주견대로 자기에게 접근시키고 있는 눈치였다.

장 교수가 먼저 회장에서 나간 다음 짱구가 소리쳤다.

"오늘의 세미나는 무승부야……."

긴장되었던 장내에는 웃음소리가 터졌다.

삼·일오 부정선거에 항거한 마산사건의 여파는 전국에 파급되고 있었다.

사월 육일, 서울에서는 야당 국회의원들이 가두시위에 나섰다. 어느결엔가 이 데모대에는 수천 명의 일반시민과 학생까지 가담하였다.

"살인선거 물리치자" "마산사건의 원흉을 잡아내라" "이승만 정부 물러 가라" 등 외치는 구호도 훨씬 자극적인 것이었다.

무교동 민주당 당사 앞에서 시작된 데모는 "전우의 시체를 넘고 넘어" 의 노래를 부르며 을지로 사가에서 종로 사가를 돌아 세종로까지 이르렀 다. 여기서 일부는 국회의사당 앞을 메우고, 일부는 "경무대로 가자"는 열띤 외침에 따라 중앙청 쪽으로 돌진했다. 중앙청 앞에서 데모대를 제 지하려고 출동한 경찰기동대와 충돌하여 곤봉에 구타당하고 발길에 채우 는 등 난투극을 부리다가 결국엔 수십 명이 연행되었다.

시내는 공포와 불안 속에 떨고 있었고 시민의 숨죽은 반발은 더한층 고조되었다.

그러한 분위기 속에서도 대학 내에서는 학도호국단 간부 선거를 앞두 고 치열한 선거전략이 소용돌이치고 있었다.

오후의 마지막 시간은 휴강이어서 욱은 도서관으로 들어갈까 그대로 집으로 돌아갈까 망설이며 교정에서 머뭇거리고 있었다.

"욱."

어깨를 툭 치며 부르는 통에 욱은 뒤로 머리를 돌렸다. 덕호였다.

"또 터졌어."

"뭐가?"

"데모 말이야."

덕호는 신이 난다는 듯이 활기를 띠고 있었다.

욱은 데모라는 소리에 적잖은 충격을 받았으나, 그렇게 신이 나거나 유쾌하지는 않았다.

"어디서?"

"바로 서울이야."

"서울?"

"응."

덕호는 야당의원을 중심으로 한 데모내용을 열을 띠며 이야기하고 있었다.

욱은 엇갈리는 분노와 불안을 느끼며 듣고만 있었다.

"자, 우리 저기 가 앉을까?"

덕호가 나무 밑의 벤치를 가리키며 말했다.

"그래."

욱은 덕호와 함께 은행나무 밑 벤치에 가 있었다.

은행나무 가지가 바로 머리위에까지 뻗어있었다. 개나리는 만발하고, 다른 나무들도 잎이 파릇파릇 피기 시작하는데, 은행만은 유달리 싹트는 것이 늦어 동그란 눈이 통통 부풀기만 했다.

"참, 욱, 이번 선거는 어떻게 하는 것이 좋을까?"

"어느 선거 말이야?"

밑도 끝도 없는 덕호의 말에 욱은 그대로 반문했다.

"학도호국단 선거 말이야."

"응, 그거, 되는대로 되라지 뭐."

"아니, 그렇게 남의 일같이 말하지 말고, 우리들 일이니까, 우리 자신이 관심을 가져야 되지 않아?"

"난 별 흥미 없어."

욱은 사실에 있어 처음부터 그 일엔 거의 무관심이었다.

"지금까지의 전통도 있고 하니, 우리고교 출신이 호국단장은 해야 할 거 아니야, 다른 부서는 몰라도."

덕호는 예사롭게 화제를 꺼내고 있으나 약간 심각한 표정이었다.

"아니, 그 잘난 건해서 뭘 해."

욱은 대답은 좀 퉁명했다.

"나도 그렇게 생각하지만, 김현은 아주 적극적이니까 말이야."

"아니야, 너부터도 지나치게 열을 올리고 있는 것 같아."

"나야 무슨 상관있어, 김현이 당선 되는 것이……."

"그러면 왜 그렇게 발벗고 나서는 거야."

"친구 사이니까 그렇지. 그리구 지금까지 죽 해온 모교의 전통도 있지 않아, 그것이 우리때에 와서 빼앗기면 우습지 않아?"

"덕호, 너 치고는 너무도 유치한 소리야, 기껏 찾는다는 것이 그까짓 것에서 전통이야?"

"그렇지 않아. 넌 그렇게 단순하게 생각하지만, 만일 B교 출신이 당선 돼봐, 학교 안을 저희가 쥐고 흔들지 않는가?"

"그걸 말이라고 해. 어디 호국단간부는 학교를 쥐고 흔들라는 건가?"

"아니, 지금까지 실정이 그렇지 않았냐 말이야."

"아무튼 나는 관심이 없어."

"그래도 김현인 널 단단히 믿고 있던데."

"글쎄, B교 출신이 되겠으면 되구, 지방출신이 되겠으면 되구, 나는 관심이 없대두."

욱은 처음엔 예사로 대답했으나, 차츰 불쾌해졌다.

"늘, B교하구는 대결이 아니야. 이럴 때, 팀워크로 나가야지. 동창이라는 것이 언제 필요해."

덕호는 끈덕지게 나왔다.

"야, 넌, 부정선거를 그렇게 껏 탓하면서, 너희들은 왜 그것을 되풀이하려고 하니?"

"뭐가 그래?"

"아니 다방에 가서 차 사주구, 음식점에 가서 술 사 먹이고 하는 것은 부정이 아니냐."

욱은 상기된 음성으로 내뱉었다.

"그거야 어디 꼭 선거에 관계된 건가 뭐."

그래도 덕호는 유들유들하게 나왔다.

"부패된 현실을 비판하고 규탄하자면 우리 자신의 자세부터 확고해야 하지 않아?"

"욱, 너무 그렇게 성인군자로 자처하지 말고, 약간의 융통성도 있어야 해."

"글쎄, 나는 학도호국단장 자체도 대단한 것으로 생각하지 않지만, 그 부패된 선거운동이 더 구역질이 난단 말이야."

욱은 격앙된 어조였다.

"욱, 나보구 성낼 건 없어. 이건 김현의 부탁이니까. 전달하는 것뿐이야."

"결국 너도 동류가 된단 말이야. 현의 선거참모가 너라는 건 모두 다 알고 있는 일인데……."

"글쎄 뭐래도 좋아. 나만 청백하면 되지, 않아. 나는 다만 친구의 일을 돕는 것뿐이야. 그리고 학교 전통으로도……."

덕호는 욱의 성을 받으면서도 태연히 말하고 있었다.

"아무튼 잘 생각해. 김현의 부탁은 지방출신인 주인식을 눕히게 하고 그 표를 얻어 B교와 대결하겠다는 거야. 그러니까 너더러 건일을 통하여 인식을 사퇴하게 해달라는 거야, 물론 부위원장을 준다는 빠타조건이야."

"야, 덕호, 정신 좀 차려. 밖에서는 데모가 났다면서."

"글쎄, 그건 부정부패구, 우리는 건전하단 말이야, 우정과 전통, 그것뿐이야."

"표를 매수하는 건 부정이 아닌가?"

"결국은 대학생의 자유의사인데 뭐. 어디 무식한 시골놈들인가?"

욱은 기가 차서 더 할 말이 없었지만, 덕호의 끈덕진 설득이 우스꽝스럽게 감탄이 갔다.

"그럼 부탁해."

덕호가 손을 내밀었다.

"야, 덕호, 정신차려."

욱은 벤치에서 일어나 교문 쪽으로 걸었다.

건일은 향나무 가지가 우거져 드리운 잔디밭 위에 주인식과 같이 앉아 있었다.

"A교니 B교니 하고 날치는 서울자식들의 꼴이 보기 싫어 죽겠어. 이번 기회에 지방출신들이 합세하여 그것을 뿌리뽑잔 말이야, 나는 그 이외엔 아무 욕심도 없어."

주인식은 또 그 말을 건일에게 되풀이했다.

"그것도 일리는 있지만, 내가 너를 적극적으로 미는 것은, 지방출신을 내세워, 그 썩어빠진 학도호국단의 타성을 없애고, 좀 더 건전한 학교 분위기를 만들자는 거야."

건일이 받았다.

"아무튼 서울 일류 교네 하고 대가리를 치켜드는 자식들의 꼴이 보기 싫단 말이야. 거기다 권력 냄새, 돈냄새까지 풍기는 꼴은 눈꼴사나워서 못 보겠어. 이 기회에 한번 근본적으로 쇄신해야겠어."

인식은 침을 튕기며 열을 뿜었다.

"글쎄, 서울표는 둘로 갈리니까, 지방출신만 모두 단합하면 되는 거야. 거기다, 안에 있는 군소학교 출신들을 포섭하면 된단 말이야."

건일도 어지간히 흥분해있었다.

"어때, 여학생표는 역시 힘들어?"

"힘들 건 없지만, 그것들은 서울 일류교 학생들 둘레를 살살 돌면서 이랬다저랬다 하니 믿을 수 있어야지."

"그건 역시 군자금이 문제야, 그 자식들처럼 돈을 쓸 수 있어야지."

인식은 약간 한탄조였다.

"그런 부정부패는 써선 안 돼. 이제는 실력으로 정정당당히 이기고, 저도 더럽지 않고 깨끗이 지잔 말이야."

안순옥이가 뜻밖에 건일을 찾아와 좀 만나자고 손짓했다.

이즈음 건일은 인식의 당선을 위해서, 자기 개성을 죽이면서까지 모든 학생들에게 모든 학생들에게 부드럽게 대해오고 있는 중이었다. 그는 좋은 계기라도 될까 해서 선뜻 일어섰다.

"영남 씨가 좀 만나재요."

순옥이 나직이 말했다.

"나를?"

"네."

"왜?"

"잘 모르겠어요."

"어디 있는데?"

"학교 앞 다방에 있어요."

건일은 인식에게 눈짓하고 순옥이를 따라나섰다. 다방문까지 가는 사이에 그는 짱구가 왜 나를 만나자고할까 하고 곰곰 생각해보았으나, 무슨 영문인지 짐작이 가지 않았다. 이 기회에 주인식을 밀어달라고 부탁이나 할 까 하고 그는 속으로 생각하고 있었다.

다방에 들어선 건일은 영남이와 마주앉은 학도호국단 섭외부장 김인배(金仁培)와 눈이 마주치자, 순간적으로 떠오르는 것이 있었다. 김인배가 현재 학도호국단 총무인 최원우의 참모역을 하고 있는 것을 그는 잘 알고 있었다 아차하는 생각이 들었으나 돌아설 수도 없었다.

"오라구 해서 미안해."

짱구가 손을 내밀며 자리를 권했다. 김인배도 만면에 웃음을 띄우며 건일에게 악수를 청했다.

날라온 차를 마시며, 건일은 생각했다. 어차피 적수끼리 만났으니, 상대를 흡수하든가, 그렇잖으면 최소한 상대편의 전략이라도 엿보고 가리라는 심산이었다.

영남이는 싱글벙글하며 이 소리 저 소리 지껄이지만, 뼈있는 말은 한 마디도 하지 않고, 건일의 표정만 살피는 눈치였다.

"이야기를 꺼내지."

김인배가 말했다.

"나를 경유할 것 없이 직접해. 나는 만나게 하는 중개역할만 했으니까……."

영남이는 자기의 위치를 분명히 하려는 듯이 건일이와 순옥이를 번갈아보며 멋적게 웃음을 번졌다.

"뭔데 그래."

건일은 약간 어색해지려는 듯한 분위기를 막기 위해 일부러 말을 걸었다.

"본론부터 이야기해."

영남이 받았다.

"사실은 다름 아니라."

인배가 말을 시작했다.

"이번 호국단 간부 선거 말이오, 거기 대해서 좀 협조를 얻고 싶어서 그러는데."

"네, 이야기해요."

건일은 시원하게 받았다.

"지금까지의 경위를 보면, A고교 출신이 계속 두 번이나 학도호국단 간부를 독점했는데, 이번에는 솔직히 말해서, 우리 B고교 출신이 한번 설욕전을 하고 싶어요. 그러니까 이번 한번만 지방 출신들이 우리를 후원해주면, 다음 기회엔 우리가 전적으로 협력해서 지방에서 나오게 할 터이니, 이번만 좀 양보해주었으면 해서 만나자고 했어요."

건일은 어떤 타협일 것이라고는 짐작했지만 이렇게 대담하게 나올 줄은 몰랐다.

그는 한참 있다가 입을 열었다.

"그러면 구체적으로 어떻게 하자는 건가요?"

"단도직입적으로 말해서 이번엔 주인식 군이 후보를 사퇴하고 지방출신의 표를 우리쪽으로 양보하면, 다음엔 우리가 그렇게 하겠다는 겁니다."

"그러면 결국 빠타를 하자는 거지요?"

"글쎄, 빠타라면 빠타겠지만, 그보다는 서로 협력하여 양보의 미덕으로 목적을 달성하자는 거지요."

건일은, 인배가 역시 학도호국단 섭외부장의 자리에 있는 놈이어서, 대담도 하지만 단수가 여간 센 것이 아니라는 생각이 들었다. 아니꼬운 생각 같아서는 한 대 갈겨주고 뛰쳐나오고 싶었지만, 이런 일은 끈질기게 버티는 쪽이 이긴다는 생각이 떠올라 꾹 참고 있었다.

"한번 잘 의논해보시지요."

인배는 다시 촉구하는 어조였다.

건일은 기가 차서 한번 웃고 나서 입을 열었다.

"잘 알았습니다. 그러면 그 양보를, 한 번도 감투를 써본 일이 없는 지방출신에게 먼저 하면 어떨까요?"

건일은 심각한 어조로 말했다.

이번에는 상대방에서 오히려 의외라는 듯한 표정을 보였다.

"그것도 좋은 의견입니다. 그러나 이렇게 그 문제를 먼저 제기한 것이 우리 쪽이니까, 이번만은 이쪽에 양보하고, 다음에 그쪽에서 하는 것이 좋지 않을까 생각하는데요."

인배는 여유 있고도 능글맞은 어조였다. 마치 이쪽을 자기 손아귀에 넣고 마음대로 주물러대는 식이었다. 그러나 건일도 불끈하는 속을 누르며 억지로 참아갔다.

"그건 좀 힘들 겁니다. 그쪽에서 한번 먼저 양보하고, 다음에 이쪽의 양보를 구하는 것이 순서지, 무턱대고 불러놓고 우리는 이렇게 생각하니 너 시골놈들 죽어봐라 하는 식은 좀 납득이 가기 힘들 것 같은데요."

건일은 약간 가시가 돋히게 말했다.

"그렇게만 좁게 생각할 것이 아니라, 우리가 이렇게 삼파전으로 버티면, 아무래도 숫자가 많은 A고교 쪽이 유리하고, 우리는 서로 산표가 되는 결과 밖에 안되니까요. 이론보다 실정에 더 중점을 둬야 하지 않겠어요."

능란한 화술과 끈질긴 설득력에 건일은 눌리는 기분이었다. 그러나 불붙는 듯한 가슴속엔 냉정한 판단보다는 격한 감정을 부채질해왔다.

"글쎄, 그렇게도 해석되겠지만, 결과는 보아야 하지 않아요. 그것보다는 오히려 정정당당히 싸우는 것이 나을거요."

"어떻게 생각하는지 몰라도, 한쪽이 사퇴하고 양보한다는 것은 조금도 정정당당이 아닌 것이 아닙니다. 다만 하나의 방법일 따름입니다."

그 매끈매끈한 논법이 건일에게는 점점 얄밉게 느껴졌다.

"학생회의 간부를 뽑는데, 빠타란 좀 치사한 것 같아요. 글쎄 입후보한 본인인 주인식은 이 문제를 어떻게 생각할지 몰라도, 나로서는 절대로 응할 수 없는 치졸한 사고방식이라고 봐요."

건일은 자리에서 일어났다.

"아니, 좀 앉으세요. 너무 그렇게 곡해할 것까지는 없구, 이런 의사를 본인에게 전달은 해주시오. 그러면 본인은 어떻게 생각할지 모르니까. 저, 끝으로 덧붙일 것은 그간의 비용까지도 이쪽에선 보상할 각오가 서 있으니까요."

"예익, 썩어빠지고 치사스러운 자식 같으니라고……."

탁 뱉으면서 건일은 의자를 차고 나왔다.

"이것도 정친데, 그렇게까지 할거야……."

인배의 목소리가 다방문을 나서는 건일의 등 뒤에서 들려왔다.

제5장

건일은 김인배와의 대담경위를 주인식에게 대충 설명했다.

"더러운 자식들……"

귀 기울여 듣고 있던 주인식이 거의 탄 담배꽁초를 내던지며 말했다.

"그래 뭐라고 했어?"

주인식은 다시 다그쳐 물었다.

"치사스러운 자식이라고 욕을 퍼붓고 나와버렸지."

"잘했다, 잘했어."

주인식은 격분한 속에서도 통쾌한 미소를 지었다.

"우리는 그런 치사스러운 짓은 하지 말고, 끝까지 페어플레이를 해야 겠어, 어때……"

건일이 따지듯이 말했다.

"물론."

주인식이 즉각 대답했다.

"그러나 이젠 막바지에 접어들었으니까, 학생들의 움직임을 자세히 파악하고, 치밀한 대책을 세워야겠어. 싸움에는 이겨야 해, 안 그래?"

"알았어, 결국은 삼파전의 백중지세가 되는 셈이야."

"별수 없지, 그러니까, 우리는 최종적으로, A고교와 B고교 출신 이외 의 서울표를 긁어모으잔 말이야."

주인식이 열을 올리면서도 나직이 말했다.

"그건 동감이야, 그렇지만, 그것이 용이하지 않아, 그들의 대부분은 선 거에 무관심하니까 말이야."

"어때, 욱을 한번 만나보면……"

주인식이 말했다.

"나도 그걸 생각하고 있어. 그런데 욱은 이 문제에 전혀 관심이 없단 말이야, 관심이 없는 정도가 아니라, 학도호국단 자체를 부인하고 있는 형편이니까……"

"그건, 나도 알고 있지만……"

주인식은 한참 생각하다가 다시 말을 이었다.

"그렇지만, 그런 위치에 서있는 사람이, 이런 경우엔 그 영향력이 더 크지 않을까?"

"그것도 일리는 있어."

"네 말이라면 혹시 들을지도 모르지 않아?"

"나는 가까운 사이니까 더 쑥스럽단 말이야."

"가까울수록 털어놓고 이야기하긴 더 좋지 않아."

"그런 것도 아니야."

"야, 건일이 지금 어디 그렇게 재고 있을 때야? 썩어빠진 학도호국단을 건전한 방향으로 이끌고 나가자는건데, 말 못할 게 뭐있어."

"……."

"만사는 이기고 보는 거야. 정 뭐하면 나하고 같이 만날까?"

"아니, 괜찮아."

건일은 잠깐 생각하다가 말을 이었다.

"나 혼자 만날게."

"욱은 김현하고도 동창이니까, 그쪽 정세도 알아볼 수 있지 않아?"

"그럴지도 몰라."

"셋이서 만나는 것이 더 효과 있지 않을까?"

주인식은 건일의 행동을 촉구하듯이 말했다.

"나 혼자 만나는 것이 나을 것 같아, 그것이 욱의 신경을 덜 자극할 거니까."

"그건 좋도록 해, 아무튼 금명간에 만나는 것이 좋을거야, 그 다음 대책도 세워야 하겠으니까."

건일은 욱을 찾아갈 것을 마음먹었다.

"선거를 하겠으면 하구 말겠으면 말구 나는 그 문제엔 도무지 관심이 없어."

건일의 말을 듣자 욱은 첫마디부터 거부하는 태도로 나왔다.

"일이 이쯤 벌어졌으니까, 결말은 지어야 하지 않겠어?"

"건일이, 너는 왜 그 껄렁한 병아리 정치모리배 틈에 끼어들었어?"

"그렇게만 단순하게 생각할 게 아니야, 나도 여러 가지로 생각했어."

건일의 상세한 설명을 들으면서 욱은 덕호가 찾아왔던 일을 생각하고 있었다. 주위의 친구들이 학도호국단 간부선거에 혈안이 돼있는 것이 다 그 나름의 정당한 이유는 있다지만, 자기로서는 도저히 거기에 동조할 수 없는 심정이었다.

"그래 그것도 벼슬이라고 생각해서 그렇게들 선봉에 나서는 거야?"

"벼슬? 흥, 벼슬이 좋으면 내가 나서지, 뒤에서 남을 밀고 있겠어? 그거는 너무 오버센스야."

"글쎄, 정치나 외교를 전공하는 학생들은 재학 중에 호국단간부라도 한자리 하면, 그것으로 사회에 나가는 발판이 된다지만, 그건 네 경우엔 어울리지 않아. 나는 학생들의 자유로운 자치활동을 제재하기 위해 관제로 생긴 학도호국단 자체를 묵살하고 있어."

욱은 평소의 자기 의견 그대로 토로했다.

"나도 그건 동감이야. 그러나 한 캠퍼스 안에서 같은 분위기에 휩싸이면서 언제까지나 방관하고만 있을 수는 없지 않아?"

건일도 자기 소신을 터놓았다.

"아니, 권력과 결탁하여 앞잡이 구실을 하는 그 불순한 분위기에 끼어들면 뭐해?"

"그건 나하고 견해가 좀 달라. 그러니까 나는 그 조직 속에 직접 들어가, 그 기구를 비롯한 운영 전반에 걸쳐 대수술을 하고, 그 부패의 타성을 완전히 뿌리 뽑아 버리겠다는 거야."

"그건 네 정의감에서 우러나오는 이상일지 몰라, 그러나 망상에 가까울거야."

"아니야, 나는 가능성이 있다고 생각해."

"천만에, 그것이 우리학교 하나만의 경우라면 몰라도, 학교호국단이라는 관제조직의 기본체제가 그렇게 될 수밖에 없는 걸. 어디 맑은 물 한 방울이 흐린 강물을 맑게 할 것 같아?"

"그렇다고 지레 겁부터 먹고 포기할 수는 없지 않아? 내부에 침투하여 투쟁을 해봐야 알지."

"나는 호국단 간부란, 썩어빠진 정부관리나 줏대 없는 국회의원 같은 놈들이라고 생각해."

"그러니까, 과감히 일대 혁신을 단행해야 하겠단 말이야."

"야, 건일이."

욱은 나직한 음성으로 말을 이었다.

"덕호에게서도 들었다. 나는 네 심정을 다 이해한다. 지금 네가 이야기한 그 건설적인 의욕도 좋지만, 사실은 지방출신이 서울출신에 대한 반발적인 도전의 계기를 마련한다는 것이 더 솔직한 표현이 아닐까?"

욱은 건일의 눈동자를 지켜보며 말했다.

"응, 그런 의미도 전혀 없는 것은 아니야. 사실 그 서울 일류교네 하고 방약무인으로 날치는 것들이 눈꼴사나워."

건일은 입술에 힘을 주며 말했다.

"오히려 그 비중이 더 클지도 몰라."

"아니야, 그래도 그것은 어디까지든 보수적인 거야. A교와 B교 출신들의 적대적인 대결과는 달라."

"아무래도 좋아, 나도 A교 출신이지만, 나는 A교니 B교니 하는 것조차 관심이 없어. 지방출신이니 서울 출신이니 하는 것도 역시 흥미없는 일이지만."

"그러니까 건설적인 의미에서 선거에 관심을 가져달란 말이야."

"알았어, 그러나 입에 침이 마를 사이 없이 정의니 진리니 하고 부르짖고 삼·일오 부정선거를 핏대를 세워 규탄하던 작자들이, 학교 내에서 불순한 매표공작을 하려드는 것은 자가당착이 아닐까?"

"그러니까 우리는 끝까지 페어플레이로 싸우는 거야."

"야야, 그만둬, 다 오십보백보야."

"아니, 너까지 나를 못 믿겠니?"

"글쎄 너는 믿을 수 있어, 그러나 네 힘 하나로 되는 일이 아니지 않아."

"그래도 A교니 B교니 하는 닳고 닳아 약아빠진 서울놈들보다는 나을 거야."

"그건 알아, 나도 지방출신의 순수성만은 인정해."

"주인식이만큼 건실한 인간도 없지 않니?"

"나도 최원우나 김현이보다는 주인식이 건실하다고도 정의감이 강하다는 것쯤은 알고 있어. 그리고 그의 액티브한 실천력도 인정해. 그러나 대부분의 학생들이 그러한 구체적인 비교의식 이전에, 관제라는 하강식 기구 자체의 모순과 정권의 정보원화한 부패된 독선을 목격하고, 학도호국단 자체를 부정할뿐더러, 선거가 있을 때마다 거의 무관심 상태로 있는 것을 너도 잘 알고 있지 않아?"

욱의 긍정을 요구하는 듯한 어조에 대해 동감인 건일은 머리를 끄덕였다. 욱은 말을 계속했다.

"차라리 반대는 좋아. 그것은 아직 관심이 있다는 징조야. 그러나 무관심이란 반대보다 더 무서운 거야. 그것은 반대여부가 아니라, 근본적으로 존재 자체를 부인하고 나서는 거니까⋯⋯."

욱은 힘을 주어 말했다.

"그러니까 이 썩어가는 현실 속에서 방관만 하지 말고, 적극적인 관심을 가지고 우선 학원 내부터 고쳐가야 하지 않겠어? 응, 욱."

건일은 목 메이듯 말했다.

"글쎄."

거기 비하여 욱은 아직도 가라앉은 목소리였다.

"글쎄가 다 뭐야."

"……."

"이건 남의 일이 아니야, 우리들 자신의 일이야, 그리고 우리의 이해관계에도 직결되는 일이야. 안 그래?"

건일의 눈동자는 불을 뿜을 듯 빛나고 있었다.

"알았어, 알았어. 나도 생각해보겠어."

"생각해만 볼 것이 아니라 좀 더 적극적이어야 해."

"자, 우리 어디가 한잔 할까?"

욱이 제안했다.

"좋아."

건일은 서슴지 않고 동의했다.

욱은 건일과 함께 빈대떡집에서 얼근히 취해 집으로 돌아오면서 혼자 생각했다.

건일의 솔직하고도 적극적인 데 비해, 자기는 어딘가 소극적으로 몸을 사리고 있는 것만 같은 자기반성에 몰려갔다. 냉정한 이성의 판단이라는 방패를 내세우지만, 역시 자신은 건일에 비하면, 젊음의 소용돌이 속에서 늘 뒤쳐지고 있는 것만 같았다.

그는 건일에 대한 우정에서가 아니라, 안으로 오그라들기만 하는 자기 자신의 소극성에 보상하려는 뜻으로 선거에 관여할 생각을 다져갔다.

욱은 교문을 들어섰다. 첫눈에 선거분위기가 느껴져 왔다. 선거를 알리는 커다란 간판이 교문 옆에 세워져있고, 그 주변에 안내하는 여학생들이 서성거리고 있었다. 정원수의 굵다란 밑둥에는 투표장을 가리키는 화살표가 그려진 종이가 곳곳에 붙어있었다. 교정에는 여기저기 학생들이 모여서서 쑥덕거리고 있는 모습이 눈에 띄었다.

최원우의 참모격인 김인배가 욱을 보자 젠 걸음으로 다가오며 악수를 청했다.

　"잘 부탁합니다."

　김인배는 여느 때보다 아주 다정한 모습으로 욱에게 말을 건네왔다. 욱은 B교 출신인 김인배가 자기에게 군이 상냥한 표정을 짓는 것이 오히려 부자연스럽게 느껴졌다.

　"수고들 하오."

　욱도 웃으며 대답했지만, 자신도 어딘가 모르게 낯간지러움을 느꼈다.

　앞뒤로 한눈을 팔며 투표장 쪽으로 가던 박덕호가 욱과 시선이 마주치자, 손을 번쩍 들며 가던 방향을 바꾸어 뛰어왔다.

　"어, 욱, 나왔구만, 고마워."

　남의 속도 모르고 자기깐의 짐작으로 반기는 덕호의 손을 잡으며 욱은 농조로 말했다.

　"역시 열성당원이군."

　"이왕 시작한 일이니까 골인해야지. 욱이 나온 걸 보니까, 우리가 한 표 차로 이기겠는 걸."

　"아전인수의 계산법이 아니야?"

　욱의 말에는 거의 반응 없이 덕호는 자기의 선거전망을 털어놓고 있었다.

　"서울 안의 타교 출신들이 우리를 밀어주기로 돼있으니까 문제없어."

　"최원우 쪽도 그렇게 생각하고 있는 것이 아닐까?"

　욱은 일부러 비틀어보았다.

　"아니야, 아주 결정적이라니까. 지금까지의 전통을 깨트리면 돼?"

　"또 그 전통타령이야……."

　"그것이 사실인걸."

　"잘 해보게나."

　"왜 그렇게 남의 일처럼 말해. 아무튼 자네가 나와준 것만 해도 고마워. 아니 이 판국에 한 표가 어디야."

덕호와 갈라져 도서관 쪽으로 걸어가면서도 욱은 마음속이 개운하지 않았다. 지금 자기가 투표에 대해 생각하고 있는 각도는, 설령 그것이 자기로서는 가장 정당한 방향이라고 확신하고 있다손 치더라도, 모교 동창들의 팀워크나 덕호의 열의에 대한 어떤 배신감 같은 것으로 느껴져 왔다.

도서관에 자리를 잡아놓고, 욱은 투표장으로 되어있는 본관 교실 쪽으로 갔다.

선거에 직접 관여하고 있는 학생들의 열띤 경쟁의식에 비해, 다른 학생들은 너무도 냉담한 태도를 보이고 있는 듯했다. 투표장 자체가 한산하기 짝이 없었다. 이따금씩 한두 학생이 투표하고 돌아서는 정도였다.

냉정한 무관심, 침묵 속의 무반응, 그것은 확실히 긍정이나 부정을 넘어선 냉혹한 묵살 그것만 같았다.

"어이, 욱."

투표장에서 나오는데 건일이 손짓하며 가까이 왔다.

"투표했어?"

"응."

"자네 경우는 결과보다 참가에 의의가 있는 거야."

건일은 웃으며 말했다.

"좋두룩 해석하게나."

욱도 웃으며 대답했다.

"어때 승산이 있어?"

욱은 건일이 권하는 담배에 불을 붙이고 나서 넌지시 물었다.

"결과를 봐야 알지. 다만 정정당당히 최선을 다하고 있는 거야."

"그런데 이렇게 한산해서야 어디 국부선거 밖에 되겠어?"

"그러게 말이야, 무저항의 저항 그것이 더 무서운 것 같아. 그러나 젊은 학생들이 너무 약삭빠르단 말이야, 좀 더 적극적인 자세로 나와 현장

대결을 해야지, 밤낮 결석판결만 하면 돼?"

"그건 방법론의 차이야."

"요는 모두들 현장에 직접 참여하여 해결책을 모색하지는 않고, 뒤에서 불평들만 늘어놓고 있단 말이야. 그 소극성에서 벗어나야 해."

그 말에는 욱도 마음속이 적잖이 섬찟했다.

"그런데 당수는 어디 있어?"

욱은 말머리를 돌렸다.

"누구 말이야?"

"아니, 주인식이 말이야."

"응, 저 앞다방에 있어. 그도 역시 투표장에서 어정거리고 있기는 좀 쑥스러운 모양이야."

"김현은?"

"아까 저쪽에 보였는데."

"그도 좀 멋쩍은 모양이지? 최원우는 저기 버티고 서있지 않아?"

욱은 현관 앞에 김인배와 머리를 맞대고 서있는 최원우 쪽을 가리키며 말했다.

"그자는 원래 배짱이 세니까, 이른 아침부터 저렇게 시위하고 있는 거야. 목적을 위해선 수단방법을 가리지 않는다니까."

"자, 그럼 수고해."

"어디로 가?"

"나 도서관에 있겠어."

"그럼 이따 만나."

건일과 헤어진 욱은, 배짱 좋은 최원우, 배후조종에 능란한 김현, 그리고 정열파의 주인식, 이들 입후보자의 모습을 견주어가면서 도서관 쪽으로 걸어갔다.

학원 내의 선거분위기에서 그는 꼭 부패된 사회현실의 축도를 엿보는 것만 같은 허전한 마음을 금할 길 없었다. 그러면서 그는 세상이 온통 부정이 판을 치는 판국에, 어쩌면 최원우같이 수단방법을 가리지 않고 배짱 좋은 작자가 당선될지도 모른다는 예감을 곱씹어갔다.

투표에 참가한 학생은 재적수의 절반도 되지 않았다. 불붙는 선거운동도 그 무관심을 다 불러일으킬 수는 없었다.

개표결과는 최원우의 당선으로 확정됐다. 여학생과 서울 안의 A교와 B교 이외의 타교 출신의 표가 선거 자금을 가장 많이 뿌린 최원우 쪽으로 쏠렸다는 풍문까지 떠돌았다.

그러나 최원우는 재적학생의 이분의 일 미만, 다시 그 속의 삼분의 일 정도의 국부적인 표수를 얻어 당선된 셈이었다.

그러한 선거후문에 대해서는 거기에 직접 관여했던 학생들끼리는 열띤 화제로 되었지만, 애당초 무관심했던 학생들의 심정에는 아무런 파문도 일으킬 수 없었다.

도서관은 여전히 만원을 이루고, 캠퍼스의 나무들은 매일매일 푸르러만 졌다.

욱은 아르바이트의 최종결정을 짓기 위해 K고시학관으로 나갔다. 며칠 전 원장을 만났을 때, 지원자 수에 따라 학급편성을 해봐야 시간관계를 알 수 있으니, 며칠 후 다시 와보라던 바로 그날이었다.

욱은 이층계단을 올라 원장실이라고 써 붙인 도어 앞으로 다가섰다. 노크하려는 순간 그는 안에서 들려오는 커다란 소리에 놀라 흠칫 한걸음 물러섰다.

그 놈, 그 자식하는 욕설에 뒤이어, 학생을 몇을 데리고 갔느니, 망하게 했느니, 고소를 해야겠느니 하는 격분한 말소리들이 들려나왔다.

그는 문 앞에 한참 멍청히 서있었다. 말소리가 가라앉는 기미를 기다려 그는 노크했다. 문이 살며시 열리며 중년의 낯선 얼굴이 목만을 내밀어왔다.

"누구를 찾으시죠?"

"저, 원장님을 오늘 만나기로 돼서 찾아왔습니다."

"그래요? 잠깐만 기다리시오."

문은 닫아졌다. 욱은 그 자리에 그대로 서있었다. 조금 이따가 문이 다시 열렸다.

"저, 누구신가요?"

"전번에 강사관계로 찾아왔던 한욱이라고 합니다."

"저, 강사관계라고 합니다."

이번에는 한 손으로 문을 빠끔히 연 채 말하는 소리가 들려왔다.

"응, 들어오라구 그래요."

원장의 말소리 같았다.

"들어와요."

낯선 얼굴은 문을 활짝 열며 말했다.

욱은 원장실로 들어섰다.

"아, 거기 앉으시오."

원장은 인사도 받는 둥 마는 둥 상기된 얼굴에 억지로 웃음을 지으며 말했다.

"가만, 교무주임도 함께 있는 것이 좋겠소."

"앉으시오."

나갈까 망설이던 교무주임은 욱에게 소파를 가리키며 앉기를 권하고 자신도 그 옆에 놓인 의자에 앉는다. 욱은 권하는 대로 자리에 앉았다. 원장은 책상서랍을 뒤적거리더니, 지난번 욱이 두고 간 이력서를 들고 욱의 건너편 자리에 와 마주앉았다.

"그런데, 사정이 좀 달라졌어요."

원장은 담배를 빨아 큰 숨 속에 연기를 길게 내뱉고는 다시 말을 이었다.

"저, 시간관계가……."

욱은 일이 틀려졌구나 하고 속으로 생각하고 있었다.

"가만있자, 인사하시지, 교무주임선생이십니다."

욱은 원장보다 나이 많아 보이는 교무주임이라는 중년선생에게 공손히 인사를 했다.

"저, 이쪽은 이번에 시간을 맡게 될 한선생이구요."

원장은 손에 들고 있는 이력서를 바라보며 말을 이었다.

"고등학교는 A고교, 그리고 대학은 M대학, 말하자면 일류교의 정통을 밟고 있는 셈인데……."

교무주임은 말없이 듣고만 있다.

"저, 그런데, 이번에 결원은 생겼지만, 또 다른 돌발사가 생겨서 학생이 줄었어요. 차차 있으면 그 사정도 알게 되겠지만, 그래서 우선은 일주일에 여덟 시간밖에 나지 않겠어요. 가만있자, 교무주임선생 저 시간표를 좀 보시오, 시간이 어떻게 돼있는지?"

교무주임은 원장 테이블에 놓여있는 시간표를 들어 교장 앞에 내대며 말했다.

"네, 그렇습니다, 여덟 시간."

"그렇죠?"

원장은 교무주임에서 시선을 돌려 한욱을 건너다보며 말을 계속했다.

"그런데, 같은 학급에 하루 두 번 들어갈 수 없으니까, 나흘 밤을 나와야겠는데요, 그렇게 되지요? 교무주임 선생."

"네, 그렇습니다."

교무주임은 시간표를 손가락으로 짚어가며 대답하고 있었다.

"그렇게라도 좋으면 내일부터 나와 수업하도록 하시오."

"네, 알겠습니다."

욱은 공손히 대답했다. 첫 취직을 하는 마당에 가타부타 의견을 낼 수는 없었다. 여덟 시간을 위해 일주일에 네 번 나온다는 것은 시간의 낭비가 크다고 생각되나 우선은 참기로 했다.

"그런데, 지금 밝혀두어야 할 것은."

원장은 시간표에 눈을 보낸 채 욱 쪽은 보지 않고 말했다.

"당분간은 수업경험이 없는 선생을 시험적으로 쓰는 거니까, 일반 강사료의 절반을 드리고, 학생들의 반응이 좋으면 그 다음에 올리기로 하겠어요."

그 말에 욱은 뭉클하는 반발을 느꼈다. 그러나 무경험자인 것은 사실이니 할 말이 없었다.

"끝으로 미리 한마디 해둘 것은, 새로 들어오는 선생들이, 여기서 경험을 쌓아 이제 수업이 제 곬에 들만하면, 학생들을 선동해가지고 다른 학관으로 옮겨가는 일이 있는데, 그런 배은망덕한 일은 절대로 없도록 하시오."

욱은 점점 불쾌해왔다. 원장의 사람 됨됨이가 엿보여졌다. 그러나 그는 꾹 참았다.

"이번 경우도 바로 그런 사이비 교육자로 인한 돌발사태였소."

욱은 더 이상 앉아있을 수 없었다. 일어서려고 마음먹었다.

"그럼 내일부터 수고해주시오."

욱은 말없이 인사하고 원장실을 나왔다. 교무주임이 계단까지 따라 나오며 속삭이듯 말했다.

"원장선생님은 원래 성미가 그러니, 그쯤 이해하시고 나오도록 하시오."

부드럽게 무마하는 교무주임의 심정이 욱의 가슴을 울려왔다.

자칫하면 하인취급을 당하기 쉽고, 부자유스럽기 짝이 없는 가정교사보다는 학관선생이 낫겠거니 하고 혼자 생각해왔던 욱의 심정은 왈칵 뒤집어지는 것만 같았다.

"흥, 사이비 교육자? 학원모리배는 어떻구……."

그는 혼자 뇌까리며 어두워가는 거리를 뚜벅뚜벅 걸었다.

수업이 정상궤도에 오르고, 연중행사의 하나인 학원내의 선거바람도 시덥지 않게 끝나버리자, 학생들은 다시 학기 초의 새로운 행사 준비에 마음을 돌리기 시작했다.

각 학과 주최의 신입생환영회 통고가 잇따라 학내 게시판을 메우는가 하면, 무슨 학교 동창이니 어느 지방출신이니 하는 등속의 모임 벽보가 캠퍼스 내 곳곳에 나붙기도 했다.

그러나 학생들의 관심은 앞으로 있을 거교적인 행사인 대학제(大學祭) 에 더 쏠려지고 있었다.

각 전공분야마다의 학술강연회와 심포지엄, 문학작품 발표회, 시화전, 음악회, 연극공연, 그리고 각과 대항 운동경기 및 마지막을 장식하는 카니발 등 다채로운 플랜이 벅찬 호기심 속에 그들의 가슴을 부풀게 했다.

일체의 집회를 중지시켜 온 학교 당국도 친여적인 학도호국단 간부가 선출된 데 힘입어, 잔뜩 날카로워진 학생들의 신경을 무마할 양으로, 대학제의 학내활동에 한하여 그 제안을 완화하는 각도에서 유화정책의 방향으로 나오고 있었다. 그것은 학생들의 감정과 비등하는 정열을 발산시키는 돌출구를 발견하여 보려는 용의주도한 배려의 소산인 것 같기도 했다.

새로 선출된 호국단 간부들은 그들대로 호국단에 대해 무관심하고 소원해진 학생들의 심경을 돌려볼 작정으로 그들이 주관하는 첫 행사인 대학제의 축전에 최대의 성의를 기울이는 기미를 보였다.

말하자면 어수선하고 불안한 학내외의 현실적인 분위기 속에서 억지의 묵계가 어쩌다가 제자리에 들어맞아 일시적이나마 그것대로 어떤 평형을 유지해가는 격이기도 했다.

오후의 운동장은 응원하는 환성으로 들끓어 그 음향은 강의실에까지 메아리쳤다. 박수와 환호성이 고조에 달할 때마다 강의실 내의 학생들의 청각과 시선은 운동장 쪽으로만 쏠렸고, 선생의 강의도 그 파문의 고비가 사라질 때까지 간간이 중단되곤 했다.

각종 경기의 결승전만을 대학제의 행사주간에 하기로 하고 그 예선은 미리 치르게 되어있었다.

운동장에서의 환성이 고비가 거듭될수록 강의실 안도 그 여파에 밀려 흥분속에 동요되어가기 시작했다.

"선생님, 그만 합시다."

뒤에 앉은 한 학생의 외침에 강의실 안의 시선은 그쪽으로 쏠렸다. 비단 그 한 학생에 한한 것이 아니라, 대부분의 학생들은 같은 심정이어서, 다만 용감한 그가 대변했을 뿐이었다.

그렇지 않아도 화창한 봄 날씨에 점심 후의 노근해진 몸을 어느 잔디밭 위에라도 푹신 내던지고 드러누워, 푸른 하늘가 끝없이 흘러가는 구름이라도 유유히 바라보고 싶은 심정인데, 고요한 강의실에 파문을 던진 그 한마디는 모두에게 구원의 소리 같기만 했다.

사실 대다수의 남학생은 숫제 강의를 포기하고 경기장 분위기에 휩쓸려 강의실엔 여학생과 일부 남학생밖엔 남지 않았다.

그만큼 다급한 현실 사태 이외의 어떤 문제에 학생들의 관심이나 흥미가 집중된다는 것은 학교 당국이나 학생들 자신을 위하여, 어떤 의미에서는 다행한 일이지도 몰랐다.

이쯤 되면 좀처럼 아집이 센 선생이 아니고서는 정해진 시간을 꼬박이 채워내기도 힘든 일이었다.

장태봉 교수는 아무 반응도 보이지 않고 이야기하던 대목의 단락을 마무르자 예정대로의 강의를 끝냈다. 학생들은 약속이라도 한 듯이 거의 동시에 큰 숨을 내쉬며 얼굴에 미소를 머금었다.

강의실에서 나온 욱은 다른 학우들과 어울려 운동장 쪽으로 내려갔다.

학생들이 코트를 빽빽이 둘러싼 속에서 과 대항 농구경기가 벌어지고 있었다. 골이 들어갈 때마다 캠퍼스가 날아갈 듯이 열광된 함성이 터져 나왔다. 선수나 응원하는 사람이나 할 것 없이 모두들 주변의 잡다한 일들은 잠시 잊은 듯이 거기에만 열중하고 있었다.

건너편 본부석 중앙에 자리 잡고 있는 호국단 체육부장 짱구의 다부진 몸뚱이가 욱의 눈에 들어왔다. 운동선수라는 대의명분이 서지 않는 것도 아니지만, 이번 학내선거에서 최원우의 당선에 따르는 논공행상의 여덕으로 씌워진 감투라는 풍문을 그는 떠올리고 있었다.

욱은 코트를 돌아 본부석 쪽으로 갔다.

짱구의 뒤쪽에 서있는 안순옥이 욱은 보자 목례를 하면서 슬며시 짱구의 어깨를 흔들고 있었다.

"어, 욱, 이리와 앉지."

시선을 돌린 짱구가 욱을 보자, 의자에서 일어나 자리를 권하며 말했다.

"괜찮아 난 곧 갈테니까."

욱은 짱구 쪽으로 더 다가서 나직이 말을 이었다.

"이따 모이는 거 알지?"

"응, 다섯 시부터 아니야?"

"그래, 그럼 미스 안도⋯⋯."

욱은 순옥이를 보며 말했다.

"네, 알아요."

"그럼 이따 만나요."

시계를 보며 돌아선 욱은 건일을 만나게 한 구내식당 쪽으로 발을 옮겼다.

"이렇게 험악하고 불안한 분위기 속에서 대학제 행사에 자유로운 문호를 개방한다는 것은, 아무래도 회유책을 쓰려는 모종의 획책이 잠재해있는 것같단 말이야."

욱이 자리에 앉자 건일이 나직이 말했다.

"그런 점도 있겠지만, 오히려 학생들의 포화된 정열과 극도에 달한 울분을 발산시키는 좀 더 고차적인 계책의 비중이 더 큰 것이 아닐까?"

욱이 말했다.

"물론 그거도 있지, 말하자면 그 두 가지를 겸한 양면 작전이야. 거기다 개방하는 것 같으면서 사실은 슬그머니 압력을 가하는, 말하자면 외유내강의 속임수도 섞여있단 말이야."

"그러니까, 친구들 앞에서도 늘 언사나 행동을 조심해야겠어."

"그러게 말이야, 어느 놈이 어떤 놈인지 알 수 있어야지. 사꾸라 천지니까, 버젓이 학생 배지를 달고 다니는 놈 속에도 정보원이 끼어있다지 않아. 결국 학생 상호간의 불신을 조장하는 것밖에 안 돼."

건일은 개탄조로 말했다.

"얼굴을 잘 아는 정규 학생 속에도 믿을 수 없는 놈이 많은데 뭐."

욱이 받았다.

"아무튼 이놈의 세상, 한바탕 뒤집어져야겠어, 진짜와 가짜가 뒤죽박죽 엉망이 돼있으니까……."

"아우튼 연극을 하게 된 것만도 다행이야."

"그것도 두고 봐야 알지."

"우선은 무대에 올릴 수 있게 된 거 아니야?"

"글쎄……."

"그럼 가볼까?"

욱이 자리에서 일어나서 말했다.

"그래."

건일도 따라 일어났다.

욱과 건일은 곧장 학생과장실로 찾아갔다.

학생과장 옆에 가죽잠바의 형사가, 따스한 날씨 탓인지 그 묵직한 갈색 잠바는 벗어던지고 말쑥한 신사복 차림에 색안경을 쓰고 맞붙어 앉아 있었다.

참 좋지 못한 때 왔구나 하는 생각을 하면서도 욱은 차마 돌아설 수 없어 건일을 돌아다보았다. 건일도 좀 난색을 보이는 표정이었다.

"선생님 그 각본 때문에 왔습니다."

욱은 하는 수 없다고 생각하면서 말을 꺼내었다.

"아, 참 그거……."

학생과장은 잠깐 생각하는 표정을 짓다가 말을 이었다.

"지금 손님이 계시니까 조금 있다가 와요."

"네, 알겠습니다."

욱은 구원이라도 받은 듯이 건일과 함께 돌아서 나왔다. 그 색안경이 있는 자리에서 각본에 대한 구체적인 이야기를 주고받으면 그자가 꼭 사이에 끼어들 것이 뻔한 일이었다. 그는 학생과장의 시선에서 분명 어떤 암시를 느꼈었다.

"저자는 왜 저렇게 노상 학교에 붙어있는 거야?"

복도를 걸으며 건일이 말했다.

"학내사찰이겠지."

욱이 대답했다.

"무슨 냄새를 맡았나? 밤낮 저렇게 학생과장 책상머리에 붙어있으니 과장인들 오죽하겠어."

"그러게 말이야, 아마 담당구역인가보지."

"학생과장도 골치 아프게 됐어, 내쫓을 수도 없고."

"그러게 그치들은 불가근불가원(不可近不可遠)이라야 해."

"경찰대학이라는 게 차라리 낫겠어."

"나라가 경찰국가니까 별 수 있어?"

"그러니까 근본부터 돼먹지 않았단 말이야. 명패는 버젓이 자유민주국가라고 내세우면서……."

"흥, 자유민주가 다 뭐야, 독재국가라고 판에 박아놓았는데……."

이들은 교정 한 모퉁이에서 그 색안경이 나가기를 지켜보고 있었다.

그러나 아무리 기다려도 그자는 나오는 기척이 보이지 않았다. 욱과 건일은 하는 수 없이 학생과장실로 다시 찾아갔다. 도어 앞에 서서 엿들어도 말소리는 들리지 않았다. 욱은 문을 노크했다. 안에서 대답소리가 났다. 둘은 도어 안으로 들어갔다. 학생과장은 혼자 응접 소파에 앉아있었다. 색안경은 학내의 다른 곳에 들렀는지, 교문을 나간 흔적은 보이지 않았으나 이 방에서 떠나간 것은 분명했다.

"저 이리와 앉아요."

학생과장은 두 사람에게 맞은편 자리를 가리키며 앉기를 권했다.

"사실은 그 사람들 앞에서 이 이야기 저 이야기하면 복잡하고 시끄러울까봐 나갔다 오라고 한 거요."

욱은 자기들을 진심에서 아끼는 학생과장의 고마운 심정을 느끼고 있었다. 지난번 검열이야기가 나왔던 이래 부질없이 학생과장에게 반감을 품었던 자기의 속단을 내심 뉘우치기까지 했다.

학생과장은 책상서랍에서 "제십삼공화국" 수정대본을 끄집어내 들고 자리로 돌아왔다.

"이거 봐요."

그는 각본을 한 장씩 넘겨가며 말을 계속했다.

"이것은 이 부문 전공관계 교수들의 의견이신데, 시국이 시국인 만큼 이렇게 표시해놓은 부분은 자극적인 대사를 피해 좀 더 완곡한 표현으로 바꾸든지, 그렇잖으면 이런 대목은 작품의 기본 의도를 말살하지 않는 한계 내에서 삭제해버리든지 하는 것이 후환이 없겠다는 거요."

학생과장이 넘기는 연극대본은 거의 장마다 붉은 줄이 한두 군데 쳐있고, 어떤 곳에는 "要削除"의 글자까지 굵다랗게 써있었다.

"이렇게 되면 원작이 죽어버려 연극공연은 하나마나 하게 됩니다."

욱이 딱한 말투로 말했다.

"그러게 그 수정은 기술문제에 속하는 것이 아니겠소."

학생과장은 타이르듯 말했다.

"이 대본도 본래의 원작에서 얼마나 수정한 거라구요."

욱은 건일을 건너다보며 말했다.

"아니, 이 사람아, 일제 때에는 왜놈들의 그렇게 악독한 검열망을 뚫고도, 작품 속에 하고 싶은 이야기들을 다 담았다는데…… 정 그렇다면 그건 자네들 기술부족이지……."

반죽이 좋은 학생과장은 너털웃음을 섞어가며 말했다.

"그렇게 되면 참 곤란합니다."

"곤란하기는? 나는 전문분야가 아니라서 잘 모르지만 변죽만 울리는 상징법도 예술표현의 한 방법이라지 않아. 꼭 발가벗겨 내놓아야 여자인 줄 알겠나 원, 칼은 칼집에 들어있을 때 힘이 있고 위엄이 있지, 빼든 다음에는 벌써 약한 거야……."

능글맞은 학생과장의 말 속에도 일면의 진리는 있다고 욱은 생각하고 있었다.

"그럼 연극공연은 그만두겠습니다."

참고 있던 건일이 불쑥 말머리를 내밀었다.

"그만두기는 왜?"

학생과장이 받았다.

"그렇게 되면 작품의 핵심은 다 빠져버려 죽도 밥도 안됩니다."

건일은 극도로 격앙하여 말이 칵칵 막혔다.

"물론 작자의 작품에 대한 애착이랄까 또 고집이랄까 나도 그런 점은 어느 정도 짐작하고 있어요. 하지만 저쪽에서 잔뜩 신경들이 곤두서고 있는 판에, 군이 불쓰고 기름 속으로 뛰어드는 모험을 할 필요야 있어?"

"젊은 놈이 모험을 안 하고 지금부터 몸을 사려야 되겠습니까?"

건일은 끝까지 내대고 있었다.

"그러한 젊은이다운 패기도 가상한 일이지만……. 그러나 이 경우는 작자 일개인의 문제가 아니고, 학교 전체에 관계되는 일이니까……."

학생과장은 줄곧 느긋한 말투로 달래고 있었다.

"그러나 이건 어디까지나 학내행사가 아닙니까. 학내행사에 외부의 간섭에 구애될 필요가 있습니까?"

"세상이 자네 생각처럼 아직 이상국가가 돼있지 않으니까 그렇지……."

"그건 학교 당국자가 주체성이 없어 그런 거 아닙니까?"

"글쎄……."

담배의 불을 붙이는 학생과장의 안색은 굳어져갔다.

"그럼 연극을 그만두겠습니다."

건일은 내뱉듯이 말하고 자리에서 일어서려 했다.

"너무 흥분하지 마."

욱이 건일의 소매를 당기며 제지했다.

"글쎄, 그만두는 것도 좋지만, 이미 대학제의 전체 스케줄도 발표됐고 했으니까, 개인보다 집단사회의 전체면도 생각해야 해……."

학생과장은 약간 노기를 띤 말투였다.

"선생님, 잘 생각해서 합리적인 방도를 강구해보겠습니다."

욱이 말했다.

"나도 학생시절에는 이 군처럼 저랬어, 그 덕분에 정학처분도 당해보 았고……."

학생과장은 일그러진 얼굴로 웃음을 비치는 듯했다.

"잘 알겠습니다."

욱은 건일의 뒤를 따라 학생과장실을 나섰다.

"작자의 의도도 깎이지 않고, 학교당국에도 큰 누를 끼치지 않는 극학
선에서 대본에 다시 한번 손을 대보겠으니까. 너무 자기 고집만 세우지
말어."

새잎이 파릇파릇한 교정 나무 밑을 걸어가며 욱이 말했다.

"너는 왜 끝까지 버티지 못하고 그렇게 우유부단해."

건일은 퉁명스럽게 뱉었다.

"우유부단이 아니야, 나도 최후의 각오까지 하고 있어. 다만 합법적으
로 순조롭게 일을 진행시키려니까 그렇지."

욱은 꿀컥 치미는 욱기를 억눌러 참으며 담담히 말했다.

"연극공연 그만두면 되지 않아?"

"공연을 그만둘 바에야, 애당초 이렇게 승강이질하고 다닐 필요가 어
디 있어. 그래도 힘들여 써놓은 작품이니까 무대에 상연하는 데 희곡으
로서의 그 의의가 있단 말이야. 이 작품은 파묻어두었다 후세의 알량한
관중이라도 찾기 위해서 쓴 것인가 뭐."

욱은 저도 모르게 말끝이 약간 비꼬아짐을 느꼈다.

"아무래도 좋아. 그깟 작품 잘돼서가 아니라, 자존심을 꺾이고까지 상
연하고는 싶지 않단 말이야."

건일은 양보하려 들지 않았다.

"흥, 그까짓 자존심은 누구는 없나? 다만 지금까지 애써온 공이 아까
워서 그러지. 그리고 부원들에게 실망을 주지 않기 위해서도……."

욱은 한참 있다가 다시 말을 이었다.

"물론 때가 때인 만큼 그 작품을 상연하는 데 따르는 관중의 영향력에
더 큰 관심이 나로서는 있는 것이지만……."

그 말에는 건일도 아무 대답이 없었다. 그도 너무 내대기만 했나 하는

가벼운 뉘우침이 스쳐감을 느꼈다.

"정 네 생각대로 한다면, 학교에는 재수정 대본을 납본하고, 정작 공연시에는 현재의 대본대로 상연한다는 마지막 뱃심까지 나도 생각하고 있어……."

둘은 묵묵히 연극 연습장으로 되어있는 학생 휴게실쪽으로 걸어갔다.

"어이, 빨리 와."

덕호가 손을 내저으며 소리쳤다.

욱과 건일은 연습장으로 들어섰다. 부원들은 거의 다 모였으나 김현은 보이지 않았다.

"김현은 배역에서 빼달래."

덕호가 욱의 귀에다 입을 대고 소근댔다.

"왜?"

욱이 물었다.

"아마도 입후보했다가 낙선된 것이 좀 멋쩍은 모양이야."

"멋쩍긴……, 그럼 그걸 진짜 감투로 생각했던 모양이지."

"그런 것도 아니야."

"그러지 말고 기분도 전환할 겸 나오라구 해."

"아니야. 뒷스텝으로 일은 보겠지만, 배역에서만 빼달라는 거야."

"언제는 무대에 한번 서보겠으니 꼭 배역에 넣어달라고 하더니……."

"그건 아무라도 대체할 수 있는 단역이니까 괜찮지 않아?"

"알았어. 그러나 역은 맡지 않아도 꼭 나오라고 해."

"응."

건일은 한쪽 구석에 앉아 아무 말 없이 심각한 표정 속에 담배만 뻑뻑 빨고 있었다.

욱은 둘러앉은 연극부원들을 바라보며 말을 시작했다.

"그 동안 데모 사태로 연습이 중단되었던 연극이 여러 가지 우여곡절을 겪어 이번 대학제를 계기로 공연이 확정되었습니다. 그래서 내일부터 연습을 다시 시작하도록 하겠습니다. 좋은 성과를 올리도록 전원이 합심하여 힘써주기 바랍니다."

"레퍼토리는 그대로에요?"

시녀(侍女)역을 맡은 안순옥이 물었다.

"네, 그대롭니다."

"문제가 있던 대본 수정은 다 됐어?"

덕호가 물었다.

"완전히 다 돼있어."

욱은 건일 쪽에 눈길을 던지며 완전히에 힘을 주어 대답했다.

건일은 그말에도 아무 반응을 보이지 않고 묵묵히 앉아있다.

"그럼 배역은요?"

순옥이 다시 물었다.

"배역도 전번 연습할 때 그대로입니다."

욱이 대답했다.

"내게는 그 역이 맞지 않는 것 같은데……."

경무대(景武臺)비서의 딸인 순옥은 현시국을 상징한 그 연극 속에서 자기가 시녀의 배역을 맡은 것이 마음에 꺼려졌던 것이다.

"아주 적격이던데요 뭐."

시종무관장(侍從武官長)역을 맡은 윤태수가 슬그머니 끼어들었다.

"공연날짜가 얼마 남지 않았는데, 지금 갑자기 바꾼다는 것은……."

욱이 말했다.

"그대로 하지 뭐, 다른 역으로 바꿀 수도 없지 않아."

짱구 이영남이 약간 강압조로 나왔다.

"그럼 나와 바꿀까?"

공주(公主)역을 맡은 조영애가 슬며시 양보의 기미를 보였다.

"그런데 이렇게 되면 큰 혼란이 일어나겠는데요. 자칫하면 지금까지 연습해온 것은 아주 백지로 돌아가니까요."

욱은 난처한 태도를 보였다.

"그대로 하라니까, 그대로……."

짱구가 다시 세게 나왔다.

"그대로 하자 얘, 연극은 연극이구 현실은 현실인데 뭐……."

순옥의 심중을 잘 알고 있는 김선영이 옆에 앉은 순옥이를 무마해가며 말했다.

"어때요."

욱이 전체를 훑어보며 말을 이었다.

"혹 자기가 맡은 역이 덜 좋은 점이 있더라도, 시간여유도 없으니까, 팀워크를 살리는 뜻에서 그대로 하면……."

"좋아요."

짱구가 크게 소리치자, 부원들의 찬성하는 소리가 뒤를 따랐다.

"그러면 내일 다섯 시에 모이기로 하겠습니다. 내일은 무대 조명 효과 의상 등 뒷스텝 멤버들도 다 나오게 되니까, 시간을 꼭 지켜주세요."

욱이 끝을 다짐했다.

"그런데, 저 긴급동의가 하나 있습니다."

덕호가 손을 번쩍 들며 말했다.

"이번에 우리 부원들 중에서 감투를 쓴 체육부장 이영남군을 환영하는 뜻에서 오늘 간단한 모임을 가지면 어떻겠어요."

감투소리에 장내에는 폭소가 터졌다.

"좋아요."

태수가 받았다.

"물론 자축의 뜻에서 본인이 한턱하면 더 좋구요."

덕호의 말에 다시 웃음소리가 터졌다.

"그게 더 좋아요."

"어때, 여학생들도 있으니까 이 앞 케이크 집에 가서 간단히 하면?"

농담처럼 시작하던 덕호는 끈질기게 나왔다.

"이거 참……."

짱구는 머리를 씩씩 긁으며 멋쩍게 웃었다.

"이왕이면 명동으로 나갑시다."

순옥이 부채질을 했다.

"자, 그럼 그런, 너저분한 레테르는 다 집어치우고 연극도 새로 하게 됐으니까, 내가 한턱 하지."

짱구가 시원하게 나왔다.

"좋아."

부원들은 오래간만에 신이 나서 만면에 웃음을 띠우고 교정으로 나섰다.

교문 옆 개나리 울타리 옆 벚나무에는 한두 송이 피기 시작한 벚꽃이 따스한 봄날 저녁 햇빛에 생기를 돋우며 빛나고 있었다.

진옥은 미술부 친구들과 함께 여학생휴게실에서 시화전에 낼 그림을 그리고 있었다.

"얘 참 기분 나빠."

옆에서 여학생 클럽 전시회에 출품할 모자이크 도안을 만들고 있는 윤희숙(尹喜淑)이 말했다.

"뭐가?"

진옥은 화폭에 눈을 준 채 되물었다.

"그 카니발 말이야."

"카니발이 어째서?"

"글쎄 자기 학교 여학생들은 제쳐놓고 E여댄가 S여댄가 하는 여학생들을 여기 남자학생 수만큼 도매금으로 모셔온다지 않아."

희숙이는 이죽거리며 말했다.

"설마 그러기야."

진옥이도 그런 소문을 들은 일이 있지만, 그대로 믿어지지 않았다.

대학제 주간의 최종일 행사요, 전 행사를 통해 마지막 클라이맥스를 장식할 카니발은 모든 학생들의 가장 큰 관심거리였다.

"너는 파트너가 돼줄 리이베가 있으니까 문제없지만."

"나도 다 같지 뭐."

진옥은 속없는 소리를 한 마디 했다.

"그만둬."

희숙인 혀끝을 쏙 내밀며 빈정거렸다.

사실이 정말 그렇다면 그것은 부당한 짓이라고 진옥이도 생각되었다.

"여학생 클럽 간사가 여학생 권익 침해에 대한 그런 중대문제에 그렇게 무관심할 수 있어?"

"아직 날짜가 있지 않니."

진옥이 대답했다.

"그러나 그 진부는 알아봐야 할 거 아니야?"

"설마, 낭설이겠지."

"아니야, 여학생들이 모욕을 당했다고 그 문제 때문에 야단들이야."

"얘, 너희들 열심이구나."

선영이 미애와 함께 나타났다.

"응, 선영이 잘 왔어, 여학생회 간부들은 대체 뭣들하구 있는 거야."

"뭐 말인데."

다짜고짜로 희숙이 쏘아대는 판에 선영이는 멍멍했다.

"그 카니발 말이야, 남학생들이 우리를 전적으로 무시하고 있지 않아?"

"그것 때문에 왔어. 우리 몇이 가서 호국단 간부들에게 그 진상을 알아 보려구……."

선영이 말했다.

"어물어물하다간 우리 여학생들이 병신이 되는 거야."

희숙은 계속 푸념을 했다.

"흥, 병신뿐이야, 개꼴 망신이지."

그 옆의 여학생이 끼어들었다.

"그러게, 우리 가서 내막을 잘 알아보고 거기 대한 대책을 세우잔 말이야."

"만약에 우리 의견에 불응할 땐, 대학제 전체에 대하여, 여학생은 보이콧하면 되지 않아."

선영의 말에 미애가 덧붙였다.

"나 참 기분 나빠서. 그게 우리들이 뭐가 모자라 이런 모욕을 당하느냐 말이야, 강경하게 항의해야 해."

희숙이는 흥분되어 계속 불평을 늘어놓고 있었다.

선영이는 진옥이, 미애, 희숙이, 그 밖의 몇몇 여학생들과 휘몰려 이번 행사의 총책임자인 학도호국단장을 만나러 갔다.

학내 신문에는 대학제의 상세한 스케줄이 보도되었고, 캠퍼스 안은 잠시 바깥세계와 외면한 듯, 축제를 앞둔 들뜬 흥분에 젖어갔다.

제6장

사월 십일일 정오, 마산 앞바다에서는 표류중의 시체 일구가 인양되었다.

그것은 지난 삼월 십오일, 부정선거 규탄 소요 때 행방불명이던 십칠세의 고등학교 학생 김주열(金朱烈)군의 시체였다. 사건발생 이후, 갖가지 억측을 불러일으키고 새로운 불안의 씨를 뿌려 놓은 실종사태는, 결국 이십팔일 만에야 끝내 시체로 발견되어 오리무중이었던 그간의 수수께끼를 풀 수 있는 실마리가 잡혀진 셈이었다. 그동안 계속 아들의 행방을 찾아, 두 군데의 연못물을 깡그리 퍼내게 하고도 그 생사조차 알 길이 없어 거의 실신상태에 빠진 그의 어머니는 공교롭게도 이날아침 마산 경찰서장의 권유로 고향인 남원(南原)으로 떠나간 뒤였다.

시체 왼편 머리에는 흉기로 얻어맞은 듯한 오십 미리 가량의 파열상이 있었고, 오른쪽 눈에서 뒤쪽 목덜미에 걸쳐 연막탄이나 신호탄으로 보이는 길이 백팔십 미리 직경 사십 미리 가량의 탄환이 폭발되지 않은 채 꿰뚫려 박혀있었다. 현장을 목격한 사람들에 의해 전해진 이 끔직한 사실이, 짙어가는 의혹과 더불어 순식간에 입에서 입으로 전하여 전 시가에 파급되자 시민들의 분노는 다시 불길로 타올랐다.

한동안 약간 머리를 수그리는 듯하던 데모는, 이 처참한 학생의 죽음을 발화점으로 하여 다시 폭발되기 시작했다.

도립병원에 이송되어 검찰과 경찰의 입회하에 검시가 진행되는 도중, "살인선거 다시 하라"는 플래카드를 앞세우고 밀려든 삼백여 명의 중고등학교 학생들은 시체를 들고 시위를 감행하려 했다. 그러나 경찰의 강경한 제지로 실패하게 되자, 그들은 살기등등해서 애국가, 통일행진곡 등을 콱 터지게 부르며 시가행진에 나섰다.

이 데모의 불길은 삽시간에 어두워가는 거리를 휩쓸어, 연도에 나선 시민들의 적극적인 참여 속에 오만여 명으로 헤아리는 대규모의 시위로 번져갔다. 아직도 행방불명 중에 있는 학생 부모들의 "내 아들도 찾아내라"는 악에 받친 외침과 "오빠의 원수를 갚아주세요"하는 김주열 군의 어린 누이동생의 애끓는 호소는 데모대를 더욱 광분케 했다.

밤 아홉시가 지나 흥분의 절정에 달한 데모대는, 경찰서장의 지프차를 불태우고 여당 국회의원의 집을 부수는 등 폭력으로 나오자, 경찰은 백오십여발의 공토 및 실탄을 발사하여, 두 명은 현장에서 절명하고 그밖에 많은 부상자를 내는 등 사태는 위급해지기만 했다.

결국 경남 도경 및 인근 경찰서에서 긴급 동원된 기동경찰 삼백여 명에 의하여 이십일 새벽까지의 일곱 시간에 걸친 죽음의 시위는 겨우 진압되었다.

그러나 사태는 그것으로 완전 수습되지는 않았다. 이튿날, 아침부터 도립병원 앞은 인산인해를 이루었고, 대부분의 시민들은 가두로 나와, 하루 종일 계속된 데모는 단축된 통행금지 시간을 앞두고야 짙어지는 황혼 속에 사그러져 가는 듯했다. 삼엄한 경계 속에 오가는 사람조차 없는 불 꺼진 거리는, 초저녁부터 물을 끼얹는 듯이 불길한 정적 속에 잠겼으나, 일곱 시 통행금지 사이렌이 울리자, 군중들은 이 소리에 신호삼은 듯이 일제히 대열을 정돈하여 다시 애국가와 전우가를 부르며, 보슬비 속에 데모를 강행하여 전 시가는 일촉즉발의 위기 속으로 몰려져갔다.

시내의 오개 파출소는 철수되고, 밤하늘에 메아리치는 총성 속에 무려 일천여명의 많은 학생 시민이 연행되고, 부녀자들의 신음에 찬 울부짖음만이 암흑의 거리를 누벼 퍼졌다.

이같은 마산사태의 보도는 전국적인 충격으로 파급되어, 대구, 진주 등 각지에서 잇따라 그에 호응하는 데모 소요가 벌어졌다.

거기다 이차에 걸친 마산의 민중봉기를 공산당의 배후조종 운운으로 국민의 현실판단에 대한 초점을 흐리게 하려던 여당과 이 대통령의 담화는, 전 국민의 신경을 더욱 자극하는 역효과로 나타나, 언제 어디서 무슨 일이 터질지 전혀 예측할 수 없는 극도의 긴장과 불안이 감돌았다.

사월 십팔일, 정오가 지나 욱은 동생 진옥이와 함께 집을 나섰다. 오후 강의에 출석하기 위해 학교로 나가는 길이었다. 화창한 봄날씨, 개운사(開運寺) 뜰에는 벚꽃이 만발했다.

"오빠, 이런 날에는 공부구 뭐구 다 집어치우고, 어디가 바람이나 쐬었으면 좋겠어."

진옥이 푸른 하늘을 향해 크게 활개를 펴며 말했다.

"글쎄."

건성 대답을 하지만, 욱도 노근한 몸뚱이를 잔디밭 위에라도 내던지고 한바탕 뒹굴며 무거운 머리를 쉬우고 싶은 심정이었다.

"이따 시간이 끝나면, 선영이랑 미애랑 같이 우리 비원엘 가요."

진옥인 화사한 봄기운에 무척 가슴이 부풀은 표정이었다.

"학교에 나가보구……"

욱은 건일이랑 만나 모두 합의되면 오래간만에 한번 바람 쏘이려는 생각도 해보았다.

"휴강이 됐으면 좋겠어."

"아니, 실기(實技) 시간이라면서?"

욱은 진옥이가 들고 있는 화구(畵具)통을 보며 말했다.

"오늘은 밖에 나가 스케치 할지도 몰라요……"

둘은 절 밖에서 개울을 끼고 안암동 로터리까지 직선으로 뻗친 길을 버스 정류장을 향해 걸어가고 있었다.

로터리가 저만치 바라다 보이는 곳까지 왔을 때였다.

"오빠, 저거 봐요."

진옥이 소리쳤다. 욱은 진옥이 손가락질하는 쪽으로 시선을 모았다. 금방 로터리에 사람들이 우글거리며 아우성 소리가 터졌다.

"데몬가 봐요?"

"데모? 응."

욱은 로터리 쪽으로 뛰었다. 진옥이도 거의 뛰다시피 잰 걸음으로 그 뒤를 따랐다.

스크럼을 짠 학생들이 함성을 치며 시내 쪽을 향해 로우타리로 끝없이 밀려오고 있었다. 그러나 안암지서 앞에서 경찰기동대에 의해 제지된 선두는 밀고 밀리고 수라장을 벌였다. 계속 트럭으로 실려 오는 경찰관의 수는 늘어갔고 몇 천 명을 헤아리는 학생들은 스크럼의 대열을 정돈하며 경찰과 대치하고 있었다. 배지를 보니 K대학생, 서울에서의 최초의 대학 봉기였다.

욱은 끝내 대학도 터졌구나 하는 생각에 뒤이어, 순간 뒤지고 있는 것만 같은 야릇한 감정이 섬광처럼 스쳐감을 느꼈다. 그러나 그런 자질구레한 감정은 참말 찰나적인 것이었고, 그는 자기 가슴 속에서 요동쳐 오르는 흥분과 감격을 금할 길 없었다. 눈물이 핑 돌았다. 도저히 그대로 그 자리에서 남의 일처럼 구경할 수 없는 격한 심정으로 몰려갔다. 빨리 학교로 나가봐야 되겠다는 생각으로 그는 조바심이 났다.

욱은 진옥이를 찾아 손을 붙잡고 앞뒤로 왔다 갔다 하며 빠져나갈 샛길을 찾았다. 그러나 골목마다 경찰관이 빈틈없이 진을 치고 서서 새어 나갈 구멍이 없었다.

계속 구호를 외치며 기세를 돋우던 데모대는, 경찰의 방어선 한 모퉁이를 뚫고 동대문 쪽으로 내달리기 시작했다. 그 뒤를 이어 후속부대는 둑을 끊은 물결처럼 밀려가고 있었다. 경찰의 일부는 아직도 계속 빠져나가는 학생들을 제지하고 있고, 일부는 데모대를 따라 추격해가고 있었다.

욱은 흥분 속에서도 통쾌감을 느끼며 한참 멍멍해졌다. 그는 정신을 가다듬어 주먹을 불끈 쥔 채 산길을 넘어 돈암동 종점에 닿았다. 무슨 방법을 쓰든 학교로 빨리 가야만 했다. 심사숙고, 냉정한 지성, 지금 이 시간엔 다 지나간 이야기만 같았다. 정녕, 올 것이 오고야만, 행동의 마지막 한계선을 그는 의식해갔다.

교문 앞에는 신문사 깃발을 단 지프차가 재빠르게 대기하고 있었다. 돌발적인 사태라도 발생하는 기미를 포착하여 취재하려는 자세였다. 사진반은 카메라를 든 채 차 언저리를 서성대며 시선은 교정으로 돌린 대로였다.

교문 안에 들어선 욱은 본관 앞으로 걸어가면서 호국단 간부나 자기 그룹의 누가 보이지 않나하여 두리번거렸다.

"저기 선영이. 선영아!"

진옥이 소리쳤다.

도서관 쪽에서 선영이 뛰어오고 있었다. 웃고는 있지만 그의 얼굴은 굳어져 보였다. 이들 옆으로 바싹 다가선 선영은 눈을 크게 흡뜨며 나직이 소근댔다.

"K대학에서 데모가 났대요."

"우린 지금 현장을 목격하고 오는 길이야."

진옥이 간격을 두지 않고 곧 뒤를 받았다.

"그래?"

선영이는 더욱 눈을 동그랗게 하여 놀라는 모습이었다.

"어디서 알았어?"

벌써 소식이 왔구나, 생각하며 욱이 물었다.

"조금 전 임시 뉴스에서 방송됐다나봐요."

욱은 주위를 둘러보았다. 학생들은 긴장된 표정으로 교정 나무 밑 여기저기에 모여앉아 머리를 맞대고 수근덕거리고들 있었다.

"건일이 못 봤어?"

욱이 물었다.

"아까, 아침에 봤는데요."

"어디서?"

"신문사에 들렀댔어요."

"지금 어디 있을까?"

"데모소식을 듣고, 학생들은 대부분 오후시간에 들어가지 않았어요."

"그래?"

"지금 신문사 편집실에서 주인식 씨가 찾고 있어요."

"알았어."

욱은 학내 신문사 쪽으로 발을 옮겼다. 공교롭게도 그는 이쪽으로 오고 있는 그 색안경의 형사와 마주쳤다. 모르는 척하고 스쳤지만, 기분이 몹시 께름칙했다. 한참 걷다 뒤를 돌아보니 색안경은 본관 현관으로 들어가고 있었다.

"자식들 사냥개처럼, 또 무슨 냄새를 맡으려구……."

그는 혼자 중얼거렸다.

사실 지금 캠퍼스 속엔 낯모를 사복형사나 정보원이 득실거릴지도 모를 일이었다. 학생들 간에 오가는 눈길들도 퍽 조심성스러워 보였다.

욱은 신문사 편집실에 들어섰다. 거기 주인식과 김현, 그 밖의 몇몇 과회장 그리고 학생 여기자 한 사람이 있었다.

"어, 욱 왜 인제 나왔어."

주인식이 입구를 보며 소리쳤다.

"소식 들었지?"

욱이 물었다.

"응, 선수를 빼앗겼어."

주인식이 왜 그때 내 말이 적중되지 않았느냐는 듯한 표정으로 말했다.

제이차 마산사태가 이틀에 걸쳐 벌어지고 난 다음날인 사월 십삼일의 일이었다.

"우리가 궐기하는 가장 적절한 시기야."

주인식이 말했다.

"참말, 이제는 중고등학생의 희생을 이 이상 보고만 있을 수는 없어."

욱이 대답했다.

"이쯤 여론이 비등했으면 시민들도 전적으로 호응할거구, 어때 우리 내일 총궐기하면?"

주인식은 열을 띠었다.

"나도 동감이야, 그러나 학생 전원이 움직이려면 학도호국단이든가, 과 대표의 조직을 통해야 하지 않겠어?"

욱이 받았다.

"그까짓 관제호국단이 맥을 추나, 내일아침에 모이라구 게시판에 내붙이지 뭐."

"그럼, 사전에 탄로되어, 행동에 옮기지도 못하게 될거야, 그렇잖아도 사꾸라가 득실거리는 판에……."

"하긴 그래, 그럼 어떤 방법을 취하는 것이 좋겠어?"

"우선, 학도호국단 간부의 의견을 타진해보기로 하면 어때? 최원우를 가 만나."

욱은 자리에서 일어나며 말했다.

"난, 그 자식 보기만 해도 싫어."

"그럼 나 혼자 가서 만나고 올게."

"그 자는 여당 앞잡이 아냐, 믿을 수 없어."

"이 위급한 판국에 여당이구 야당이구 있어? 다 같이 불 위에 항거하는 건데."

"갔다 와, 그러나 역이용 당하지마, 어름어름하다간 다른 대학에 선수를 빼앗겨."

"우리의 의도가 관철되느냐가 문제지, 선후를 따질 때야."

"그러나 이왕이면, 맨 선두에 나서야지, 비겁하게 남의 꽁무니를 따르고 있겠어?"

"알았어, 그럼 만나고 올게."

욱은 마침 나타난 건일과 함께 최원우를 학도호국단실로 찾아갔다.

"그러니까, 이 같이 긴박한 사태 속에서 이 이상 관망할 수는 없지 않아?"

마산사태에 대한 대충 경위가 이야기된 다음, 욱이 최원우의 진의를 타진했다.

"글쎄."

최원우는 특별한 반응을 보이지 않았다.

"이제는 이 이상 참을 수 없어, 행동으로 나가야지."

건일이 강경한 어조로 말했다.

"며칠 더 두고 사태의 진전을 보기로 하지, 저돌적으로 나가는 것만이 올바른 길이 아니니까."

최원우는 태연한 자세로 설득이라도 하듯이 천천히 말하고 있었다.

"그럼 언제까지 진전을 본다는 거야?"

건일이 불끈하고 나왔다.

"그렇게 서두르지 말고, 다 우리들의 일이니까, 구체적인 계획을 짜보자구."

눈치 빠른 김인배가 무마하는 어조로 사이에 끼어들었다.

"그럼 어떻게 하자는 거야?"

건일이 말소리를 높였다.

"우선, 우리가 나서려면 그 행동에 대한 대의명분부터 찾아야 할 거 아니야?"

"대의명분?"

김인배의 말을 제지하며 건일이 소리쳤다.

"아니, 부정선거를 하구, 전제정치 하에서 학원의 자유를 유린하구, 정의를 외친 학생을 살해하구, 이러한 불의에 항거하는데 무슨 그 이상의 대의명분을 새삼스럽게 찾는 거야. 우리는 다 연대적인 공동피해자란 말이야. 정당방위로라도 이제는 일어나야 해."

욱이 흥분한 목소리로 말했다.

"나도 그것만은 알아, 그러나 우리는 신성한 상아탑 속에서 공부하는 학생이 아니야?"

김인배는 계속 유들유들하게 나오고 있었다.

"신성? 그럼, 학생은 총에 맞아죽고, 짓밟혀도 그 빛 좋은 상아탑을 고수하란 말이야."

건일은 더욱 핏대를 세웠다.

"아무튼, 명확히 말하지만 나 개인으로서는 현시점에서는 과격한 파괴 행위에는 동조할 수 없어."

최원우가 단호하게 나왔다.

"그럼 우리는 우리대로 행동할 테니까, 그리 알아."

건일이 잘라 말했다.

"그러지 말고, 이삼일만 더 정세를 보고, 그 다음에 우리의 의사표시를 하면 어때?"

김인배는 절충적인 자세로 나왔다.

"아무튼 우리 행동에 훼방은 놓지 말아."

욱도 그 이상 참을 수 없어 말을 끊었다.

"훼방? 그렇게 말할 게 아니야. 다만 좀더 신중하게 행동하자는 차이 뿐이 아니야?"

최원우의 눈치를 살피는 김인배는 중간에서 어물어물 말하지만, 행동에 동조하는 기미는 보이고 있었다.

"배신은 하지 말아……."

건일이 내뱉으며 돌아섰다.

"배신?"

최원우의 뇌까리는 소리를 등으로 하고 욱도 건일의 뒤를 따라 나와버렸다.

그러나 주인식과 만나 이들은, 꼭 최원우의 사전 밀고로 일이 허사로 돌아갈 게 염려되어, 여러 가지로 방안을 모색한 끝에, 각 행동부서만 정해놓고 결국 이삼일 사태의 진전을 보아 행동을 취하기로 작정했었다.

실지로 다음날은 아침부터 권총을 휴대한 경찰관이 교통정리의 명목으로 교문 앞에 배치되어있었다.

"덕호는 어디 갔어?"

욱이 물었다.

"취재차 나간 모양이야."

김현이 대답했다.

"어디로?"

욱이 다시 물었다.

"데모현장으로 갔어요."

여기자가 대답했다.

덕호가 돌아오면, 자기가 목격한 이후의 데모양상을 알 수 있겠다는 생각을 욱은 하고 있었다.

"최현우는 오늘 나왔어?"

"이리로 오기 전에 담판하려고 호국단실에 들렀더니, 임시 뉴스를 듣고 집으로 가버렸대."

욱의 물음에 주인식이 대답했다.

"거긴 누가 있어?"

"김인배, 그밖에 몇 있더군. 그들도 이젠 마음이 완전히 돌아선 모양이야, 날 붙잡구 인배가 인제는 가만히 있을 수 없다는 것을 보니까……."

"자, 그럼 우리는 어떻게 하겠어."

욱이 말했다.

"그래 지금, 그 계획에 대한 토의를 진행중에 있어."

주인식이 대답했다.

"건일이와 영남이는 곧 올거구, 각 과회장들은 일부 와있고, 일부는 연락중이야."

이영남이 김인배와 함께 들어왔다. 김인배를 보자 욱은 주인식 쪽으로 시선을 돌렸다. 주인식은 눈을 끔벅했다. 두고 보자는 듯한 눈치였다.

"자, 그럼 토의를 계속하겠습니다."

주인식은 신중한 어조로 말을 시작했다.

"아까도 말한 바와 같이, 더 이 이상 지연할 수 없는 마지막 단계에 도달했습니다. 타 대학이 일어선 다음에 뒤를 따른다는 것, 어떤 의미에서는 만시지탄이 없지 않습니다만, 우리의 학내 사정이 우리의 행동을 제일차적으로 좌절시켰던 것입니다."

주인식은 김인배에 흘깃 시선을 돌렸다 말을 이었다. 김인배는 묵묵히 시선을 아래로 깔고 있었다.

"그러나 지나간 일을 뉘우치거나 따질 시기는 아니라고 봅니다. 문제는 이제부터의 행동에 있는 것입니다. 이번 일에는 아무도 명령을 하고 명령을 받을 사람은 없습니다. 아무 강제나 구속도 없습니다. 다만 각자가 정의에 입각하고 불의에 항거하고 자유를 쟁취하려는 자기 자신의 의지와 판단에 의하여 자기 자세와 행동을 선택할 뿐입니다."

무거운 공기 속에 긴장된 분위기는 지속되었다.

주인식은 잠시 말을 끊었다 계속하였다.

"그러나, 행동의 통일과 질서유지와 그리고 위기에 대비한 기동적인 활동을 하기 위해 책임부서만은 정해보았습니다. 이것도 참고적인 것인 만큼, 각자의 의사나, 또 이 모임에서의 중론에 따라 적절 시정하는 것이 좋겠습니다. 거듭 말하거니와, 이번 기회는 각자가 자기 자신에 대한 시련의 고비인 동시에, 학원에서의 학생, 국가사회에서의 한 시민으로서 자기가 속해 있는 집단사회에 대한 연대적인 책임이행의 계기이기도 한 것입니다."

건일이 헐떡거리며 들어오고 있었다.

주인식은 잠시 멈췄다, 말을 계속했다.

"끝으로 우리의 투쟁목표는, 학원의 자유보장, 독재자 제거에 의한 민주정치의 확립, 부정선거 규탄, 발포책임자 처벌 및 구속학생 석방 등이 되겠습니다."

계속하여 담당부서가 발표되었다.

"선언문 기초 한욱, 결의문 기초 이건일, 구호 초안 각 과회장, 각과에 대한 취지전달 및 학생동원 역시 각과회장, 선언문낭독 김인배, 결의문낭독 김현, 행동 선두책임자 이영남, 주인식, 언론기관연락 박덕호 그리고 플래카드는 나와 김인배 군이 맡겠습니다."

좌석에서는 일제히 큰 숨이 터져 나왔다. 김인배의 긴장된 얼굴에는 비로소 웃음이 번졌다.

"학생은 내일 아침 아홉 시, 등교 즉시 교정에 모이기로 하고, 책임부서를 맡은 사람은 일곱 시에 이 자리에 모여 각자 맡은 책임이행을 검토하고, 행동에 대한 세부적인 토의를 하기로 하겠습니다. 그런 일은 절대로 없겠지만, 끝으로 심심 부탁할 것은 이 계획이 사전에 누설되지 않도록 각자 자기의 양심에 충실하기 바랍니다."

"배신자는 총살해버려야 해."

건일이 크게 소리쳤다.

욱은 데모대의 선두에 서기를 자원해 나선, 짱구 이영남을 바라보며, 그가 말하던 신상고백을 떠올리고 있었다.

아버지가 지금은 어엿한 신흥사업가로 재벌급에 가는 치부를 하여 실업계에 굳건한 토대를 잡았다고는 하지만, 왜정 때에 사상범을 다루는 고등계(高等係) 형사로 이름을 날려 많은 애국지사를 검거 고문 투옥했다는 사실, 자신은 그에 대한 연대적인 죄의식을 느낀다던 그, 아버지의 범죄와 아들의 행동 사이에 굳이 그런 연관을 지을 필요가 있느냐고 해도, 아버지는 해방 후 이름까지 갈고 교묘히 처세하지만, 자기는 주위의 사람들이 그러한 악인의 씨로 보고, 멸시하는 것 같아 그 강박관념에서 헤어날 수 없다면서, 이번 기회는 그 아버지에 대한 속죄의 뜻으로도 자기가 선두에 서야 하겠다고 고집하던 그 투철한 자세, 욱은 함성을 치며 돌진하는 데모대의 선두에 선 짱구의 모습을 거듭 머릿속에 그리고 있었다.

거리는 어둑어둑해왔다. 서울장안 한복판에서 처음으로 벌어진 대학생 데모, 삼만여 시민이 합류된 K대학의 시위는 세 시간에 걸친 국회의사당 앞에서의 연좌투쟁 끝에 다시 을지로를 거쳐 종로 사가 쪽으로 꺾이어 한 길을 꽉 메워가고 있었다.

취재차 거리에 나온 박덕호는 카메라를 목에 건 채 시위군중 속에 끼어 대열의 흐름에 밀려가고 있었다. 처음에는 취재의 호기심에서 뛰어왔던 것이, 열띤 대열과 연도에 늘어선 시민들의 박수 환호성에 휘말려, 학교로 빨리 돌아가야만 하겠다는 생각을 하면서도 그는 계속 대모의 소용돌이 속으로 흘러가고 있었다.

데모 대열이 청계천 다리를 건너 종로 사가로 다가설 무렵이었다. 갑자기 아우성이 터지며, 선두가 뒤헝클어지기 시작했다. 덕호는 재빨리 대열 속에서 인도로 나와 소란이 벌어진 앞쪽으로 뛰어갔다.

더욱 짙어지는 어두움 속, 한길 양쪽 골목에서 정체불명의 청년들이 그 수를 헤아릴 수 없이 떼지어 뛰쳐나와, 벽돌 부삽 몽둥이 쇠뭉치 갈고리 등, 닥치는 대로 데모대를 향해 던지고 있었다.

"깡패야, 깡패!"

"깡패 잡아라."

"어용 깡패 죽여라."

군중 속에서 성난 고함소리가 터져 나왔다. 비명과 절규와 금속성의 소음이 뒤엉킨 아우성 속에서 카메라의 플래쉬가 섬광을 빗길 때마다 난투의 수라장은 순간순간 두드러져 나타났다간 사라지곤 했다.

사이렌이 울리고, 경찰백차의 헤드라이트가 눈부신 속에서 여기저기에 피 흘리며 쓰러진 부상학생이 구급차에 실리고, 취재기자의 카메라가 부서지고…….

덕호는 카메라를 두 손으로 감싸쥔 채 유혈소동의 복판을 간신히 빠져나왔다.

인도에 올라선 그는 경찰관들이 괴한들에게 적극적인 자세를 취하지 못하고 어물어물하는 모습을 눈여겨보며 군중 속에서 외쳐지던 "어용 깡패"의 진의를 곱씹고 있었다.

욱은 헛갈리는 꿈속에서 눈을 떴다. 선언문의 초안을 잡아놓고 자리에 든 것은 자정이 지나서였다. 그러나 그는 깊은 잠을 이룰 수 없었다. 전등을 켜고 시계를 보았다. 새벽 세시. 그는 다시 이불을 뒤집어썼다. 역시 잠은 오지 않고 엇갈리는 상념이 뒤엉켜져왔다. 엎치락뒤치락 했으나, 시간이 흘러갈수록 정신은 더욱 말똥말똥하기만 했다. 그는 라디오 스위치를 돌렸다.

아침 뉴스가 흘러나오고 있었다. 대학생들의 평화적인 시위행렬에 대한 깡패단의 습격, 간밤 종로 사가 어둠 속에 대기하고 있던 백여 명의 깡패가 학생들을 급습하고 각종 흉기로 마구 구타하여 유혈이 낭자하게 되었다는 예기치 않은 불상사, 학생 사십여 명과 신문기자 6명이 부상하고 학생 하나는 피살되었는지도 모른다는 끔찍한 보도, 욱은 부르르 몸을 떨었다.

경찰과 깡패가 합세하여 독재자의 앞잡이로 판을 치는 무법천지, 허울 좋은 민주주의의 껍데기 속에서 유린되어가는 인권, 모든 것이 최후의 발악만 같게 느껴졌다.

이제 무엇을 더 생각할 것인가? 욱은 자신에게 물었다. 이 이상 주저할 그 무엇이 있는가? 학생의 신분으로서 학원 내에서의 진리탐구, 지성의 냉철한 판단……. 극한선을 넘어선 이제 그것들은 모두 다 부질없는 관념의 넋두리로만 여겨졌다. 안이한 자위의 방패가 아니면, 무기력한 자기변호의 간판구실밖에 되지 않는 것만 같았다. 이젠 참말 이이상의 대의명분 운운은 현실도피 이외의 아무것도 아닐 것이었다.

다만 선동에 의한 부화뇌동이나, 영웅심이 곁들은 허세의 망동이 아닌,

자기의 의사에 의한 자기 자신의 정확한 행동이어야 하겠다는 생각을 욱은 곰곰이 다져갈 뿐이었다.

그는 벽에 걸린 캘린더에 눈이 갔다.

사월 십구일 화요일.

거대한 산맥이 가로놓인 중압감 속에서도, 무엇인가 역사의 굽이친 흐름에 한 전기가 마련되어질 것만 같은 낭만어린 심경이 깃들기도 했다.

"아무튼 최후까지 비겁하지 말자."

혼자 외치며 그는 자리를 박차고 뛰어 일어났다.

맑게 개인 봄날의 아침공기는 간밤의 난동을 송두리째 삼켜버린 듯, 여느 때나 다름없이 싱싱했다. 등교하는 학생들과 출근하는 시민들의 바쁜 걸음에는 아무 변화도 보이지 않았다. 그러나 조간신문에 눈을 박고 있는 젊은이들의 표정은 한결같이 불안과 긴장이 서리는 듯 굳어져 보였다.

학교에 나온 욱은 곧장 학내 신문사로 갔다.

주인식은 벌써 나와 테이블 위에 플래카드를 펼쳐 놓고 양쪽에 대나무를 붙잡아매고 있었다.

"벌써 나왔어."

욱은 주인식 쪽으로 다가갔다.

"응, 인배도 나왔어."

"그래?"

학도호국단장 최원우의 단짝으로 그와 행동을 같이 하던 김인배가, 갑자기 자세를 바꾸어 이번 일에 적극적으로 선두에 나선 것은 통쾌한 일이기도 하지만, 욱으로선 역시 한편으로 미심쩍은 감이 없지 않았다.

"어디로 갔어?"

"마이크 가지러 갔어."

"최원우는?"

"아직 보이지 않아."

"뒤에서 뭘 저지르고 있는지 모르지."

욱은 혼자 중얼거리듯 말했다.

"오늘 사태가 심상치 않겠는걸."

주인식이 욱을 돌아보며 말했다.

"왜?"

"어제 저녁, 악질 깡패까지 동원해서 고려대학 학생들에게 폭력을 가한 것을 보니까……."

주인식은 심각한 표정을 지었다.

"최악의 사태도 각오해야지."

욱은 마음속으로 다지며 말했다.

"자식들 수단방법을 가리지 않을거야."

"그러나 이미 민심은 돌아섰으니까, 중과부적이야."

"그런데 학생들이 잘 모일지 모르겠어?"

"글쎄, 그게 문제야, 안의 단결이 튼튼해야 외적과 대결할 수 있지, 그렇잖으면 죽도 밥도 안될거야."

김인배와 이영남이 마이크와 스피커를 들고 들어섰다.

욱은 김인배가 들고 온 스피커를 받아놓고 그의 손을 꽉 잡았다.

"고마워."

"본의 아니게 흐릿하게 보여서 미안했어."

김인배가 웃음을 머금으며 말했다.

"천만에, 과정보다 끝이 중요한 거야."

욱은 김인배의 손을 더욱 힘주어 쥐며 말했다.

"나도 최선을 다하겠어."

"고마워."

건일이 헐떡거리며 들어섰고, 그 뒤로 여러 과회장이 따라 들어오고 있었다.

"늦어서 미안해."

건일이 도수 높은 안경을 벗어 눈을 닦으며 말했다.

"교정에 학생들이 많이 모였어?"

욱이 물었다.

"응, 상당한 숫자야, 계속 쏠려들고 있어."

"그러면 됐어."

"그런데, 오늘 각 대학이 다 움직일 기세인 것 같아. 오늘 길에 다른 대학 친구들을 만났더니, 그들도 우리와 같은 계획을 진행하고 있다는 거야."

건일이 말했다.

"그럴지도 모르지, 모두들 같은 심정이니까."

박덕호, 김현 그 밖의 주동 멤버가 거의 다 모여들었다.

"그런데 아무래도 오늘 공기가 심상치 않을 것 같아."

덕호가 말했다.

"왜?"

건일이 곧 뒤따라 반문했다.

덕호는 자기가 목격한 간밤의 충돌사건을 격한 어조로 이야기해갔다.

그렇지 않아도 잔뜩 신경들이 날카로워진 학생들은 더욱 흥분되어갔다.

"자, 그러면 이쪽으로 가까이 모이시오."

주인식이 장내를 둘러보며 소리쳤다. 학생간부들은 테이블을 둘러싸고 주인식의 둘레에 모여섰다.

"그러면 우선 어저께 기초해오기로한 선언문과 결의문부터 검토하겠습니다."

주인식이 말했다.

"시간도 얼마 남지 않았는데, 그대로 들고 나가 현장에서 발표하면 어때?"

덕호가 팔뚝시계를 보며 말했다.

"그래도, 여기서 한번 읽어봐야지, 큰 잘못이 없으면 그대로 들고 나가더라도……."

주인식이 받았다.

"자, 그러면 선언문부터 읽지."

주인식이 욱을 보고 말했다.

욱은 자기가 기초한 선언문을 천천히 읽어내려갔다.

"됐어."

욱이 다 일고 나자 박덕호가 소리쳤다. 그 뒤를 이어 채택의 박수소리가 터져 나왔다.

다시 결의문 초안이 기초자인 건일에 의하여 낭독되었다.

"좋소."

이번에는 짱구 영남이 외쳤다. 역시 박수로 채택되었다.

"그러면 현장에서 발표할 담당자가 의심나는 곳이 있으면 기초자와 상의하여 수정하기로 하고 선언문과 결의문의 검토는 이것으로 끝내겠습니다."

"학생들이 다 모였으니, 빨리 운동장으로 나오래요."

형편을 알아보러 교정을 나갔던 과회장 한 사람이 뛰어 들어오며 소리쳤다.

"자, 그러면 모두들 나갑시다."

주인식이 소리쳤다.

이들은 플래카드 확성기 등을 들고 교정을 향해 나갔다.

학도호국단장 최원우는 끝내 나타나지 않았다.

수천 명을 헤아리는 학생들이 교정에 모여서 긴장된 모습으로 웅성대고 있었다.

"전원 집합."

확성기의 둔탁한 외침에 학생들은 의기 충전하여 연단 쪽으로 모여들었다.

벌써 교문밖에는 수백 명의 정복경관이 떼지어 방어태세를 취하고 있었다. 그러한 삼엄한 분위기는 이들을 더욱 자극시켜 열을 돋우게만 했다.

"지금부터 삼·일오 부정선거 규탄 및 학원의 자유보장을 위한 성토회를 가지겠습니다."

욱이 소리높이 외쳤다.

교정이 떠나갈 듯한 박수와 함성이 터졌다.

뒤를 이어 주인식이 마이크 앞에 다가섰다.

"우리는 이제 이 이상 상아탑 속에 앉아 붕괴되어가는 조국을, 극도로 부패된 정권을, 말살되어가는 민주주의를, 유린된 인간의 존엄성을, 그리고 짓밟힌 학원을 방관할 수만은 없는 극한상황에 놓여있습니다."

"옳소."

박수소리가 뒤따랐다.

"우리는 이에 항거한 수많은 고등학교 학생들의 거룩한 피의 대가를 찾아 총궐기해야 하겠습니다."

주인식의 목소리는 더욱 격해갔다.

박수소리는 다시 교정을 진동했다.

"그러면 결의문 낭독이 있겠습니다. 여러분의 박수로서 채택되겠습니다."

김인배가 마이크 앞에서 결의문을 낭독하기 시작했다.

"한국의 日淺한 大學史가 적색전제에의 과감한 투쟁의 巨畫을 掌하고 있는데 크나큰 自負를 느끼는 것과 똑같은 이론의 演繹에서, 민주주의를 偽裝한 백색 전제주의에의 抗議를 가장 높은 영광으로 우리는 自負한다. 警察은 민주를 위장한 家父長的 전제권력의 下手人으로 발벗었다. 민주주의 이념의 최저의 公理인 選擧權마저 권력의 魔手 앞에 轟斷되었다. 言論 出版 結社 集會 및 思想의 자유의 불빛은 무식한 專制權力의 악랄한 발악으로 하여 깜박이던 빛조차 사라졌다.

우리는 기쁨에 넘쳐 自由의 횃불을 올린다. 보라! 우리는 깜깜한 밤의 침묵에 自由의 鍾을 난타하는 打手의 一翼임을 자랑한다.……."

이러한 요지의 선언문 낭독이 끝나자 학생들은 함성을 높이 외치며 박수를 쳤다.

계속하여 김현에 의하여 결의문이 낭독되었다.

"一, 行政府는 大學의 自由를 보장하라.

二, 행정부는 부정선거의 元凶을 처단하고 再選擧를 실시하라.

三, 행정부는 이이상 國家의 체면을 손상하고 民生을 塗炭에
몰아놓지 않기 위하여 無能政治, 腐敗政治, 野蠻政治, 獨裁
政治, 殺人政治를 放棄하고 民意에 의한 진정한 民主主義를
수립하라.

四, 행정부는 拘束學生을 즉시 석방하고, 發砲 殺人 책임자를
처단하라.

五, 행정부 責任者는 이에 대한 책임 있는 답변을 하라.

이상에 대한 우리의 要求가 관철될 때까지 우리는 계속 鬪爭할 것을 결의한다."

박수와 함성으로 교정은 들끓었다.

"자, 그러면 이제부터 우리는 용감하게 가두시위로 나갑시다."

욱이 소리쳤다.

다시 박수소리가 캠퍼스에 울려 퍼졌다.

학생들은 흥분의 절정에 달하여 어깨동무로 스크럼을 짜기 시작했다.

주인식과 짱구는 메가폰을 입에 대고 고함을 쳐가며 대열을 정돈해갔다.

욱과 건일은 "民主 위한 學生데모 총칼로써 꺾지 말라"는 플래카드가 가로 매어달린 대나무를 양쪽에서 하나씩 들고 대열의 맨 선두에 섰다.

"학원의 자유를 보장하라."

"학원의 자유를 보장하라!"

"살인선거 다시 하라."

"살인선거 다시 하라!"

메가폰은 계속 구호를 외쳐 학생들의 기세를 돋우었고, 이를 받아 외치는 학생들은 더욱더 흥분 속에 들끓어갔다.

교문 밖에는 정복경찰대가 계속 버티고서 안쪽의 행동을 노리고 있다.

"나가자!"

메가폰의 소리가 외쳐지는 찰나, 플래카드를 선두로 학생들의 대열은 스크럼을 짠 채 교문 밖으로 뛰쳐나갔다. 하늘을 찌르는 함성이 뒤따랐다.

경찰대와 정면충돌한 선두의 밀리고 밀리는 아우성과 혼란, 한참 승강이를 하는 사이, 데모대는 제지선의 한쪽을 뚫고 노도와 같이 한길로 흘러나갔다. 계속되는 데모의 대열! 대열! 대열!

욱은 건일과 함께 선두에 서서 국회의사당을 향해 계속 뛰었다.

연도를 꽉 메운 시민들의 박수와 환호성, 제정신을 잃은 듯이 뛰고 있던 욱은 눈시울이 뜨거워지는 감격에 젖었다.

강압과 인고(忍苦)의 칩거 속에서, 처음으로 한길에 나와 하늘 우러르며 마음껏 외쳐보는 자유의 함성, 거기에 호응하는 억눌렸던 시민의 함성, 욱은 뺨을 스쳐 흐르는 눈물을 닦을 염도 않고 계속 행진했다.

이제 아무도 제지 못하는 자유의 물결, 피해 받은 대중의 편에 서있는 정의의 학생대열, 종로 복판에서 대열은 정돈되어 보무당당히 네 활개를 치며 행진해갔다.

그러나 화신 앞 종로 네거리 부근에서 갑자기 이들은 대기하고 있던 경찰기동대의 최루탄과 연막탄 급습을 받았다. 앞은 뽀얗게 흐려 보이지 않고, 눈은 아려 뜰 수가 없었다.

"방향 바꿔!"

앞에서 주인식이 돌아서며 소리쳤다.

선두에 선 욱과 건일은 방향을 돌렸다. 종로 이가 샛골목으로 해서 을지로 쪽으로 빠져나와 내무부 앞으로 시청 쪽을 향해 행진하면서 다시 대열을 정돈해갔다.

선영이는 진옥이와 미애의 팔을 양쪽으로 서로 끼고 다른 여학생들과 함께 데모대열의 후미에 따라나섰다. 데모대가 교문을 박차고 뛰쳐갈 때까지 순옥의 모습은 교정 어느 구석에도 보이지 않았다.

불의에 항거하여 일어섰다는 근본적인 대의명분 외에 선영의 가슴속에는, 이 위급한 고비에 여학생이라는 평소에 짓눌린 핸디캡의 껍질을 벗어던지고 남학생들과 더불어 일대일로 대열에 직접 참가하여 행동을 같이할 수 있다는 떳떳하고도 자랑스러운 감정이 곁들이기도 했다.

데모대열의 뒤를 따르는 여학생들의 모습을 발견한 가두의 시민들은 더욱 열광적인 박수와 함성을 보내왔다.

순간 선영의 머릿속에는 삼일운동에 순절한 유관순의 사진에서 본 앳된 모습이 스쳐갔다. 광주학생사건에서 남학생들과 함께 일제에 항거한 여학생들의 의거가 떠올랐다. 그러나 그는 허울 좋은 형식이나 대외 시위를 위한 자기과시에서가 아니라, 조금이라도 자기 자신에 충실하고 연약한 여학생이라는 보호색의 이름아래 자기 몸을 사리기 일쑤이던 평소의 자세에서 잠깐동안이나마 해탈하는 것만으로도 흐뭇한 느낌이었다.

"부정선거 다시 하라."

"학원의 자유 수호하자."

물결쳐가는 선두의 구호를 따라 그는 목이 메게 외치며 걸었다.

양쪽에 서서 자기와 팔을 낀 채 행진하고 있는 진옥이와 미애도 목이 터져라 구호를 외치고 있었다.

그들뿐만 아니라 대열 속의 여학생 모두가 남학생 이상으로 씩씩하고 늠름하게만 보였다.

"어떠한 일이 있어도 끝까지 좌절하지 않고 남학생들과 행동을 같이하리라."

그는 속으로 중얼거리며 한발 한발 힘껏 발길을 옮겼다.

순옥이는 간밤 선영에게서 내일 성토대회가 있다는 소식을 들었었다. 일찍 눈을 떴으나 머릿속은 악몽에서 깬 것같이 터분하기만 했다. 그는 마음을 가눌 길 없이 허공에 떠있는 기분이었다.

간밤 아버지는 자정이 지나서야 돌아왔었다. 그러나 아버지가 돌아온 뒤에도 전화벨이 여러 차례 울렸다. 깊은 잠을 이루지 못한 순옥은 그때마다 눈이 띄어졌다. 잠결에 들은 아버지의 전화대화는 거의가 학생데모 수습에 대한 이야기들이었다. 아마도 아버지와 어머니는 한잠도 이루지 못했을 것이었다.

"세상이 하도 어수선한데 당신 몸조심해요."

어머니의 걱정 어린 말투가 옆방에서 새어왔다.

"걱정할 것 없어, 정 심하면 군대를 풀면 될 건데……."

아버지의 목소리는 약간 거칠었다.

그런데 아버지는 경무대 전화연락을 받고 아침 일찍 굳은 얼굴로 집을 나갔다.

어머니는 가만히 한 자리에 안정하지 못하고 방이며 마루며 들락날락 서성거리기만 했다.

등교시간이 가까워왔으나 순옥은 학교로 나갈 기분이 나지 않았다. 자기 주변의 가깝던 벗들이 모두 점점 거리가 멀어져가는 것만 같았다.

성토대회 그것도 아무 상관없거나 자기의 갈 길과는 상반되는 방향인 것 같게만 느껴졌다.

아침에 선영이에게서 혹 전화라도 올지 모른다는 부질없는 기대도 해보았으나 끝내 아무 연락도 없었다. 자기 쪽에서 먼저 걸 용기는 더욱 없었다. 자기가 괴로워하는 것을 알고 일부러 전화를 걸지 않는 것이라고 해석되면서도 어딘가 서운한 심정을 막을 길 없었다.

집안에 가만히 앉아 버틸려니 안절부절 몸을 가눌 수 없었다. 다 학교로 나갔겠으니 아무에게도 연락해볼 곳조차 없다. 남들이 웅성대는 잔치마당에서 혼자 내버려진 것만 같은 소외감, 군중 속의 고독이란 이런 것인가 혼자 뇌까려본다. 무슨 소리가 나올지 몰라 라디오 스위치를 돌리는 것조차 겁이 났다.

초조하고도 부질없이 지루한 시간, 순옥은 교문을 박차고 뛰어나가는 데모대의 환상을 그리다간 오싹 몸서리치는 충격을 느끼곤 했다.

열한시가 가까워서야 그는 그 이상 버티고 견딜 수 없어 집을 나섰다. 한길에 나서 어디로 갈까 생각해보았다.

친구들이 다 등교한 시간, 아무 데도 갈 곳이라곤 없었다. 넓은 서울 바닥에 자기가 마음 내키어 가고 싶은 곳은 아무 데도 없었다. 집으로 도로 들어갈까 했으나 그도 싫었다.

그는 버스정류장 쪽으로 발을 옮겼다. 몇 번 버스를 지나쳐 보내다가, 마침 자기 앞에 와 닿은 승강구에 불쑥 뛰어올랐다. 차속에서 넋 빠진 양 곰곰이 생각해도 갈 곳이 없었다. 그래도 이 경우 가보고 싶은 호기심을 끌어당기는 곳은 학교밖에 없었다.

복판거리는 사람의 물결로 가득 차있었다. 멀리 데모대의 후미가 보였다. 데모대는 고함을 외치며 멀어져갔다.

그는 학교 앞 정류장에 무턱대고 내렸다. 교문 쪽으로 다가갔다. 전에 없이 가운데 큰 문은 약간 찌그러진 채 잠겨져있고, 옆의 조그만 통용문만이 열려져 있었다. 교문 안에 들어섰다. 수위실에서 몇몇이 재깔대고 있을 뿐 교정은 텅 비어있었다. 여느 때와 다른 불안한 정적이 밀려오고 거리에 불길한 예감이 겹싸여져 왔다.

교실주변에 가까이 가도 학생의 그림자란 보이지 않았다. 날마다 다니던 자기학교가 아닌 이방지대에 팽개쳐진 것만 같은 허전한 아쉬움이 밀려왔다.

그는 숨막히게 복받치는 외로움에 휩싸여 허청거리는 다리를 교문 쪽으로 돌렸다. 그대로 털썩 땅에 주저앉아 통곡하고만 싶었다. 머릿속이 아찔하며 눈물이 핑 돌았다.

선두는 시청 앞을 거쳐 국회의사당 쪽으로 꺾였다. 시청광장에서 광화문 네거리로 행하는 길은 차량의 통행이 막힌 채 데모대로 꽉 차있었다.

국회의사당주변에는 무장경찰대가 빈틈없는 경비태세로 진을 치고 있었다. 주인식은 그 삼엄한 경비망을 뚫고 의사당 현관 앞에 뛰어올라 대열을 향해 다가오라는 손짓을 했다. 욱은 건일과 마주든 플래카드를 앞에 두고 대 위로 올라갔다. 학생들은 물결처럼 밀려 의사당 앞을 까맣게 메웠다.

부정선거의 원흉 전 내무장관을 불러내라.

짱구가 앞에 나와 의사당 현관을 향해 목이 터져라고 외쳤다. 경찰의 제지를 받으며 데모대는 구호를 계속해갔다.

경찰은 국민의 권리와 자유를 침해하지 말라.

불법으로 치른 삼·일오 선거 다시 하라.

정부는 마산사건에 책임을 지라.

권력에 아부하는 간신배를 몰아내라.

구호의 뒤를 이어 "애국가", "삼·일절의 노래", "전우의 시체를 넘고 넘어" 등 노래가 계속 피를 토하듯이 울부짖어지는 속에서 데모대는 더욱 열기를 가해갔다.

"이승만 박사 물러가라."

"이 의장은 국민 앞에 사과하라."

노래가 끝나는 순간 군중 속에서 외치는 고함소리가 울려 퍼졌다.

"옳소."

그 뒤를 이어 박수소리가 한동안 계속되었다.

성깔지던 경찰대도 노도와 같은 데모대의 열광 속엔 한낱 구경꾼에 지나지 않는 것만 같았다.

학생들은 아스팔트 바닥에 주저앉아 구호와 노래를 계속 불러가고 있었다.

그러나 괴물 같은 의사당의 건물 속에선 아무런 반응도 보이지 않았다.

"경무대로 가자!"

"대통령을 만나 직접 담판하자."

대열 속에서 고함소리가 터져 나왔다.

"가자!"

"갑시다!"

땅바닥에 주저앉았던 학생들은 일제히 일어나 함성을 외치며 광화문 네거리 쪽으로 대열을 지어 밀려가기 시작했다.

주인식과 짱구는 대열을 향해 계속 구호를 리드해갔다. 플래카드를 들고 선두에 선 욱은 목이 터져라 구호를 외쳤다.

광화문 네거리 연도를 꽉 메운 시민들은 박수를 치며 호응의 함성을 부르짖고 있었다.

욱은 발돋움하며 주위를 돌아보았다. 뒤로 남대문까지 길을 메운 인파, 좌우로 동대문 쪽과 서대문 쪽에서 물밀 듯 밀려오는 학생데모대, 중앙청까지의 넓은 대로는 사람의 물결로 꽉 차 그대로 흘러만 가고 있었다.

그는 이제는 자기 정신으로 걷고 있는 것 같지가 않았다. 그저 거대한 노도에 밀려 그대로 흘러 떠가고 있는 것만 같았다.

"끝까지 내 의지로, 최후까지 스스로의 행동으로……."

그는 자신에 뇌까렸다. 계속 물결 속으로 밀려가면서.

그는 갈증을 느꼈다. 구호를 외칠 때마다 목줄기가 타는 듯이 더욱 말라들어 옴을 느꼈다. 그러나 지금 대열 밖으로 뛰어나갈 수는 없는 일이다. 관청건물만이 양쪽으로 우뚝 늘어선 광화문거리, 손쉽게 식수를 구할만한 곳도 눈에 띄지 않는다. 그는 타는 목에 침을 삼켜 억지로 추겨가며 계속 걷고 있다. 맑게 개인 하늘, 찌는 듯한 오후의 태양은 더욱 갈증을 자극해왔다.

구호와 노랫소리와 고함과 아우성, 그 짙은 음향의 흐름 속으로 흘러가는 것이다. 아니 스스로의 행동으로 걸어가고 있다고 욱은 생각하는 것이다.

욱은 옆을 돌아보았다. 플래카드의 한쪽 대를 든 채 건일도 열띠게 걷고 있다. 햇볕에 빨갛게 탄 얼굴에 땀이 흐르고 있다. 앞에 선 주인식과 짱구도 지칠 줄 모르고 계속 대열을 향하여 구호를 리드하고 있다.

중앙청 정문이 앞으로 가까이 다가오고 있다. 지금까지 그 속에서 명색 정치를 한답시고, 온갖 음모를 꾸며온 본거지만 같은 그 거대한 석조전, 식민지 백성을 탄압하고 약탈하기 위해 위세를 보이며 군림하던 조선총독부, 그때나 이때나 그 속에 들어있는 인간들이란 별다를 것 없이 민중을 억압하기 위해서만 이를 악물고 버티고 있는 것만 같은 인상을 주는 복마전(伏魔殿), 불법적인 권력의 횡포와 폭군의 독재를 상징하는 아성(牙城), 욱에게는 그 육중한 건물이 단 한 번도 민중의 편이라고 정답게 느껴진 적이 없었다.

드높은 함성과 함께 안국동 쪽에서 흰 가운을 입고 이마에 흰 수건을 맨 의과대학생들과 간호학생들의 대열이 합류해오고 있었다. 이쪽 대열에서도 그들을 맞는 환호와 박수가 우렁차게 터져 나왔다. 데모 대열은 흥분과 열광의 도가니로 더욱 끓어만 갔다. 세상에 아무것도 두려운 것이 없었다. 정의의 대열 앞에는 폭군의 횡포나 위세도 보잘것없는 것만 같았다.

그 순간, 중앙청 서쪽 모퉁이, 이미 밀려간 데모대 선두 쪽에서 계속

되는 총성이 들려왔다. 대열 속은 주춤, 긴장했다. 새로운 불을 질러, 행진의 속도는 더욱 빨라졌다. 총소리는 거듭 계속되었다.

욱은 갈증을 잊고, 가슴 속에 뭉클하는 충격을 느꼈다. 이제는 대열도 질서도 없이 데모의 홍수가 둑을 끊은 성난 물결과 같이 그대로 흘러가고 있는 것이었다.

"학생이 죽었다."

앞쪽에서 전해져오는 고함소리는 이들을 더욱 광분케 했다.

갑자기 클랙슨 소리가 계속 울리며 대낮에 헤드라이트가 번쩍이는 스리쿼터가 데모 대열을 헤집고 뒤쪽으로 빠져나오고 있었다.

"여러분 우리학생이 독재자의 총에 맞아 죽었습니다."

새하얀 노타이샤쓰에 붉은 피가 내뿜어진 학생을 부둥켜안고 있는 차 위의 학생이 목 메인 울음으로 외치고 있었다.

피! 피!

피를 본 데모대는 이젠 거의 이성을 잃고 미친 듯이 앞으로 앞으로 내밀어갔다.

밀고 밀리는 사람들의 물결, 고함, 비명, 아우성, 욱은 지탱할 수 없어 넘어진 플래카드를 밟으며 앞으로 나갔다.

중앙청 서쪽 모퉁이, 경무대로 통하는 효자동 길, 갑자기 골목에서 튀어나온 소방차 호스에서 데모대를 향해 빨간 물이 막 뿜어졌다. 물, 물, 빨간 물에 흠뻑 젖은 욱은 입가에 쯥쯜한 맛을 느끼면서, 그것이 오히려 타는 목줄기에 해갈이 되는 것만 같았다.

골목에서 까맣게 쏟아져 나오는 기동경찰대, 곤봉세례에 뒤이은 최루탄의 발사, 욱은 눈을 뜰 수가 없었다. 그러나 그는 계속 앞으로 뛰었다. 경무대 쪽으로.

땅 땅, 따당 땅,

거듭되는 총소리, 그는 반사적으로 땅에 엎드렸다. 자기 몸뚱이 위에 쓰러지며 덮쳐지는 몸뚱이, 데모대와 경찰의 뒤범벅된 수라장.

욱은 자기에게 덮쳐져 신음하는 짱구를 발견하자, 그를 부둥켜 끌면서 보도 쪽으로 밀치고 나갔다. 짱구의 궁둥이에서는 피가 옷에 콸콸 내배고 있었다. 그는 건일과 함께 짱구를 부축해 업고 골목으로 빠져나왔다. 총소리는 계속 울려오고, 적선동 파출소는 활활 불길에 타고 있었다.

골목 안의 조그만 병원에서 응급치료를 가한 후, 욱은 건일과 함께 짱구를 대학병원으로 옮겼다.

병원에는 데모현장에서 절명한 학생과 부상한 학생들이 계속 실려 들어오고 있었다.

골반 관통상에 출혈이 너무 심해 생명이 위독하다는 의사의 진단이었다. 수술을 받기 위해 짱구가 응급실에서 수술실로 옮겨진 다음, 욱은 곧 짱구의 집에 전화연락을 하고 돌아왔다.

그는 수술실 복도에서 초조히 경과를 기다렸다. 의사 간호원 할 것 없이 병원 안도, 데모현장 못지않게 침통한 흥분에 쌓여있었다.

그는 순옥이에게도 알리는 것이 좋겠다는 생각이 들어 다시 전화통 있는 데로 갔다.

수화기에서 울려나오는 순옥의 목소리는 경악에 차 떨리고 있었다.

"네, 네, 어디에 부상했는데요?"

"다리에."

"그래요, 생명에는……."

순옥은 발음마저 더듬고 있었다.

"경과를 봐야겠어."

욱의 목소리도 움츠러드는 듯했다.

"대학병원이지요?"

"네."

"몇호실인데요?"

"지금 수술중인데……."

"네, 알겠어요, 곧 가겠어요."

수술실 쪽으로 걸어오며 욱은 자꾸만 연상되어오는 죽음을, 머리를 가로 저으며 스스로 부인하고 있었다.

건일은 수술실 복도 벤치에 두 손으로 머리를 감싸쥐고 수그린 채 앉아있었다.

삼십분, 한 시간, 지루하고도 초조한 속에 시간은 흘러갔다.

"대관절 어떻게 된 건데……."

짱구의 아버지가 나타났다. 그 뒤에 짱구의 어머니가 창백한 얼굴에 눈물이 글썽해있었다.

"아이, 어쩌믄 좋아."

거의 비명에 가까운 어머니의 목소리다.

"지금 수술중입니다."

욱이 대답했다.

짱구의 어머니는 덮어놓고 수술실 도어를 열고 그 안으로 들어갔다.

그러나 그는 금방 간호원에 밀려 도로 복도로 나오고 있었다.

"곧 수술이 끝나니까, 잠깐만 조용히 기다리세요."

간호원은 타이르듯이 말했다.

"수술경과가 어떤데?"

아버지가 되물었다.

"수술이 끝나봐야 알겠어요."

어머니는 벽에 머리를 돌린 채 훌쩍훌쩍 울고 있었다.

"어디를 다쳤는데요?"

아버지가 물었다.

"골반이에요."

간호원이 대답했다.

"그래, 죽지는 않겠어요?"

어머니가 울먹이는 목소리로 다급하게 물었다.

"곧 끝날 테니까 선생님께 물으세요."

간호원은 대답을 마치는 둥 마는 둥 총총히 도어 안으로 사라져버렸다.

"자식이, 건방지게, 제 혼자 나라를 건질 줄 알아, 학생이 공부는 하지 않고 데모는 무슨 데모야."

아버지는 내뱉듯이 찡그린 얼굴로 중얼거렸다. 그는 계속 담배를 뻐끔 뻐끔 빨면서 사뭇 못마땅한 표정이었다.

"너희들도 같이 데모에 나갔댔나?"

그는 욱이 쪽으로 독살어린 시선을 돌리며 말했다. 그것이 마치 너희 때문이라는 듯한 눈초리로 욱이에게는 느껴져 왔다.

"네."

욱이 대답했다.

"학생이 공부는 안하고, 데모는 무슨 데모야."

그는 또한번 되풀이하고 있었다.

건일이 그의 쪽으로 못마땅한 듯한 시선을 보내며, 무엇이라 말하려다가 그대로 참는 기책을 보였다.

욱은 짱구가, 왜정 때 날리는 고등계 형사로 숱한 애국지사를 고문한 아버지의 속죄를 연대의식처럼 느끼고 고민하던 모습을 더듬으며 흘깃 짱구 아버지 쪽으로 시선을 돌렸다.

짱구 아버지는 이마에 주름을 곤두세운 채 담배연기만 연거푸 내뿜고 있었다.

"참, 개천에서 용마가 났지."

욱은 속으로 혼자 중얼거리며 쓴웃음을 삼켰다.

수술실 도어가 빠끔히 열리며 간호원이 얼굴을 내밀었다.

"수술이 끝났어요."

이들은 도어 쪽으로 다가갔다.

문이 활짝 열리며 이동침대가 복도 쪽으로 나오고 있었다.

"영남아."

짱구 어머니가 침대 모서리를 잡으며 숨죽여 외쳤다.

환자는 창백한 얼굴에 눈을 감은 채 혼수상태에 있다.

짱구의 아버지는 환자에게 쏟았던 시선을 의사 쪽으로 돌리며 가까이 가고 있었다.

"선생님."

의사는 거즈 마스크를 떼며 물끄러미 짱구 아버지를 바라보고 있다.

"어떻습니까?"

짱구 아버지는 조심스럽게 묻는 어조다.

"탄환이 궁둥이를 뚫었어요. 뼈도 다쳤지만, 출혈이 원체 심했어요."

의사는 나직이 말했다.

"생명에는 관계없겠어요?"

짱구 어머니가 끼어 물었다.

"글쎄요, 극악의 사태는 면하겠다고 생각되기도 하지만……, 아무튼 경과를 봐야 알겠습니다."

"그래요."

짱구 어머니는 맥빠진 소리로 받았다.

"그런데……."

의사는 말머리를 멈췄다가 천천히 받았다.

"저, 아버지신가요?"

무슨 말이 나올까 약간 겁부터 집어먹는 듯한 짱구 아버지를 대신해 욱이 대답했다.

"네, 아버지십니다."

"이렇게 갑자기 부상자가 들이밀려서 입원실도 모자라지만, 혈청이 준비된 것이 다 떨어졌습니다. 곧 수혈을 해야겠는데, 지금 들어오는 환자들은 다른 병원으로 보내고 있는 형편입니다."

"피요?"

짱구 아버지가 반문했다.

"네, 그래 이제는 육친이나 누구의 피를 직접 수혈하는 비상수단을 취하는 방법밖에 없겠습니다."

"그럼 제 피를 넣지요."

아버지의 대답을 기다릴 사이도 없이 욱이 앞으로 나서며 말했다.

"제 것두요."

건일이 뒤따랐다.

"아니, 피요?"

짱구 어머니가 나섰다.

짱구 아버지는 얼떨떨해서 멍하니 둘레를 훑어보고만 있었다.

"알았어요. 그럼 우선 혈액검사를 해서 맞는 혈액형을 찾아야겠습니다."

욱은 갑자기 당하고 보니, 전에 신체검사 때 적어 받은 일이 있는 자기의 혈액형을 생각해낼 수가 없었다.

환자를 병실로 옮긴 다음 이들은 교대로 검사실에 가서 혈액형 검진을 받고 왔다.

한참 있다 간호원이 병실로 왔다.

"큰일났어요. 지금 조사한 것으로는 환자에게 수혈할 수 있는 혈액형은 한 사람도 없는데요."

"그래요?"

욱이 반문했다.

"그럼 어떻게 하면 좋아요?"

짱구 아버지는 당황한 말투로 물었다.

"다른 병원에 가서 피를 구해와야 해요. 그런데 저희들은 환자가 한꺼번에 들이닥치기 때문에 손쓸 겨를이 없어요. 빨리 구해보도록 하세요."

"그럼 내가 나갔다 오지."

짱구 아버지가 허둥지둥 밖으로 나간 다음 욱과 건일은 물끄러미 환자를 지키고 있었다.

짱구 어머니는 무어라 알아들을 수 없는 넋두리만을 혼자 뇌까리며 눈물을 찔끔찔끔 흘리고 있다.

옆 침대에도 역시 데모현장에서 복부 관통상을 맞아 중태에 빠진 고등학교 학생이 의식을 잃은 채 계속 신음소리를 치고 있다. 침대 옆에 둘러선 친구인 듯한 고등학교 정복을 입은 학생들은 묵묵히 서있고, 과부로서 외동아들을 키웠다는 그의 어머니가 넋 잃은 양 계속 한숨만 토하고 있다.

노크소리에 욱은 도어를 열었다. 순옥이 헐레벌떡이며 문 앞에 와있었다. 얼굴은 핏기 없이 질려 보였다.

"들어와요."

"네."

"어때요."

순옥의 당황한 물음에 욱은 아무 대꾸도 않고 그의 몸뚱이를 살그미 안으로 끌었다.

순옥은 조심스럽게 살피며 욱이 가리키는 대로 짱구의 침대로 다가갔다. 그는 한참동안 멍하니 짱구의 얼굴을 뚫어질 듯이 바라보고 있었다.

"영남 씨."

순옥이 나직이 부르며, 환자의 몸을 흔들려고 하는 것을 욱은 살그미 제지하며 말했다.

"지금 수술이 금방 끝나 혼수상태에 있으니까, 움직이지 말아요."

순옥은 석고처럼 그대로 서서 환자에게 시선을 준 채 움직이지 않았다.

"그런데, 수혈을 해야 된다는데, 혈액형이 맞는 것이 없어요. 아버지가 피 구하러 나가기는 했지만……."

"그러면 제 피를……."

순옥이 반사적으로 팔을 걷으며 말했다.

"이리로 와요."

욱은 순옥을 데리고, 병실을 나와 검사실 쪽으로 걸었다.

"의사의 말이 출혈이 너무 심했다는 거요."

"그러나, 죽지는 않겠지요, 설마."

순옥은 평소의 경쾌한 기질과는 반대로 침울하게 말을 받고 있었다. 그는 불길한 예감을 억지로 지워버리려는 듯했다.

"죽지 말아야지, 절대로."

욱은 순옥의 신념에 박차라도 가하려는 듯이 곧 뒤를 받았다. 그것은 그대로 욱 자신의 절박한 염원이기도 했다.

"그렇잖아도 오늘 데모에 나가지 못한 것이 여간 괴롭지 않았어요. 저렇게 부상을 입고 누운 것을 보니, 후회되기만 해요. 그러나 제 입장으로서야, 아버지가 그렇게 조바심이 나 안절부절 하시는데, 제가 거리로 뛰어나갈 수 있어요?"

순옥의 말끝은 울먹이며 흐려졌다.

"나도 그 심정을 충분히 이해해. 그것이 내 경우라도 아마 나는 순옥이같은 행동을 취할 수밖에 없었을거야."

"난 여자지만 퍽 비굴해져요. 아마 남자라면 더할 거예요."

"그럴지도 모르지."

욱은 아까의 간호원을 찾아 혈액검사를 부탁했다.

"아, 그러세요. 그럼 이리 오세요."

순옥이 간호원을 따라 검사실로 들어간 다음 욱은 복도에서 그가 나오기를 기다렸다.

욱은 짱구의 죽음을 생각하고 싶지 않았다. 꼭 살아야만할 것이었다. 그리하여 자기들이 내세운 주장이 피의 대가로라도 관철되는 것을 그와 함께 실증하고만 싶었다. 영남의 부상이 아니면 자기와 건일은 지금 또 다시 데모현장으로 뛰어나가 끝까지 초지를 관철해야만 하겠다는 생각뿐이었다.

이것으로 좌절되어서는 안돼, 이 맛 정도로 포기하여서는 절대로 안돼, 욱은 북받치는 적의를 느끼며 자신에게 거듭 다짐했다.

순옥이 검사실에서 나왔다.

"병실에 가 기다리라고 그랬어요."

"순옥이 그렇게 가냘픈 몸에서 피를 빼면 대체 얼마나 뺄 수 있을라구……."

"어머나, 제가 얼마나 단단하게 그래요. 이래뵈도 속살이 쪘는걸요."

아무 일도 없는 듯이 순옥이 예사롭게 깔깔대고 웃었다.

욱은 순옥의 그 눈같이 맑은 감정 속에 거미줄을 치지 않기 위해서라도 짱구는 꼭 살려야만 하겠다는 생각을 하고 있었다.

이들이 병실로 돌아와서 얼마 되지 않아 간호원이 찾아왔다.

"참 다행이었어요. 혈액형이 맞아요."

"그래요?"

욱이 되물었다.

"참 잘 됐어요."

순옥의 진심으로 좋아하는 표정이었다. 욱은 한쪽으론 불안하면서도, 안도의 숨이 터져나옴을 느꼈다.

건일도 순옥을 쳐다보며 다행이었다는 듯이 머리를 끄덕였다.

"그럼, 영남 씨 혈관에서 제 피가 흐르고 있겠네요."

간호원을 따라 채혈하러 나가는 순옥의 티 없이 맑은 얼굴에 깃들인 불안과 희열이 엇갈리는 모습을 바라보며, 욱은 그가 한 말의 의미를 혼자 음미하고 있는 것이었다. 피와 피가 엉키는 인간관계, 그것이 동성끼

리 아니고 이성끼리, 그리고 더욱이 사랑하는 사람들의 경우, 그것만으로
도 그들은 삶의 새로운 의의를 발견하고 있는지도 모른다는 생각을 그는
되풀이해갔다.

제7장

천구백육십년 사월 십구일 하오 한시를 기해, 대한민국 정부는 국무원
(國務院) 공고 제 팔십이호로써 서울지구 일원에 걸쳐 경비계엄령을 선포
실시했다. 계엄사령관에는 육군참모총장 송요찬(宋堯讚) 중장이 임명되었
고, 계엄령의 발표는 하오 두시 십오분이었으나, 한시간 오십분을 당긴
하오 한시부터 소급 발효하게 되었었다. 경비계엄령 선포와 더불어 계엄
사령관은 포고문 제1호를 발표했다.

"現下 북한괴뢰는 南侵의 기회만을 노리고 虎視眈眈하는 此際에 근간
서울시내의 公共秩序는 극단히 문란한 지경에 도달하여 일부 무지각한
군중들은 附和雷同하여 騷擾行爲를 恣行하는 등 중대한 사태에 이르러, 政
府는 國務院 公告 八二호로써 서울특별시 一圓에 대하여 단기 四二九三年
四月 十九日 十三時 현재로 憲法 및 戒嚴法에 의거하여 警備戒嚴을 선포하
였습니다.

本官은 戒嚴法의 정하는 바에 따라 治安확보상 필요한 한도 내에서 엄
정하게 이를 운영할 것이니, 市民제위는 軍을 신뢰하여 安堵하는 동시에,
무근한 浪說을 조성하거나 職場을 무단 포기하거나 모략을 자행하여 民心
을 동요케 하는 등 輕妄한 행동으로 질서를 교란하고 안녕을 파괴하는
행위에 대해서는 法에 비추어 處斷할 것이므로 각별 戒心하여 만유감 없
기를 바라는 바입니다."

이어 하오 사시 반에는 역시 데모소동이 가열한 부산, 대구, 광주, 대
전 등 지방도시에 경비계엄령이 선포되었고, 다시 한 시간 뒤인 하오 오

시에는 서울 및 전기 사개 지구에 비상계엄령을 선포하는 전격적인 긴급 조처가 취해졌다.

이에 따라 계엄부사령관에는 장도영(張都暎) 중장(이군사령관), 부산지구 계엄사무소장에는 박정희(朴正熙) 소장(군수기지사령관), 대구지구 계엄사무소장에는 윤춘근(尹春根) 소장, 광주지구 계엄사무소장에는 임부택(林富澤) 소장이 각각 임명되었다.

욱은 호외를 들고 포고문 제이호를 훑어내려갔다.

"政府는 四二九三年 四月 十九日 十三時를 기하여 서울지구의 治安확보를 위하여 警備戒嚴을 선포하고 국민의 헌신적인 협조를 촉구한 바 있으나, 일부 몰지각한 자의 煽動과 使嗾에 의하여 치안상태는 혼란의 도가 漸甚하여 橫暴는 加增할 따름인지라, 事態 挽回와 公安의 질서상태의 회복을 위하여 政府는 부득이 同年 同日 十七時를 기하여 서울, 釜山, 大田, 大邱, 光州 등 지구에 亙하여 非常戒嚴을 선포하기에 이르렀다. 本官은 이에 부과된 직무를 성실히 수행함으로써 治安의 조속한 회복을 바라는 마음으로 下記事項을 포고하여 국민 제위의 적극적인 협력 있기를 바랍니다.

一, 現在 進行中인 모든 集會는 卽刻 解散하라.

二, 一切의 屋外集會를 不許한다.

三, 戒嚴地區內의 諸學校 學生의 登校를 中止한다.

四, 通行禁止 時間制限을 遵守하라. (一九時—翌朝 五時)

五, 言論 出版 報道 等은 事前措置를 받으라.

六, 流言蜚語 捏造 流布를 不許한다.

七, 違法者는 法院의 令狀없이 逮捕 拘禁한다.

以上의 違反者는 依法 嚴重 處斷한다."

"흥, 등교중지……, 엄중처단?"

욱은 꿀꺽 치미는 반발을 느끼며, 다음기사로 눈을 옮겼다. 그 옆엔 주한 미국대사관의 성명(聲明)이 게재되어 있었다.

"言論界로부터의 문의에 응하여 美大使館은 사태를 중대한 관심을 가지고 보고 있으며 사태진전을 주시하고 있음을 성명하는 바이다. 美大使館은 폭력에 호소하거나 폭력호소를 유발하는 여하한 방법도 유감으로 생각한다. 示威者들과 當局者들이 法과 秩序의 조속한 회복과 시위가 지향하고 있는 正當化할 수 있는 不平의 해결을 목적으로 하여 雙方 다 같이 자기행동의 결과를 신중히 검토할 것을 진심으로 희망하는 바이다."

코에 걸면 코걸이, 귀에 걸면 귀걸이, 그들의 외교적인 담화문의 문맥이 늘 그러하듯이 욱에게는 그 내용이 알쏭달쏭하게만 느껴졌다.

"이자들은 왜 사사건건이 남의 집안일에 끼어드는 거야."

곁에서 호외에 같이 눈을 박고 있던 건일이 불쑥 내뱉었다.

"그러게 말이야."

욱이 받았다.

"이것 봐, 미국대사가 이 대통령을 만나러 경무대로 들어갔다고 하지 않았어."

그 다음 기사의 타이틀을 보며 건일이 말했다.

"참말 그렇군."

"이 외신보도를 봐. 월터·C·매카나기 주한미대사는 십구일 밤 이 대통령이 그의 정부가 한국에 계엄령을 선포토록 만든 군중봉기의 '기본적인 원인과 불평을 고려하라'고 촉구하였다, 라고 하지 않았어. 촉구가 다 뭐야, 이쯤 되면 내놓고 하는 내정간섭이지 뭐겠어?"

건일은 AP통신의 외신보도(外信報道) 기사를 낭독조로 읽으며 흥분어린 어조로 말했다.

"원조를 해주는 나라니까, 그렇게 나올 수도 있겠지만, 미국원조를 장기간 받고 정치가 부패되지 않은 나라는 없다지 않아. 이번 사태도 그들에게 일부 책임이 없는 것도 아니야. 말하자면 병 주고 약주고 하는 셈이야."

욱은 개탄조로 받았다.

"아니, 원조를 받았어도 서독이나 일본처럼 주체성을 가지고 잘 활용할 수만 있었으면 이 꼴로 썩어빠지지는 않았을 거 아니야?"

"그러니까, 서독이나 일본은 자기들의 생각대로 원조자금을 쓸 수 없게 되자, 깨끗이 원조를 거부하지 않았어. 이건 양담배도 오케, 초콜릿도 오케, 다 낡아빠진 전차도 오케하니까, 그 손끝에서 놀 수밖에 있어?"

"미국이 배후에서 어떻게 조종을 하든, 이번 의거는 우리 손으로 성취시켜 기어코 피의 대가를 찾아야 해."

건일은 열을 올리고 있었다.

"물론이지, 끝까지 싸워서 내부수술을 단행하는 동시에, 외국인에게도 아직 이 땅의 젊은이는 썩지 않고 살아있다는 산 증거를 똑똑히 눈으로 보여줘야 해."

"그러니까, 우리는 내일 아침에 또 뛰어나가야 해."

건일은 결연한 자세로 말했다.

"나가야지."

욱은 마음속을 다지며 대답했다.

수혈이 끝났어도 짱구는 좀처럼 의식을 회복하는 기색을 보이지 않았다. 숨소리만이 거칠고 간간이 통증을 참지 못하는 듯한 안간힘의 신음소리를 토하고 있을 뿐이었다.

복부관통상을 입고 수술을 받은 옆 침대의 고등학교 학생은 증상이 더욱 악화되어 숨이 거의 꺼져가는 듯했다. 긴급연락을 받은 의사며 간호원들이 몰려들어와 베드 주위에 둘러서 긴장된 모습으로 응급치료를 가하고 있었다.

옆에서 지켜보고 있는 그 홀어머니의 핏기 없는 얼굴은 더욱 창백해 보였다.

"선생님 어떻게 하든지 우리 아들을 살려주시오."

어머니는 의사의 위생복 자락을 움켜잡으며 목메어 애원하고 있었다.

"어떻게 키운 아들이라구, 글쎄 이걸 하나 믿고 손끝에 피가 나게 살아왔수다. 선생님 목숨만 건져주시면 내 이 머리를 베어 신을 삼아 드리겠수다."

어머니는 주문 같은 넋두리를 계속 주절대고만 있다.

의사는 그 말에는 아무 반응도 보이지 않고 환자의 가슴에 댄 청진기 상아꼭지에서 오는 감도에 온 신경을 집중시키고 있었다.

청진기의 두 줄을 귀구멍에서 뺀 의사는 다시 환자의 손목 맥을 짚어보고는 환자의 가슴을 헤치고 그 가슴팍에 귀를 대고 눈을 깜박거렸다.

의사는 구부렸던 허리를 펴며 양미간에 실망어린 표정을 지었다.

"이걸 놓아."

의사는 간호원이 들고 있는 주사약통 속에 담겨있는 약을 가리키며 알아들을 수 없는 전문용어로 무엇인가 중얼거리며 덧붙였다.

자신도 긴장된 심정으로 물끄러미 넘겨다보고 있던 욱은 죽음에 대한 예감을 마음속으로 끄덕여갔다. 그 결말이 이쪽 침대로 옮겨올 것만 같은 불안이 스쳐갔다. 짱구는 별다른 변화를 일으키지 않고 가쁜 숨결에 간간이 신음소리를 반복하고 있을 뿐이다.

"좀 더 기다려보세요."

간호원이 주사를 놓은 다음 의사는 잠깐 동안 환자를 주시하다가, 맥빠진 한마디를 남기고 병실 밖으로 나갔다.

환자의 반응을 지키고 있는 간호원도 모든 것을 예측하고 있는지 아무 말이 없다.

환자의 머지않은 마지막 순간을 기다리는 것 같은, 불길한 분위기를 직접 피부로 느끼면서 욱은 건일 쪽으로 시선을 돌렸다.

건일도 욱과 똑같은 예감에 사로잡혀있는지, 침통한 표정으로 환자의 동향에 눈을 박은대로 움직이지 않았다.

"손이 차오네!"

간호원이 두리번거리며 중얼거렸다.

겁에 질린 학생의 어머니는 아들의 손을 붙잡고 연방 핏길을 돌리려고 팔에서부터 손등을 내려 훑어가고 있었다.

"발도!"

간호원은 외마디소리를 치고 의사에게 알리려 총총히 걸음으로 도어 밖으로 사라졌다.

학생의 친구들은 계속 환자의 손과 발을 주무르고 내려훑으며 당황히 서두르고 있다.

욱은 옆 침대로 다가갔다. 환자의 손을 잡아보았다. 핏기가 걷어지며 싸늘하게 식어가고 있었다. 손톱눈은 까맣게 변색되고, 입술도 말라 까칠한 채 검푸르게 변하여 붉은 빛을 잃고 있었다.

한참 만에 의사가 왔다. 의사는 환자의 눈꺼풀을 뒤집어 그 속을 눈여겨보고 있다. 그 순간 환자의 입술이 얇게 떨리며 목줄기의 꿀대가 꿈틀 진동하다가 멈추며 가래 끓는 소리가 났다.

가라앉은 침묵이 잠시 흘렀다.

"운명했습니다."

의사의 목소리는 몹시 비굴하게 들려왔다.

어머니의 몸부림치는 울음소리가 신음겨웁게 터졌다. 친구들의 흐느낌이 뒤따랐다.

욱은 분격에 찬 큰 숨을 내쉬며 뺨이 젖어옴을 느꼈다. 솟구치는 적의와 보복심을 가눌 길 없었다.

그의 친구들과 함께 고등학교 학생의 시신을 시체실로 옮긴 다음 욱은 그 어두컴컴하고도 싸늘한 분위기에 견딜 수 없어 밖으로 나왔다.

음산한 밤의 병원 뜰은 삭막하기만 했다. 시체실에서 번져오는 울부짖음과 통곡소리만이 깊이 잠긴 정적에 파문을 일으켜왔다.

담 너머 전차길에도 인적은 없고, 길 건너 창경원 숲속에 빗긴 아련한 전등불빛만이 이 밤의 뼈에 사무치는 비밀을 증언하는 듯 신록이 짙어가는 숲 위로 엷은 빛을 던지고 있다.

아까지 노도와 같이 장안을 휩쓸던 데모대의 함성은 아득한 추억처럼 사그라졌고, 이따금 한두 방의 총성이 멀리서 메아리쳐왔다. 이윽고 가도를 질주하는 군용차의 소음이 무거운 밤공기를 헤살짓고 새날의 불안을 예시해왔다.

권력구조와 개인의 존엄성!

욱은 느닷없는 생각을 몰아갔다. 순간 안면근육에 실룩거리는 경련을 일으키고 있는 이승만 대통령의 모습이 스쳐갔다. 팔십이 넘은 노령으로 권세에 대한 미련이 아직도 남아, 헌법을 불법으로 뜯어고쳐서까지 기어코 사선(四選)을 감행한 끈질긴 집요성. 아무리 주위의 간신배들이 자기들의 권력체제를 유지하기 위한 방편으로 반송장이나 다름없는 늙은이를 집단 권력의 상징으로 앞에 내세웠다 해도, 본인이 냉철한 이성의 사리판단으로 끝까지 거부했다면 그러한 결말은 오지 않았을 것이 아닌가. 모든 국민은 나를 따르라, 삼천만 동포는 내 시키는 대로만 하라. 이 같은 전근대적인 아집의 사고방식. 내가 없으면 나라가 망하고, 내가 꼭 영도자가 되어야만 겨레를 살리고, 국토를 통일할 수 있다는 유아독존의 터무니없는 망상, 겉으로는 허울 좋은 민주주의를 내세우면서 스스로 그것을 역행하는 독재 만능의 자가당착. 이러한 자칭 애국자의 망상을 요행적인 방패로 삼아 그 둘레를 감싸고돌며 자기들 스스로의 권세를 포석해가는 집권층의 우거지같은 정상배들. 욱의 상념은 꼬리를 물고 계속되었다.

고질이 된 신경통 환자로, 제 육신 하나 제대로 가누지 못하는 이기붕 국회의장을 억지로 부통령의 자리에 올려놓으려는 우졸한 망동. 선거 전 그 병신을 자동차 옆에 세워놓고, 억지로 건강을 가장 선전하던 신문기사의 큼지막한 사진이 욱의 머리에 떠올랐다. 그 신통치도 않은 반편을 부통령으로 내세워, 다음 임기 중에 이 대통령의 죽음까지 예측하고, 그런 유사시에 자동적으로 대통령의 자리에 물려 앉히려는 잔꾀의 바닥이 환히 들여다보이는 권모술수. 아내 박마리아는 병신 남편을 제쳐놓고 몸집이 피둥피둥한 젊은 장관과 붙어 다닌다는 소문까지 퍼뜨리면서 남편을 궁지에 몰아넣는 요망스러운 계집의 방종과 흉계, 그것을 굴러들어온 떡이라고 생각하여 계집의 정욕을 무마하면서 스스로의 위치를 확고히 구축해가며 종횡무진으로 권력을 휘두르는 모사의 젊은 장관. 모든 것이 곪을대로 곪아, 저절로 터질 수밖에 없는 나락의 구렁텅이인 것만 같게 느껴졌다. 권리와 자유, 억압과 반항, 독재와 정당방위, 죽음과 삶, 욱은 끝없는 상념 속에 헷갈리는 단어들을 더듬어갔다.

봄 밤 하늘에 무수히 반짝이는 별들 속에서 새로운 역사를 불러줄 희망의 섬광처럼 별똥이 남쪽으로 비껴 떨어지는 것을 바라보면서 그는 무거운 가슴을 지그시 달래갔다.

그는 내일 다시 대열 속에서, 끝까지 비겁해서는 안 될 자신을 다짐하면서 서서히 발걸음을 병동 쪽으로 옮겼다.

새벽녘 짱구의 의식이 조금씩 회복되어오는 기미를 보고, 다섯시 통행금지 해제시간이 지나자 욱은 병원을 나섰다.

군용차가 이따금씩 거리를 오가고, 모퉁이마다 집총자세의 무장관이 어른거렸으나 나다니는 사람의 그림자는 별로 눈에 띄지 않았다.

그는 삼엄한 경계를 하고 있는 동대문경찰서 앞을 지나 종로사가 네거리에 닿았다. 봄날 아침은 환히 밝아왔건만 앞뒤를 살펴보아야 민간차량이라곤 한 대도 움직이는 것이 없고, 점방이라는 점방은 모조리 문이 닫힌 대로였다. 그는, 땅을 진동하는 소음을 울리며 도심지 쪽으로 사그라지는 탱크에 눈길을 던지며 동대문 쪽을 향해 걸었다.

동대문 주변을 두리번거려도 버스 하나 없고, 전차도 움직이지 않고 있었다. 하는 수없이 그는 집까지 걷기로 했다. 그제서야 집 앞거리에서 서성거리는 사람들이 눈에 띄었으나, 모두들 공포에 찬 눈길로 가로의 좌우를 훑어보고들 있었다. 군대가 진주한 폐허만 같은 시가, 모든 행동이 정지된 거리, 낯선 고장처럼 쓸쓸하게만 느껴졌다.

안암동 로터리 경찰지서는 텅 비어있고, 한 모퉁이에 서있는 몇 대의 군대 트럭에는 무장군인이 가득히 실려 있었다. 그러나 그들은 전투태세로 나선 비장한 표정이 아니라, 차 둘레에 모여선 조무래기들과 장난거리 농담을 주고받고 있다. 그 군인들의 표정에서 욱은 민심의 반영을 그대로 보는 것만 같은 안도의 심정에 젖어들었다.

그러나 영도사로 올라가는 골목에 접어들자, 고려대학 뒷산에 몇 천 명의 데모학생들이 모여들어 밤을 새고, 다시 거리로 나올 기세를 보이므로 군대가 그쪽으로 몰려갔다는 아이들의 주고받는 이야기를 듣자 그는 다시 긴장된 심정에 싸였다. 피비린내 나는 하루의 대결이 연상되기만 했다.

집에 돌아온 욱은 늦게 배달된 조간신문을 펴들었다.

서울은 물론, 부산 대구 광주 청주 등 전국 각지에서 봉기한 수십만의 군중 시위, 중앙청 광장에 뿌려진 정부 서류, 불타는 반공회관과 정부 앞잡이의 민의 조작처인 서울신문사, 화염을 뿜는 소방차, 군검열필(軍檢閱畢)이 박혀나온 화보(畫報)들을 바라보며 욱은 긴장과 통쾌한 드릴에 젖고 있었다. 그러나 신문기사의 군데군데 연판이 긁혀 삭제된 흔적이 눈에 거슬리며 분격을 솟구치게 했다.

그는 간밤 열시에 발표되었다는 계엄사령관의 담화문 기사에 눈을 돌렸다.

"혼란한 질서회복을 위하여 一九일 하오 一〇시부터 所要의 군대가 시내에 진주하고 있으니, 시민 여러분은 이에 놀라지 말고 옥내에서 대기해주기 바랍니다. 질서를 문란케 하는 군중들은 속히 해산하시오. 질서회복을 위해, 군대에 대하여 발포하거나 대항하는 불순분자에게는 만부득이 발포하게 될 것입니다."

욱은 상을 찡그리며 신문에서 눈을 뗐다.

"흥, 정작 불순분자는 어느 쪽인데, 선량한 국민을 가지고……. 해산, 발포?"

그는 혼자 중얼거렸다.

어제 오후 이후로 아무것도 먹지 않고, 간밤 한잠도 이루지 못한 탓으로 피로와 허기가 차츰 전신에 엄습해 옴을 느꼈다.

그러나 그는 굴하지 않고, 다음 자기행동의 방향을 가늠하며 아침상을 받았다.

암흑과 광명, 절망과 희망, 의기와 불안, 대치되는 착잡한 심경 속에서 그는 씹고 있는 밥알이 모래알같이 까칠하게만 느껴졌다.

창과 벽

제1장

삼만칠천 피트의 고공을 비행하고 있던 제트 여객기는 서서히 그 고도를 낮추어갔다.

'No Smoking'

'Fasten Safety Belt'

조종실로 통하는 도어 위 영자(英字) 표시 신호판에 불이 켜졌다.

한민(韓民)은 담뱃불을 껐다. 그는 안전용 벨트를 당기어 혁대 위 배언저리에 조여 매었다.

현해탄은 이미 시야에서 사라졌다. 기체는 육지 위를 날고 있다. 고국의 강토가 바로 눈 아래에 펼쳐진 것이다. 순간, 그에겐 걷잡을 수 없는 격한 감정이 치밀어왔다.

이국의 하늘 밑에서 눈을 감으면 발가벗은 붉은 산만이 아련히 떠오르던 그에게, 무르익은 팔월의 녹음은 흐뭇하게 느껴졌다. 곡식이 한창 싱싱하게 자라가는 논과 밭, 점점이 끼어 있는 푸른 저수지, 그 사이를 누벼 뻗어간 도로, 유유히 굽이진 강줄기, 어느 하나 정답게 느껴지지 않는 것이 없었다.

아메리카 대륙의 광막한 벌판, 하와이 상공에서 내려다뵈는 열대식물의 푸르름, 일본 땅을 횡단하는 사이에 부감하던 산야의 우거진 숲의 풍만감, 그런 것에 비할 수는 없었지만, 그래도 그에게는 붉은 흙이 띄엄띄엄 그 자체의 수척함을 소박하게 드러내놓고 있는 제 나라 땅이 가슴 뿌듯한 애착을 안겨다줌을 막을 길 없었다. 그는 소년마냥 한동안 어린 감상에 잠겨 있었다.

한강 줄기가 나타나자 금방 서울 시가가 안계에 겹쳐 들어왔다.

한민은 옆자리의 외국 통신 특파원에게 눈을 돌렸다. 취재차 한국을 처음 방문한다는 제임스는 무엇인가 신기에 찬 눈매로 동그란 창문에 얼굴을 댄 채 바깥쪽을 기웃거리고 있다.

이 사람은 이 땅에서 또 무엇을 발견할 것인가……. 코리아에서 민주주의를 바라는 것은 쓰레기통에서 장미꽃 피기를 기다리는 거나 매한가지라고, 언젠가 역설어린 객담으로 파문을 일으킨 어느 외국인의 동류나 아닌가 하고, 그는 이방인의 목에 걸린 카메라의 망원렌즈에 눈길을 던졌다.

나라 안에서나 밖에서나 악이 받쳐 헐뜯고 훼방을 놓는 사람보다는, 호의에 차 두둔하고 도우려는 사람들이 그에게는 고맙고 친근감이 갔다.

착륙할 때까지의 불규칙한 기체의 진동은 긴 시간의 경과처럼 그를 지루하게 만들었다. 그는 이마의 식은땀을 닦으면서 가벼운 흥분에 젖어 있었다.

그의 망막에는 아내 현숙(賢淑)의 얼굴이 번득였다. 곧 그 위엔 보리(寶利)의 영상이 확대되어 겹쳐져 왔다. 거기에 다시 늙은 어머니, 절름발이 아우, 그리고 누이동생의 모습이 엇갈려 떠오르자 그는 착잡한 심정에 엉겨져갔다.

벨트를 풀고 자리에서 일어난 한민은 외국인 기자의 뒤를 따라 도어 쪽으로 발을 옮겼다. 찌는 듯한 바깥의 더운 공기가 왈칵 몸에 감겨왔다. 트랩에 나서는 찰나, 그의 시선은 송영대(送迎臺)의 사람 물결에 부딪혔다. 아우성이 와자지껄하게 들려올 뿐 하나하나의 얼굴들은 분간할 수 없이 아름아름 흐려 보였다.

떠날 때의 가슴이 무겁던 부담감에 비하면, 돌아오는 길은 한결 홀가분한 안도감을 안겨다 주었다. 그러나 그는 어딘가 큰 구멍이 뚫린 것만 같은 공허감을 메울 길이 없었다.

이년간의 미국 체재에서 내가 거둔 수확이란 대체 무엇인가?…… 이것은 귀국 날짜가 임박해짐에 따라 그를 초조하게 만든 스스로의 반문이었다. 나는 무엇을 얻어가지고 돌아가는 것일까? 그는 귀국 도상에서 몇 번이나 이같은 회의를 자신에게 던졌었다.

한민의 머릿속에는 미국으로 떠나기 직전의 친구들의 말과 은사의 모습이 떠올랐다.

몇몇 지기들이 마련한 도미 환송회 자리에서였다.

"자, 한잔!"

동료 교수인 안일(安逸)이 술잔을 권하며 말했다.

"좋은 성과를 거두고 돌아오시오."

"바람 쏘이러 가는 건데 뭐……."

대답은 건성 하면서도 한민은 마음속으로 다졌다. 이번 기회에 꼭 무엇인가 하나 알맹이진 것을 이룩해 가지고 와야겠다는 생각을……

"연구도 좋지만 몸조심하게나. 외지에 나가면 무엇보다도 건강이 첫째라니까……."

이미 해외에 다녀온 경험이 있는 조영호(趙英浩)가 뒤를 받았다.

한민은 조영호가 도미 후 홈시크에 따르는 노이로제에 걸려 배정된 기간을 겨우 채우다시피 하고 돌아온 사실을 상기하면서 그가 따라 주는 잔을 들었다.

"연구는 무슨 연구, 그래 그저 구경하구 오는 거지. 괜히 이 사람처럼 되지 말고……."

일간신문의 편집국장인 박천우(朴天佑)가 조영호를 가리키며 걸걸한 목소리로 말했다. 박천우의 허탈한 웃음에 말려 모두들 조영호를 바라보며 한바탕 웃음이 터졌다.

"그저 닥치는 대로 해. 주어진 현실에 따르는 수밖에 없다니까……."

옆에 앉은 이윤(李潤)이 한 마디 덧붙였다.

한민은 이들의 집중공격 해오는 술잔을 계속 받아 들이키면서도, 스스로의 결의를 내심 다져가고 있었다. 이튿날 한민은 출발에 앞서 은사요 선배교수인 남궁(南宮) 박사를 찾았다.

"먼 길, 조심하게……. 제 나라 안에서 늘 쓰는 말로 몇 해 공부해도 별수확이 없기 일쑤인데, 낯선 땅 익숙지 않은 말로 일이 년 했댔자 무슨 큰 소득이 있겠는가만, 그저 남들이 연구하는 방법이나 보고, 살아가는 형편이나 구경하다가 몸조심해서 잘 다녀오게……."

대문을 나설 때 타이르듯 말하던 노교수의 나직하면서도 힘찬 목소리가 무거웠다.

사실 한민의 미국 체재의 일년은 거의 어학 훈련으로 엄벙덤벙하는 사이에 지나쳐버린 셈이었다. 다행히 다시 일년 동안의 연장이 허용되었다. 그러나 자세를 갖추어 일이 제 궤도에 올랐다고 생각될 무렵엔, 벌써 돌아올 준비를 서둘러야만 했다. 아쉬운 생각도 없지 않았으나, 그 이상 더 체류 연장하는 수는 없었다.

비행기에서 내린 한민이 송영대 밑을 지날 때였다.

"한민이……."

자기 이름을 부르는 소리에 그는 반사적으로 머리를 치켜들었다.

"한 선생님!"

그는 소리나는 쪽으로 시선의 각도를 헤집어갔다. 손을 내흔들고 있는 조교(助敎) 고인환(高仁煥) 군, 그 옆에 박천우의 웃음진 얼굴이 보였다.

"아버지!"

한민은 조그만 손을 내젓고 있는 딸 명심(明沁)의 얼굴 뒤에, 빠끔히 내민 아내의 모습을 발견했다. 그는 그들의 환호에 손을 들어 대답하면서, 피차 떨어져 있었던 시간의 거리감이 순간 압축되어 옴을 느꼈다.

그들에게서 눈길을 돌린 한민은 출구 쪽으로 다가가 일렬로 늘어선 여객들 뒤에가 섰다. 우선 짐을 찾아내야만 했다. 자기 차례를 기다리기에 지칠 정도로 시간이 흘러갔다. 그에게는 모든 절차의 번거로움이 귀찮았다. 그는 김빠진 모습으로 멍청히 서서, 출국 수속에 기진맥진했던 때의 역겨움을 곱씹어갔다.

해방 이후 한 발짝도 밖에 나가본 적이 없는 그가 처음 해외로 떠나는 절차는 단순하지 않았다. 그는 꼬박 삼개월 여를 여권 관계로 소비한 셈이었다. 그가 미국 재단(財團)의 정식 초청을 받은 이후, 학교 당국·문교부·총무처·외무부·재무부·정보부·미대사관·금융기관·병원 등의 왕복에 소비한 시간과 정력은 막대한 것이었다. 상대측에선 일의 진전에 협조해 주는 것이 아니라, 어떻게 하면 못 나가게 할까 하고 반대 각도로 노력하고 있는 것만 같이 그에게는 착각되어 느껴져 왔었다. 한 번으로 될 것만 같은 것이 세 번 네 번의 걸음을 걸어야만 했다. 아침에 한 부처를 찾아가면 으레 한나절은 허비되었고, 회의다 손님이다 점심시간이다 하며 기다리게 되면 하루가 길 위에서 저물어갔다. 끝장에 가서는 극도로 지쳐, 이렇게까지 해서 외국으로 갈 필요는 어디에 있는가 하는 의아심마저 들어, 아주 포기해 버리려는 단계에까지 이르렀다.

그러나 박천우가 옆에서 보다 못해, 해당 부처 출입기자를 앞장세워 결말을 지어주었기 망정이지, 그렇지 않았으면 그의 도미는 거기에서 좌절되었을지도 모를 일이었다.

귀국을 앞둔 그는 경제적인 사정도 없지 않았지만, 그 이상 재외 공관에서의 번거로운 수속을 밟고 싶지 않아, 유럽 경유를 깨끗이 단념해 버렸다.

가방 속을 뒤적이는 세관리의 눈길은 꼭 범인을 수색하는 경관을 방불케 했다. 샅샅이 뒤져진 짐짝들은 뒤죽박죽이 되어 밀려져나갔다.

한민의 짐이란 책밖에 없었다. 그밖에 입던 양복과 내복 등속. 밑바닥의 양말쪽까지 뒤지고 난 세관리는, 아이들 장난감과 친구들에게 주려고 장만한 볼펜 몇 자루를 유심히 들여다보다가 흘깃 한민에게 시선을 돌렸다. 그것은 분명 너무 꾀죄죄한 짐짝에 실망이 간 눈치였다.

짐의 인도를 보류당한 몇 사람을 앞질러 한민은 대합실 쪽으로 나왔다. 문 앞에 양쪽으로 쭉 갈라선 사람들의 뭇 시선이 자기에게로 집중되는 것만 같게 느껴졌다. 그러나 그가 알아볼 수 있는 얼굴이란 몇 되지 않았다.

"선생님!"

한민의 연구실에 있는 강세훈(姜世薰)군이 앞으로 나오며 짐을 받았다.

"잘 다녀왔어?"

박천우가 어깨를 치며 한민의 손을 잡았다.

"응, 바쁠텐데 고마워."

"자, 부둥켜 안고, 배워온 식으로 키스나 하지……."

한민과 그의 아내가 뭇 시선 속에서 어색한 웃음을 주고받는 것을 보며 박천우가 말했다.

학생들을 대표해 여학생 김영옥(金英玉)이 한민에게 꽃다발을 안겨주었다. 한민은 마중 나온 여러 학생들과 차례차례 악수를 나누며 고국에 돌아온 실감에 젖었다. 그는 이들에 둘러싸여 대합실 밖으로 나왔다.

"자네 몸이 났네그려. 아마 기름기를 진탕 먹고 배설작용이 잘 안되어 그런 모양이지?"

박천우는 한민의 옆구리를 꾹 찌르며 짓궂은 웃음 속에 걸직한 말끝을
나직이 흐렸다.

"사람두……."

한민도 벙긋이 받아 웃으며 천우의 등을 툭 쳤다. 옆에 선 아내는 그
말을 알아들었는지 축축해진 눈시울에 웃음끼를 머금고 있었다.

박천우가 권하는 대로 한민은 아내와 함께 그가 가지고 온 신문사 지
프차에 올라탔다.

오후의 뙤약볕이 내리쪼이는 김포 가도를 쾌속으로 달리는 차에 실려
한민은 차창을 스며드는 훈훈한 바람을 가슴깊이 들이마셨다. 떠나갈 때
는 서두르는 속에 어리벙벙히 느낄 겨를도 없었던 교외의 풍경이 새삼
정답게 느껴져 왔다. 멀리 도봉의 톱니 봉우리와 북한산의 능선이 검푸
르게 건너다 보였다. 아무리 메말라도 역시 정든 내 땅이 제일 좋구나
하는 감회가 절실하게 전신에 번져왔다. 영등포 시가를 끼고 한강 둑을
질주하면서도, 그사이 아무런 변화도 없었던 것처럼 떠날 때 그대로의
모습에 접하는 것만 같았다. 갈 때도 여름, 돌아오는 길도 같은 여름철인
탓일까 하고 그는 입속으로 혼자 뇌까렸다.

"그 사이 아무것도 변한 것이 없는 것 같은데……."

"외형은 그렇지만, 그 동안 사태는 많이 변했지……."

앞에 앉은 박천우는 한민 쪽으로 고개를 돌리며 의미있는 듯한 웃음을
보내왔다.

한민이 미국에 있는 동안 가장 궁금한 것은 국내 소식이었다. 그러기
에 그는 아침에 학교로 나가는 대로 성급하게 우편함부터 찾았다. 누구
에게서든 편지를 받는 날이 가장 즐거웠다. 우편함 속에 아무것도 없는
날은 시무룩하게 맥빠져서 돌아오곤 했었다.

그것이 명절이나 공휴일 같은 때는 더했다. 주위의 사람들은 모두 자

가용에 가족을 싣고 위크엔드를 즐기러 떠나는데, 자신은 아무 데도 갈 곳이 없었다. 자동차라도 있으면 마음 내키는 대로 어디건 드라이브라도 하겠지만, 홀몸으로 길거리에 나서보아야, 끝없이 지나가는 차의 대열에 한풀 꺾여 축 늘어지게 되는 것이 고작이었다. 그러기에 그는 그런 날은 숫제 밖으로 나가지 않고 방안에 들어박혀 책을 보다가 싫증이 나면 텔레비전과 마주 앉았고, 그것도 겨우면 혼자 술타령으로 시간을 보냈다.

객지에서의 그 같은 무료한 감정과 고국에 대한 향수는 그를 자주 도서관의 신문 열람실로 이끌어갔다. 그는 대학 도서관에 비치되어 있는 유일한 한국 신문인 T일보가 도착되는 대로 신문과 씨름이라도 하려는 듯이 처음에서 끝까지 광고 하나 빼지 않고 구석구석을 앗았다. 그것으로 어느 정도 국내 소식에 대한 메마른 갈증을 뗄 수도 있었지만, 사실 뼈에 저려드는 그리움을 속시원하게 달랠 수는 없었다. 그것은 마치 국내에서 외국 신문을 구독한다고 해서 그것만으로 그 나라에서 일어나는 사태를 골고루 알 수는 없는 거나 마찬가지의 경우였다.

더욱이 4·19혁명에 직접 참여했고, 5·16 군사혁명을 겪은지 석 달도 못되는 계엄령 하의 어수선한 분위기 속에서 고국을 떠난 그로서는 국내의 모든 일이 궁금하고 불안하기만 했다.

한민은 박천우의 한 마디로 그 동안 멀리 이역에서 방관자에 지나지 않는 위치에 놓였던 자신이, 그 바로 들끓고 있는 소용돌이 속으로 휩쓸려 들어오고 있음을 피부로 직감하고 있었다. 마치 아무 장애나 근심 걱정 없이 허공으로 자유롭게 훨훨 날아다니던 새가 갑자기 새장 속으로 몰려온 것만 같은 구속감에 싸여져갔다.

한강 인도교를 건널 때 강물 위나 모래벌에 까맣게 뿌려져 있는 수영객들을 바라보자, 한민은 가슴에 밀려오는 격동을 느꼈다.

그의 머릿속에는 호놀루루 와이키키 해변에서의 일이 번득여 스쳐갔다.

한민은 하와이 대학 동서문화 센터에 가 있는 오중해(吳重海)와 함께 그의 숙사를 나섰다. 둘은 야자수·종려·파초·선인장 등 열대식물이 우거진 속을 걸어 해변가에 다다랐다.

상록수의 배경 속에, 완곡히 굽이진 해안선을 끼고 앉은 별장 지대, 백사장에 꼬박이 수놓아진 비치 파라솔, 가지가지 모양과 빛깔의 수영복을 걸친 남녀의 군상, 그 앞에 펼쳐진 넘실거리는 푸른 바다, 꼭 한 폭의 그림 속에 파묻혀 있는 것만 같은 느낌이었다. 오중해는 그러한 정경에는 이미 만성이 된 듯, 별다른 감흥을 일으키고 있는 것 같지 않았다.

"자, 우리도 갈아입지……."

오중해가 한민에게 수영복을 내주면서 말했다.

"좀 구경하구……."

"아아니, 수영복을 입구 구경하면 안되나?"

"응."

사실 한민은 갈아입는 것이 그렇게 마음에 내키지 않아 건성 대답을 했다.

"흥, 시골뜨기가 대처에 오니까 육체미에 압도되어 눈이 뒤집히는 모양이지……."

오중해가 옆자리를 눈질하며 의미있는 듯한 웃음을 보냈다.

"난 천천히 갈아입을게……."

"그럼, 나 먼저 가……."

오중해는 탈의장 쪽으로 걸어가고 있었다.

한민은 사람들이 복닥거리는 해면을 거쳐 멀리 바다 한 끝을 바라보며, 시골뜨기라는 오중해의 말에서 연상되는 여름의 한강변을 그리고 있었다. 이 화사하게 펼쳐진 광경에 비하면 그것은 너무 여위고 초라한 몰골로만 떠올랐다.

그의 눈길은 저도 모르는 사이에 옆자리의 젊은 쌍쌍이 쪽으로 이끌려졌다.

"이 사람아, 뭘 그렇게 넋 빠진 것처럼 바라보고 있나?"

오중해가 수영복 차림으로 다가오며 말했다.

"좀 생각하는 게 있어……."

"뭐 또 심오한 비교육체학이라도 꿈꾸고 있는 건가?"

오중해가 껄껄 웃으며 말했다.

"바로, 그거야. 자네 몸뚱이와 좀 비교해 보게나."

"내가 어때서. 코리안은 이래야 바로 재사형이라지 않아?"

"흥, 일찌감치 그렇게 생각하는 게 속편할 거야……."

"하긴 그렇게 자위하는 수밖에 있어?"

오중해의 시선도 힐끔힐끔 옆자리의 말쑥한 살결에 날씬하게 쭉 빠진 젊은 여인의 육체에 던져지고 있었다.

그러나 한민은 오히려 그 여인의 곁에 서 있는 늘씬한 키꼴에 늠름한 몸집을 지닌 백인 젊은이와 작달막한 키에 까무잡잡한 피부를 지닌 오중해의 몸매를 견주어보고 있는 것이었다.

외형의 육체에서부터 애초에 시합이 될 것 같지 않았다. 다행이 건너 편에서 예비운동을 하고 있는 깜둥이의 몸뚱이가 한민에게는 얼마간의 안도감을 안겨다 주었다. 그러나 그 흑인의 육체도 훤출히 큰 키에 쩍 벌어진 어깨와 팽팽하고 새까맣게 윤기 나는 근육에서 풍겨주는 탄력이, 끈질긴 정력과 야수적인 투지를 과시하고 있는 것만 같았다.

한민은 슬며시 눈길을 자신에게로 돌렸다. 키는 웬만큼 크지만 북어같 이 말라빠진 꼴이 주먹 한 대에도 금방 나가떨어질 것만 같이 연약하고 패기가 없어 보였다.

깜둥이가 아무 거리낌 없이 그 하야말쑥한 백인 속에서 제 마음 내키 는 대로 행동하는 것은 아직 다 가셔지지 않은 미개인의 만용에서일까, 그렇잖으면 자신의 육체에서 솟구치는 천부의 야성을 가눌 길 없어 제멋 대로 헤살짓는 탓일까 하고 그는 자기 나름의 생각을 몰아갔다. 어쩌면 그것은 오랜 학대와 박해에서 오는 반발적인 적의의 발산인지도 모른다는 자기 나름의 계산속에서 그는 대조적인 자위도 자기의 비굴감을 억지로 아물려 가기도 했다.

"빨리 갈아입으래두."

오중해는 몸뚱이를 굽혔다 펴며, 예비운동을 하면서 한민에게 재촉해 왔다.

"응, 갈아입을게……."

한민은 속없는 대답을 하면서, 백인 쌍쌍이와 흑인 남자의 육체를 힐끗힐끗 놓치지 않았다.

"뭘 그렇게 보구 있어? 집을 떠난 지 며칠 안되는데, 벌써 딴 생각을 하고 있는가 보군."

"그럴지도 몰라"

한민은 맥빠진 웃음 속에 동떨어진 대답을 했다.

"흥, 한 달만 지나보지, 안달이 날 거야."

"그건 두구 봐야 알 일이지만……, 난 수영도 할 줄 모르는데……."

"괜찮아, 들어가 간물에 몸만 당구고 나오면 돼. 예까지 왔다 와이키키 해면에 몸 한 번 담궈보지 못했대서야 후회될 걸……."

한민은 오중해의 억지에 이기지 못해 탈의장에 가 수영복으로 갈아입고 나왔다.

"이 말라깽이루야, 원 창피해서."

"난 이렇게 검은 살결인데, 자넨 그래도 흰 편이어서 괜찮아. 별 수 있나 엽전은 그저 엽전식으로 하면 돼."

"엽전, 흥!"

한민은 절로 코웃음이 나왔다.

"외국에 나오면, 우선 배짱이 있어야 돼. 밤낮 비굴감만 가지다간 견디어 나갈 수 없다니까. 저는 저구 나는 나지 뭐."

"배짱!"

한민은 입속으로 되뇌이면서 오중해와 함께 바닷물 속으로 뛰어들었다. 오중해가 헤엄을 쳐 멀리까지 나가는 동안, 한민은 물 가장자리에서 잠겼다 떴다 하면서 구경거리로 시간을 보냈다.

흰둥이와 깜둥이 속에서의 노랑둥이, 아메리칸 속에서의 코리안, 이러한 상념은 미국에 머무르고 있는 동안 줄곧 한민의 머릿속에 저려진 비판 의식이었다. 엽전, 배짱. 오중해가 한 말을 한민은 두고두고 되씹어 갔다. 제 무리를 떠난 송아지가 망아지 속에서 자기의 색다른 모습을 비로소 발견하는 충격, 그러한 비교의식은 미국을 떠날 때까지 그의 머리를 감돌고 있는 독버섯 같은 집념이었다.

도심지에 들어서도 외관으론 아무것도 변한 것이 없이, 자기가 떠날 때의 그대로인 것처럼 한민에게는 느껴졌다. 다만 미국 거리나, 도중 경유해 온 하와이나, 일본의 그것과는 다르다는, 이국 풍물과의 대조적인 차이밖에는 느껴지는 것이 없었다. 그런 점에서 그는 그 동안 자기 자리를 비우고 떠나 있었던, 옛 터전에서의 소외된 거리감을 서서히 회복해 가는 심정이었다.

종로에서 차는 멈췄다. 한민은 박천우의 권유에 따라 어디로 가는지도 모르고 시키는 대로 차에서 내렸다. 아내는 자기만 먼저 곧장 집으로 가야겠다고 고집을 부렸으나, 박천우의 우격다짐에는 견디어내는 수 없었다.

그들은 박천우를 따라 한식집으로 들어섰다. 그제야 한민은 박천우의 의도가 짐작이 갔다. 박천우는 상대의 의사는 물을 염도 하지 않고 다짜고짜로 주문을 하는 것이었다.

"여기 냉면 곱빼기로 셋 줘요."

이것도 박천우의 예정된 스케줄이었나 보다고 생각하며 한민은 그저 멍멍해 있었다. 그러면서 이미 외국에 다녀온 경험이 있는 박천우의 용의주도한 배려에 고마운 마음을 금할 수 없었다. 자기가 식사 때마다 생각한 것도 집으로 돌아가는 대로 우선 냉면부터 한 그릇 먹어야겠다는 아쉬움이었었다.

미국에 있는 동안, 한민의 식생활이란 거의 기계적인 것이었다. 처음 몇 달은 하숙이었지만, 그 후는 자취로 바뀌어졌다. 인간이란 어떤 제약된 조건 속에 갇히게 되면 부득이 그에 순응하지 않을 수 없게끔 마련되어 있는가보다는 생각을 그는 절실하게 느꼈다. 처음엔 그 니글니글한 기름기에 물려 도무지 구미가 당기질 않았지만, 차차 시간이 흘러감에 따라 저절로 그 먹새에 길이 들어갔다. 식사 준비를 하기 귀찮을 때는 냉장고에 넣어둔 쇠고기로 대충 간을 맞추어 육회를 만들고는, 그것을 맥주 안주로 끼니를 메우기도 했다. 그런 때일수록 자기 입에 습성이 되다시피 한 김치며 냉면 생각이 더욱 간절했다. 김치는 채소에 가루로 된 마늘이니 고추니 하는 양념을 넣어 한구석에 꾹 박아두면 억지로 그 흉내라도 낼 수 있었지만, 냉면만은 별방도가 없었다. 그러다 그것도 시간이 경과됨에 따라 차츰 구미에서 잊혀져가고, 나중엔 김치의 그 시금털털한 냄새마저 오히려 쿼쿼하게 역겨워져갔다. 그만큼 인간이란 지극히 간사한 것인지로 모른다는 생각까지 들었다.

음식이 식탁에 놓여졌다. 한민은 보기만 해도 잊었던 입맛이 되살아오는 것만 같았다. 그는 젓가락을 쥐면서 침을 꿀꺽 삼켰다.

한민의 동정만을 유심히 지켜보고 있던 박천우가 입가에 웃음을 지으며 말했다.

"가만 있자, 반주를 해야지."

"아니, 대낮부터 무슨 술이야……."

"이 사람아, 벌써 네신데, 무슨 대낮이야. 빠다 냄새에 신물이 난 자네 비위를 좀 고쳐놓아야겠어."

"술은 그만 두세요."

보고만 있던 현숙이 슬며시 끼어들었다.

"조금만 하지요, 입맛을 돋울 정도로……."

박천우는 한민과 현숙을 번갈아 보며 말했다.

"그렇게 하지."

그제야 한민도 동의했다.

"맥주는 거기서 싫증이 나게 했을 거구. 어때, 냉면에 소주가 제격이지?"

"그래."

한민은 웃으며 머리를 끄덕였다.

"아무럼, 제 바닥에 돌아왔는데 제식으로 해야지, 그저 코리안은 별수 없다니까. 인제 얼마 안 가서 그 빠다 기름도 벗겨질 건데, 뭐."

박천우는 듬직한 체구에 어울리는 큰 웃음을 쳤다.

이년 만에 먹는 소주 반주에 곁들인 냉면 맛은 한민의 식욕을 돋우어 주었다. 비행기와 자동차에서 흐릿하고 메스껍던 기분이 말끔히 가시어지는 것만 같아 머릿속은 한결 거뜬해졌다.

"어때, 그것도 견디기 어려웠지?"

술기운에 눈 가장자리가 불그레해진 박천우가 눈을 씽긋하며 말을 걸었다.

"무어 말야?……."

육감으로 짐작이 가면서도 한민은 시침을 떼고 반문했다.

"이 사람이, 알아들으면서도 괜시리……, 그 성문제말이야……."

박천우는 현숙이 쪽으로 힐끗 시선을 돌리며 웃음으로 끝을 흐렸다.

"자넨, 먼저 겪어봐서 다 알 텐데 뭐."

한민은 주기와 매운 기운으로 이마에 솟은 땀을 닦으면서 어름어름 받아넘겼다.

"원체 영양과잉이 돼서, 더 견디기 어렵지 않어?……."

박천우는 짓궂게 덧붙였다. 한민은 약간 고개를 돌린 아내의 옆모습을 살피며 웃음으로 얼버무렸다.

그는 자기와 같은 케이스로 초청되었던 일본인 교수가 극도로 억압된 성(性)노이로제로 입국 삼개월도 못되어 되돌아간 사실을 떠올리고 있었다.

미국 대학에서의 한민의 생활은 거의 규칙적이고도 단조로운 것이었다. 대학 가까이에 있는 숙사에서 아침에 학교로 떠나오면 저녁에 그 길로 돌아가는 반복의 연속이라는 것이 더 옳을 것이었다. 그 사이 일주일에 한두 시간 알아들을 듯 말 듯한 강의를 청강하는 외에는, 대개 도서관에 처박혀 자기 전공관계 문헌을 뒤지는 것이 매일 매일의 일과였다. 미국이라는 윤택하고도 개방된 사회의 대학 분위기 속에서 사십도 못된 낯선 동양인이 겪어야 하는 고초는 성문제뿐 아니라 여러 면에서 절박한 것이 있었다. 도서관과 하숙 외에는 찾아갈 곳도 오라는 곳도 없는 외로움, 스치고 지나가는 얼굴마다 모두 자신에게 무관심한 표정들…….

캠퍼스의 잔디밭에는 튕기면 터질 듯이 한창 무르익은 이성의 육체들이 수없이 뒹굴고 있건만, 말 한 마디 정답게 걸어볼 엄두도 내지 못하고 지냈다. 늦은 봄 저물녘 교정 나무 밑이나 벤치에서 부둥켜안고 속삭이는 젊은이들, 학교 앞 강가에서 서로 맞붙어 뒹구는 쌍쌍이들, 가는 곳마다 거센 자극과 충동에 눈이 뒤집힐 지경이었다.

한민은 테니스 한 가지만이라도 제대로 할 수 있는 것이 얼마나 다행인지 몰랐다. 하드 공의 높이 튕기는 반동에 도전이라도 하려는 듯이 한두 시간 라켓을 휘두르고 나면, 몸에 땀이 흥건히 배어왔다. 그 땀을 샤워에 씻은 후에 시원한 맥주 몇 잔을 들이키고 나면 침울하던 기분이 얼마간 벗겨져갔다. 그에게 있어선 테니스가 운동만이 아니라, 질식할 것만 같은 심신의 긴장을 푸는 배설작용이자 레크레이션의 구실을 해주었다.

어쩌다가 아는 친구들끼리 어울려 거리의 술집을 찾아가지만, 스카치 한 잔 들 때마다 호주머니 속의 달러 액수를 계산하는 옹졸한 술자리란 애당초 맛이 나지 않을뿐더러 불안하기 짝이 없었다.

이럴 즈음 경제 시찰단에 끼어 우연히 찾아온 사람이 중학동창인 실업가 최상억(崔常億)이었다. 그는 최 사장과 함께 처음 뉴욕으로 갔다. 그 기회에 오래 참았던 울적을 겨우 풀어보았을 뿐, 그밖엔 이렇다 할 추억의 이야깃거리 하나 남기지 못한 채 돌아오고 말았다.

박천우와 갈라진 한민은 아내 현숙이와 함께 차에 올랐다.

"당신 그 사이 고생 많았겠소."

둘만의 분위기가 되자 한민은 비로소 아내에게 위로의 말을 건넸다. 오래 집을 비워둔 것이 아내뿐만 아니라 집안 식구들에게 모두 미안한 감만 들었다. 자기 혼자 고생을 피해서 편안한 생활을 하다가 돌아온 것만 같은 자책감이 곁들었다.

"오히려 당신이 객지에서 고생이 많았겠어요."

아내는 눈물이 글썽해 있었다. 상기된 감정을 억누르느라고 입술이 바르르 떨렸다. 아내의 눈 가장자리에 서린 거미줄 같은 잔주름이 눈을 깜박거릴 때마다 도드라져 보였다. 한민은 떠나기 전에는 그렇게 눈에 띄지 않던 주름이라고 혼자 생각하고 있었다. 흘러가는 세월의 탓도 있겠지만, 고된 살림살이에 지친 때문일거라고 그는 제깐의 생각을 이어갔다.

아내의 입은 옷은 자기가 떠날 때의 그것이었다. 미장원에 다녀왔는지 머리는 깨끗이 빗어 넘겼지만 얼굴은 퍽 야위어 보였다. 집안을 꾸려나가기에 오죽했겠느냐는 생각이 뒤따랐다. 아내에게 물을 말이 많을 것 같으면서도 그는 정작 화제를 잃고 있었다. 그 자신도 저도 모르게 격해 있음을 느꼈다.

"집안은 다 무사하고?"

그는 겨우 생각해낸 듯이 한참 뒤에야 입을 열었다.

"별일 없어요."

"어머니는?"

"요새 며칠째 누워 계셔요."

"왜?"

그는 다급하게 물었다.

"몸이 좀 편치 않으세요."

"무슨 명인데?"

"아마 신경통이라나 봐요."

"그래, 그럼 혁(赫)은?"

그는 병신이 된 아우가 궁금했다.

"늘 그렇지요, 뭐."

4·19 데모 때 앞장을 섰다 골반에 관통상을 맞은 혁은 일년 이상 병원에서 치료를 받았지만, 끝내 하반신을 자유롭게 쓰지 못하게 되었다. 늘 방안에 들어박혀 있는 그는, 전의 씩씩하고 쾌활하던 성품은 간데없이, 우울하고 신경질적인 기질로 바뀌고 말았다.

"정아는?"

그는 누이동생의 안부를 물었다.

"잘 있어요."

한민은 거의 사무적인 순서로 물어갔다. 떨어져 있으면서도 밤낮 집안 일이 궁금했지만, 그렇게 골치 아픈 현실을 눈앞에 보지 않고 지냈던 것이 오히려 편안했던 것만 같게, 맞닿은 사태는 처음부터 가슴에 부담감을 안겨다 주었다.

한민은 아내를 앞세우고 대문 안에 들어섰다. 첫인상이 자기가 떠날 때와 아무것도 달라진 것이 없었다. 잠깐 가까운 곳에 다녀온 기분이었다.

자리에서 일어나 벽에 기대앉은 어머니에게 그는 큰절을 했다.

"객지살이에 고생이 됐겠구나."

어머니는 마치 어린 아기 다루듯이 아들의 머리를 어루만지며 눈물을 쭈룩 흘렸다. 어머니의 깊이 주름진 얼굴이 경련을 일으키듯이 실룩거렸다. 한민도 순간 동심으로 돌아가 울먹해졌다.

"명심이 올봄에 학교에 들어갔단다. 이렇게 예쁜 학생이 됐어."

어머니는 손녀를 쓰다듬으며 말했다.

"너, 미국에서 아버지 소식 좀 얻어듣지 못했니?"

어머니는 아들을 만나는 대로 오직 이 한마디가 묻고 싶었었는지도 몰랐다.

6·25사변 때 납치된 아버지의 생사는 아무도 아는 사람이 없었다.

"너, 미국에 가거든 어떻게 줄을 놓아 아버지 소식을 알아보렴."

한민이 떠나기 전날 밤, 어머니는 아무도 옆에 없을 때 아들을 불러놓고 이런 당부를 했었다. 한민은 하버드 도서관에서 세계 각국에서 모여든 학보나 논문집을 뒤지면서, 북한 발행의 서적이나 논문 부록 속에 혹시나 아버지의 이름이 끼어 있지 않나 하고, 샅샅이 훑어보았다. 그러나 허사였다. 사변 전에 자기가 알고 있는 학계 인사의 이름들이 더러 눈에 띄었으나, 아버지의 이름은 발견되지 않았다. 결국 아버지의 생사는 알 길이 없었다.

"소식 못 들었어요."

한민은 맥풀린 대답을 했다.

"그래……."

실망 어린 어머니의 목소리는 꺼져가는 듯했다.

혁이 지팡이에 의지하여 절름거리며 건너왔다.

"형님, 잘 다녀오셨어요?"

상상 이외로 명랑한 혁의 목소리를 듣자 한민은 얼마간 마음이 놓여졌다.

"얼마나 고생했니?"

한민은 동생을 얼싸안으며 등을 쓰다듬었다.

아무런 피의 대가도 찾지 못하고 보람 없이 병신만 되었다면서 늘 집안에 처박혀 신경질만 부리던 혁, 그가 예상외로 만면에 웃음을 띠우고 형을 반기니, 한민은 그저 기쁘기만 했다.

그러면서도 자기 집안은 어쩌면 해방 이후 계속 피해만 받아온 것만 같은 억울한 감정이 오래 잊혀졌다가 다시 솟구쳐옴을 느끼자, 순간 한민은 착잡한 심경에 젖었다.

그사이 명심은 한쪽 구석에 밀쳐놓은 짐짝을 꾸역꾸역 뒤지고 있었다. 무엇이 들었나 해서 몹시 궁금한 모양이었다. 그러나 밑바닥까지 뒤집어보아도 자기소용이라곤 한두 가지의 장난감밖에 눈에 띄지 않자 적잖이 실망하는 표정이었다.

"흥, 시시해. 우리 동무 아버진 전축이랑 텔레비랑 가져왔던데……."

명심은 타이프라이터의 키를 잘가닥거리며 불평을 퍼부어댔다.

남편이 입던 옷가지를 들어내고 트렁크 밑바닥에서 굴러다니는 콤팩트를 바라보는 아내의 표정도 시무룩해 있었다. 어머니는 앞에 내놓은 초콜릿 통을 열어 애들에게 나누어 주면서도 자신은 입에 대지도 않았다.

"아버지가 객지에서 고생하다 왔는데, 뭘 그러니……."

어머니가 독백 같은 중얼거림을 들으면서 한민은 코허리가 저려옴을 느꼈다.

"자, 너 학교에 들어간 선물이야."

한민은 볼펜 하나를 끄집어내어 딸에게 주면서 말했다. 명심은 그제야 불만이 좀 가셨는지 볼펜 꼭지를 눌러 딱딱 소리를 내면서 싱글벙글했다.

자리에서 일어난 한민은 집안을 돌아보았다. 말끔히 도배가 되어 있었다. 돌아오는 남편을 위해 있는 대로의 정성을 기울인 아내의 수고가 엿보였다.

그는 서재로 건너갔다. 자기가 떠날 때 쌓아둔 그대로 책이 놓여져 있고, 책장의 위치하나 변한 것이 없었다. 차라리 얼마간 변한 것이 있다면 그것은 자기 자신일지도 모른다는 생각이 들었다.

그는 이년 동안 전연 생활 습속이 다른 환경 속에서 살아온 자신을 돌이켜보았다. 처음엔 식사, 잠자리 할 것 없이 모든 것이 어울리지 않아 그 이질적인 분위기에 자기 자신을 맞추어 넣느라고 얼마나 애를 먹었던 것인가. 그러나 그 색다른 생활에 억지로 순응되어 겨우 습성으로 익숙해질 무렵, 이번에는 그 생활을 버리고 거기를 떠나야만 하지 않았던가. 그러고 보니 기껏 겉맛만 핥는 둥 마는 둥 하다가 제자리로 돌아온 셈이었다.

저녁상이 들어왔다. 오래간만에 돌아온 주인을 위해 상에는 입에 익은 반찬들이 푸짐하게 차려져 있었다. 그러나 그는 낮에 먹은 냉면의 트릿한 기분이 아직도 남아, 대충 드는 양하다가 수저를 놓았다.

"아니, 왜? 더 드시지 않구."

아내의 놀라는 말투였다.

"아까 먹은 냉면이 아직 꺼지지 않았어."

"그리도 좀더 드세요."

"더 들어갈 곳이 있어야지."

현숙은 모처럼의 정성이 보람 없는 듯한 서운한 표정이었다.

밤늦게 잠자리에 들면서도, 한민은 낯선 곳 여관방에 홀로 뒹굴고 있는 것만 같은 어리벙벙한 환각에 사로잡히기까지 했다.

그러나 결혼 후 수년, 이번처럼 길게 아내와 갈라져 지낸 일은 없었다. 그 탓인지 그는 마치 신혼 초기 같은 야릇하고도 호기심에 찬 긴장감에 젖어 있기도 했다.

눈에 달이 오른 듯한 아내도 어딘가 수줍고 어색한 몸짓이었다. 오랫동안 혼자 침대살이를 해온 한민에겐 아내와 나란히 눕고, 그 옆에 어린 놈까지 덧붙은 온돌방이 어딘가 부자유스럽기만 했다.

성생활이란, 그것도 하나의 습성 같은 것이어서, 걸신이 들어 돌아오면 한달음에 그간의 공백을 메울 것만 같았지만, 사실은 정반대의 현상으로 나타나는 것만 같이 그에겐 느껴졌다. 그는 그사이 저도 모르게 변해버린 자기의 생활에 쓰디쓴 웃음을 삼키며, 아직도 머릿속에 뱅뱅 도

는 보스턴 하숙방 한구석의 덩글한 싱글 베드를 어두운 공간 속에 그려
보는 것이었다.

제2장

한민은 다음날 인사 겸 학교로 나갔다. 이십대와 삼십대의 꿈과 젊음
을 송두리째 파묻어온 캠퍼스, 새삼스러운 감회가 물결쳐왔다. 해방의
감격과 함성 속에서 교문이 다시 열려, 일본말을 팽개치고 처음으로 우
리말로 강의를 받던 곳, 수많은 학우들이 흩어져버린 국대안(國立大學案)
반대소동, 학교 안이 쑥밭이 된 6 · 25 사변, 거기에 4 · 16 항거, 그리고
5 · 16 군사혁명, 자기 신면에 휘몰아치던 몇 굽이의 아슬아슬한 위기, 조
국의 전변하는 역사의 소용돌이 속을 헤집어온 갖가지 사연들이 알알이
스쳐갔다.

아버지도 그 태풍 속에 휩쓸려간 희생자의 하나다. 그러나 그 생사조
차 아직 알 길이 없다. 지금 자신이 서 있는 위치는 대체 어디쯤인가. 그
모색의 과정은 끝나지 않았다. 아직도 진행 중이다. 그러나 토대가 점점
굳어지는 것이 아니라, 불안 속에 동요되고 있는 것만 같이 느껴지는 것
은 무슨 탓일까? 분명 창문에는 한낮의 태양이 비치고 있는데……

십수 년을 누비고 온 실마리가 가슴 뿌듯이 짓눌려져왔다. 그 동안 나
무도 자라서 무성해졌다. 정원수의 짙은 녹음이 찌는 듯한 폭양 속에 더
욱 싱싱해 보인다. 그러나 교정은 텅 비어있다. 도서관 앞 고목 활엽수
밑 벤치에 한 쌍의 남녀 학생이 가지런히 앉아 소근대고 있는 모습이 눈
에 뜨일 뿐이다. 그 정경이 나무 그늘의 음영에 조화되어 자연스럽고 정
다워 보인다.

찰스강 가에 자리 잡아 삼세기의 유구한 전통을 과시하고 있는 하버드
대학, 그는 스쳐온 이국의 회상을 더듬어갔다. 하버드 야드 속에 고색창

연하면서도 전아하게 꾸며진 고풍의 석조전에서부터, 남북으로 확장된 현대 건물에 이르기까지, 세기의 준재를 기르기에 유족한 시설을 갖추고 있는 캠퍼스, 도서관만 해도 칠백만 권의 장서를 소장하고 있다고 하지 않았던가. 한민은 저도 모르는 사이에 자기가 직접 보고 겪고 온 남의 것과 초라한 제 것을 견주고 있는 것이었다. 한국의 도서관은 전국에 걸쳐 이백여 개소나 된다지만, 그 장서를 전부 합쳐야 기껏 육백만 권, 그것마저도 대부분은 낡아빠져 휴지 부스러기나 다름없이 쓸모없는 책들. 남의 나라 한 대학의 장서만도 못한 것들……. 이런 조건 속에서 대체 무엇을 할 수 있을 것인가 하고 그는 자신에 반문했다. 섣불리 내 것보다 나은 남의 것을 수박 겉핥기로 보고 온 것이 오히려 자신을 회의 속에 잠기게 하는 것만 같았다.

본관 사무실에 들렀으나 방학 중이라서 간부급은 대부분 자리를 비우고 없었다.

그는 도서관 쪽으로 발을 옮겼다. 그가 떠날 때부터 송수관 고장으로 쓰지 못하면 변소는, '使用不能'이라고 써놓은 문설주의 백묵 글씨가 흐려졌을 뿐, 여전히 녹슨 굵다란 못이 문짝 모서리에 박힌 대로다. 이십년 가까이 단 한 번도 증기가 통해 본 적이 없는 스팀 관들은 도금이 벗겨진 채 얼룩진 벽 앞에 폐물처럼 아직도 그대로 놓여져 있다. 전에는 만성이 되어 스쳐 넘겼던 것들이 모두 눈에 거슬렸다. 누구라고 꼭 지목할 수 없는 초점 흐린 막연한 분노가 불끈 치밀어왔다.

한민은 이윤의 연구실 도어를 노크했다. 안에선 아무 대답도 없다. 핸들을 돌려보았으나 굳게 잠겨 있었다. 이윤이 혁명정부의 어느 부처 고문인가에 임명되었다는 소식은 미국에서 이미 들었었다. 그러나 지금쯤은 혹시 제자리에 돌아와 있지 않나 해서였다.

그는 다시 조영호의 연구실을 두드렸다.

"네."

틀림없는 본인의 목소리다. 한민은 도어의 손잡이를 돌렸다. 안으로 잠겨 있지 않아 문은 그대로 열려졌다.

"자네, 언제 왔나?"

"어저께."

조영호는 러닝셔츠에 팬츠 바람으로 읽던 책에서 눈을 떼며 씰룩거리는 회전의자의 각도를 돌리고 있었다.

"이렇게 벗고 있길래, 그 출입문은 열어놓질 못했어. 나는 잠가 놓은 줄 알았는데……."

조영호는 허겁지게 한민의 손을 잡으며 히죽이 웃었다.

"원, 더워서 견딜 수 있어야"

그는 변명하듯 덧붙였다.

"이렇게 더운데 바다로도 안 가구?"

"이 사람, 미국 물을 마시더니 변했군 그래. 피서를 가게 어디 조건들이 갖춰져 있나 원."

한민은 무심결에 말했으나, 영호는 고지식이 받은 모양이었다.

"역시 계속 파구 있군."

"파는 것이 다 뭐야. 갈 데 없으니까 이렇게 강짜로 버티고 있는 거지. 어때, 재미 좋았지?"

"재미가 다 뭐야, 다 알면서. 고생만 실컷 하다가 왔어."

"글쎄 그렇다니까, 별수 있어야지. 역시 돌아와 보니 한국이 살맛이 나지?"

"응, 뭐뭐해두 제일 좋아."

한민은 진심에서 영호의 말에 호응했다. 그만큼 자기가 가기 전에 생각하던 것과 겪고 난 뒤의 심정은 엄청나게 달랐다.

"어때, 나처럼 노이로제는 안 걸리구"

"거기까지는 가지 않았어……."

"역시 그거 견디기 힘들지?"

조영호는 껄껄 웃으며 말했다. 한민도 마주 받아 웃으며 끄덕였다.

"연구도 많이 하구?"

"그저 하는 시늉을 했지……."

"역시, 효과를 내자면 몇 해 꾸준히 박혀 있어야 해. 일, 이년 그렇게 벼락치기로 다녀왔댔자 그저 주마간산격이지, 별수 있어?"

조영호는 옷을 주워 입기 시작했다.

"더운데 그대로 있지 뭐."

"아니, 친구가 금의환향을 했는데 우선 환영의 차라도 한잔 해야지."

"금의환향?"

조영호의 농담에 한민은 일년 더 연장했으면서도 이렇다 할 성과를 거두지 못하고 돌아온 자신이 오히려 무색했다.

둘은 연구실 복도로 나섰다.

"가만 있자, 나 교수실에 가 우편들을 좀 찾아봐야겠어."

한민이 말했다.

"응, 그럼 그쪽으로 돌아가지."

조영호가 대답했다.

한민은 조영호를 따라 본관 쪽으로 발을 옮겼다.

교수실에 들어서니, 안일이 소파에 앉아 무엇인가 끄적거리다가 문 쪽으로 시선을 돌렸다.

"아니, 한 선생, 언제 오셨소?"

안일이 검은 안경테를 치켜 올리며 자리에서 일어섰다.

"어저께 왔어요."

한민은 안일과 인사를 나누고, 복스에 마주앉았다.

"신관이 퍽 좋아졌는데요……."

안일이 한민을 건너다보며 말했다.

"그래요?"

한민은 되묻듯이 대답했다.

"아주 몸이 났어요. 역시 육식이 채식보다는 나은 모양이지요?"

"아니, 수업은 안하고, 먹고 놀기만 해서 그런가 봐요."

"하기야, 수업의 부담이……."

"먹새가 좋아서 그렇다니까……."

옆에 앉은 조영호가 받았다.

"어때요, 많은 성과 거두었지요?"

"그저 놀다가 왔는걸요."

한민은 덤덤히 대답했다.

안경을 벗어들고 이마의 땀을 닦고 있는 안일, 그 난시의 신경질적인 눈언저리는 움푹 패어 있었다. 더위 탓인지 왜소한 그의 몸집은 더욱 야위어 보였다.

"안선생은 더위 속에 뭘 그렇게 열심히 하고 있소?"

조영호의 말에는 '열심히'에 악센트가 붙어 있었다. 안일과 마주치면 늘 비꼬는 어조로 말머리를 돌리려드는 조영호의 성미를 잘 알고 있는 한민은 또 시작이구나 싶었다.

"이걸 정리하느라구."

안일은 옆에 놓인 원고 뭉치를 가리키며 말했다.

"무엇인데요?"

조영호가 물었다.

"에세이집입니다."

안일은 원고에 눈길을 던진 채 대답했다. 그 에세이라는 말이 떨어지기 바쁘게 조영호는 한민을 바라보며 눈을 찡긋했다.

안일이 가벼운 철학적 색채에 문명비평을 겸한다는 자기의 글을 평론이나 수필이라고 부르기보다, 굳이 에세이라고 즐겨 말하는 것을 조영호는 못마땅하게 여겨 빈정대기 일쑤였다.

"철학은 무슨 철학, 시류에 편승하는 자극적인 문구에 철학 냄새를 풍겨 독자의 구미에 영합하는 사이비 철학이지. 말하자면 베스트셀러를 노려 선량한 독자를 현혹시키는 곡학아세(曲學阿世)의 속임수야. 말하자면 기회주의가 아니면 위선자에 지나지 않는 거란 말이야……."

그때 한민은 안일의 글을 깊이 파고들어 음미해 본 적도 없었고, 거기에 대한 별다른 관심도 갖고 있지 않아, 극단적인 혹평을 퍼붓는 조영호의 말에 오히려 섬찍함을 느꼈었다.

"안 선생, 그럼 에세이집이 몇 번째인가요?"

조영호는 능글맞게 물어댔다.

"그러니까, 네 번째지요."

안일은 아무것도 이상하게 느끼는 표정 없이 예사롭게 대답하고 있었다.

한민은 자기가 떠나기 전에 나온 안일의 에세이집이 베스트셀러라고 떠들썩하던 일을 생각하고 있었다. 그것만이 아니라, 얼마 전 미국 도서관에서 본 한국 신문광고란에, 안일의 큼지막한 사진과 함께 오단 전단으로 책 광고가 났던 것을 되새겨갔다.

"언제쯤 나오지요?"

조용호는 짓궂게 물어댔다.

"쉬 나오게 될 겁니다."

"이번에도 또 그 사회참여 문제를 다루었는가요?"

자기 발언이 좀 지나친 것 같은 감이 들었던지, 조영호는 웃음으로 끝을 흐렸다.

"역시 우리 지성인으로서, 절망적인 현실에 대한 앙가주망은 절실한 것이 아니겠어요?"

여전히 태연하게 대답하는 안일과 능글맞은 조영호를 바라보며 한민은 스며나오는 웃음을 참을 수 없었다.

사실 4 · 19 때의 안일의 처신에 대해서는 한민도 생각나는 것이 있었다. 학생들 앞에서와 글에서는 늘 앙가주망을 밥먹듯 부르짖던 그가, 정작 교수 데모가 터졌을 때는, 그것에 적극 동조하는 의사를 표명하면서도, 실지의 행동이 있었을 때는 몸을 살그미 뺀 사실이다.

신문사의 논설위원으로도 그는 언제나 한 자리에 붙어있질 못했다. 어떤 때는 야당 신문에서 집필하는가하면, 얼마 안 가서 여당지로 바뀌어지기도 했다. 그러면서도 그는 신문 논설위원이니 잡지 편집위원이니 하는 자리는 놓치지 않고 늘 겸직하고 있었다.

"그런데 한 선생, 세상이 이렇게 불안해서야 어디 살겠소? 한 선생이야 그사이 밖에 나갔다 와서 국내 사정에 어둡겠지만 조 선생은 어떻소?"

안일은 자기에게 쏠렸던 화살을 피하기나 하려는 듯이 재치 있게 화제를 돌렸다. 그의 얼굴에는 현실을 걱정하는 음울한 표정마저 깃들어 있었다.

"그거야 안 선생 같은 현실파 우국지사나 걱정할 문제지, 나같이 연구실에 틀어박혀 세상 돌아가는 물정도 모르는 위인이야 어디 생각할 겨를이나 있어요."

조영호는 싱글거리며 여전히 빈정대는 말투였다.

"조 선생, 그렇게 비비 꼬지만 말고, 좀 진지하게 생각할 문제라서요."

안일은 한민 쪽으로 시선을 돌리며 말을 이었다.

"한 선생, 그렇지 않소, 어디 한 선생이 떠나실 때보다 달라진 것이 있어요?"

"글쎄, 돌아온 지 얼마 안 되는 내가, 그사이에 벌어진 광경을 전연 못 보았으니, 무엇을 알겠소."

사실 한민은 그사이 멀리 떨어져 있었던 만큼 국내의 모든 사정이 어리벙벙하기만 했다.

"이 학교 꼴만 보시오. 나날이 퇴락해 가고 어디 나아진 것이 있어요?"

안일은 열을 올리며 말을 계속했다.

한민은 비가 샌 얼룩자리가 그대로 남아 있는 교수실 천장 귀퉁이를 바라보며 쓸쓸히 웃었다.

"해방 십수년에 학자를 요꼴로 만들어놓지 않았소. 도서관이나 연구실도 그렇구, 이래가지구야 어디 연구가 제대로 되겠어요?"

안일은 비분강개하는 말투로 어세도 점점 높아갔다. 그것은 비단 안일 혼자만의 생각이 아니라 한민도 동감이었고, 또 모든 동료들이 공감하고 있는 사실이기도 했다.

"그러나 안 선생은 수입도 놓으시고, 가장 유리한 위치에 놓여 있지 않으시오."

조영호는 슬며시 안일을 건드렸다.

"그러니 오죽해요. 연구실에 붙어 있지 않고 매문가(賣文家)로 팔려다니니, 장돌뱅이지 뭐겠소."

안일의 진심에서 우러나오는 고백 같은 이 한 마디는 한민의 가슴에 거세게 와 닿았다. 주위의 사람들이 안일의 인간성이나 그 처세술을 무턱대고 비난하고 있는 것은 너무 선입관적인 곡해가 아닌가 하는 생각마저 들었다.

"군정에서 민정으로 넘어오는 중대한 선거를 앞두고, 역시 우리 지성인의 어떤 의사표시가 있어야 하지 않겠소?"

"안 선생, 그 지성 이야기 그만합시다."

조영호가 받치며 말했다. 안일이 늘 방패로 되풀이하여 내세우는 그 지성이니 인텔리니 앙가주망이니 하는 상투어가 한민에게도 귀에 거슬렸다.

"지성인이 아니라도 한 사람의 시민으로서 역사의식에 대한 어떤 방향 감각 같은 것은 피차 가져야 할 시기라고 생각해요."

한민은 자기 소신대로 한 마디 곁들었다.

"아무렴요. 그런 뜻에서 만시지탄이 없지 않지요."

안일은 한민의 동조적인 대답에 신이 나 했다.

"그래, 요새는 베스트셀러 소리를 들으면 대체 책이 얼마나 나가지요?"

조영호가 또 짓궂은 각도로 화제를 이끌고 나갔다.

"전번에 낸 에세이집이 삼개월 만에 이만 부가 팔렸어요."

안일은 태연하게 대답하고 있었다.

전문적인 학술서적이라면 몇 백부 나가기도 힘든 판인데 그 엄청난 숫자에 한민은 깜짝 놀랐다.

"그 '知性의 廣場' 말이지요?"

그는 무심결에 안일의 말을 받았다.

"네."

"아, 이만 부, 그거 참말인가요?"

조영호가 곧 따라 물었다.

"그럼요. 지금도 계속 나가고 있어요."

이쪽의 반 농담어린 표정엔 아랑곳없이 안일은 정색을 하고 내세웠다.

"참 대단하시오."

조영호의 믿지 못하겠다는 흐린 말투였다.

"그래, 이건 천천히 내도 놓은 건데, 어디 출판사에서 사람을 가만히 있게 해야죠? 하도 조르기에 방학 동안에 원고를 정리해 넘겼지요."

안일은 누런 봉투 속의 교정 뭉치를 치켜들며 자랑이라도 하려는 듯한 기색이었다.

"그럼, 몇 백만 원 들어왔겠군요?"

조영호는 여전히 빈정대는 어조였다.

"뭘요. 현재까지는 그 책에서 한 육십만 원 밖에 들어오지 않았어요."

한민은 마음속으로 꽤 큰돈이라고 생각하며 말했다.

"돈 시세가 엉망인데 어디 오막살이 한 채 값이나 되나요?"

"안 선생하구 우리는 단위가 다르군요. 자, 한 선생도 돌아왔는데 우리 나가 차나 한 잔 합시다."

조영호가 먼저 일어나며 말했다. 한민은 조영호와 안일의 뒤를 따라 그들과 함께 교수실 밖으로 나왔다.

차를 마시고 돌아온 한민은 자기 연구실로 갔다. 열쇠 구멍에 키를 넣고 돌리려는 찰나 안에서 문이 열렸다. 강세훈과 김영옥이 같이 있었다.

방안은 말끔히 치워졌고, 책상 위 화병에는 탐스런 장미꽃이 꽂혀 있었다.

"선생님 나오셨어요?"

그들은 당황히 인사를 하면서도 약간 멋쩍어하는 표정이었다.

"둘이 같이 졸업논문 자료를 정리하고 있습니다."

세훈이 영옥이 쪽으로 흘깃 던졌던 시선을 돌리며 변명이라도 하듯이 말했다.

한민은 장서의 관리 책임 관계로 열쇠를 가진 세훈 이 외에는 아무도 연구실에 들어오지 못하게 했었다.

"어제는 일부러 비행장까지 나와 주어서 고마웠어."

한민은 그들의 어색해 하는 심정을 알아차렸기에 자기편에서 먼저 무관한 듯이 누그러지게 말했다.

"강 군, 그새 별 일 없었지?"

"네."

영옥이는 재빨리 태연한 자세로 돌아가는데, 세훈이 편이 오히려 어쩔 바를 몰라 했다. 재학 중에 군대에 들어가 일선 복무까지 끝내고 와 평소에는 아주 대담하던 세훈이다. 그도 허가 없이 다른 학생을 연구실에 들여놓은 것이 퍽 미안쩍은 모양이다. 더욱이 자동키로 된 외딴 방에 여학생과 단 둘만 있는 자리를 들킨 셈이니 퍽 난처한 표정이었다.

"저희 둘이 졸업논문에 비슷한 테마를 잡았습니다."

세훈은 발목을 잡힌 듯이 제 편에서 무엇인가 더 변명하려고 했다.

"응, 괜찮어. 그대로 함께 공부하지."

한민은 오래 비워 두었던 자기 테이블 앞에 앉아 밖을 내다보았다. 창문을 가리운 나무그늘 덕분으로 방안은 바깥보다 한결 서늘했다.

"영옥이도 벌써 졸업반이야?"

"네."

"단발머리로 입학하던 것이 어제 같은데……."

한민은 그들의 분위기를 부드럽게 하느라고 일부러 아는 일을 물었다.

"저만 손해를 봤습니다."

누그러진 공기에 힘을 얻어 세훈이 웃음 지으며 참견해 왔다.

"그 대신 일찌감치 군대를 끝내고 왔으니까, 졸업하자 곧 취직이 될 거 아냐."

"하지만 하급생들과 같이 졸업을 하게 되니까, 어쩐지 손해를 본 것 같습니다."

"졸업을 하구도 어차피 군대는 갔다 와야 하지 않겠어."

"저와 같이 입학한 축들이 안 가고 버티는 것을 보니까, 저만 바보였던 것 같습니다."

"그래도 긴 인생을 살아가자면, 치러야 할 건 다 정정당당히 끝내놓아야지. 그렇지 않으면 위급한 고비에 가서 비굴하기 쉽단 말이야."

"아무렴."

한민은 잠시 멈췄다 말을 이었다.

"강군은 대학원에 진학할 작정인가?"

"네, 그럴까 생각하고 있습니다. 이왕 늦어진건데요."

"그래, 영옥인 졸업을 하면 어떡헐래?"

만년필 꼭지로 입술을 매만지며 바깥쪽에 시선을 돌리고 있는 영옥에게 한민은 말문을 돌렸다.

"글쎄요……."

"취직할 작정인가?"

"아니요."

비교적 부유한 가정에서 자란 영옥은 취직 소리엔 즉각 부인해 왔다.

"그럼, 졸업하자 결혼하려구?"

"전, 아직 결혼문제 같은 건 생각해 본 적이 없어요."

영옥이는 세훈의 눈길을 훔치며 대답했다. 한민은 무엇인가 짐작이 가는 것이 있으면서 아는 체를 하지 않았다.

"없어? 그럼, 다른 계획이라두 있는가 보군."

"공부 더 계속 했으면 해요."

"그럼, 대학원에 진학하려구?"

"네."

둘은 무슨 사전 의논이라도 있었는지 서로 마주보고 있었다.

한민은 창 밖에 눈길을 던진 채 혼자 생각에 잠겼다. 지금까지 매년 입할 때의 경우를 보면 우수한 성적으로 들어오는 여학생이 적지 않았다. 그것만이 아니었다. 학교 성적엔 비교적 대범하고, 자기 전공의 독특한 분야 개척에 야망을 가지는 남학생에 비하면, 여학생은 점수를 따는 데만 급급해, 재학 중의 성적은 우수하면서도 졸업 후의 결과가 그에 따르지 못하는 실례를 너무도 많이 보아왔다. 삼·사학년이 되어 병역 문제가 덧붙게 되면, 남학생들은 그것에 몰려 정신이 헛갈리는 시기에도, 여학생은 공부에만 외곬으로 달릴 수 있었다. 그러나 대학원까지의 힘든 코스를 남학생과 똑같은 조건 속에서 겨누어 가며 끝마친 속에서, 과연 그 후의 업적이 계속 되어온 사람이 몇이나 되었던가. 한민은 어려운 관문을 스쳐간 수재라는 이름이 붙은 여학생들의 모습을 하나씩 더듬어보았으나 끝까지 꼽혀지는 사람은 별로 없었다. 입학시험에서 우수한 남학생과 싸워 이겼다는 경쟁의식 그것만으로 모든 것이 끝나는 것은 아닌 성싶었다. 그것은 오히려 단순한 출발지점에 불과한 것이었다. 부질없는 낭비, 그에게는 이 같은 극단적인 판정이 곁따라왔다.

한민은 회전의자의 각도를 돌리며 영옥이를 마주보았다.

"그래, 평생을 학문에 바칠 각오가 서 있어?"

한민의 너무나 단도직입적인 질문에 영옥은 순간 당황하는 표정이었다. 입학시험에 과의 최고 득점으로 들어온 영옥의 재질을 한민도 모르는 바가 아니었다. 그러나 그는 영옥에게 진학을 굳이 권유하고 싶지는 않았다.

"해보겠어요."

영옥은 한참만에 대답했다. 속으로 스스로에 다짐하는 결의의 탓인지, 맑은 얼굴이 불그레하게 열띠어 있었다.

"좋아. 그러나 우리나라의 실정으로는 자기의 전공과 가정 살림이 다 건전하게 양립한다는 것은 매우 어려운 일이야."

"네, 알고 있어요."

영옥의 너무도 재빠르게 받아 넘기는 대답에 한민은 내심 약간의 실망이 갔다. 남자도 평생을 자기 전공에 몰두한다는 것은 힘든 일인데, 하물며 여자로서 그것을 지탱해 간다는 것은 더욱 어려운 문제건만, 그렇게 쉽사리 단안이 내려질까 하는 의아심에서였다.

"아무튼 시험 준비나 잘 해요. 우선 합격을 해놓고 볼 일이니까……."

"네, 해보겠어요. 전 결혼보다 하고 싶은 일을 하는 것이 더 보람이 있다고 생각해요."

진실한 삶의 자세라고 해석될 수 있을지도 몰랐다. 그러나 아직 의지가 확고히 서기 전의 여성으로선 너무 피상적인 속단이다 싶어, 한민은 그 말엔 아무 반응도 보이지 않았다.

한민은 세훈과 영옥이 내미는 졸업논문 제목과 초안 목차를 훑어보고, 몇 마디 의견을 이야기한 다음 자리를 일어섰다.

그는 도서관 복도를 지나면서 낯익은 여러 학생들의 인사를 받았다.

남들이 산으로 바다로 하며 흩어져 가버린 무더운 방학 중에도 계속 도서관에 붙어 있는 그들, 한민은 다 썩고 곪아가는 현실 속에서도 무엇인가 한 가닥 서광이 비치는 것 같은 가냘픈 희망을 느끼며 밖으로 나왔다.

해질 무렵 집 앞에서 자동차 멈추는 소리가 났다. 이윤이 조영호와 함께 한민을 찾아왔다.

"잘 다녀왔어?"

"응, 덕분에."

"신색이 좋아졌구만."

"오히려 자네 얼굴에 건강색이 넘쳐흐르는걸."

한민은, 늘 거무죽죽하여 병색이 엿보이던 이윤의 얼굴에 맑게 광택이 도는 모습을 바라보며 말했다.

"말도 말게. 이 사람 벼슬 덕분에 아주 팔자가 티었다니까……."

조영호가 말했다.

한민은 기쁨에 넘쳐흐르는 그들을 집안으로 맞아들였다.

"자네 솜씨에 머릿수건을 하고 들이파다가 왔겠지?"

이윤은 자리에 앉으며 말했다.

"그저, 놀다가 왔지, 뭐."

"아니, 일년 더 연장한걸 보면 굉장한 노다지라도 발견한 모양이 아니야?"

"좀처럼 그런 기회가 다시 있을 것 같지 않고, 이왕 온 김에 좀 더 해보자고 마음은 먹었지만, 어디 한두 해를 가지고 두드러지는 성과가 나는 일이라야."

"어때, 좋은 에피소드라도 있었어?"

"에피소드가 다 뭔가, 그저 고생만 죽도록 하다가 왔다니까."

"그저 집을 떠나면 다 고생이지."

"아니, 정치만 조금 더 잘하면 한국만큼 살기 좋은 곳도 없다니까……."

조영호가 큰 소리로 끼었다.

"참 그래. 밖에 나가 봐야 제 나라 그리운걸 알게 돼. 외국에 나가면 애국자가 되지 않는 사람이 없다지 않아?"

이윤이 말했다.

"이 사람, 그 썩어빠진 애국자 소릴 좀 작작하게, 이젠 자칭 애국자에 신물이 난다니까."

조영호가 열기를 띠며 이윤의 말을 받았다.

"어때, 몹시 바쁘지?"

한민은 이윤을 건너다보며 말했다.

"그저 그래. 아무튼 사람이 하는 정신적인 일치고, 수업을 한다든가, 원고를 쓴다든가 하는 일처럼 몸에 골병이 드는 일은 없다고 생각했어."

"이 사람이 벌써 이렇게 변했다니까."

조영호는 이윤을 흘긋 쳐다보며 농어린 표정으로 말했다.

"변하긴 뭐가 변했어?"

이윤은 웃으며 받았다.

"가만히 있어. 내가, 참 이 사람에 대한 에피소드 하나 얘기할게, 자네 좀 들어보게."

조영호는 손을 내저으며 말했다.

"뭔데?"

한민은 조영호 쪽으로 시선을 돌렸다.

"이 사람이 글쎄 그 자리를 수락하는데 말야."

"또 그 이야기야, 그만해."

이윤이 제지하는 손을 막으며 조영호는 굳이 말을 이어갔다.

"노냐 예스냐 하는 마지막 단안을 내려야 하는 전날 밤의 이야길세. 몸이 나쁘다고 삼가던 술을 진탕 마시고 와서는 와이프더러 한다는 소리가 걸작이야."

"그만, 그만!"

이윤은 조영호의 입으로 손을 가져가며 말렸으나 영호는 더욱 기세를 올리며 뒤를 이었다.

"너, 이년, 어디 한번 돈벼락을 맞아봐라 했다니까, 하하."

한민과 조영호는 폭소를 터뜨렸다. 이윤도 빙긋이 웃고 있었다.

"그 자리가 어디 노다지판이라도 되는 줄 알았던 모양이지. 실권도 없는 고문인가 자문위원인가 하던 자리를 가지구. 에이, 이 사람, 처음부터 뇌물이라도 진탕 받아먹을 시키면 속셈이 있었는지도 모른다니까."

조영호는 껄껄 웃으며 끝에 익살을 덧붙였다.

한민은 따라 웃으면서도 지난날의 이윤을 생각하고 있었다.

이왕가(李王家)의 종손(從孫)으로 태어나, 일제시대에도 조선 왕족의 대우를 깍듯이 받아오는 속에서 자라난 도련님 출신의 이윤, 그는 일본 황족(皇族)이 다니는 학습원(學習院)을 거쳐 동경제국대학 재학 중에 조선학도지원병(朝鮮學徒志願兵) 선풍에 걸렸다. 일본 황까지도 최전선에 나가 계속 전사하는 태평양전쟁 말기의 최후 발악 속에서, 이씨 왕가의 후예라고 이제끔 후대할 수만은 없는 다급한 판국이었다.

끝까지 학병을 거부한 한민은 그들이 말하는 소위 대동아공영권(大東亞共榮圈) 건설의 성전(聖戰) 참여에 정면 반기를 들고 나선 '후데이센징(不逞鮮人)'이라는 낙인이 찍혀, 강제 징용을 당하여 원산(元山)에 있는 기관차 공작창(工作廠)으로 끌려갔다.

한민은 여기에서 이윤을 처음으로 알게 되었다.

그때 한민에게 비쳐진 이윤은 왕족이라는 특권의식보다는 선량한 서민 기질로 느껴졌었다. 그러면서도 이윤은 일인들에게 대한 반항적 자세는 굽히지 않았었다. 평소 전연 접촉할 기회 없어, 왕족이라면 숫제 접근할 수도 없는 어마어마한 대상이거나, 그렇잖으면 유별한 특수 계층으로

만 생각해 왔던 한민의 선입관과는 너무도 거리가 먼 이윤의 첫인상이었다.

전쟁이 치열해질수록 징용자에 대한 적의에 찬 잔학은 더욱 가혹해졌고, 그럴수록 징용자끼리는 무언중 의사소통이 되어 반발적으로 단결이 굳어져갔다. 이런 분위기 속에서, 왕족이라고 이윤에게 특별대우란 있을 수 없었다. 그도 똑같은 후데이센징이었다. 앞날의 운명을 예기할 수 없는 암담한 속에서도, 한민은 이윤과 더불어 전쟁 종말의 공상어린 희망을 이야기하며 고역의 나날을 보냈었다. 그때의 이윤과의 깊은 인연을 한민은 오래도록 잊을 수 없었다.

해방된 해 가을 학업을 계속하기 위해 학원으로 돌아왔을 때 한민은 같은 캠퍼스 내에서 이윤을 다시 만나게 되었다. 둘은 부둥켜안고 감격에 찬 눈물을 흘렸다. 새로 찾은 제 나라에 무엇인가 뜻있는 일을 해야겠다고, 서로의 흉금을 털어놓으며 밤을 새워 술잔을 기울였다.

그 후 그들은 제각기 계속 연구실에 붙어 있었다.

그러한 연유로 한민은 미국에서, 이윤이 정치의 현실면에 직접 가담하여 잠시라도 연구실에서 멀어져 간다는 데 대해 아쉬운 심정을 금할 수 없었다.

그것이 지금 영호가 말한 대로, 자신의 능력이 참말 국가 시책에 이바지될 수 있다는 신념에서 간 것이 아니라, 오히려 호구지책으로 부득이 응한 결과라면 더욱 안된 일이라고 생각되었다.

한민은 원산 공작창에서 중노동에 시달려 땀을 뻘뻘 흘리며 부르튼 손의 물방울이 터져 입김으로 불어대던 이윤을 바라보았을 때 느끼던, 사양족(斜陽族)에 대한 센치 같은 감정을 다시 환기시키고 있었다.

그것만이 아니었다. 한민은 대학 재학시 이윤을 따라 그의 집으로 간 일이 있었다. 몇 겹의 대문을 거쳐 뜰 안에 들어섰다. 이끼 낀 기와에 눌린 거대한 고옥은 퇴락했고 황폐한 정원을 둘러싼 토담의 군데군데가 허물어져 있었다. 집의 외양은 순 한식이건만 내부는 반양식이었다. 빨간

융단을 씌운 의자의 등받이 위쪽에는 왕실 휘장인 배꽃 무늬가 새겨져 있었다. 한민은 그 의자에 앉아 호기심에 찬 눈으로 집안을 둘러보았다. 중창 위의 난간 문에도 창살 한가운데에 목각의 배꽃 문장이 붙어 있었다. 그것만이 아니라 집안의 오랜 손때 묻은 가구나 집기에도 모두 그 배꽃 무늬가 보였다.

한민은 자기를 위해 이윤이 일부러 베풀어준 저녁 상위의, 주먹만한 주발에 유독 신경이 갔다. 두 숟갈도 담길 것 같지 않은 귀여운 밥그릇이었다. 한민은 그날의 퇴락한 고가(古家)의 배꽃 무늬와 장난감 같은 주발에 비쳐진 왕가의 기울어져가는 영상을 지금껏 잊지 못하고 있었다.

그들은 이윤의 전용으로 배정되어 있는 검은색 지프차를 타고 도심지로 나갔다.

셋은 비어홀에 들어섰다. 육중한 선풍기가 돌고 있건만 후끈한 단기가 밀려왔다. 밖은 아직 그렇게 어두워지지 않았는데도 홀 안은 벌써 만원을 이루고 있었다.

겨우 자리를 잡은 이들은 새하얀 유니폼을 입은 소녀가 따라주는 맥주컵을 들었다.

"자, 한 형의 귀국을 환영하는 뜻에서……."

이윤이 말했다.

"고마와."

한민은 첫 잔을 비웠다. 찬 맥주의 감각에서 되살아오는 회상. 그는 미국 드러그 스토어에서 가장 값싼 술로 골라 마시던 이역의 외로운 분위기 속에서의 맥주 맛을 상기하고 있었다.

"요샌 비어홀에 오는 것도 겁이 나게 됐다니까."

맥주 한 잔을 단숨에 들이키고 난 조영호가 한민에게 잔을 권하며 말했다. 한민은 남의 나라에선 가장 하치 술로 생각하여 손님의 접대용으로는 별로 쓰지도 않는다는 맥주 한 잔 마시기에도 겁이 나게 된 연구실

동료들의 메말라가는 경제 조건을 생각하며, 쓸쓸한 기분으로 잔을 받았다. 그의 망막에는 찰스강가 하버드 스퀘어 모퉁이의 학생들이 줄곧 드나드는 맥줏집 풍경이 스쳐갔다.

"무얼 생각하고 있어. 자, 한 잔."

이윤의 말에 한민은 제 자세로 돌아왔다. 그는 잔을 받으며 이윤을 똑바로 건너다보았다.

"왜 이렇게 사람을 쏘아보는 거야? 내가 꼭 이단자만 같애?"

이윤은 자기가 연구실을 떠나 외도를 하고 있는 것에 대한 어떤 콤플렉스 같은 것을 느끼는 말투였다.

"아니, 천만에."

한민은 자기 속으로 생각하고 있는 것과는 딴판으로 반사적인 부정을 했다.

"자, 쭉쭉 들어."

이윤에게서 받은 잔을 돌리기도 전에 조영호가 또 잔을 내밀었다. 한민은 왠지 마음껏 취하고 싶은 심정이었다. 그는 주는 대로 연거푸 마시고는 잔을 돌렸다.

급하게 쏟아 넣는 술이라 빨리 취기가 돌았다.

"한형, 외도에 나선 나를 용서해줘."

이윤은 벌겋게 상기된 얼굴로 한민에게 잔을 권하며 말했다.

"무슨, 그런 소리를 새삼스럽게……."

예사롭게 대답하면서도 한민은 가슴 속이 찌릿한 괴로움을 느꼈다.

"그렇다고 긍정해 줘. 그래야 이 친구 속편해 한다니까. 그러나 용서는 할 수 없다고 해."

조영호가 한민의 말을 막으며 나섰다. 이쯤 되면 한민은 자기의 속심을 털어놓지 않고는 배길 수 없는 심정이었다. 친구가 솔직히 심중을 고백하는데 자기편에선 거슬리지 않게 적당히 얼버무릴 수만은 없었다.

"나는 자네 소식을 듣고 생각했어. 해방 이후 줄곧 연구실에만 파묻혀 있어, 실제 행정면엔 전연 백지인 자네가, 어떻게 현실적인 시책을 세우거나 그 자문에 응할 수 있을까 하고……."

한민은 잔을 비워 이윤에게 권하며 말을 계속했다.

"한 개의 오류가 그 자신에게만 영향을 미칠 때는 다른 사람에게 큰 지장은 주지 않지만, 일국의 기본 정책에 어느 일개인의 무지나 실수로 착오를 가져올 때에는, 그 피해의 파문이 선량한 국민 전체에 미친다는 것을 생각해야 해. 그렇잖아도 내가 미국으로 떠나기 전에, 벌써 교수 정치니 샌님 정책이니 하는 비난이 항간에 싹트기 시작하던 것을 직접 목격한 나로서는, 자네 성미에 오죽 심사숙고했겠는가 하는 생각도 했네만……."

"자네 말 잘 알겠네. 솔직히 이야기해 줘서 고마워……."

술기운의 탓인지 이윤은 심각해 보였다.

"현실면의 실질적인 참여도 중요하겠지만, 자네가 잠시라도 연구실을 떠났다는 것은 그만큼 학계를 위해선 손실을 가져온 셈이 아닌가."

"그렇게까지 과대평가할 건 없지만……."

이윤은 말을 계속하려다 끊고 있었다.

"이미 이렇게 된 바에야, 큰 실수라도 저지르지 않게 하는 수밖에 있겠나."

한민은 다시 이윤에게 잔을 권하여 화제를 완화해갔다.

"실수가 없으면 잘하는 건데, 그것도 어렵단 말이야. 그러니 일찌감치 그만두고 원대복귀 하는 게 상책이라니까."

조영호는 농을 섞으면서도 끝까지 늦추려 들지 않았다.

"그동안 시간이 흘렀으니 이젠 범의 꼬리를 쥐었다 놓을 수도 당길 수도 없게 됐을 게 아니야."

"아니, 그 정도가 아니야. 이 친구, 전화 하나도 없던 것이 그 덕에 놓았지, 자동차 타는 맛에 습성이 들었지, 어디 그 미련을 쉽사리 버릴 수 있겠어?"

한민의 말이 떨어지기 바쁘게, 영호는 즉각 핀잔어린 말투로 이윤을 골려댔다.

이윤도 그 이상 견딜 수 없다는 듯이 술잔을 쭉 비우고는 말을 시작했다.

"아닌 게 아니라 변명 같네만, 내 심정도 좀 털어놓아야겠어. 나는 처음에 교섭을 받았을 때는 참말 너무도 의외의 일이어서 당황했었네. 그래, 곰곰이 생각하던 끝에 내게는 합당한 일이 아니니 수락할 수 없다고 거절했었지. 그랬더니 몇 번 찾아와서, 그럼 혁명에 찬동하지 않는 것이 아니냐고 강경하게 나오지 않겠나. 나는 거기에 반발이 생겼댔어. 옳지, 이 기회에 내가 생각해 오던 소신을 한 번 실천에 옮겨 보겠다는 야망 말이야. 결국 따져보면 타의 반 자의 반인 셈이었어."

"그래, 국가를 경륜하겠다는 데 대한 그 소신 좀 들어 보세나."

조영호는 웃음을 섞어 진담인지 농담인지 몰라도 기회를 놓치지 않고 이윤의 말꼬리를 물고 들었다.

"그래, 변혁기에 있는 국가가 나 같은 것도 필요한 곳이 있어 부른다니, 덮어놓고 고집만 부릴 수야 있었겠나. 이건 너무 과대망상적인 아전인수인지는 몰라도, 유비(劉備)의 삼고초려(三顧草廬)도 있었는데 나 같은 거야……."

마음속을 털어놓고 나니 좀 후련했던지 이윤도 숨을 내뿜었다.

"자네 그 사이 변명하는 화술도 어지간히 늘었네 그려……."

조영호가 꼬집었다.

"사실 하찮은 수입으로 살림에 허덕이며 암암리에 불평을 늘어놓는 아내에 대한 반발적인 심사의 탓도 전연 없었던 것은 아니었어."

그제야 이윤은 웃음을 지으며 잔을 들었다.

"아무튼 스타일은 구겼지 뭐, 하하."

조영호는 이윤에게 잔을 권하면서 또 한 번 아픈 곳에 침을 놓고 있었다.

"스타일이야 옛날에 벌써 다 구긴걸. 가장 구실도 제대로 못하는 주제인데."

"그래, 자네 브레인이 실제의 행정면에 실효를 나타낸 게 대체 뭔가. 구체적으로 한 번 예를 들어보게나."

조영호는 몹시 취하여 말끝이 헛갈렸다.

"자, 그만 따지고들 술이나 들지."

그간의 실정에 어두운 한민은 막연히 무마하는 말투로 나왔다.

"아니야, 아까 자네도 말했지만, 세간에선 교수가 들어가 정치를 망쳐 놓았다고들 하지 않아. 그래, 기껏 했다는 게, 교육자를 사회의 밑바닥에 떨어뜨리고 경제적으로 파산시킨 것이 그 멋진 소신의 성과인가?"

조영호의 계속되는 공격을 이윤은 그저 웃음으로 받아 넘기고 있었다. 조영호도 악의에 차 헐뜯는 것은 아니었다. 서로 아끼고 믿는 속에서 허물없이 심중을 털어 놓는다는 것은 이윤도 이해하는 일이었다.

"권세나 돈에 눈이 어두워지는 것을 보니 자네도 인제 다 됐네 그려. 학교론 아예 다시 돌아올 생각일랑 말게. 그대로 발 벗고 정치로 나가게, 나가."

"이 이상 괴롭게 굴지 말고 술이나 듬세."

조영호에게 잔을 권하면서 이윤은 약간 비굴한 웃음을 지었다.

"그래, 나도 그만하지. 내가 진작 말하고 싶었는데, 옆에 증인이 있어야지. 둘이서만 맞대고 하면 감정만 상할 거구. 그래서 한형이 돌아오기까지 기다린 거야. 그러나 이제 다 끝났어. 다시는 되풀이 안해."

조영호는 취한 눈매로 이윤을 바라보며 손을 내밀었다.

"내가 너무 지나쳤나봐."

"지나치긴, 이제 두고 보면 알 건데."

"하지만 윤, 자네도 얼마 안 가서 그 양심에 녹이 슬면 벼슬맛에 차츰 구미를 돋울걸세, 하하."

"자, 우리 어디 가서 한잔 더하세."

이윤이 소리치며 먼저 잔을 들었다. 한민은 비틀거리는 조영호를 부축해 가지로 밖으로 나와 이윤의 뒤를 따랐다.

제3장

구월 초순, 새 학기 등록이 끝나고 강의도 본 궤도에 오르기 시작했다.

한민은 오래 쉬었던 수업을 다시 계속해야만 했다. 강의실에서 학생들을 새로 접한다는 가벼운 흥분에 겹쳐 그에게는 이년 동안이나 고스란히 팽개쳐버린 백묵을 다시 쥐는 데 대한 부담감이 밀려오기도 했다.

시간에 들어갔다 나올 때마다 그는 머리가 무겁고 가슴 속이 허황해짐을 느꼈다. 자기가 교실에서 이야기하고 나온 내용에 대하여 자신이 가지지 않았다. 도무지 만족할 만한 강의를 하고 나왔다는 흡족감을 느낄수 없었다. 내가 안다는 것이 대체 어느 만큼이나 되는 것일까? 그는 새삼스럽게 스스로에 반문을 던지며 자신을 돌아보았다. 남의 나라 학자들이 연구실에서 하고 있는 일에 비하면, 자신이 한 일이란 너무도 보잘것 없는 것만 같았다. 그것을 모든 환경의 조건이 극도로 미비한 현실적연구 분위기의 탓으로만 돌리기에는 마음 괴로운 바가 없지 않았다.

그는 연구실에 홀로 앉아 생각에 잠겼다. 해방 전의 역사 공부란 일제에 항거하는 의의를 지니고 있지 않았던가. 자신이 이 분야에 발을 들여놓은 것도 선배들과 같이 그렇게 단순한 의분의 동기였다는 것이 더 옳을 지도 모른다. 그러나 지금의 역사학은 참말 진정한 학문으로, 그리고하나의 과학으로 이루어가야 할 단계에 놓여 있지 않은가. 자신이 그것을 느낀 것은 비단 외국에 갔다 온 후의 새로운 현상으로 나타난 결과는아니다. 그러나 그것을 더 절실하게 느끼고, 자신은 객관적인 위치에서냉정히 비판하게 된 것은, 짧은 기간이나마 남의 것을 직접 보고 듣고 나를 내 안에서가 아니라 밖에다 외톨로 놓고, 제삼자의 눈으로 바라볼 수 있었던 계기의 소득이라고 할 수도 있는 일이다.

그는 자기 자신이, 아직도 학문이나 과학으로서의 연구가 아니라, 소박한 민족의식의 전위부대로 자처하던 해방 전의 역사 공부의 각도에서 멀리 벗어나지 못한 것이라는 자기 자세를 뚜렷이 의식하고 있었다.

우물 안의 개구리, 그는 자신에 대한 조소를 스스로 퍼부었다. 의사(義士)나 애국자연하거나 자기 자신을 생각하기 이전에 남을 위한 공부나 학문을 내세운다는 것, 그것이 얼마나 위선적이고 영웅주의적인 생각이었던가 하는 자기비판을 반추해 가고 있었다. 이렇다 할 경륜의 대의나 철학이랄 것까지도 없지만, 자기 삶에 대한 어떤 확고한 인생관도 서 있지 못하면서 우국지정을 이야기하고 민족의 장래를 운운한 자신이 가소로워질 뿐이었다.

그는 미국 도서관에서 수집해 온 한미 관계 근대사 자료를 뒤적이면서 끝없는 자기 회의에 말려 들어갔다.

특히 이번 외국 유학으로 기상천외의 큰 연구라도 해가지고 돌아온 것으로 과대평가하는 학생이나 동료들을 대하는 것이 괴로웠다.

다만 얻은 것이 있다면, 그것은 자기 밖에서 남과 자기를 비교하여 자신의 정체를 얼마간이라도 파악할 수 있었고, 거기에 남들이 하고 있는 일을 윤곽으로나마 직접 접할 수 있었다는 그런 정도 이외에 아무것도 없는 것 같았다. 이 모든 것을 종합하면, 잘 보고 들은 것이 늘었다는 소득의 반면에, 자신에 대한 내적인 위축감이 더 거세어졌다는 이율배반적 위치에 놓인 결과였다.

한민은 계속 생각을 몰아가고 있었다. 개체와 전체, 자신은 극도로 개인주의화한 그들의 생활에 직접 부닥치면서 자꾸만 이런 문제를 생각하지 않았던가. 거대한 성곽은 하나의 돌이 단단하게 제자리에 놓였을 때 비로소 전체가 견고할 수 있고, 오랜 풍우에 시달려도 붕괴되지 않고, 그

본래의 모습을 지탱해 갈 수 있는 것이 아닐까. 하나하나의 인간이 개체의 건실한 주체의식과 생활능력을 갖추지 못하였을 때, 그 사회는 민주주의는 고사하고 국가 민족의 존명 자체조차 위태롭게 될 것이 아닌가 하는 생각이 들었다.

그는 미국에서 새로 사귄 동료나 친구들과 함께 식당이나 음식점에 들어갔을 때, 커피 한 잔이나 간단한 음식 한 그릇이라도 자기가 한턱내겠다고 의사표시를 한 때 이외에는, 각자가 제 호주머니를 털어내게 마련인 그들의 이른바 더치페이의 생활 습성에 처음엔 아주 박절한 기분을 금할 수 없었다. 그러나 시일이 흘러감에 따라 그 자신도 저절로 그 물에 젖을 수밖에 없었다. 그것만이 아니라 다방이나 술집에 들어가 먹고 난 뒤, 누가 그 값을 치른다고 특정인이 정해지지 않았을 때, 서로 상대의 눈치를 살펴가며 호주머니에 손을 넣었다 뺐다 하는 우리네의 생활이 얼마나 가식적인가 하는 생각마저 들었었다. 그러면서도 결국 한국풍토에서 자라 인생 사십의 고개를 바라보는 그에게는, 잔치 음식이나 고사떡까지도 이웃끼리 나누어 먹는 토속적인 순박성이 깃들인 우리네의 생활이 더 인정어린 친근감을 안겨주고, 저들의 생활이 너무 박절하고 메마르게 느껴지는 심정만은 끝내 씻어버릴 수 없었다. 그런 면에서 자기의 생리나 사고방식은 확실히 남들이 입버릇처럼 말하는 전근대적인 것인지도 모른다고 생각하기도 했다.

그는 6·25 사변 때, 그가 근무하던 부대의 좀 무식한 고참병이 자기의 솔직한 심중을 털어놓던 이야기를 잊을 수 없었다.

"돌격전에서 총검에 찔려 죽음으로 두 손을 번쩍 들고 '대한민국 만세' 한다고라우? 어림도 없지라우. 신병은 첨에 총을 쏘는디 눈을 감고 막 방아쇠를 당기잉께. 조국이고 뭐고 생각할 틈이나 있을꺼요? 내가 살어야것다, 저놈을 안 죽이면 내가 죽는다, 그것 뿐잉게. 그것도 마지막에는 저 죽는 것도 모르고 덮어놓고 쏘기만 하지라우……. 그러고 나면 총열이 벌겋게 닳아 오른당께로……."

막연한 구호에 지나지 않는 조국이나 민족, 그것도 전제 군주에 충성하는 왕권정치가 아닌 바에야, 하나하나의 개체에 개성적인 자각이 뚜렷할 때, 비로소 하나의 큰 이념으로 굳게 뭉쳐지는 것이 아닐까 하고 그는 그 검은 눈동자가 이글이글 타는 듯하던 고참병의 모습을 떠올리고 있었다.

전제적인 명령 한 마디로, 개체의식이 뚜렷이 서 있지 않은 인간 집단을 움직이기에도, 현대 사회에 대한 그 명령의 시효는 이미 지난 것이 아닌가 하는 생각마저 들었다.

한 사람 한 사람의 개인이 자기 의지에 의한 굳건한 바탕 위에 서서, 자각된 연대의식으로 자기 의무를 다하고 뭉칠 때, 인간 상호의 그리고 국가나 민족의 보람 찬 역사는 이루어질 것이 아닐까, 그는 두서없는 생각을 이어갔다.

그럼 나는? 내가 생각하는 삶의 지표는? 그리고 학문에 대한 역사의식의 방향은? 그는 착잡한 생각 속에서 헤어나려고 몸부림쳤다.

국가·민족·역사·전통, 그리고 세대교체, 한민은 이러한 어휘들을 되씹으며 그 단어들 위에 놓일 자신의 좌표를 가늠해 보는 것이었다.

노크 소리에 한민의 상념은 중단되었다.

"네."

얼결에 대답한 낮은 목소리가 잘 들리지 않았던지 밖에서는 더 거세게 문을 두드리고 있었다.

"들어오시오."

한민은 크게 소리를 쳤다.

대학원 석사 과정에 적을 두고 있는 외국인 학생이 연구실에 들어섰다.

"한 선생님, 안녕하십니까."

"아, 미스터 리처드."

한민도 고개를 끄덕이어 리처드에게 의자에 앉기를 권했다. 리처드는 들고 있던 책갈피를 뒤져 한 장의 각봉투를 끄집어내었다.

"초청장입니다."

리처드는 각봉투를 한민의 앞에 내밀며 말했다. 한민은 그것을 받아 들고 겉봉을 보았다. 미국대사관에서 보낸 것으로 자기의 이름까지 전부 영문으로 되어 있었다. 그것만이 아니라 미스터 앤드 미시즈로 되어 부부간에 대한 초청이었다. 연말도 아닌데 무슨 초청일까, 미국에 다녀왔다고 해서 거기 대한 어떤 절차가 있는가보다 생각하면서 봉투 속의 카드를 빼냈다. 내용은 풀브라이트 장학금으로 한국에 와 공부하고 있는 미스터 리처드를 위하여 미국대사가 베푸는 파티에 참석해 달라는 요지였다.

봉투를 테이블 위에 놓고 한민은 리처드를 건너다보았다. 리처드는 초청장에 대한 한민의 반응을 살피는 눈치였다.

"선생님, 꼭 참석해 주시기 바랍니다."

리처드 발음은 그렇게 좋지 않지만, 한국말의 정확한 경어를 쓰고 있었다.

"나가지요."

"사모님도 함께 나와 주십시오."

한민은 그 말에는 선뜻 대답이 나가지 않아 웃음으로 메웠다. 그러한 공적인 모임에 한 번도 부부 동반을 해본 일이 없는 그는, 응당 혼자 나가게 될 것을 뻔히 알면서 임시변통으로 거짓 대답을 할 수는 없었다.

"그렇게 노력해 보지요."

"모두 동반해 오기로 초청했습니다."

리처드는 그 동반이라는 데 적잖은 관심이 있는 말투였다.

"그래, 어떤 분들이 초청되는데?"

"저희들 풀브라이트 장학생들을 위해서 대사님이 초청하는 파티입니다. 그러기 때문에 저희를 지도하시는 교수님들과 문교부와 풀브라이트 재단 관계자, 그리고 한국에 와 있는 미국 교수들입니다."

한민은 리처드의 말을 들으며 자기 혼자의 생각에 잠겨갔다.

자기가 미국에 체류하는 동안, 단 한 번이라도 재외 한국 공관에서 아랑곳한 일이 있었던가. 파티는 고사하고 어떤 사람이 들어오고 나가고 하는지 알고나 있었는지 그것조차 의문이었다. 제집에서 아끼지 않는 자식을 남의 집에서 귀여워해 줄 리 없듯이, 자기 나라에서 무관심한 유학생을 어느 봉사적인 국가가 있어서 소중하게 여겨줄 것인가. 한 개인의 굳건한 토대나 업적이 집단사회의 기본이 되는 것이라지만, 역시 국가라는 중추적인 권력 배경이 없을 때, 그 개인이란 하나의 보헤미안에 불과한 것이리라. 자기가 직접 보고 느낀 경험으로도 한국 학생은 개인 간의 일대일의 시합에서는 언제나 우세했었다. 그러나 어느 나라 사람이라는 국가의 배경이 앞을 서야 할 때에는 늘 핸디캡을 면할 수 없었다. 어떠한 재질을 가지고 태어나느냐는 것보다 어느 나라 국적을 가지고 태어나는가 하는 것이, 개인의 힘으론 어찌할 수 없는 숙명인 것만 같았다. 그것이 또한 외국에 가 있을 때처럼 그렇게 뼈저리게 느껴진 일도 일찍이 없었다. 자기가 접한 미국 학생들 중에는 한국이라는 나라 자체에 대하여 거의 백지 상태인 것이 대부분의 경우였다. 중국이라고 하면 오랜 전통에서, 일본은 태평양전쟁과 현대적 일본풍의 붐에서 누구나 잘 알고 있으면서, 한국이라고 하면 기껏 노스인가 사우드인가 전제하고는, 내 친척이 그곳에 출정해서 전사한 일이 있다든가, 그 잔인한 동족끼리의 전쟁을 하고 있는 나라인가고, 불쾌한 반문까지 던지는 것이 고작이었다. 심한 경우는 한국에서는 중국말을 쓰느냐 일본말을 쓰느냐 하고 묻는가 하면, 한국에도 비행기가 있느냐고 따지는 기막힌 경우도 있었다. 하기야 우리 손으로 만든 비행기가 아닌 바에야, 한민도 그것을 굳이 우길

생각은 나지 않았다. 그 대신 독특한 우리 문자인 한글에 대한 우수성을
핏대를 올려가며 추켜세웠지만, 그들의 눈동자에는 신기하다는 의외의
아무 공감어린 표정도 발견할 수 없었다. 워싱턴과 뉴욕에 있는 박물관
에 진열되어 있는 꾀죄죄한 한복차림에 긴 담뱃대를 물고 있는 퇴색한
인형을 보고 한민은 모욕과 비굴감에 얼굴이 화끈하여 재빨리 시선을 돌
리기까지 했었다.

"한 선생님, 그리고 또 부탁이 하나 있습니다."

한민은 리처드 쪽으로 시선을 돌렸다.

"무슨 부탁인가요?"

"앞으로 일 년밖에 남지 않았는데, 그사이 한국말 훈련을 좀 더 해야
하겠습니다."

"아니, 리처드 군은 그렇게 한국말을 잘하는데."

"아닙니다. 감정의 델리케이트한 그런 말은 잘 모릅니다."

한민은 리처드의 바라고 있는 초점을 짐작할 수 있었다. 초보적인 한국
말은 대충 할 수 있으나, 좀 더 섬세하고 미묘한 감정의 표현까지를 할
수 있게 숙련하겠다는 심정을. 한민은 그의 진실한 태도에 호감이 갔다.

"그럼, 어떠한 방법으로 하려구 해요?"

"개인 교수를 받겠습니다."

"개인 교수를?"

"네."

"나한테서?"

"아니오. 발음은 남자보다 여자가 좋으니까, 여학생을 한 사람 추천해
주십시오."

한민은 미국에 있어서의 자기의 경험에 비추어보아도 리처드의 그러
한 요망이 옳다고 생각되었다.

"그럼, 내가 한 사람 골라보지."

"네, 감사합니다."

한민은 그 대상자로 맑은 서울 말씨를 쓰는 영옥을 생각하고 있었다.

"리처드 군은 내년 구월에 석사학위를 받으면 곧 미국으로 돌아갈 예정인가?"

"네, 하버드 대학에 가서 박사과정을 하겠습니다. 그리고 논문을 쓸 때는 다시 한국으로 오겠습니다."

한민은 리처드의 치밀한 계획을 들으며 그 열의에 감동되었다.

"아버지께서는 뭘 하시지?"

"교육자입니다."

"어느 학교에서?"

"주립대학에 있습니다."

"그러면 군도 교편을 잡을 생각을 하고 있는가?"

"네? 교편이 무엇입니까?"

"응, 가르친다는 뜻인데, 군도 박사학위까지 받으면 교육자가 되겠느냐는 뜻이야."

"네, 미국에서 한국말과 한국 역사를 가르칠까 생각하고 있습니다."

"그럼, 개인 교수할 적당한 사람을 구하는 대로 알려주지."

"네, 감사합니다."

리처드가 돌아간 뒤에도 한민은 개인과 국가 배경, 개체와 집단권력, 이런 유대관계를 멀건히 생각하고 있었다.

유리창을 건너 내다뵈는 교정엔 황혼이 깃들기 시작했다. 한민은 전등이 들어온 연구실 복도를 지나 밖에 나섰다. 저녁 하늘은 빨갛게 노을져 건물의 윗도리마저 붉게 물들어 있었다. 늦은 시간이라, 학생들의 그림자는 보이지 않았다. 교정 저쪽에서 검은 드레스의 여인이 걸어오는 것이 보였다. 한민은 한눈에 보리임을 알 수 있었다. 한민을 알아본 보리는 웃음 지으며 뛰어왔다.

"한 선생님!"

"아, 보리."

"안녕히 다녀오셨어요?"

보리는 한민의 가슴 속으로 뛰어들며 말했다. 한민은 그를 반기며 껴안았다.

"돌아오셨다는 걸 오빠에게서 들었어요. 그러나 방학 중이래서 연구실에 안 나오실지 몰라 지금에야 찾아왔어요."

보리는 기뻐서 어쩔 줄을 몰라 했다.

"참, 편지 고마웠어."

"선생님 편지두요."

둘은 마로니에 밑 벤치에 걸터앉았다.

"어때, 학교생활 재미있지?"

"그저 그래요. 그것도 몇 해 되풀이하니간 이젠 싫증이 나요. 무슨 변화라도 있어야겠어요."

그제서야 한민은 보리의 목걸이 끝에 달린 십자가를 발견했다. 그는 첫눈에 이상한 육감이 스쳐감을 느꼈다. 그것은 단순한 액세서리가 아님이 분명했다. 그것 탓으로 생각해서인지 보리의 모습은 처음보다 쓸쓸해 보였다. 늘 애수가 깃들여 있는 눈매였지만, 검은 원피스의 색감에서인지 그의 웃음조차 싸늘하게 느껴졌다.

노을도 사그라지고 주위는 어두워왔다. 간들바람이 나뭇잎을 스치는 소리가 들릴 만큼 교정은 호젓했다.

한민의 시선은 자꾸만 보리의 목에 걸린 십자가로 쏠려졌다. 보리는 그것을 의식했음인지 손끝으로 금속성의 십자가를 만지작거리며 별이 엷은 빛을 비치기 시작하는 하늘가에 눈길을 던지고 있었다. 그 눈동자는 무엇인가 애타게 갈구하는 그리움에 젖은 모습으로 한민에게는 느껴졌다.

"선생님, 산다는 게 참 우스워요."

보리는 먼 곳에 흐린 초점을 박은 채 독백처럼 나직이 읊조렸다.

"왜?"

한민은 보리를 쏘아 보며 물었다.

"자기가 하고 싶은 한 가지 일에 몰두하게 되면 그것으로 삶의 보람이 깊어질 줄만 알았는데……."

보리는 잠시 말끝을 멈추고 긴 숨을 내쉬었다. 한민은 보리의 얼굴에서 시선을 돌리지 않고 지켜보았다. 보리는 여전히 아득한 하늘가에 눈길을 박은 채 말을 이었다.

"역시 마음속에 자리 잡았던 커다란 지주 같은 것이 무너지고 나면, 다른 것으로 그 자리를 메우긴 어려운가봐요."

보리의 눈길은 한민의 눈으로 쏠려졌다. 한민은 물끄러미 보리를 바라보는 대로였다.

"모든 것이 허무해졌어요."

보리는 한민에게 약간 기댄 자세로 그의 넥타이 끝을 돌돌 말며 말했다. 저녁 공기가 싸늘해짐에 따라 한민에겐 보리의 체온이 포근히 느껴져 왔다. 주위는 점점 짙은 어두움으로 깔려갔다.

한민의 회상은 오랜 시간을 거슬러 올라가고 있었다. 한민이 보리를 안 것은 중학시절부터였다. 그땐 보리는 아직 여학교 학생이었다. 보리의 오빠인 박천우와 가장 가까운 동창 친구였기 때문에, 보리는 한민을 오빠처럼 따랐다. 등산이나 해수욕장이나 늘 같이 가 한 텐트 속에서 뒹굴기도 했다. 보리는 대학에 진학한 뒤에도 조금도 어색하지 않게 오빠 그룹을 따라 다녔다. 그러는 사이에 보리는 성숙해 갔고, 한민도 보리를 이성의 감정으로 대하는 자신을 느끼게 되었다. 보리의 순결한 가슴 속에도 한민이 하나의 남성으로 짙게 물들어가기 시작했다.

"우리 보린, 한민 같은 사람에게 시집을 보냈으면 좋겠어. 어때, 민,

우리 보리 색시감으로 괜찮지?"

걸걸한 박천우는 서로 같이 앉은 자리에서 맞대놓고 농담을 했다.

"아이, 오빠두……."

보리는 수줍음을 느끼면서도 그런 농을 굳이 싫어하는 표정은 아니었다.

"아이구, 보리 아씨, 내게야 과분하지 뭐……."

한민도 박천우의 농담을 쑥스럽지 않게 받아넘겼다.

"그러나 저 총각은 우리 보리에겐 맞지 않게 걸늙었어."

이럴 때면 세 사람은 같이 한바탕 웃음을 터뜨렸다. 보리가 대학 졸업반일 때 한민에게 새로운 혼담이 나타났다. 은사인 남궁 박사가 먼 친척의 규수를 소개했다.

"자네도 이제는 세대를 차려야지, 가정적으로 안정이 되지 않으면, 만사가 순조롭지 못한 건데……."

납치된 아버지와 막역한 지기이자 동료였던 남궁 박사는 늘 한민의 집안일을 돌보아 주었다. 한민이 연구실에 남게 된 것도 그러한 남궁 교수의 배려의 힘이 적지 않았었다.

"그래야 어머니께서도 한시름 놓으실 거 아냐. 손주도 빨리 봐야 할 거구."

은사의 진심으로 걱정하는 말을 들으며, 한민은 그대로 묵살할 수만은 없었다.

"어디 마땅한 상대가 있어야죠."

한민은 예절적인 대접으로 본의도 아닌 대답을 불쑥했다.

"가만 있자."

남궁 박사는 한민의 동정을 살피며, 한참 곰곰이 생각하다가, 말을 이었다.

"마침 좋은 규수가 하나 발견됐어. 어디 한번 볼 텐가?"

"보지요."

몰리는 서슬에 한민은 깊은 고려도 없이 그대로 대답해 버렸다.

그 결과로 맞선을 보고 혼인한 것이 지금의 아내 현숙이었다. 공교롭게도 현숙은 보리의 여학교 선배였다. 그러기에 한민은 결혼에 대한 운명론 같은 것을 지금껏 부정하지 못하고 있었다.

이같은 결과가 아직 이성에게 때묻지 않은 보리에겐 큰 충격이었다. 그 후 보리는 집안에서 혼인 이야기를 끄집어내면 덮어놓고 거부의 자세로만 나왔다.

"보리, 이젠 결혼해야잖아?"

언젠가 한민이 이렇게 말하자 보리는,

"누가 안 간대요? 신랑감 구해 주세요." 했다.

"흔한 게 신랑감인데."

"한 선생 같은 분이 있으면 지금이라도 결혼할래요."

풀기 없이 시무룩해진 보리를 바라보며 한민 쪽이 오히려 민망하고 무색해졌었다.

이슬이 내리기 시작한 밤공기는 목덜미에 선뜻한 감촉을 느끼게 했다.

"보리, 우리 어디 가 저녁이나 할까?"

"네, 제가 선생님 맥주 대접하겠어요. 저두 한잔 마시구 싶구요."

"보리두 술 할 줄 아나?"

"그깟 맥주쯤이야……."

"언제 그렇게 발전했어?"

"아니, 외국에 갔다 오시구두, 그렇게 폐쇄적인 사고방식이네요, 남들은 맥주를 차 대신으로 마신다지 않아요?"

"그럼, 거리로 나갈래?"

"네, 좋은 데가 있어요. 제가 안내할게요."

이럴 때 보리는 이십 전의 소녀 같게 한민에게 느껴졌다.

한민은 자리에서 일어나 어두워진 교정을 보리와 나란히 걸었다.

"선생님, 이런 밤은 실컷 취하고 싶어져요."

한민은 대답할 말을 찾지 못하고 묵묵히 걷기만 했다.

차에서 내린 둘은 명동 입구에 들어섰다. 보리는 한민의 팔을 꼭 끼고 걸었다. 한민도 그것이 어색하지 않고 자연스럽게 느껴졌다. 보리는 한민을 낀 팔에 힘을 주고 유네스코 회관 좁은 골목으로 꺾어 들어섰다. 한민은 보리가 좋은 데라고 말한 그곳이 대체 어딘가 하고 길 양옆에 늘어 붙은 간판들을 살폈다.

현관 입구 앞에서 보리의 발이 멈췄다. 한민은 고개를 들어 간판을 쳐다보았다.

'OB카페', 자기가 외국으로 떠나기 전에는 보지 못했던 이름이었다.

"선생님이 오늘은 제 말을 잘 들어서 참 좋아요."

복스에 앉자, 보리가 맑은 눈동자로 빤히 쳐다보며 말했다.

"언젠, 보리의 말을 안 듣던가, 원."

"제일 중요할 때 안 듣지 않았어요?"

한민은 쓸쓸히 웃었다.

웨이터가 맥주를 날라왔다. 보리는 두 잔에 거품이 넘치도록 맥주를 따르고 있었다.

"자, 선생님!"

한민은 잔을 들었다.

"선생님, 귀국을 축하합니다."

보리는 한민의 잔에 자기 잔을 부딪치면서 소리쳤다.

"보리, 고마와."

한민이 잔을 입에 대고 천천히 마시려는데 보리는 벌써 자기 잔을 쭉 비우고 한민에게 그 잔을 내밀고 있었다.

"선생님 한 잔 드세요."

"아니, 아직 첫 잔도 비우지 않았는데."

"이것은 제가 축하주로 드리는 잔이에요."

한민은 잔을 받아 한 모금 들이켰다. 갈하던 목이 찌릿하며 뱃속까지 시원해 왔다.

"선생님, 맥주 맛 좋지요?"

"좋아."

"미국 맥주하구 어때요?"

"거기선 매일 그것밖에 마실 게 없었으니까, 맛이구 뭐구 있어? 그저 싼 맛에 마셨지."

"오늘은 저하고 마시니까, 맥주 맛이 더 좋지요?"

"아마, 그런가봐."

한민은 비운 잔을 보리에게 돌리고 반쯤 따랐다.

"아이 선생님두, 잔은 차야 맛이라는데요. 가득 채워 주세요."

한민은 잔에 넘치게 더 따랐다. 보리는 그 잔도 쉴 사이 없이 단숨에 들이키고 있었다.

"자, 한 번 더 따라 주세요."

"아니, 어쩔라구 이래?"

"그럼, 선생님 잔으로 저에게 한 잔 따라 주세요."

한민은 자기 잔을 비우고 보리에게 건넸다.

"자, 이만큼만 하지."

한민은 보리가 취할까봐 일부러 적게 따랐다.

"아니, 어쩌면 선생님은 맥주에까지 이렇게 인색하세요?"

한민은 다시 잔을 채웠다. 어쩐지 불안한 감이 들었다.

"취하면 어떻게 하려구?"

"오늘은 선생님을 만나, 양껏 취하고 싶어서요."

"보린, 늘 이렇게 술을 마시는 모양이지?"

"아니에요, 다른 땐 친구들과 어울려도 기껏 한 컵이에요."

"암만해도 취할 것 같은데."

"취하면 선생님이 업어다 주세요."

보리는 다시 한민의 잔에 맥주를 따랐다.

"그만."

한민은 잔을 치켜들었다.

"맥주잔이 콸콸 넘치는 것을 보면 속이 시원해져요. 막혔던 것이 탁 터지는 것만 같아서요."

보리는 또 자기 잔을 비우고 한민에게 권해 왔다.

"아, 어쩔라구 이래?"

"선생님, 그렇게 샌님같이 너무 의젓하시지 말구, 선생님두 오늘밤 취하세요."

"나도 취해 와."

"거짓말 마세요."

한민은 술잔을 받아들었다.

"처녀가 취해서 비틀거리면 어쩔라구?"

"네? 삼십이 넘은 올드미스가 무슨 처녀예요."

한민은 가슴이 찌릿해 왔다. 잘못 건드린 말이라고 뉘우쳐졌다. 뒤이어 이상한 자기 반발이 치밀어 왔다. 그는 보리가 따라주는 대로 계속 잔을 비웠다. 그리곤 보리에게 잔을 돌렸다. 보리도 마시는 대로 한민에게 계속 권해 왔다. 한민은 흠뻑 취해 옴을 느꼈다.

"우리 그만 일어설까?"

"가만히 계세요."

보리는 주기에 벌개진 눈동자로 한민을 찌를 듯이 쏘아보고 있었다.

"선생님, 오늘은 저를 어떻게 해도 좋아요. 모든 것을 선생님 의사에 맡기겠어요."

보리는 들었던 잔을 쭉 들이키곤 웃음을 터뜨렸다.

"아무리 생각해도 운명으로만 돌리기에는 너무도 억울해요."

보리는 혀꼬부라진 소리를 하며 흐느끼고 있었다.

주위에 있는 손님들의 시선이 쏠려왔다.

한민은 보리의 어깨를 흔들며 말해다.

"보리, 보리."

"선생님, 미안했어요. 너무 채신없게 굴어서……."

보리는 눈물을 닦고 억지로 웃음을 띠었으나 취기가 돈 얼굴이 일그러져 보였다.

한민은 보리를 껴안고 카페를 나왔다.

한민은 주한 미국대사관저 정문 앞에서 차를 내렸다. 관용차니 자가용이니 하는 것들은 그대로 파티 장소까지 통과되었으나, 영업차는 입구에서 정차되고 말았다. 문 안에 들어선 그는 언덕길을 올라 연회장 쪽으로 걸어갔다. 정해진 시간보다 얼마 늦지 않았건만 벌써 손님들은 웅성대고 있었다. 입구 쪽을 살피고 있던 리처드 군이 한민을 보자 막 뛰어왔다.

"선생님, 지금 오십니까."

리처드는 손님을 영접하고 있는 주최측 사람들을 한민에게 소개했다.

"대사님이십니다."

한민은 대사부처 및 그 밖의 영접자들과 인사를 나누고 가든파티 장소로 들어섰다. 리처드는 친절하게 따라다니며 외국 인사들에게 한민을 소개했다. 한민은 번잡한 인사치레가 그렇게 달갑지 않았으나, 리처드의 모처럼의 호의를 저버릴 수 없어, 그가 안내하는 대로 따랐다. 멋진 조국을 가졌다는 듯한 자랑이 리처드의 얼굴에는 넘쳐흐르고 있는 것 같았다. 한민은 미국에서 자기 자신이 한 번이나 저렇게 조국의 배경 아래 자랑스럽게 뽐내며 행세해 본 적이 있던가 하는 야릇한 심정에 젖어들었다.

몇몇 대학의 총장을 비롯하여 아는 교수들의 얼굴이 눈에 띄었다. 한민은 한쪽 구석 벤치에 앉아 스카치 잔을 들고 있는 남궁 박사를 발견하자 그쪽으로 다가갔다.

"한 군, 지금 오는가."

"네, 선생님."

"우선 한 잔 들고 오지."

"네."

서비스 테이블에 가 술 컵을 받아들고 남궁 박사 옆으로 돌아왔다.

"지금 이 자리가 어느 터인지 아는가?"

남궁 박사는 느닷없는 질문을 해왔다.

"잘 모르겠습니다."

한민은 솔직하게 대답은 했으나, 근대외교사(近代外交史)를 뒤적이면서 그만 것도 모르고 있는 것이 은사에게 죄송스러웠다.

"여기가 바로 예전 궁녀의 집터일세. 개화 때 민 씨에게로 넘어갔다가 국교가 트인 후 초대 미국 공사에게 팔렸지."

"그렇습니까?"

"그리고 바로 이 옆 이화학당 건너편 언덕이 예전엔 아라사 공관 자리가 아닌가. 지금은 황폐한 대로 버려져 있지만……."

노서아 공관이 6·25 때 폭격당하고 그 자리에 판잣집이 들어선 것은 한민도 보아온 일이었다.

"그리고 저 아현동고개 마루턱 높은 데 있는 것이 불란서 공관……."

현대식으로 몇 해 전에 신축한 불란서 대사관에는 한민도 가본 적이 있었다.

"이게 모두 좀 좋은 자리들인가. 높은 데서 장안을 굽어볼 수 있는 곳이니 말하자면 서울의 심장부지. 그러고 보니 한국에 있는 외국 공관의 위치는 개국 초에 밀려들어온 외국 세력의 우열상을 정비례로 나타내는 셈이야. 부패하고 무능했던 당시의 위정자가 해놓은 것이라고, 지금 막 뜯어 고칠 수도 없는 노릇이고……."

남궁 박사의 얼굴에는 개탄의 빛이 흘러갔다.

"저 남산 쪽에 우뚝 솟은 명동 성당을 보게나."

한민은 남궁 박사의 손가락 방향으로 시선을 돌렸다. 명동 카톨릭 성당의 첨탑이 유달리 우뚝 솟아 보였다.

"저것도 병인양요(丙寅洋擾)·신미(辛未)양요 해서 불란서 신부가 희생된 숫자가 많았으니, 그 피의 댓가로 저 진고개 한복판 노른자 알에 교회 자리를 차지하지 않았겠나. 생각하면 호랑이 담배 먹던 때 이야기지. 이조 오백 년에 어느 거 하나 바르게 해 놓은 게 있어야지. 그저 서울 장안은 당쟁의 피비린내 속에 부패와 탐관오리의 수라장이었지. 그러기에 끝내는 나라를 팔아먹지 않았겠나."

남궁 박사는 긴 한숨을 내쉬었다. 한민도 가슴 속이 울적해 왔다. 그는 남궁 선생의 잔이 비어 있는 것을 보고, 스카치 한 잔을 들어다 드렸다.

"자네도 한 잔 더 들지."

"전 그만하겠습니다."

"자네, 미국에 가서 우리 재외 공관의 이런 잔치 한 번 받아봤나?"

"없습니다. 나라 안 일도 쩔쩔매고 있는데, 어디 해외에 나가 그럴 겨를이나 있겠습니까."

"하기야 당장 발등의 불도 끄기 힘든 판인데, 어디 눈뜰 사이가 있어야 별을 보지……."

리처드가 술이 담긴 컵 둘과, 안주 접시를 들고 왔다.

"선생님, 많이 잡수십시오."

"고맙네."

리처드는 바쁘게 손님의 접대를 하며 돌아가고 있었다.

"저군이 나라 잘 타고나서 기를 펴고 으쓱해 하는 것을 보게. 우리 학생들도 외국에 나가서 저렇게 어깨를 쭉 펴고 조국 자랑을 하며 다니게 돼야 될 텐데."

"그렇게 해야지요."

"그런데 우리 겨레는, 외국인에게는 과도하게 친절하거나 비굴하기 쉽고, 그 반면 제 나라 사람에게는 지나치게 야비하고 가혹하기 일쑤란 말이야. 말하자면 사대(事大)와 자학(自虐)이라 할지……. 그것도 일제 식민지 통치와 외군 주둔으로 그 도가 더 심해졌단 말이야. 결국은 자주성이랄까 주체성이랄까 한 것이 없어 그렇지……."

한민은 남궁 선생의 이야기에 심중으로 공명이 갔다.

"오늘 날씨가 참 좋습니다."

한민은 우울한 이야기에서 화제를 돌리고 싶었다.

"좋다 뿐인가. 구름 한점 없이 맑게 개이지 않았는가."

"가든파티에는 아주 안성맞춤입니다."

"그러게 금수강산이라지 않나. 그런데 그 좋은 자연도 그렇지, 남들은 자연에 손만 대면 그만큼 아름다워진다는데, 우리는 자연에 사람 손만 가면 더 황폐해만진단 말이야……."

"두 번의 혁명도 겪었구 하니 이제 조금씩 나아지겠지요."

"참말 그래야 할 텐데. 나 같은 거야 이제 성쌓고 남은 돌이 돼서 쓸모가 있는가만, 자네들의 세대에나 기대를 걸어봐야지."

한민은 남궁 선생의 박두한 정년(停年) 퇴직을 생각하면서 가슴이 뭉클해 옴을 느꼈다. 그것은 몇 잔 마신 양주 기운의 탓만은 아니었다.

"자, 그럼 우리 그만 갈까. 채신없이 너무 오래 있는 것도 실례가 될 터이니까."

"네, 가십시다."

한민은 남궁 박사의 뒤를 따랐다. 앞에서 걷고 있는 노교수는 아직도 정정했다. 그 지조나 의기로는 더욱 젊은이가 따를 수 없는 위엄이 풍겼다.

어느새 리처드가 뛰어와서 출구 쪽까지 안내했다. 한민은 대문 쪽으로 걸어 나오면서 혼자 생각했다. 자기가 미국에 가서 접한 학생으로는 리처드만큼 서민적이고 예절이 밝은 학생은 별로 보지 못한 것 같았다. 그만큼 그는 한국에 와서 공부하는 사이에 한국의 예절에 젖은 탓일가 하고 곰곰이 생각했다.

한민이 남궁 박사를 모시고 대사관저 정문까지 나오는 사이에 자가용과 관용차는 연방 클랙슨을 울리며 옆을 아슬아슬 스쳐 지나가고 있었다.

한민은 밖에 나가 택시를 불러 남궁 선생을 댁까지 모셔야 되겠다는 생각을 하면서 정문을 향해 걸었다.

드높게 맑게 개인 한국의 가을 하늘에 미국 대사관저 국기 게양대 위의 성조기는 한창 저녁 바람을 맞아 서슬좋게 기폭을 나부끼고 있었다.

구월 중순의 강당 실내는 아직 후텁지근하게 땀내가 풍겼다. 홀 안을 빼곡이 메운 뭇 시선은 앞쪽으로 쏠려지고 있었다.

단 위에 가로 나란히 앉아 있는 정년퇴직 교수들, 그 속에 끼어 있는 남궁 박사의 무표정한 모습.

신문 보도반의 플래시가 연속 섬광을 비칠 때마다 그 얼굴들은 천고의 풍상을 겪은 석불마냥 더욱 두드러지게 음영을 나타내었다. 뉴스 촬영반의 거센 조명등 촉광은 그들의 눈을 부시게 광선을 퍼붓건만, 폐허 속의 촉루(髑髏)를 연상시키는 그들의 표정에는 아무 반응도 발견할 수 없었다.

남궁 교수는 손을 마주 포개어 무릎 위에 얹고, 눈을 살며시 내리감은 채 묵묵히 앉아 있었다. 숱이 엷어진 반백의 대머리, 앞이마에 비치는 전광이 오늘따라 유난히 반사되어 흘러간 인생과 학문에 대한 얼키고 설킨 사연들을 그대로 말해 주는 것만 같게 여겨졌다.

입고 있는 양복은 한민이 며칠 전 미대사관저 파티에서 본 바로 그것이었다. 앞주름이 칼날같이 서 새로 다려 입은 자죽은 뚜렷하지만, 십이 인치의 통 넓은 구식 바지, 윗 포켓이 오른쪽 가슴으로 옮겨 붙은 개조한 양복저고리, 새하얀 와이셔츠 탓으로 더욱 낡아 보이는 퇴색한 넥타이, 그것은 그의 강직하고 청빈한 삶의 표상이라고는 하지만, 한민이 보기에는 너무나 초라했다.

지금 이 자리에서, 생래의 그 불굴한 성격과 강인한 체질에도 불구하고, 남들이 굳이 늙었다고 하기에 스스로 늙음을 자처하지 않을 수 없는 남궁 선생은 대체 무엇을 생각하고 있는 것일까?

나라! 겨레! 아니 절박한 이 순간엔 그런 건 너무나 여유 있고 사치스러운 이야긴지도 모른다. 그러면 자기 자신의 흘러온 세월을 회고하고 있는 것일까? 한민은 자기의 상상을 몰아갔다.

조선 사람들끼리는 십 몇 대 일의 격심한 경쟁률을 뚫고 들어가야만 했던 당시의 고등학교 입학, 그땐 확실히 남들 입에 수재라는 이름으로 불러졌었다. 대학에서의 전공 선택, 얼마나 진실하고 값있는 일이라고 생각했었던가. 일본인들이 가장 적대시하던 역사학, 그 중에서도 조선사 연구, 사위는 온통 적에 둘러싸인 사면초가의 상아탑의 분위기……. 그러나 자기 겨레가 살아온 역사를 더듬어 하나하나 발표해 가는 새로운 논문에 대해서 얼마나 삶의 보람을 느꼈던 것인가.

지질려 살던 연륜 속에서도 확신은 했지만, 너무나 일찍 다가온 해방. 이제 참말 네 활개를 치고 큰 숨을 쉬면서 일할 수 있는 때가 왔다고 감격과 흥분에 젖었던 시기. 있는 것 가졌던 것이라곤 아낌없이 다 털어주고 싶던 순수하고 적나라하던 심정.

사상적인 대립, 남북 협상 문제로 들끓던 연구실이 겨우 자리 잡혀 가던 무렵, 태풍처럼 휩쓴 6·25 사변, 가장 아끼던 동료와 지기가 납치되고, 계속되는 피난살이, 수복된 폐허에서의 재기…….

육십 평생을 고집과 신조로 지켜온 상아탑이라고는 하지만, 가족에게는 단 한 번도, 이것이 사람이 살아가는 낙이라고, 떳떳이 보여줄 사이 없이 지내온 생애…….

자기가 스스로 선택한 길을 자기만의 방법으로 성실하게 살아오느라고 했지만, 지금 이 자리는 그에게 또 무슨 색다른 명분을 붙이려는 절차의 순간인가.

한민은 자기의 이같은 상상이 어쩌면 스승에 대한 자아류의 애착이나 감상(感傷)의 탓인지도 모른다는 생각도 들었다.

정작 장본인인 남궁 선생은 태연자약히 현실을 체념하고 허탈한 공백 상태에서 무념무상의 경지에 있는지도 모를 일이었다. 장내를 울려대는 박수 소리에 비로소 한민은 제 정신을 가다듬었다.

남궁 선생은 탁자 앞으로 나가 표창장과 함께 기념품을 받고 있었다.

그제서야 뒤늦게 박수를 치고 있는 한민의 눈언저리가 저려왔다. 그는 남궁 선생의 모습을 묵연히 바라보며 이십년 후 삼십년 후의 자기 초상화를 그리고 있는 것이었다.

"……별로 한 일도 없이 세월만 보낸 이 사람에게, 이런 기념품까지 주어서…….."

남궁 선생의 깐깐한 목소리가 강당 안을 울렸다.

교정에 나온 한민은 남궁 선생의 답사에서 그 이상의 구절을 더듬을 수 없을 정도로 격하고도 허황해졌다. 그는 자기와 비슷한 나이의 젊은 교수가, 실존주의니 현대의 불안과 절망이니 고독이니 하며 학생들과 노독거리는 모습에 겹쳐, 아테네의 수풀을 백발이 성성한 노교수가 지팡이에 의지해 젊은 제자들의 부축을 받아가며, 인생의 심오한 진리를 더듬더듬 이야기하며 걸어가는 전설 같은 장면을 엇갈려 그리면서, 자신의 허전한 마음속에 때묻지 않은 백지를 덮어갔다.

제4장

박천우에게서 상의할 일이 있으니 좀 와달라는 연락이 왔다. 한민은 신문사로 그를 찾아갔다.

편집국에 들어서니 박천우의 듬직한 몸집이 저 안쪽에 보였다. 그는 구둣발 채로 테이블 위에 다리를 걸쳐놓고, 눈을 지긋이 감고 있었다. 한민은 그의 옆으로 가까이 갔다.

"이 사람 졸구 있나?"

한민의 소리에 박천우는 눈을 번쩍 떴다.

"아, 한형 왔소. 뭘 좀 생각하느라구. 여기 앉지."

박천우는 옆에 있는 의자를 당겨놓으며 권했다.

"일부러 나오라고 해서 미안해."

"뭐 급한 일이라도 생겼나?"

"조금만 앉아 기다리게. 지금 곧 석간 대장(臺帳)이 올라오니까 그걸 보구……."

한민은 의자에 앉아 박천우가 권하는 담배를 피워 물고 실내를 두리번거렸다. 바쁜 시간은 이미 지난 모양이어서 여기저기 빈자리가 있고 좀 한산해 보였다.

박천우는 사환아이가 들고 온 신문 대장을 앞에 놓고, 붓에 붉은 잉크를 찍어 대장 위에 표시를 해가고 있었다.

"그건 꼭 국장이 봐야 하나?"

한민은 대장을 들여다보며 말했다.

"뒤에 책임 문제가 있으니까."

"보았다고 책임 안지고, 안 보았다고 책임지나?"

"이렇게 큰 타이틀에도 오자가 나오지 않아?"

박철우는 잘못된 글자를 고쳐놓고 붉은 동그라미를 크게 치고 있었다.

"그러고 보니 이 박사 시대의 견통령(犬統領) 사건이 생각나는구만."

"글쎄, 조그만 실수가 그런 복잡한 일을 저지르게 한다니까."

"몸조심하게나."

"자, 다 됐어."

박천우는 다 보고 난 대장을 옆에서 기다리고 있는 사환아이에게 넘겨
주고 자리에서 일어나며 말했다.

"우리 저쪽 방으로 가지."

한민은 그의 뒤를 따라 응접실로 들어갔다. 손님이 금방 다녀나간 듯,
담배 연기가 자욱하고 방 안에는 아무도 없었다.

"나 이번에 출마할까 해."

단도직입적인 박천우의 말이었다.

"출마?"

한민은 박천우의 갑작스러운 이야기에 놀라 즉각 반문을 던졌다.

"응, 그래 그 문제에 대해 자네 의견을 좀 듣고 싶었어."

박천우는 심각한 어조였다.

"설마 농담이야 아니겠지?"

한민은 믿기지 않아 다시 한번 그의 진의를 따져보았다.

"벌써 일은 시작이 됐어."

박천우는 이미 결의가 되어 있는 듯 확고한 자세였다.

한민이 알고 있는 박천우로선 있을 법한 일이었다. 성격이 괄괄한 그
는 능동적이고도 투사형이었다. 무엇인가 맞부딪치지 않고는 배기지 못
했다. 학병으로 북지(北支)에 끌려갔던 그는 도중에 탈출하여 중경(重慶)
으로 들어갔다. 거기서 광복군에 편입되어 종전시까지 항일 전투 대열에
참가했다가 해방 후 귀국했다. 학병동맹(學兵同盟)의 주동 멤버의 하나로
활약하던 그는, 국방경비대(國防警備隊)로 들어갈까 망설이다가 결국 대
학에 복귀했었다. 일선 기자에서 출발하여 정부 각 부처 출입기자를 돌
아 부장을 거쳐 국장에까지 이른 그의 언론인으로서의 지반은 확고했다.
자유당과 민주당 시절의 국회의원은 물론, 6·25를 전후한 시기엔 국방
부 출입기자로 일선 종군을 했던 만큼, 국가재건최고회의의 장성급들은
대부분 얼굴이 익었고, 혁명 주체세력 속에도 가깝게 지내는 축이 적지

않았다.

"그럼, 혁명세력 쪽으로?"

한민은 박천우가 늘 현실에 대한 비판적인 논조로 필봉을 드는 것을 알면서도 우선 그렇게 허두를 떼어보았다.

"천만에."

"그럼?"

"야당이야."

"아니, 자넨 최고의원 중에도 누구누구하는 사람은 다 잘 알아 늘 접촉이 있는 모양이 아니었어?"

"이 사람아, 인간 대 인간의 문제와 정치이념의 지향은 다르다는 것을 다 알면서 왜 그런 말을 해."

박천우는 얼굴을 가까이하며 나직한 목소리로 말을 이었다.

"사실은 야당에서 교섭이 왔어. 저쪽에서 세대교체니 체질 개선이니 하는 것을 내세워 평균 연령이 젊으니까, 이쪽에서도 그들 말대로 젊은 엘리트를 내세워야 하겠다는 거야."

"그럼, 그 새로 나온 술어인 비례대표란 것으로?"

"아니야, 당에서 공천해 줄 터이니 지방에서 입후보 하라는 거야."

"자네 같은 신진 후보는 비례대표가 낫지 않아?"

"이 사람아, 명색이 국회위원이라면 자기 선거구를 가져야지, 남의 덕에 얻어 하는 그딴 비례대표야 어디 수명이 오래 가나?"

박천우는 열을 올리기 시작했다.

"그러나 자네 같은 초년병에게 무슨 승산이 있겠나?"

한민은 일부러 찔러보았다.

"공천만 해준다면야, 승산이 있지. 당당히 싸워 이겨야지."

"선거 기반도 없는 자네가 어떻게?"

"우리 고향엔 문족이 수천 호가 있어. 그 표만 끌어 모아도 상당한 숫자일걸세."

한민에겐 박천우의 이 말이 아주 못마땅하게 들렸다.

"예끼 이 사람, 밤낮 봉건체제 탈피를 침이 마르게 부르짖고, 조국의 근대화를 붓끝으로 주장하는 자네가, 그래 혈연관계의 무더기 표를 모아 가지구 국회의원이 되겠단 말인가?"

한민도 언성을 높였다.

"그게 아니야, 일의 승패에는 수단의 방법을 가리지 않고, 승리를 해야 하는 거야."

"그런 자기모순의 역설이 어디 있는가?"

"글쎄, 논리는 그렇지만, 이 땅의 현실이 그렇지 못한 걸 어떻게 하나."

박천우는 멋쩍은 웃음을 띠우며 말했다.

"그 잘못된 현실을 조금씩이라도 시정해 나가는 게 자네가 아까 말한 소위 새로운 엘리트의 사명이 아닌가."

"하긴 그렇지. 그런데 저쪽의 입후보자가 상당히 강팀인 모양이야. 거기다 선거 자금은 물쓰듯 할 거구. 그러니까 이쪽에서 그와 백중되는 패기만만한 젊은이를 내세우겠다는 거야. 양쪽의 비슷비슷한 예상 표수에 말하자면 문족의 표를 덤으로 긁어모아 만일의 경우에 대비하는 확고한 전략을 세우자는 거야."

그러나 한민은 박천우의 출마 이야기가 처음부터 탐탁하게 느껴지지 않았다. 4·19 혁명으로 십년 아성의 이승만 정권을 무너뜨리고, 다시 5·16 후의 군정에서는 거듭된 태풍이 휩쓸었다고는 하지만, 목전의 현실, 특히 농촌의 현실엔 그 구조를 변경시킬 만큼 큰 변동이 없으니, 새로운 선거 분위기라야 예전의 타성을 벗어나지 못할 것이 뻔하다는 생각이 들었기 때문이었다. 그것만이 아니었다. 이러한 판국에 박천우가 꼭 입후보해야만 된다는 필연적인 동기나 이유도 그로서는 발견할 수 없었다.

"그런데 좀 냉정히 생각해 보게나. 자네, 정치적 기반이 있나, 투쟁 경력이 있나, 무슨 조직을 가지고 있나, 그렇잖으면 돈이 많다든가……."

"신통한 거야 없지. 하지만 광복군에서 항일 투쟁을 했지, 언론계에서 십수년 간 전제 집권자의 부정부패를 규탄하고, 진정한 민권 옹호를 위해 정면으로 필봉을 들고 투쟁하지 않았는가."

박천우는 정색을 하고 말했다. 한민은 박천우의 말을 제지하며 나섰다.

"내 말 좀 들어보게. 광복군이든 독립투사든 간에 혁명가가 과거의 민족 운동의 공적을 발판으로 하여 그 대가로 집권하던 시기는 이미 지났네. 이제는 참신한 아이디어와 정확한 데이터를 가지고 현실의 난 문제를 하나하나 타개해 나가야 할 진짜 심부름꾼이 요망되는 시기가 됐다는 걸 자넨 모르나? 언론인으로서 선량한 민중의 여론을 대변하여 현실을 고발했다는 것쯤은 모든 지식인이 공통으로 분담해야 할 시민의 한 사람으로서의 의무에 불과한 걸세. 그 신문이나 잡지 지면에 발표하는 의분과 반항의 관념론만으로 국민의 살림을 꾸려가는 구체적이고도 실질적인 해결책이 될 줄 아는가?"

"그렇다고 다 썩어가는 것을 보며 이대로 방관자가 될 수만은 없지 않는가? 어디 날 때부터 가지고 나온 전문적인 정치가가 따로 있는가. 다 그렇고 그렇지."

박천우는 끝까지 우기고 나섰다. 그러나 한민은 박천우의 모든 여건으로 보아 긍정이 가지 않았다.

"자네 신조가 정 그렇다면 할 수 없네만, 나로서는 근본원칙면에서 반댈세."

"이젠 이대로 가만히 앉아 보구만 있을 수는 없다니까. 총칼 메고 나온 군인들은 어디 정치를 알아서 하고 있나? 그러니까 이제는 적극적으로 나가서 원내(院內) 투쟁을 하는 수밖에 도리가 없단 말이야."

"아무튼 잘 따져서 정확한 승산이 있거든 해보게나."

한민의 말은 김빠져갔다.

"글쎄, 승산은 있다니까."

"나는 아직 입후보하는 사람치고, 자기가 당선되지 않는다고 말하는 사람은 하나도 보지 못했으니까."

"그렇게 소극적으로 재를 치지만 말고 적극적으로 힘이 돼 달란 말이야."

"그럼, 내 하나 물어봄세 그려. 자네 한국에 있는 국민학교와 중고등학교, 그리고 대학의 수와 학생 수가 대체 얼마나 되는지나 아나?"

"글쎄, 그건 문교부에 전화 한 마디면 금방 알 거 아냐."

"그럼, 평년작의 미곡 생산량이 얼마나 되는지는 알아?"

"그건 농림부 소관이지."

"그렇다면 인천에 있는 대한중공업에서 연간 생산하는 강철량은 얼마나 되는가?"

"그건 상공부 산하고……."

"현재 우리나라에 있는 발전소는 몇이며 평균 발전량은 얼마나 되는가?"

"왜 그런 것만 따지고 물어? 이 사람이 누굴 시험하고 있는 건가?"

"자네 말대로 한다면 이건 한국전력에 물으면 알 거 아냐."

둘은 함께 폭소를 터뜨렸다.

"이 사람아, 국회란 어디 그런 자질구레한 숫자를 따지는 덴가. 기본 원칙만 결정하면 실지의 사무는 행정부에서 다 처리하는 건데……."

"그 관대한 아량이 그대로 십만 선량감일세."

"지금 갑자기 물으니 그렇지, 그 속엔 천천히 생각하면 기억되는 계수도 있고, 또 내 사무실 책상 서랍에 있는 메모에는 다 기록되어 있네. 어디 전문가가 아닌 바에야 일일이 그 숫자를 다 기억하고 다닐 수야 있나?"

"하기야 그렇지, 백과사전이 아닌 담에야. 그러나 일국의 대의원이 될 사람이야, 큼직큼직한 숫자는 늘 머리에 두고 있어야 그때의 국민 여론을 종합하여 시정에 반영시킬 수 있지 않겠는가?"

"그건 나중 문제고, 지금은 선거의 전략문제가 시급하다니까."

"아니, 당에서 다 시켜준다는데, 자네야 몸달 것이 있겠나?"

"그래도 그런가. 당에선 공천해 주구 자금 얼마 대 주는 것뿐인데, 나머지는 자신이 피투성이의 쌈을 전개해야지."

한민은 혼자 생각했다. 지금까지 어중이떠중이가 국회에 나가 의사표시 한 마디 제대로 못하고, 표결엔 거수기 노릇이나 하다가, 국민의 피나는 세금을 모아 바치는 세비나 타먹고 친척의 취직운동이나 돌아다니는 옳소 국회의원에 비하면, 정의에 입각한 건실한 비판 의식을 가지고, 비합리적인 현실의 증언을 할 수 있는 박천우만한 사람도 드물 것이라는 판단이 서기도 했다.

"그래, 나머지 선거 비용의 염출 방안이나 섰나?"

"응, 그래 이번 기회를 놓칠 수 없다는 거야. 혁명 후의 선거니까 아무래도 전보다는 비용이 덜 들게 아냐. 생각다 못해 최상억 시장을 설득시켰지. 석 장 정도까지는 봐주겠다고 하더군."

"또 상억이 신셀 지는군."

"그 군밖에 또 누구 떼를 쓸 곳이 있나. 푼돈이야 조금씩 얻어 쓸 데 있지만……."

"남의 나라에선 돈 있는 사람이라야 제 돈 쓰며 정치를 한다는데, 우리네는 알몸뚱이들이 나가니까, 굶주렸던 판에 배부터 채우려고 드니, 이권운동에 눈이 뒤집힐 밖에……."

"이 사람아, 우리나라뿐이 아니야. 후진국에선 다 그 과정을 밟게 마련이야. 그러나 나는 절대 청렴파야."

"그것도 두고 봐야 알지. 맑은 물 한 방울이 어디 흐린 강물을 맑게 해낼 수 있겠나 원."

"그러기 때문에 나선다니까. 되기만 하면 일대 청풍(淸風) 운동을 일으킬 테니 두고 보게."

"흥, 자네가 나가면 또 파쇼의 선풍이 불겠네그려."

"참말이지, 바탕도 없는 땅에 남의 것을 이식한 민주주의를 그대로 맹탕 뒤집어씌울 것이 아니라, 어떤 기간까지는 전제를 가미한 절충책이 필요하다고 봐."

"글쎄, 그 이론이 현실면의 시책에선 잘 들어맞기 힘들다는 거 아니야?"

"아니, 후진국이 근대화하는 데 꼭 민주주의만을 써야 한다는 철칙은 없지 않아? 그 나라 실정에 맞는 이념체계를 세워가면 될 거 아냐?"

"그러나 섣불리 맛들인 민주주의에 대항하는 이념이 하루아침에 쉽사리 세워질 줄 아나?"

"이 사람아, 투표용지에 입후보자의 이름도 제대로 못 써서 작대기로 투표하는 판에, 민주주의는 무슨 썩어빠진 놈의 이름 놓은 민주주의야. 흥, 자유와 평등, 말이야 좋지. 뱃속에서 쪼루룩 소리가 나는데 무슨 자유야. 굶어죽는 자율가? 한 가족 집단자살이 속출하는데……. 평등도 그렇지. 제 이름 석 자라도 모두 다 쓸 줄 알 때 평등이지, 국회가 뭔지 행정부가 뭔지도 모르는 군중들 앞에서 입으로만 평등을 불러 뭘 해. 실지의 혜택이 고르게 있어야지."

"그렇게 말하는 자네도 관념적이란 말야. 그런 실속 없는 구호보다는 구체적인 대안을 마련하란 말이야."

"글쎄 내 앞에 닥쳐서 맡겨 놓으면 하지, 해."

박천우는 기고만장해 있었다.

"그 소신은 당선이 되거든 국회에 나가서 잘 반영하게나. 자네, 그 신념을 실천에 옮기려면 우선 당선이 돼야 할 게 아냐."

"그래 신문사에도 사표를 냈어. 이삼일 안에 보따리를 꾸릴 작정이야."

"아니, 당선된 담에 물러날 수는 없나?"

"앞으로 두 달 가까이 자리를 비워야 할 거구, 또 사측에서 당국의 눈치를 살피는 판에 그리 탐탁해 하지두 않을 거구 해서, 깨끗이 그만두고 나서서 전력을 기울일 작정이야."

"아무튼 치밀한 계획을 세우게나."

"그러기에 자네 두뇌를 좀 빌리려는 게 아닌가."

"내가 언제 그런 걸 생각한 적이 있던가?"

"예를 들면 당에서 내거는 선거 공양 외에 입후보자 자신의 국정에 대처할 신조 같은 거 말일세."

"그건 자네가 지금껏 이야기한 것을 종합하면 되지 않나."

"그걸 좀 더 조리 있고 설득력 있게 논리적으로 성문화하는 데 힘 되어 달란 말이야."

"그건 나보다 자네가 나을 걸세."

"그렇게 몸을 사리지 말고 적극 협조해 주게나. 자, 우리 어디 나가 저녁이라도 하면서 의논하세."

한민은 도무지 마음속이 개운하지 않았다. 박천우의 출마를 말리고 싶은 생각이 완전히 가셔지지 않아서였다. 돈으로 대결하는 북새판에서 선거 지반이 없는 야당 입후보라는 핸디캡을 극복하고 꼭 당선된다는 것도 힘든 일이거니와, 박천우 자신이 이번 기회에 꼭 입후보해야만 한다는 필연적인 대의명분부터가 선뜻 머리에 떠오르지 않았다.

한민은 박천우와 함께 신문사를 나와 뒷골목 길에 접어들었다.

수업과 논문 작성, 아무 기복도 없는 단조롭고도 평범한 한민의 나날은 그대로 반복되어갔다. 그는 미국 도서관에서 수집해 온 자료를 뒤적거려가며 '근대화 심포지엄'에서 발표할 논문의 초를 잡고 있었다. 학문 연구가 아무리 상아탑 속에서의 고독한 작업이라고 하지만 현실을 외면할 수는 없는 일이었다. 더욱이 역사학이란, 일관된 사관 아래, 과거에 있었던 사실(史實)을 그때의 배경과 조건 속에서 보는 일면, 현재라는 자신이 발붙이고 생존하고 있는 현실의 관점에서 새로운 각광을 비쳐 산 역사로서 이해하고 그 가치를 판정하는 다른 일면의 의의가 있으므로,

그의 학구적 자세는 늘 과거와 현재의 비교 의식 속을 헤매고 있었다.

그는 가끔 터무니없는 환상의 세계로 빠져들어갔다. 임진왜란(壬辰倭亂)을 비롯하여 그렇게 거듭된 전란의 재화 속에서 만일 『삼국사기(三國史記)』와 『삼국유사(三國遺事)』, 그리고 『고려사(高麗史)』 등 사료마저 다 불타버렸다면, 오늘의 역사가가 얼마나 종횡무진한 상상의 날개를 펴고 자기대로의 독단적인 학설을 재구성해 갈 것인가. 수백 권에 달하는 『이조실록(李朝實錄)』이 편찬되지 않았다면 산일된 개인 문집에서 모아지는 단편적인 기록을 가지고 얼마나 많은 가설(假說)이 추정될 것인가. 만일 세종대왕이 훈민정음(訓民正音)을 창제하지 않고 오늘날까지 한자만을 써 왔다면 어떻게 되었을까, 이순신(李舜臣) 장군이 임진왜란 때 성년이 되지 않고 병자호란(丙子胡亂) 때 태어났다면, 거북선 대신에 무엇을 만들었을까. 대원군(大院君)이 쇄국정책에만 일관하지 않고 일찍 문호를 개방하여 선진국의 문물을 받아들였다면, 한일합방도 없었고 남북의 국토분단도 미연에 방지되지 않았을까. 김옥균(金玉均)과 이완용(李完用)이 대한민국 정부 수립 후에 삼십대의 청년이었다면. 자기 자신이 지금 사십고개 앞에 선 성년이 아니고, 해방 직후에 태어난 십대의 소년이라면. 부질없는 환상의 꼬리는 그치지 않았다. 역사란 이어가고 창조되는 것이라지만, 운명적인 비중이 더 무거운 것 같게만 느껴졌다.

그는 근대화니 후진국이니 낙후된 경제니 하는 문구를 볼 때마다 진작 서두르지 못한 갑오경장(甲午更張) 전후의 위정자들이 못마땅해지고, 시기를 놓친 미련을 가눌 길 없었다. 그러다가 다시 8·15 후에 생각이 미치면 집권자에 비난의 화살을 돌리다가도, 그때 이미 성년이 된 자신에게 분담되는 연대의식에서 완전히 도피할 수 없는 자가당착에 빠지고 마는 것이었다.

그의 상념은 박천우의 입후보 문제로 되돌아갔다. 박천우가 생각하는 이념이나 시책이 다 타당하고 실현 가능성이 있달 수는 없겠지만, 그가 취하고 있는 행동의 방향은 긍정될 수 있는 것 같았다. 명리를 초탈한 입장에서 정치의 현실면에 직접 투신하겠다는 결벽성, 그리고 자기의 소신을 실천에 옮겨보겠다는 야망, 거기에는 확실히 삶의 자세로서의 진실한 일면이 있다고 느껴졌다. 결국 인간은 과학의 힘으로 자연을 정복하고 그 신비의 베일을 하나씩 벗겨나가듯이, 선천적인 운명을 극복하고 환경적인 여건을 타개해 가는 노력의 연속 과정에서 삶의 의의와 보람을 찾는다는 자기 자신의 지론으로 돌아오고 마는 것이었다.

그러나 자기는 역시 연구실에서 단조롭게 되풀이하는 이 작업에 몰두하는 것이, 자기 자신에 충실한 삶의 보람이라는 자신의 문제를 재확인하는 것밖에 더 다른 것이 없는 것 같았다.

한민은 근대화에 대한 발표 논문에서, 개화(開化) 초기의 근대화란 그대로 서양화(西洋化)나 서구화(西歐化)를 뜻했지만, 현재의 시점에서는 맹목적인 서구화의 추종이 아니라, 다른 후진 국가의 시책도 참작하여, 우리의 현실면에 알맞은 정치제도(制度) 및 경제구조의 재검토에서부터 출발하지 않으면 안된다는 요지로 이끌어가야 되겠다는, 논지의 주류를 세우고 발표 개요를 메모해 가고 있었다.

논문 초고의 윤곽이 대충 세워졌을 때 영옥이 문을 빼꼼히 열고 반쯤 몸을 들이밀었다.

"선생님, 일하고 계시네요."

영옥이는 도어를 붙잡은 채 머뭇거렸다.

연구실 한쪽 구석에서 아무 말 없이 공부를 하고 있던 세훈이 도어 쪽으로 시선을 돌리며, 영옥이와 서로 눈인사를 하고 있었다.

"미스터 리처드도 같이 왔는데요."

영옥이 말했다.

"응, 들어오라구 그래요."

영옥의 뒤를 따라 리처드도 들어왔다. 한민은 그들을 의자에 앉으라고 권했다.

"한 선생님, 참 감사합니다. 미스 김이 저에겐 참 좋은 선생입니다."

전에 리처드가 부탁하던, 한국말의 회화 훈련을 위하여 영옥이를 추천했더니 거기에 대한 이야기였다.

"좀 효과가 있는가요?"

"참 잘 가르쳐줍니다."

리처드는 영옥이 쪽에 시선을 흘깃 돌리며 말했다.

"미스터 리처드는 참 한국말을 잘해요. 제가 도와드릴 게 별로 없는 것 같아요."

"아니요, 천만에 말씀입니다. 정확한 발음에 많이 도움이 됩니다."

영옥의 말을 받아 리처드가 가로질러 나왔다.

"참, 리처드 군은 한국 현대사 중에서 어디에 중점을 두어 조사하고 있는가?"

"저 석사 논문은 삼일운동에 대한 것을 쓰려고 준비하고 있습니다."

"삼일운동?"

"네."

"그럼, 이런 자료를 본 일이 있는가?"

한민은 자료첩에서 사진판으로 복사한 서류 하나를 끄집어내어 리처드에게 내밀었다.

"이거 처음 봅니다."

리처드는 경이에 찬 눈매에 몹시 기쁜 듯한 웃음을 머금고 있었다.

그것은 상해에 있던 대한민국 임시정부의 헌법(憲法)을 영문으로 번역한 것이었다. 한민은 그것을 워싱턴에 있는 국회 도서관에서 복사해 왔었다. 그는 영문으로 된 헌법이 있었다는 것을 그때 처음 알았었다.

"아마 이것도 참고가 될 거야."

"네, 참 귀중한 자료입니다. 제가 카피해도 괜찮겠습니까?"

리처드는 사진판의 조문을 훑어보며 말했다. 영옥이와 세훈이도 그것을 들여다보며 호기심에 찬 표정들을 짓고 있었다.

"응, 좋아요."

"선생님, 저도 하나 보관해 두고 싶어요."

영옥이가 말했다.

"그러면 타이프로 쳐서 강 군이랑 셋이서 한 통씩 갖지."

한민이 대답했다.

"네, 고맙습니다."

세훈이도 기뻐했다.

"그런데 선생님, 저는 일본에 갔다 와야 하겠습니다."

리처드가 말했다.

"갑자기 일본에는 왜?"

한민은 리처드가 학기 도중에 일본으로 가야겠다기에 급한 일이라도 생긴 줄로 짐작되었다.

"한국에서 구할 수 있는 자료는 대개 모았습니다. 그런데 삼일운동 때의 신문은 한국말로 된 것은 매일신보(每日申報) 하나밖에 없습니다. 조선일보나 동아일보는 그 후에 나오지 않았습니까?"

"그렇지."

그것은 한민도 익히 알고 있는 일이다.

"그래서 일본에 가서 그때의 신문 기록을 찾아보고 동양문고(東洋文庫)와 일본 외무성(外務省)의 자료도 카피해 가지고 올까 합니다."

"그래요? 그럼 시일이 꽤 걸리겠군……."

"네, 이번에는 이주일쯤 가서 목록만 만들어 오겠습니다. 그리고 겨울 방학에 다시 가서 필요한 것을 모두 카피해 가지고 오겠습니다."

"그럼, 언제 떠나는데?"

"다음 월요일에 떠나겠습니다."

"그래!"

"이것은 타이프를 치고 곧 가져오겠습니다."

"응, 그래요."

리처드가 헌법 사본을 들고 나가는 뒤를 따라 영옥이도 연구실을 나갔다.

"선생님, 리처드는 무엇이든지 보든 대로 다 삽니다. 저희들은 귀중한 책이 발견돼도 값이 비싸서 쥐었다 놓았다 하다가 그대로 돌아오는 때가 많은데, 그 군은 보기만 하면 달라는 값대로 다 주고 삽니다. 전번에도 관훈동에 있는 책방에 갑신정변 직후에 나온 귀중본이 하나 있었는데, 오천 원을 호가합디다. 저는 엄청난 값에 보기만 하고 왔는데, 다음날 들르니까 리처드가 샀다고 하지 않아요. 이러다간 필요한 문헌들도 다 외국으로 빠져나갈 것 같습니다. 책방 주인들은 한국 사람보다 비싸게 팔 수 있는 외국인을 더 좋아하는가 봐요."

세훈은 몹시 아쉬워하는 말투였다.

"참 공부하는 학생들이 책을 마음대로 살 수 있어야지……."

한민은 혼자 중얼거렸다.

"리처드의 하숙에 가면 저희들이 구할 수 없는 희귀본(稀貴本)이 벽장 속에 가득히 채워져 있어요."

세훈의 말을 들으며 한민은 혼자 생각했다. 비단 학생뿐인가. 자기도 책방에 들러 책을 주물러대다가 값이나 묻고 그대로 돌아서는 때가 얼마나 많은가. 리처드는 석사 논문을 쓰기위해 비행기타고 일본까지 가서 자료를 수집하는데, 국내의 현지 조사를 한 번 떠나는 데도 그 경비 때문에 늘 쩔쩔매고 있는 실정이니……. 이러한 여건 속에서 학문을 하겠다고 나선 것부터가 애초부터 어딘가 방향이 잘못된 것만 같이 느껴지기도 했다. 모든 것이 몸뚱이만 가지고 억지로 비벼대는 꼴만 같았다.

"하기야 이같이 궁핍한 경제 조건 속에서 살아간다는 것 자체가 거의 기적인데……."

그는 자위인지 체념인지 모를 푸념을 뇌까려갔다.

혁은 이른 아침부터 찌뿌드드해 있었다. 그것은 불편한 육신의 탓만은 아니었다. 그의 방창문을 마침내 활짝 열려진 채로였다. 그의 시선은 캘린더의 빨간빛으로 인쇄된 일요일의 두드러진 숫자에 빨려져가고 있었다. 몸뚱이가 근질근질 지겨워왔다. 어디론가 마음 내키는 대로 막 뛰어다니고 싶은 충동을 막을 길 없었다. 그러나 자유롭지 못한 하반신, 방구석에 세워둔 겨드랑이 지팡이가 더욱 앙상해 보였다. 그는 문턱을 짚고 엉거주춤 머리를 치켜들었다. 맑게 트인 가을 하늘이 그에겐 밉상스럽기만 했다.

"명심아!"

그는 조카를 소리쳐 불렀다.

서재에 앉아 책을 보고 있던 한민은 동생의 큰 소리를 들으며, 또 시작이 되나보다 생각했다.

혁은 몸이 불편하게 된 뒤부터 집안의 누구에게도 용건이 있으면, 우선 명심을 불러놓고, 그 다음에 다른 식구들에게 줄을 대곤 했다. 혁이 명심을 크게 부를 때마다 집안 식구들은 또 무슨 벼락이 내리는가보다 싶어 그 다음을 대기하는 자세로 귀를 기울였다. 별일 아닌 것을 가지고도 혁은 곧잘 집안 식구들을 들볶아 댔다.

명심은 삼촌의 눈치를 살피며 마루 앞에 다가왔다.

"물 떠와."

또 신경질이 났구나 하고 명심은 알아차렸다. 혁은 무료하고 기분이 언짢으면 곧잘 목발을 방 안에 뉘어놓고 닦아대는 것이었다.

명심이 떠온 물그릇을 받아 놓고 혁은 목발 한 짝을 무릎 위에 걸쳐놓았다. 그리곤 헝겊에 물을 묻혀 새하얀 가루를 찍어선 목발을 닦기 시작했다. 닦아진 자국에선 알루미늄의 금속성 빛깔이 반짝였다. 목발을 열심히 닦고 있는 동안에는 혁 자신도 복잡한 생각에서 잠시 멀어질 수 있었다. 두 개의 목발을 다 닦고 나면 등골에 땀기가 배고 온 몸뚱이가 후줄근히 지쳐온다. 그러고 나면 운동이라도 하고 난 것처럼 몸과 마음이 거뜬해지는 쾌감을 느끼곤 한다. 그 일이 끝나고 나면 그는 으레 그 반짝이는 지팡이를 두 겨드랑이에 짚고 한참 뜰 안을 왔다갔다 하는 것이다. 그럴 땐 집안 식구의 아무도 그에게 말을 붙이려 들지 않는다. 아니, 될 수 있는 대로 혁의 신경을 건드리지 않도록, 그에게 무관심하려고 노력한다는 편이 더 옳을 것이다. 간혹 어머니가 아들이 가엾어서 걱정하는 말을 던지면 혁은 대개의 경우 짜증으로 받는 것이다. 그러기에 어머니마저도 혁이 눈에 뜨일 때는 늘 조심하는 눈치였다.

혁은 아예 4·19의 피 흘리던 장면은 떠올리지 않으려고 마음먹었다. 그러나 그것은 자기 의지로 막아 낼 수는 없는 일이었다. 교문을 박차고 거리고 휩쓸려 나가던 데모 대열의 선두에 섰던 자신, 경무대 앞의 바리케이드를 뚫고 최후의 방어선에까지 육박했다가 총탄에 쓰러지던 순간, 거기까지는 생각만 해도 심장이 뛰는 흥분과 장쾌감마저 느끼는 것이다. 끝까지 비겁하거나 좌절되지 않고 자기 신념에 충실했다는 것, 그리고 십년 독재의 아성도 민중, 아니 젊은 학생의 힘으로 무너뜨릴 수 있었다는 역사적인 증언, 그것은 값 있는 삶의 보람이라고 생각되었다. 그 행동 자체는 조금도 후회되는 것이 없었다.

그러나 그 후의 사태, 자기들의 피흘린 행동의 보상이 무로 돌아간 것 같은 현실의 역행, 순결했던 학생의 의거를 이용만 하려드는 정치 모리배, 지팡이를 짚고 거리에 나선 자신에게 휘몰려오는 모멸감, 가족에게까지도 짐스런 존재로 전락해 버린 불구자, 그러한 울분과 굴욕적인 감정은 현실에 대한 반발과 자기학대로 변질해 갔다. 누구를 위한 의거였던가, 그는 깊은 자기 회의에 싸여갔다. 4·19란 말조차 구역질이 났다. 어떤 보상을 바라고 한 행위는 물론 아니지만, 너무도 허무했다. 그러나 결국은 어떻게 하면 아무에게도 피해를 주지 않고 몰래 죽어버릴 수 있을까 하는 절망과 극단적인 자기포기로 돌아가고 말았다. 그러한 내적 고민의 반복은 자신의 의식을 좀먹어 무기력한 존재로 변질시켜가고 있었다. 온갖 멸시와 무관심한 눈초리들로부터 도피하고 싶었다.

오늘 아침도 혁은 목발을 닦는 무의미한 반복 행위가 끝나자, 그것을 양쪽 겨드랑이에 짚고 뜰에 나섰다.

그는 몇 발짝씩 옮기다가는 얼빠진 것처럼 멍청히 푸른 하늘을 쳐다보고 있었다. 애타는 여수(旅愁)가 깃들인 눈동자였다.

"엊저녁부터 일찍 떠난다고 그랬는데, 아침이 이렇게 늦었어……."

정아의 짜증스런 목소리가 들려왔다.

혁은 소리 나는 쪽으로 얼굴을 돌렸다.

"신신당불 했는데두……."

정아는 마루에서 등산모니 스웨터니 하는 것들을 챙기며 계속 투덜대고 있었다.

"인제 거의 다 돼가요."

부엌에서 형수의 목소리가 들려왔다.

"지금 떠나도 늦는데, 뭣들 하느라고……."

정아의 불평은 그치지 않았다.

"너는 대체 뭣이길래, 일요일마다 등산이니 미팅이니 하고 쏘다니는 거냐?"

혁은 상을 찡그리며 내쏘았다.

"누가 너더러 참견하랬니?"

정아는 맞받아 대들었다.

"참견? 흥, 다 큰 계집애가 밤낮 나돌아 다니니까 그렇지?"

"학교에서 선생님하구 같이 가는데 뭐?"

"그놈의 학교는 일요일도 수업이라던?……."

"흥, 걱정도 팔자야!"

"뭐? 식모두 없는데, 공일날이나 좀 집안일 돕지 않고, 뭣이 뻔뻔스럽게."

"야, 너나 집안 식구에게 걱정 끼치지 마."

"이게 못하는 소리 없어."

"너처럼 사죽을 못쓰고 날이 날마다 집안에 들어박혔으면 속 시원하겠니?"

"이년이 말이라면 다 하는 줄 알아, 죽여버리게."

"죽여라, 죽여."

정아는 목을 쑥 내밀고 대들었다. 혁은 겨드랑이에 낀 한쪽 지팡이를 빼들고 절뚝거리며 마루 앞에 다가서고 있었다.

"너희들 왜 이러니. 나 죽는걸 보려구 그러니."

안방에서 나온 어머니는 정아를 붙잡으며 옥박질렀다.

"왜들 이러세요. 아침이 다 됐는데두."

현숙은 부엌에서 나와 물 묻은 손을 앞치마에 닦으면서 시동생 옆에 가 서성거리고 있었다.

"너 그 말버릇 좀 못 고쳐?"

"지가 나만 보면 생트집을 잡으니까 그러지."

"쟤는 제 몸이 불편하니까, 어디 속이 편안하겠니."

어머니가 끼어들었다.

"엄만 밤낮 아들 역성이야."

"이년아, 이 집이 온통 네 세상이야, 뭘 잘했다구 주둥아릴 되는 대로 놀리구 있어?"

혁이 짚었던 지팡이를 다시 치켜들었다.

"얘 혁아, 너두 좀 참으려무나."

"계집애가 공부 안하고 바람만 피니 그러지."

"내가 언제, 바람을 피웠어? 병신 같은 소리."

"이년이……."

정아는 악을 쓰고, 혁은 지팡이를 휘둘러댔다. 마루유리창이 찡 소리를 내고 부서졌다. 그사이 정아는 등산모를 집어든 채 대문 밖으로 빠져 나갔다.

"애, 한 나이라도 더 먹은 네가 참지 않구."

마루에 걸터앉은 아들의 등을 만지며 어머니는 눈물이 글썽했다. 현숙이는 말없이 깨어진 유리쪽을 쓸어 모으고 있었다.

서재에 앉아 있는 한민은 들려오는 말소리와 음향으로 모든 사태를 짐작하고 있었으나, 끝내 밖을 내다보지 않았다. 오누이의 싸움에 대한 불쾌감에 겹쳐, 그에게는 아내 현숙이 엊저녁에 걱정하던 일이 떠올랐다.

자기가 이년 간이나 집을 비운 사이에 생활비니 등록금이니 하는 빚들이 이자의 이자를 물고 늘어나, 굉장한 액수가 되었다는 이야기였다. 한 달 수입으로 생계유지도 힘 드는 판에 그 이자 치다꺼리에도 힘이 겨웁다는 것이었다. 한민은 머리가 무거웠다. 들고 있는 책의 글자가 아름아름하여 눈에 들어오지 않았다. 마음속은 더욱 헛갈리기만 했다.

어머니는 건강이 다소 회복되자 다시 예불(禮佛)을 시작했다. 오늘밤도 아랫방 구석에 차려놓은 불단(佛壇)에 촛불을 켜놓고 향을 피운 다음, 그 앞에 무릎을 꿇고 앉아 반야심경(般若心經)을 읊조리고 있는 것이다.

"관자재보살 행심반야바라밀다시 조견오온개공 도일체고액(觀自在菩薩 行深般若波羅密多時 照見五蘊皆空 度一切苦厄)…… 아제 아제 바라아제 바라승아제 모지사바하(揭帝 揭帝 波羅揭帝 波羅僧揭帝 菩提薩婆詞)."

이 반야심경의 첫머리와 끝이 주는 대목은 어머니의 독경(讀經)을 하도 되풀이해 들어서 한민도 더듬더듬 기억하고 있었다.

어머니는 자정이 넘을 때까지 몇 시간이고 그렇게 정좌한 자세로 반야경을 되풀이 읊조리는 것이다.

아버지가 납치된 이후 어머니는 절간으로 불공(佛供)을 다니기 시작했다. 그것이 몇 해 계속되는 사이에 집안에 불단을 차리고 밤마다 염불하게끔 되었다. 어머니는 아버지가 꼭 살아서 돌아오리라고 확신했다. 부처님의 영험으로 꼭 그렇게 된다고 믿고 있었다. 그만큼 남북통일에 대한 어머니의 집념은 집안의 누구보다도 절실한 것이었다.

어머니는 아버지가 납치된 후 단 한 번도 거울 앞에 마주 앉아본 일이 없다. 누구를 보이기 위해 얼굴을 단장하겠느냐는 것이다. 그사이에 십여 년의 세월이 흘렀다. 남북통일에 대한 단시일 내의 서광이 보이지 않게 되자, 아버지를 꼭 만나리라는 어머니의 희망도 차츰 엷어져가는 눈치다. 그러기에 한민의 미국 출발에 대해서 어머니는 마지막 기대를 가지고 있었던 것이다. 설사 완전히 죽었다 치더라도. —그는 그러한 불길한 추측은 절대로 하지 않지만, 아무튼 생사에 관한 어떤 실마리라도 듣고 올 것으로 고대하고 있었다. 그러나 아들이 아무 소식도 얻어듣지 못하고 돌아오게 되자, 어머니의 실망은 형언할 수 없었다. 그러면서도 어머니는 아직도 남편이 영원히 돌아오지 않으리라고 단념하고 있지는 않는 눈치다.

그것만이 아니다. 4·19에 작은 아들이 총알에 맞아 중상을 입고 구사일생으로 살아난 데 대해 부처님께 감사하고, 불구가 되지 않게 기원하는 것이 어머니의 서러운 소원으로 하나 덧붙여졌었다. 그러나 그 아들도 이제는 본래의 버젓한 육신으로 회복되기는 불가능한 상태에 이르고 보니 어머니의 실망은 더 가중해 갔다.

앞길을 지나가는 사람의 발자국 소리마저 끊어진 호젓한 가을 밤, 구슬픈 벌레 울음소리를 뚫고 들려오는 어머니의 염불 소리는 한민을 더욱 괴롭게 했다.

그는 서재에서 하던 일을 멈추고 어머니의 독경 소리 속에서, 남편에 대한 아내의 사무치는 그리움과 자식에 대한 어머니의 애끓는 사랑을 뼈저리게 느끼고 있었다. 밤이 깊어갈수록 어머니의 염불은 모든 희망과 염원이 끊겨진 여인의 오열(嗚咽)로만 들려오는 것이었다.

한민은 근대화 심포지엄에서 논문 발표를 마치고 교정으로 나왔다.

"한 선생님."

부르는 소리에 한민은 뒤를 돌아보았다. 과의 대표인 유웅수(柳雄秀) 군이었다.

"유 군인가."

"저 선생님, 지금 근대화에 대해서 여러분이 말씀하셨고, 저희들도 지금까지 근대화라는 말을 구호처럼 쉽게 불러왔지만, 이론면으로도 그렇고, 실천면에선 더욱 간단하지 않을 것 같습니다."

"자, 여기 좀 앉을까."

한민은 은행나무 밑 벤치에 걸터앉았다. 발표 후의 흥분이 가라앉음에 따라 그는 약간 피로를 느껴왔다. 그는 담배를 꺼내 불을 붙였다.

"그래, 이야기를 계속하게."

담배 한 모금 길게 빨고 나서 한민은 말했다.

"저희들이 지난 여름 방학에 농촌 계몽대로 지방에 다녀왔는데요, 저희가 간 곳은 충청도 단양에 있는 산골이었습니다."

"가만 있자, 단양이면 중앙선을 타고 가다 내렸겠군."

웅수의 이야기는 첫 시작부터 한민의 관심을 끌었다. 웅수는 두뇌가 명석할뿐더러 과 안에서도 가장 성실한 학생이었다. 또한 통솔력이 강하여 과 학생의 리더십을 쥐고 있었다.

"네, 그렇습니다. 그런데 거기가 바로 단양 팔경이 있는 산간 벽지입니다. 대부분이 화전민 지대구요. 집도 이 골짜기에 예닐곱 채 있으면, 그 다음엔 산등성이를 넘어야 몇 채 있는 그런 곳입니다. 큰 집단들의 생활이란 말할 수 없구요, 주식이 옥수수와 감잡니다. 외무교육이라지만 삼십 리 밖에 있는 국민학교에 어린이를 보낼 염도 못하는 사람이 대부분이었습니다."

"그런 된 산골인가?"

한민 자신은 아직 그런 화전지대에는 가본 일이 없었기에 되물었다.

"네, 저의 마을도 농촌이지만, 전등도 들어왔고, 학교나 우편국이 있는 면사무소 소재지도 멀지 않아, 그렇게 불편한 줄은 모릅니다. 그런데 거기는 아주 딴판이야요."

"문자 그래도 산간벽지군."

"네, 그렇습니다. 거기서 제가 느낀 것이 있습니다. 이 마을에 사는 사람들은 세종대왕 시대보다 달라진 것이 무엇이 있을까 하고요. 현대 문명의 혜택이란 아무것도 받아보지 못한 절연지대입니다."

웅수의 표현이 재미있었다. 한민은 그런 벽지라면 한번 가볼 필요가 있는 곳이라는 호기심마저 느꼈다.

"참말 생활하고 아니라 겨우 생존해 가고 있다는 편이 더 옳을 겁니다."

"생활이랄 수 없는 생존이다, 서울 주변의 서민층인들 없는가?"

"그렇지만 이건 참말 인간 이하의 생활입니다. 거기 있다가 서울에 돌아오니까, 참말 현대 문명의 별천지에 온 것 같았습니다."

"서울도 서울 나름이지. 한국 최고의 부유층에서부터 최하의 빈민층까지 뒤섞여 살고 있는 곳이 서울인데……."

"그렇지만 전기가 없는 변두리라도 멀리 전깃불을 바라볼 수 있고, 거리를 지나가는 바람에 라디오 소리라도 얻어들을 수 있지 않습니까. 거긴 신문 한 장 없는 곳입니다."

한민도 도시와 산간 농촌의 생활수준이나 문화혜택의 격차를 생각하지 않은 바는 아니지만, 현지에서 그들과 같이 얼마 동안이라도 생활하고 온 웅수의 경험담을 들으니 더욱 실감이 났다.

"그래, 제 생각에, 이러한 곳까지 근대화하려면, 대체 어떠한 시책을 써야 할 것인가 하는 의문에 부딪쳤습니다. 저희들이 몇 주일 동안 가서 일을 돕고 한글 몇 자 가르치고, 소화제나 몇 알 먹이고 온 것이, 오히려 그들의 마음만 들뜨게 한 것이 아닌가 하는 미안감이 들었습니다."

웅수는 산간 농촌의 현실을 똑바로 보는 안목을 가졌을 뿐더러, 자기 자신이 그들을 어떻게 대해야 할 것인가 하는 자세까지 생각하고 있다는 점에서 한민은 적잖은 자극을 받았다.

"저는 춘원의 『흙』도 읽고, 심훈의 『상록수』도 읽었습니다만, 그같이 도시 인텔리의 농촌에 대한 센티멘털한 동정이나, 자기 도피로는 농촌의 근본 문제가 해결될 수 없다는 것을 절실히 느꼈습니다."

한민은 웅수의 그러한 견해에 대해 공감이 가는 점이 적지 않았다.

"그래, 저는 시골 처녀의 가슴이나 울렁거리게 하고, 며칠 동안 기껏 사탕발림이나 하는 그런 농촌계몽의 필요성 여부부터 좀 더 생각할 문제라고 느꼈습니다."

한민은 담배를 빨아 연기를 긴 숨 속에 담아 뿜으며 묵묵히 듣고 있었다.

"이런 일이 있었습니다. 저희가 떠날 때, 십칠팔 세 되는 소녀가 따라 나서며, 서울 가서 남의 부엌일을 해도 좋으니 데려가 달라고 애걸하지 않겠습니까. 오히려 고요한 마을에 파문을 일구는 것 같아 그대로 떠났습니다만. 그랬더니, 멀어져가는 저희들을 바라보며 울고 있지 않겠어요. 아직도 그 딱한 장면은 눈에 선합니다. 이젠 저 자신의 농촌 문제에 대한 확고한 신념과 타개책이 서지 않는 한, 그 수학여행 기분의 계몽대에는 참가하지 않을 작정입니다."

"나도 그 이야기엔 동감이야. 농촌 문제는 자매결연(姉妹結緣)이니 계몽대니 하는 쇼 같은 행사로 해결될 것이 아니라, 좀 더 그 근본적인 대책을 치밀하게 강구한 후에 실천으로 옮길 문제라고 생각해……."

"그러기에 저는 아까 선생님이 말씀하신, 근대화도 지금까지의 맹목적인 서구 추종이나 무비판적인 이식문화의 단계를 지양하고, 우리 현실에 맞는 시책이 강구돼야 한다는 대목에 동감이 갔습니다."

"글쎄, 그것도 학술면에서의 이론적인 이상이지, 실지문제는 그렇게 간단하지 않단 말이야. 일례를 들면, 토지 문제만 하더라도 해방 후에 농지 개혁을 정부에서 실시했지만, 지금의 현실에서 볼 때, 예전과 크게 달라진 것이 무엇이 있는가? 대지주가 도태되고 경작자에게 분배됐다고 하지만, 여전히 영세 농가가 대부분을 차지하는 건 무인할 수 없지 않나. 도루 또 부재지주(不在地主)인데."

"참말 저의 마을의 실정도 그렇습니다."

"그것도 이상적으로 하자면, 일 년의 농사로 자기 생계를 유지할 수 있고, 거기에 교육비니 의료비니 또는 최소한 신문·잡지 등의 문화면에 필요한 비용까지 지출할 수 있는, 단위면적의 농지 재분배를 하고, 나머지 농민은 공장이든 광산이든 다른 직업으로 전환시켜 흡수할 수 있는 경제 기구가 병행해야 할 건데, 그것이 우리 현실에선 곧 실현될 가능성이 있는가? 하니까 덮어놓고 농민이 다 잘 살 수 있게 한다는 건 현재의 여건에선 거의 무망한 일이야."

"참, 그런 것 같아요."

"하기야, 내 생각도 하나의 탁상공론에 불과할지도 모르지만…… 내 자신이 당장 자기의 생활 방도도 완전히 세우지 못해 쩔쩔매고 있는 형편인데……."

한민은 껄껄 웃었다.

"선생님, 흙에서 나는 것이라곤 다 싸구려지, 아무것도 값가는 것이 없지 않습니까. 앞으로 농촌 문제는 좀 더 심각하게 생각해야겠습니다."

"응, 나도 자네들 새로운 세대의 건실한 아이디어를 들으며 서로 의견 교환을 할 기회를 가져야겠어……."

한민은 적극적으로 성실하게 자기의 생각하는 바를 토로하는 유응수의 이야기에서 여러 가지로 느껴지는 바가 있으면서도, 이렇게 할 자기주장의 결론을 내리지 못하는 것이 미흡하기만 했다.

대통령 선거의 개표 결과가 발표되었다. 한민은 신문 지면을 뚫어질 듯이 들여다보고 있었다. 여야 입후보의 백중한 시어소 게임, 결국 혁명 주체세력의 계속집권의 확정된 결과로 되었다.

제삼공화국의 탄생, 한민은 젊은 세대가 중추세력을 이루고 있는 새 정권에 어떤 기대를 걸어보고도 싶었다. 선거로 국민의 신임을 묻고 난 지금, 군사혁명 자체의 정당성 여부를 따질 시기는 이미 지난 것이 아닌가 하는 생각도 들었다. 오히려 긴 역사의 기복 속에서, 혁명의 당위성은 앞으로 군건하고 건설적인 시책과 그 성과가 후세의 산 증언을 해줄 것이었다. 그러나 우선 약육강식(弱肉强食)으로 정의가 강자의 편에 서고, 법이 권력과 금력의 시녀 구실을 하는 지난날의 타성만은 되풀이되지 말아야 할 것 같았다.

자유와 평등, 그는 혼자 읊조렸다. 그리고는 자유당, 아니 이 박사의 일인 독재를 무너뜨리려는 4·19의 항거에, 교수 데모대의 일원으로 솔선 참가했던 일을 떠올리고 있었다. 그때는 아우가 그 독재 정권의 총탄에 맞아 생명이 경각에 있다는 의분이 겹친 탓도 있었지만, 평소의 자기 이념이나 삶의 자세에 대한 행동으로서의 자기표현이었다고 그는 생각하고 있었다.

그러나 단군 이래의 자유라고 불리던 민주당 정권은, 감투의 재분배에 여념이 없는 사이에 손도 쓸 사이 없이 거꾸러진 것이 속 시원하기도 했지만, 일면 좀 더 두고 보았으면 하는 얼마간의 미련감도 없지 않았었다.

5·16 군사혁명이 일어났을 때 그는 새벽 라디오를 듣다가 깜짝 놀랐다. 곧 불안감이 휩쓸려 왔다. 4·19는 불란서 혁명에 견줄 만큼 전제자에게 박탈당했던 민권을 민중의 손으로 도로 찾았다는 데 그 의의를 발견할 수 있었지만, 그것도 평화적인 정권 교체로 민주주의 토대를 구축

해 가는 것보다는 만족스럽지 않았다. 다만 어떠한 독재자도 그 극도에 달할 때는 민중의 힘으로 거꾸러뜨릴 수 있다는 실증을 보인 점에서는 참말 역사적인 쾌거였다. 우리도 이렇게 할 수 있다는 자긍이 느껴졌다. 그러나 무력을 가진 군대로 정권을 잡는다는 것은 어쩐지 불안과 공포를 자아내는 일만 같았다. 그것이 단 한 번으로 그치면 몰라도 민주적인 선거를 통해 정상적으로 정권이 교체되지 않고, 위급할 때마다 늘 이렇게 무력이 정권 교체되지 않고, 위급할 때마다 늘 이렇게 무력이 집권 교체의 수단으로 사용된다면 어떻게 될 것인가 하는 의구심이 앞섰다.

사실 집권하는 정권마다 부정과 부패를 타성처럼 되풀이하니, 밑져야 본전인 바에는 젊은 층에게 한 번쯤 맡겨보는 것도 그리 나쁘지는 않을 것이라는 투기적인 호기심 정도의 관심이, 투표하는 직전까지 한민의 머릿속을 감돈 생각이었다. 그러면서도 어느 쪽이 꼭 이겨야만 한다는 절실한 욕구는 없었다. 그러기에 개표의 최종 결과를 보고도 그는 특별한 충격은 받지 않았다.

미국을 떠날 대 선편(船便)으로 부친 책이 세관과 문교부의 복잡한 검열 단계를 거쳐 겨우 도착되었다. 한민은 그 책들을 분류하여 연구실 서가에 정리해 가고 있었다. 새 책에서 풍겨지는 종이와 잉크의 독특한 냄새가 성성하게 코를 자극해 왔다. 자기가 없는 동안 집안 살림은 말이 아니게 꾸려갔지만, 필요한 책을 어느 정도 장만할 수 있었다는 것은 참말 다행한 일이었다. 달마다 나오는 봉급에서 떼어서 사려면, 십년을 긁어모아도 어림없는 분량이었다. 서가에 늘어놓은 책 뒷면의 가지가지 빛깔과 디자인을 바라보면서 그는 흐뭇한 기분에 젖었다. 연구실에 혼자 파묻혀 있는 시간만은 쪼들리는 집안 살림에서 잠시 멀어질 수 있고, 식구들의 제각기 불만에 찬 얼굴도 보지 않아 그만큼 마음 편할 수 있었다.

그는 의자에 등을 쭉 펴고 비스듬히 기대앉아 창밖의 풍경을 내다보았다. 빨강·자주·노랑·오렌지, 나무마다 각각 제 나름의 특색을 지닌 빛깔로 물든 단풍으로 아름다운 무늬를 이루어 교정을 화사하게 단장해 가고 있었다. 벌써 재빠른 낙엽은 건들바람을 안고 훨훨 흩날려갔다. 그는 시골에라도 여행하고 싶은 유혹에 끌려가면서 파이프에 불을 붙여 길게 첫 모금을 빨았다. 콧구멍이 알알한 염초의 향기는 불현듯 이국적인 여수를 자극해 왔다.

한민은 자리를 일어나 연구실을 나왔다. 단풍이 무르익은 나무 밑을 거닐고 싶은 충동에서였다. 뜰에 나선 그는 거목 사이를 낙엽을 밟으며 천천히 걸었다. 이 분위기 속에서 흘러간 십수년의 세월이 주름 잡혀 펴졌다. 아무것도 이룩한 것 없이 시간만 흘려보낸 것만 같은 공허감이 스며왔다. 짙어가는 가을에서 오는 계절의 탓만은 아닌 것 같았다. 자기 자신이 현재 하고 있는 일에 대해서 차츰 열이 식어가고 그 의의에 대한 신념이 엷어져 가는 탓이 아닌가 하는 생각마저 들었다. 그는 계속 나무 밑을 거닐고 있었다.

교문 가까이로 가자, 그는 바깥 가로를 질러 양쪽 가로수에 높다랗게 달아놓은 어느 정당인가의 입후보자 선전 플래카드에 눈이 갔다. 그의 상념은 끊겨졌다. 때마다 눈에 거슬리고 귀에 따갑도록 외쳐지는 그 부도수표 같은 선거 공약.

한민은 지금쯤 선거구에 내려가 목이 터져라고 외치고 있을 박천우를 생각하며 연구실 쪽으로 발을 옮겼다.

그는 자기 연구실 문 앞에서 몸을 돌리는 보리와 마주쳤다.

"한 선생님!"

보리는 상냥하게 웃으며 다가왔다.

"아, 미스 박."

한민도 웃으며 반겼다.

"그렇게 부르지 말고 이름을 부르세요."

"이제, 다 큰 여인을 보고 애들처럼 이름만 불러서 되겠어?"

"그래도 선생님이 미스 박이라고 부르는 건 어울리지 않아요. 그냥 보리라고 불러주세요."

"그럼, 보리."

"네, 좋아요."

한민은 연구실의 키를 열고 보리를 앞세우며 안으로 들어섰다.

"선생님이 안 계시기에 어디 가면 찾을 수 있을까하고 생각하던 참이에요."

"응, 잠깐 뜰에 나갔댔어. 그러잖아도 지금 선거 플래카드를 보고 오빠 일을 생각하고 있는 중이야."

"그 일 때문에 왔어요."

"그 일?"

"네, 오빠 선거 관계 말이에요."

"응, 오빠 지금 현지에 내려가 있을 거 아냐?"

"네, 거기 가 선거 유세 중이에요."

"막 고비에 올랐군."

"그래, 제가 내일 그리고 내려가겠어요. 집안에서는 처음에 반대했지만, 오빠가 이번밖에 기회가 없다고 우기는데 할 수 있어요. 이렇게 된 바에야 꼭 당선이 되게 뒤를 밀 수밖에 없잖아요?"

"하기야 그렇지."

"그런데 한 선생님, 같이 가주시겠어요?"

너무도 의외의 요청에 한민은 얼떨떨했다.

"어디로?"

"오빠가 유세하고 있는 데 말이에요."

"내가 내려가야, 무슨 도움이 되겠어."

"그래도 오빠 한 선생님을 보기만 해도 용기를 얻는다는데요."

"가만히 있자."

한민은 잠시 생각에 잠겼다. 자기는 일선 정치에는 절대 손대지 않겠다고 마음먹어왔다. 더욱이 선거운동이라니, 말도 안 되는 소리다. 그러기에 박천우가 입후보하겠다는 말을 들은 이후, 그가 의논할 일이 있어 부를 때 외에는 자기편이 자진해서 찾아간 일이 없었다. 그러나 보리가 일부러 이렇게 찾아와서 간청하는 것을 면전에서 거절하기란 대단히 어려운 일이었다.

"오늘밤 두고 생각해 보지."

김빠진 듯한 한민의 소리에 보리의 얼굴빛은 변해갔다.

"선생님, 너무하세요. 무슨 찬조 연설이라도 해달라는 줄 아세요? 그저 오빠를 만나서 격려만 해주십사 하는 건데요."

한민은 한참 말이 없었다.

"선생님, 토요일엔 수업이 없으시죠?"

"없어. 그러나 수업이 문제가 아니야. 내가 나설 자린가 아닌가 하는 것이 문제야."

"그렇게 너무 까다롭게 생각하실 게 있어요. 그저 오빠를 만나고 오시면 되는 거예요."

한민은 자기가 나타나는 것으로 친구에게 그렇게 효과가 있다면 하고 생각을 돌려갔다. 그뿐만 아니라, 이 기회에 농촌 실정도 한번 돌아보고 싶은 생각이 들었다.

"내일 저녁에 합동 정견 발표회가 있다나 봐요. 그래, 내일 갔다가 모레 돌아오시면 돼요."

한민은 박천우의 정견 발표에 관심이 갔다.

"선생님 가시지요?"

보리는 계속 다그쳐댔다.

"그럼, 가도록 하지."

그는 단안을 내렸다.

"네, 고마워요."

보리는 눈물이 글썽해 있었다.

"보리도 같이 가는 거지?"

"네, 그러믄요. 그럼, 아침 열시까지 서울역 이동 대합실에 나와주세요. 제가 먼저 나가 기다리고 있겠으니까요."

"그렇게 해요."

"그럼, 내일 아침"

보리는 총총히 돌아섰다.

한민은 무엇인가 미적지근한 것이 있어, 보리를 부를까 하다가 바삐 사라지는 그의 뒷모습을 물끄러미 바라보고 있었다.

한민은 기차 시간에 늦지 않도록 조금 여유를 두고 정거장으로 나갔다. 벌써 와 있는 보리는 대합실 문 밖에서 한민을 기다리고 있다. 보리의 빨간 술을 단 보리짚 모자를 보니 함께 놀러라도 떠나는 기분이었다. 주말이라서 대합실에는 등산복 차림에 륙색을 짊어진 사람들이 많이 눈에 띄었다. 집에서 떠날 때까지도 께름칙했지만, 이들 여행자들의 즐거운 분위기에 더욱이 오래간만에 보리와 함께 여행가게 된 것이 즐거웠다.

"자, 이거."

보리는 한민에게 기차표를 내밀었다.

"벌써 표를 샀어?"

"네, 이건 선생님 거구요, 제건 여기 있어요."

보리는 자기 호주머니를 가리키며 말했다.

"하룻밤 자겠는데, 그건 무슨 보따리가 그렇게 커?"

한민은 보리 옆에 놓인 커다란 수트케이스를 보며 물었다. 자기는 아무것도 들지 않은 맨몸뚱이였다.

"오빠가 갈아입을 내의랑, 그밖에 여러 가지가 들어 있어요."

생글생글 웃음 짓는 보리는 몹시 명랑한 표정이었다.

한민은 수트케이스를 들고 보리와 함께 개찰구를 나섰다.

"제가 들게요."

"괜찮아."

"그럼, 같이 들어요."

보리는 수트케이스 손잡이에 손을 들이밀었다. 둘은 수트케이스를 맞들고 층층대를 내려갔다. 플랫폼을 걸어가면서도 보리는 소풍이라도 가는 듯이 경쾌한 발걸음이었다.

한민은 오래간만에 타는 기차였다. 차 칸에 올라 보리와 복스에 마주 앉으니 지나간 일들이 되살아왔다. 천우·보리, 그밖에 몇몇 친구들과 어울려 산으로 바다로 휩쓸려 다니던 것이 눈에 선하게 떠올랐다.

"선생님하고 이렇게 차타는 거 참 오래간만이에요."

보리는 달리는 차창에 어린 풍경에서 눈을 돌리며 말했다.

"참, 그렇군."

"저하고 가는 거 싫으시죠?"

"싫기는 왜? 좋아……."

"거짓말."

"참말이야."

"그런데 어저껜 왜 그렇게 딱 잡아떼셨어요?"

"그건 또 다른 이유에서였지."

"늘, 이렇게 같이 다니게 됐더라면 좋았을 걸……."

"……."

"선생님, 오빠의 당선도 당선이지만, 사실은 제가 선생님하고 함께 여행하고 싶어서 꾸며낸거예요……."

보리는 혼잣소리처럼 중얼거렸다. 한민은 말없이 웃음 지으며 머리를 끄덕였다. 보리는 지나간 일들을 회상하는 눈매였다.

"한 선생님, 저거 좀 내려주세요."

보리는 시렁에 올려놓은 수트케이스를 가리키며 말했다.

"그건 왜?"

"그 속에 꺼낼 것이 있어요."

한민은 복스에 올라서서 수트케이스를 들어내었다. 보리가 밑에서 받았다. 보리는 수트케이스의 지퍼를 열어 속에 들어 있는 보자기를 끄집어내고 있었다. 그 밑에는 여자용 옷가지들이 눈에 띄었다.

"그건 보리 옷인가?"

"네."

"하룻밤 자는데 옷은 뭣하러 가지구 가?"

"선생님두, 그럼 여관방에서 이대로 뒹굴어요?"

"나는 아무것도 가져오지 않았는데……."

"전 여자가 아니에요?"

보리의 말곁이나 동작은 한민에게 자연스럽게 느껴져 왔다.

보리는 보따리를 풀어 껌·캔디·과일 등을 끄집어내었다.

"선생님, 이거 잡수셔요."

한민은 보리가 내미는 캔디를 받아 입 속에 넣고 우물거리며 차창에 점철되는 풍경에 시선을 던졌다. 누렇게 익어가는 벼가 미풍에 나부껴 넘실거리던 물결의 굽이를 이루고 있는 논밭은 바라만 보아도 풍성한 느낌을 주었다. 도시의 유폐된 생활과 복닥거리는 인파를 벗어나 대자연의 품속을 누비고 질주하는 쾌감에 잠겨, 한민은 주변의 모든 자질구레한 일에서 잠시 헤어난 기분이었다. 모든 것을 잊고 이러한 경지로 지속되었으면 싶었다.

"선생님."

한민은 보리 쪽을 바라보았다.

"이대로 끝없이 갔으면 좋겠어요."

"나도 그런 느낌에 젖어 있어."

"선생님도?"

"그래."

"참말?"

"응, 그러나 이것도 오래 계속되면 싫증이 날 거야. 역시 인간은 인간 속에서 부대끼며 살아야 사는 맛이 나지……."

"사랑하는 사람과 단 둘이라면?"

"그것도 꿈같은 낭만이야. 며칠 못 가서 인간이 그리워질 걸……."

"저는 그래도, 요새 수도원을 생각하고 있어요."

"수녀의 세계 말이지?"

한민은 보리 목걸이의 십자가에 눈을 주며 되물었다.

"네."

"그건 종교의 세계니까, 지금 이야기는 속세와는 별개의 문제지."

"깨끗하게 신앙으로, 그렇게 사는 것도 좋을 것 같아요."

"그건 사람사람이 자기대로 생각할 나름이야. 그것으로 삶의 보람을 찾는다면 그것은 그것대로의 의의를 가지겠지……."

"참말 그래요."

"그러나 나는 그것을 단순한 신앙으로 보지 않고, 일종의 삶에 대한 도피라고 생각해."

"그래도 깨끗하고 거룩하지 않아요?"

"믿음은 주관적인 문제지만, 거룩하다는 것은 제삼자가 보는 객관적인 비판이야."

"스스로 거룩한 삶이라고 생각할 수도 있잖아요?"

"스스로 자기 자신을 거룩하다고 생각하는 건, 벌써 그때부터 위선이 작용하는 거라고 생각돼."

"선생님, 그건 너무 가혹한 해석이야요."

"글쎄, 나는 종교에 깊은 관계도 없고, 삶에 대해 평소에 느끼고 있는 나대로의 생각이니까, 아무것도 아닌 거야."

"선생님 생각에도 일리는 있는 것 같아요."

"나는 건전한 의미에서 자기 자신에 충실한 것이, 가장 올바른 삶의 자세라고 생각하니까."

"그럴지도 모르죠."

"양심의 바탕 위에 선 이기(利己) 이상의 이타(利他)는 없다고 하지 않아?"

"점점 어려워지네요."

"글쎄, 나 자신도 잘 납득이 안 가는 소리를 하고 있는지도 몰라……."

한민은 두서없이 지껄이고 난 자신이 멋쩍어 변명처럼 끝을 어물거리며 껄껄대고 웃었다.

한민과 보리는 천안역에서 내려 버스를 갈아탔다. 오빠에게 한 번 다녀가 교통노선을 알고 있는 보리가 하는 대로 한민은 따랐다. 이들은 저물녘이 다 되어 목적지에 닿았다. 거리 복판 이층 건물에서 선거 선전의 스피커 소리가 울려나왔다. 한민은 고개를 치켜들고 쳐다보았다. 건물 앞에는 박천우가 아닌 다른 당 입후보자의 커다란 현수막이 걸려져 있었다. 아래층에는 그 소속 당의 군당부 간판이 보였다. 거리에는 여러 입후보자들의 플래카드가 큰 길을 가로질러 바람에 펄럭였다. 한민은 첫 순간에서부터 격심한 선거전이 벌어지고 있다는 인상을 받았다.

"우선 박형의 선거사무소를 찾아가야 하겠지?"

한민은 보리에게 말했다.

"아니에요. 오빠가 거기 있을지 없을지 모르니까, 오빠가 묵고 있는 여관에 가서 연락하도록 하겠어요."

"응, 그게 좋겠군."

한민은 보리의 의견에 따를 수밖에 없었다. 앞뒤에서 들려오는 스피커 소리에 거리는 어수선했고 선거사무소 부근은 모두 축제날같이 들떠 있었다.

여관에 도착하자 보리는 박천우의 선거사무소에 전화를 걸고 있었다. 그러나 박천우는 벌써 정견 발표장으로 떠났다는 것이었다. 개회 시간 일곱 시까지는 삼십 분의 여유가 있었다. 한민과 보리를 버스에서 뒤집 어쓴 먼지를 털고 세수를 했다.

그들은 여관을 나와 발표회장인 국민학교로 향했다. 사람들이 웅성거 리며 학교 쪽으로 몰려가고 있었다. 한민은 마치 어린 시절에 단오날 씨 름 구경을 가던 때와 같은 동심의 흥분을 느꼈다.

교문에 들어서니, 운동장 안에는 벌써 많은 사람들이 모여 서성대고 있었다. 학교 현관 앞 연단 주위에는 고촉의 전등이 여러 개 켜져, 그 부 근은 사람 얼굴을 알아볼 수 있게 환했다. 그러나 아직 정견 발표는 시 작되지 않고 있었다.

"오빠가 있는 곳으로 찾아가야겠어요."

보리는 한민의 팔을 끌며 불이 밝은 쪽으로 가까이 다가갔다.

"그럴 필요가 없어. 발표가 끝난 다음에 만나는 것이 좋을 것 같은데."

"왜요?"

"내가 온 줄 알면 박형이 더 흥분할지도 모르니까."

"그럴지도 몰라요. 그렇지만 더 용기를 낼지도 모르지 않아요?"

"또 한 가지, 이 지방 군중 속에 섞여, 그들의 반응이나 여론을 살피는 것도 필요할지 몰라."

"참 그렇겠군요."

한민과 보리는 군중들 틈에 끼어 섰다. 군중이라야 어른보다 초등학교 학생들이 더 많은 것 같았다. 한민은 보리와 함께 어른들이 많은 속으로 끼어들었다.

마이크 시험 관계로 발표회는 정각보다 늦게 시작되었다.

사회자가 연단에 오르자 울타리 주변에 뿔뿔이 흩어졌던 사람들이 중심을 향해 원을 그리며 압축되어왔다. 한민은 보리와 함께 연단이 마주 보이는 정면 뒤쪽에 섰다.

사회자는 간단한 인사말을 마치고 처음 발표할 연사를 소개했다. 한민에게는 그렇게 귀에 익지 않은 군소정당의 입후보자였다. 육십이 넘은 노인의 목소리는 패기가 없이 맥빠져 있었다. 그것만이 아니라 조국이니 민족이니 애국이니 하는 상투적인 용어만 나열하는 우국지정의 호소로 구체적인 시책에 대한 제시는 거의 없었다. 소정된 시간이 지루할 정도였다.

그 다음이 박천우의 차례였다. 박천우의 그 듬직한 체구가 연단에 나타나자 박수 소리가 요란스럽게 울렸다. 지방 세포를 가장 뿌리 깊게 펴고 여당과 맞서는 대표적인 야당인 만큼, 발표장에도 조직적으로 당원을 미리 배치시킨 모양인지, 처음 여기저기서 산발적으로 시작한 박수에 호응하는 군중이 많았다.

박천우의 그 우렁찬 선동적인 어조는 첫마디부터 청중의 관심을 끌고 있었다. 그는 당의 정강 정책보다는 저번 한민을 만나 출마 의사를 표명했을 때의 자기 주견을 이로정연하게 구체적인 실증을 들어가며 설파해 갔다. 그리고는 현 정부의 무능과 부패를 하나하나 예증하고, 권력을 모체로 하여 사전 조직한 여당의 불법성을 다각적으로 분석해 가며 규탄하고 있었다. 끝으로 그는 자기가 당선되면 과거의 국회의원이 지닌 특권의식을 버리고, 국민 대중의 심부름꾼으로 그 의사를 반영하고, 피 끓는 젊음을 바쳐 유권자의 손발이 되어 일하겠다는 결론을 맺었다.

한민도 박천우의 발표를 들으면서 감탄했다. 그는 박천우가 대학 재학 중 학도호국단장을 지내면서 학생들 앞에서 열변을 토하던 일을 상기하고 있었다.

셋째 번은 박천우보다 훨씬 젊은 여당 입후보였다. 가장 조직적으로 청중을 동원했는가 보아, 그가 연단에 올라서서 일제히 시작되는 박수

소리는 박천우의 경우보다 더 울려 퍼졌다. 그는 아직 젊은데다가 몸이 가냘퍼 처음 인사할 때부터 좀 경망해 보였다. 이 입후보자는 당의 기본 정강을 강조하는 데 중점을 두고, 현재의 정권이 실시하고 있는 시책에서 장점은 조장하고 단점은 용감하게 시정해 나가겠다는 요지였으나, 말끝마다 '젊은 엘리트'라는 말은 빼지 않아, 엘리트라는 뜻을 잘 모르고 있는 농촌 사람들은 마지막에 가서는 그 말이 거듭 되풀이되면 킥킥거리고 웃어댔다.

그 뒤에도 두 사람의 정견 발표가 있었으나, 한민에게는 그렇게 큰 관심은 주지 않았다. 한민은 종합적인 발표 결과로는 박천우가 당연 우세하다는 자기 판정을 내리면서 앞쪽으로 다가왔다.

"오빠 잘했지?"

보리는 감탄하며 기뻐했다.

"응, 잘했어. 그로선 최선을 다한 거야."

한민과 보리가 연단 주위에 가 아무리 살펴도 박천우는 보이지 않았다. 발표가 끝나자 입후보자들은 빨리 학교 사무실로 들어간 모양이었다. 그들은 박천우를 여관에 가서 만날 작정을 하고 교문 쪽을 향해 운동장을 걸어 나왔다.

박천우는 자정이 가까워서야 숙사로 돌아왔다. 그 사이 한민은 보리와 함께 박천우가 거처하는 방에서 기다리고 있었다.

"오빠, 인제 오세요?"

보리가 반기고 나섰다.

"응, 너 왔니? 아니, 자네가 웬일이야?"

박천우는 한민을 보자 의외라는 듯이 깜짝 놀라며 그의 손을 잡았다.

"고마와, 나는 쟤 혼자만 온 줄로 알았는데……."

박천우는 감격에 차 있었다.

"나는 못 오는 곳인가? 여기는⋯⋯."

"아니, 자네 같은 선비는 너무 순수파가 되어서⋯⋯."

"오빠, 왜 이렇게 늦으셨지요?"

"선거 운동원들과 내일 할 일을 의논하느라구⋯⋯."

"오늘 저녁의 자네 정견 발표는 합격점이야."

"아니, 들었댔어?"

"그럼, 듣다 뿐인가."

"오빠, 참 잘됐어요."

"그럼, 몇 시에 왔기에?"

"바로 발표회가 시작하기 전에 도착했어요."

"자네 다음에 연설하던 그치도 좀 치졸한 데가 있지만 만만치 않겠던데."

"응, 그자가 가장 큰 적수야. 그런데 실권을 쥐고 있는 당의 배경을 가지고 있으니까, 면소구 지서구 할 것 없이 다 손발로 움직이고 있는 판이야."

"그래, 대체 전망은 어떤가?"

"백중지세야. 그러나 현재까지로는 내 쪽이 조금 우세한 편이야. 운동원들은 절대 우세하다고 장담들을 하지만⋯⋯."

"그거야 액면대로 믿을 수 있나. 운동권 중에는 선거 때마다 한몫 보는 직업 선수도 있어서, 섶에 가 붙고 간에 가 붙고 할 터인데."

"참말 이중간첩으로 보이는 놈이 없지 않아. 그렇다고 도중에서 바꾸면 이쪽 비밀을 폭로하고 훼방을 놓구 다닐 것 같구, 알고도 속는 셈이지."

"아무튼, 시합은 우선 이기고 보는 거야."

"그럼 여부 있나. 수단 방법을 가리지 않고 이겨야지. 승자(勝者)인 판에 별수 있어? 그런데 이 일 저 일 걸리는 것이 많아 견딜 수 있어야지. 암암리에 여간 압력이 오는 것이 아니야."

"어떤 압력인데?"

"한 가지 예를 들면, 청년당원을 시켜 내 쪽의 운동원을 보고하는 소리가 그 사람의 일을 보면 재미없다느니, 이쪽으로 오면 상당한 보수가 있다느니 하는 협박과 매수공작이 공공연히 벌어지고 있어. 말하자면 그쪽에선 권력과 금력의 이중 공세야."

"자넨 실력으로 대결해야 할 거 아니야?"

"그러나 결국 보면 실력보다 금력의 대결 같은 거야. 참 너 그걸 가져왔니?"

박천우는 동생을 보며 물었다.

보리는 고개를 끄덕여 대답하고 있었다. 한민은 보리가 오는 도중 차에서 수트케이스에 몹시 신경을 쓰던 이유를 그제야 알 수 있었다.

"한 가지 믿는 건, 실력도 실력이지만, 저쪽은 외지에서 뛰어들어 왔구, 나는 이곳 출신이라는 점이야. 아직 시골선 혈연관계를 전연 무시할 수는 없으니까……."

"또 그 전근대적인 지연(地緣)의 득을 보겠다는 건가?"

"아니, 막바지에 올랐는데 별수 있어. 쓸 수 있는 수단은 다 이용해야지. 그것만이 아니야. 전부터 여기는 야당적인 색체가 농후한 지역이어서 그 점에도 얼마큼 희망을 걸구 있어. 아까도 보지 않았어. 현실의 부정부패를 쳐들어 규탄하니까 청중 속에서 박수 소리가 나오는 것을……."

"그것이 현재의 일반 여론이자 군중심리가 아닌가?"

"그런데 대통령 선거가 저렇게 결말이 났으니, 하기야 그것도 해설할 나름이야. 일반적인 상식으로 보면, 대통령이 소속한 정당이 국회를 장악하는 것이 정상적이겠지만, 또 한편에서는 국회만이라도 야당이 우세해야, 행정부의 독주를 견제할 수 있다는 관점도 있으니까……."

"이 사람아, 그렇게 차원이 높은 이야기는 속에 점 먹물이나 든 사람들끼리의 화제 거리는 되겠지만, 작대기로 투표하는 바지저고리에게 그것까지 기대를 거는 것은 자네의 확대해석이야."

"앞에 선거 날짜가 며칠 남지 않으니까, 모든 것을 나한테 유리하게만 해석하게 된다니까……."

"그것도 일리가 있어. 그러나 득표 예상수는 짜게 계산하고 대책을 세우란 말이야."

"그것도 날마다 달라지네 그려. 사람이 아주 미치겠어. 내일 저걸 가져다 기름을 치면, 또 숫자가 달라질거야……."

"이왕 내친걸음에 최선을 다하게."

"최선이 뭔가. 인생 사십의 생사를 걸고 있는데……."

셋은 한방에서 뒹굴었다. 불은 껐지만 천우는 계속 부스럭거리는 폼이 잠을 이루지 못하고 있는 모양이었다. 한민도 잠을 청할 수가 없었다. 전에 이들과 함께 바닷가에서나 산속에서 한 캠프 속에 뒹굴던 밤을 연상케 했다. 보리도 깊은 잠에 들지 못하는 기색이었다. 이따금 기침 소리가 들렸다. 한민은 보리의 숨소리를 가늠하며 몇 번이나 뒤치락거렸다. 그는 선거 유세장의 분위기로나 박천우의 현지 실정 이야기에서, 앞으로의 선거 및 정국이 평온치 않을 불안한 예감을 곱씹고 있었다.

창살이 훤해서부터야 한민은 깊은 잠에 떨어졌다.

한민은 라디오 앞에 앉아 귀를 기울였다. 국회의원 선거의 개표 진행 상황이 방송되고 있었다. 그는 다른 지방의 개표는 아랑곳없이 박천우가 출마한 선거구의 이름이 나오기를 마음 졸이며 기다렸다.

서울의 각 개표소 실황 중계가 끝나자, 방송은 지방 각 선거구의 현지 중계로 옮겨졌다. 드디어 박천우의 출마구의 이름이 불려졌다. 개표의 초반전에서 박천우의 득표는 근소한 차이지만 최선두를 달리고 있었다. 한민은 흥분에 젖어 갔다. 선거 중계는 간간히 중단되고 그 사이에 정규 방송이나 음악프로가 끼어들었다. 그 공간에는 한민은 자기가 종이에 받아 적은 득표수의 숫자를 비교해 보며 다음 방송을 기다렸다.

그러나 서울 시내 것은 계속적으로 방송되어도, 지방 것은 한 시간에 한 번 정도 올까 말까였다.

개표의 중반전에 접어들면서부터 적수인 여당 입후보자와 박천우의 득표수는 앞섰다 뒤섰다 열띤 접전을 벌이고 있었다. 그것이 새벽녘에 와서는 박천우 쪽이 약간 열세를 보이기 시작했다.

한민은 다음 방송을 기다리는 사이에 라디오를 틀어 놓은 채 깜박 잠이 들었다. 금방이라고 생각했는데 눈을 뜨니 창살에 해가 비치고 있었다. 방송국마다 다이얼을 맞추어 보았으나 박천우의 선거구 이름은 나오지 않았다.

그가 세수를 하고 있을 때 신문 호외가 배달되었다. 그는 얼굴의 물기를 닦을 염도 않고 호외를 집어 들었다.

박천우의 이름을 보는 순간 한민은 손에 맥이 탁 풀렸다. 박천우는 불과 삼백여 표의 근소한 차로 차점이었다. 권력과 금력의 공세에 대한 박천우의 기우가 그대로 적중한 결과로 된 것만 같았다.

수단 방법을 가리지 않고, 꼭 이기겠다고 다짐하던 박천우의 결의에 찬 모습이 눈앞으로 스쳐갔다. 지금쯤 패잔병같이 기진맥진해 있을 박천우, 시골서 돌아왔다는 소식을 듣는 대로 찾아가야만 하겠다는 생각을 하며 그는 쓰디쓴 입맛을 다셨다.

이월 하순의 거리는 싸늘했다. 가로수의 낙엽도 거의 떨어져, 가지 끝에 매어달려 있는 한두 잎이 바람에 너풀거리고 있었다.

저물녘에 한민은 박천우를 집으로 찾아갔다.

"미안했어……."

박천우는 뛰어나와 한민을 맞아들였다.

"역시 인간보다 금력이 앞선 모양이지."

한민은 응접실 소파에 앉으며, 위로의 말을 건넸다.

"패장(敗將)이 무슨 변명이 있겠나."

박천우는 껄껄 웃으며 말을 이었다.

"그러나, 큰 경험이 됐어. 요 다음엔 기필코 승리할 수 있어."

그는 가슴을 뒤로 쭈욱 제껴 요동쓰듯 하며 기지개를 켰다.

"아니, 맛을 들였나, 이번만 한 번 해보겠다고 했으면서……."

"그거야 꼭 성공할 줄 알고 한 소리지. 이젠 발가벗고 종로 바닥에 나선 꼴인데, 끝까지 해봐야지."

농담이 아니라 박천우의 얼굴에는 결의에 찬 빛이 스쳐 갔다.

"그럴려면 정당생활부터 기초를 쌓아가야지."

"글쎄, 그게 현재의 내 심경이야. 역시 정치는 조직적인 훈련부터 쌓아가야겠다는 걸 이번에 실지로 체득했어."

"한 선생님 오셨어요?"

보리가 찻잔이 놓인 쟁반을 들고 들어오며 한민에게 인사를 했다.

"보리의 수고도 수포로 돌아가고……."

"저번엔 너무 억지를 부려서 미안했어요."

"그러면, 한형이 자진해서 왔던 게 아니구, 네가 나섰댔구나. 글쎄, 기적 같은 일이라고 생각했었지."

박천우는 동생의 말귀를 곧 알아차리고 그 뒤를 받았다.

"아니야, 그래도 내 의사가 있었으니까 갔지, 내가 보리에게 끌려갈 듯 싶은가?"

"반반이었겠지."

"오빠 한 선생님의 호의를 그렇게 자기 마음대로 해석하는 법이 어디 있어요? 한 선생님, 그렇죠?"

보리는 찻잔을 탁자 위에 내려놓고 두 사람을 번갈아 보며 말했다.

"정치가란 늘 그렇게 사물을 곧게 보지 않고, 편파적인 자기 소견대로 갖다 붙이는 거라니까."

"정치가? 흥."

"하긴, 정치 자체가 하나의 도박이 아닌가? 말하자면 국제 도박이지……."

"도박? 맞았어. 정권 쟁탈전에는 그런 면이 없지 않아."

"자, 요새 말로 자네 체질 개선도 할 겸, 어디 나가 술이나 한잔 할까?"

"체질 개선?"

"응, 낙선자라는 마음의 상처를 씻어버려야지 그래야 백지로 돌아가 재기할 거 아냐."

"이 사람아, 그래도 차점이란 걸 알아야 해."

"차점? 그렇게 차점이 명예롭거든, 명함에 차점 낙선자라고 박아가지고 다니게나."

"사람도 입심은……. 그래도 저 아래 꼴찌보다야 체면이 좀 서지 않나."

"다 그게 그거지. 한 표차든 만 표차든 낙선은 낙선이니까."

"자네 독설엔 손들었네."

"자, 그럼 일어나지."

"아니, 가만있어. 그 호의는 고맙네만 아직 낯짝을 들고 거리에 나다니구 싶지는 않아. 집에도 술이 있으니 여기서 한 잔 하지."

"아니, 집안에서야 그 우울증이 풀려지나. 좀 거리 바람을 쏘여야지……."

"그건 다음에 하구. 야, 보리야, 그 양주 한 병 있지. 그걸 가져온. 자네, 양주 괜찮지?"

박천우는 한민의 의사를 물었다.

"응, 좋아."

"그럼, 안준 간단히 하고 빨리 챙겨라."

"네, 그럴게요."

보리는 쟁반을 들고 응접실을 나갔다.

"그런데 이번 일을 겪고 생각한 것이 있어."

"뭔데?"

"내 계획을 이야기하고, 자네 의견도 좀 들어야겠어."

박천우의 이야기는 지금까지보다 퍽 무겁게 나왔다.

"말해 보게나."

"실지로 겪어 보니까, 기성 정치인의 고루한 머리를 속에 끼어서는 아무것도 안되겠어. 정당 운영의 줏대가 될 기본 이념이 서 있어야지, 기껏 한다는 소리가 애국이니 애족이니, 그렇잖으면 삼천리 강산에 삼천만 동포를 내세우기 일쑤니, 그게 글쎄 로케트가 달에 명중되는 판에 될 말이야?"

"자넨 그럼 입후보 한 번에 기상천외의 대사상이라도 발견했나보군."

한민은 박천우가 말하려는 요지는 알아들으면서도 그의 너무도 심각한 표정을 늦추기 위해 일부러 빈정대는 식으로 말했다.

"그런 게 아니라, 본래부터도 그런 생각을 해왔지만, 이번 선거를 겪고 기성 정치인들을 직접 대해 보는 속에서, 그것이 더 구체화되고, 굳어졌다 뿐일세."

"어때, 그것이 한 십 년 내외에 우리가 모두 잘 살 수 있고, 선진국에 육박할 만한 그런 묘방인가?"

"이 사람이 남은 진실하게 이야기하는데 농담으로 받고 있어. 그러지 말고 들어보게. 이조 오백 년은 집어치구라도, 왜정 사십 년, 해방 후 근 이십 년, 썩고 멍들어 이제 만지면 고름이 터지게 된 고질을 아무리 명약이면 어떻게 십 년에 고친단 말이야. 적게 잡아도 삼십 년 계획은 세워야 돼. 그래 육십 년 동안 썩은 것을 삼십 년에 고쳐도 성공만 하면 이분의 일은 단축하는 게 아닌가. 해방이 엊그저께 같은데 벌써 이십 년 가까운 세월이 흘러가지 않았어. 그때 우리가 모스크바 삼상회의에서 결정한 한국의 오개 년 신탁통치 안을 듣고, 격분해서 반탁운동의 선두에 나섰지만, 그 오 년의 삼배가 넘게 세월이 흘러가지 않았어. 그렇게 보면 삼십 년도 잠깐이야. 글쎄 쓸 만한 나무 중에서 제일 빨리 자라는 것이 낙엽송(落葉松)인데, 그것도 전봇대 구실을 할라면 삼십년은 자라야 해."

"그러니, 삼십 년에 뭐를 한단 말인가? 간단 간단히 이야기하게."

"글쎄, 그렇게 다급히 굴지 말고 차근차근히 들어 보게나. 그러니 연한은 그렇게 한 세대 삼십 년을 잡고, 그 다음에 제도와 정책 문젤세. 지금 움직이고 있는 보수 정당끼리, 그 정강 정책에서 구별되는 특색을 발견할 수 있는가? 그게 그거지. 그것도 대체의 경우, 정권 획득의 구호로 외치는 정도지. 현실면의 시책으로서 완전히 실현된 결과를 본 일이 있는가?"

"그건 어느 정도의 의식 수준을 가지고 있는 국민이면 겪어서 알고 있는 문제인데……. 그러면 거기 대치될 대책은 대개 어떤 것인가?"

"그것이 바로 내가 생각하고 있는 문제란 말이야. 그리고 보니 이제부터 본론인 셈인데……."

보리가 위스키 병과 마른안주 접시들이 놓인 쟁반을 들고 들어와 탁자 위에 차려놓았다.

"이거 외국 통신 기자가 보내준 거라네."

박천우는 스카치 병의 마개를 딴 다음 잔에 술을 따르며 말했다.

"자, 슬슬 들며 이야기하지."

"자네 권토중래(捲土重來)를 위하는 뜻에서."

한민은 박천우를 따라 술을 들며 말했다.

"그래, 내 생각은 이래. 전에도 이야기한 일이 있지만, 민주주의고 근대화고 할 것 없이 모두 우리 실정에 맞아야 한단 말이야. 말로만 민주주의를 부르짖지만, 그것은 대체 영국식인가, 불란서식인가, 미국식인가? 그들은 그들의 실정에 따라 달라졌는데, 우리라고 미국식을 덮어놓고 그대로 이식할 필요가 있어?"

"그래, 계속해 보게."

"그래서 나는 자유평등의 기본 이념 아래 민주주의를 시책의 원칙으로 삼되, 전근대적인 조건을 빨리 극복하기 위해서는, 정책면에서 어느 정도의 통제와 경제 기구의 개편을 단행하자는 거야. 영국같이 민주주의의 조상격인 나라에서도 필요한 경우에는 중요기업의 일부를 국유화하지 않는가. 강철만 해도 그렇지. 토지 소유제도에 따르는 농촌 구조도 다시 생각해 볼 문제야. 대부분이 영세농인 현재의 농촌 실태에서는 아무리 다수확을 장려하고 토지 개혁을 몇 번 한댔자, 그 속의 농촌 인구를 일부 공업 부문으로 소개하는 방책이 서기 전에는 근본적인 해결을 볼 수는 없단 말이야."

"나도 그 문제에 대해 어떤 면에서는 공감을 가지고 있지만, 내 생각엔 그보다 더 시급한 것이 있어. 정치를 잘해서 국민에게 혜택을 주기 전에, 우선 부정부패를 근절하여 국민에게 주는 피해를 막는 것이 급선무라고 생각해."

"그러기 위해서는 극형제(極刑制)를 써야 해. 국고에 손실을 주고 대중에게 피해를 입힌 부정 공무원이나 부정한 축재자를 광화문 네거리에 세워놓고 중인 환시리에 총살을 하란 말이야. 그렇게 해야 그 타성적인 독성이 뿌리 빠질 거야."

"아무튼 고쳐지기 힘들 정도로 고질이 됐어."

"아까 이야기로 돌아가네만, 그래 나는 기성 정치인에 반기를 들고 나선, 아직 때묻지 않은 참신한 동지를 규합하여 새로운 정당을 꾸미는 데 착안하고 있어. 말하자면 혁신 세력이랄까…… 지금 보수 정당 속에도 그러한 의향을 가진 사람들이 적지 않으니까, 이러한 의도는 성취될 가능성이 있는 거야. 참신한 정치인의 모임을 마련해 볼 생각일세."

"가장 정당하고 건전한 의도가 자칫하면 오해를 받거나, 정적(政敵)에 대한 역이용당할 우려가 없지 않으니까, 거기 대한 투철한 대의명분이 서야 할거야. 또한 이론으로는 합리적이면서도 실지로 적용하려면 엉뚱하게 차질이 생기는 경우도 없지 않으니까 말일세."

"나도 그 문제에 걸리고 있어. 아무튼 다음 선가까지는 앞으로 사 년간이나 있다지만 지금부터 슬슬 시작해야겠어."

이야기를 나누며 슬금슬금 마셔가는 사이에 양주 한 병은 거의 비워졌다. 한민은 몹시 취해 옴을 느꼈다.

제6장

학교에 나와서도 한민은 아침의 불쾌감을 좀처럼 가셔낼 수가 없었다. 도무지 일손이 잡히지 않았다. 아내의 푸념어린 얼굴이 어른거리기만 했다.

한민과 아내 현숙이와의 언쟁은 극히 사소한 일에서 불이 붙었다.

"날씨가 더 추워지기 전에 구공탄을 좀 들여놔야겠는데요."

시동생들에게 부대끼고 난 뒤라, 현숙의 불쑥 내미는 말소리는 그리 고분고분하지 않게 들렸다.

"들여놓구려."

한민은 보고 있던 책에서 눈을 떼지 않고 대답했다.

"돈이 있어야죠?"

"아니, 월급 받아온 지 반달도 못됐는데 벌써 다 썼어?"

한민은 아내 쪽으로 고개를 돌리며 말했다. 현숙이도 남편을 멀뚱히 건너다보고 있었다.

"그게 몇 푼이라고 그래요?"

한민은 아내의 퉁명한 말버릇이 아니꼬웠다.

"몇 푼이라니?"

"요새 돈 만 원 가지구 어디 크게 견줄 데나 있는 줄 아세요?"

"그래도 지금까지 그것으로 살아오지 않았어?"

"살아오니 오죽해요? 밤낮 돈 이자 치다꺼릴 하구 외상 구멍 메우다 마는걸요."

한민은 묵묵했다. 사실 자기가 떠나기 전의 십만환 이라면 그래도 좀 쓸모가 있는 액수였다. 그러나 요새 돈 만원이란 헤쳐놓고 보면, 쓴 자리도 없이 날아날 정도로 헤프기만 했다.

"쌀도 사야겠어요."

한민은 여전히 말이 없었다. 여기까지였으면 그것으로 끝났을 것이었다.

"밤낮 꾀죄죄하게만 살구."

그 말이 한민의 비위를 거슬렀다.

"꾀죄죄해?"

"그럼 꾀죄죄하지 않고, 이게 어디 사는 거에요?"

한민은 더욱 울화가 치밀었다. 누가 뭐라 해도 자기를 가장 이해할 수 있는 아내의 입에서 그런 말이 튀어나온 것이 몹시 불쾌하고도 서운했다.

"다 도둑질하고 썩어가는 판에서, 그래도 떳떳하게 살고 있지 않아."

"떳떳하니 오죽해요, 식모두 두지 않고 뼈 부서지게 해도 밤낮 이꼴인걸."

현숙이도 수그러들지 않았다.

"식모 두지 말랬나?"

"식모가 붙어 있어야죠."

식모 이야기는 한민이 아내에게서 이미 들은 바가 있었다. 오겠다는 식모의 조건이 첫째 전화와 텔레비전이 있어야 하고, 주부가 부엌살림을 전부 내맡겨 자유롭게 거리 보러도 드나들어야 한다는데, 그런 문화 시절도 없거니와 뻔한 살림에 주부가 직접 거리를 보아 와, 밖으로 나갈 수도 없고 잔돈푼 만질 기회도 없으니, 왔다가도 며칠 안되어 다 나가버린다는 것이다.

한민은 큰 숨을 내쉬곤 담배만 뻑뻑 빨고 있었다.

"당신도 너무해요. 이 식구들 틈바귀에서 헤어나지 못하는 나를 어쩌자고……."

현숙이는 푸념을 뇌까리며 눈물을 흘리고 있었다.

한민은 그 이상 앉아 있을 수 없었다. 옷을 갈아입고 일찍 집을 나와

버렸다. 해방 이후 지금껏 가장 올바른 자세로 살아왔다고 자부하는 자기 삶의 줏대가 밑바닥에서부터 송두리째 허물어지는 아픔을 느꼈다.

삼월 초기 기온은 갑자기 내려갔다. 영하 십도, 난방장치가 없는 교실 안은 음산하기 짝이 없었다.

한민은 스프링코트를 입은 채로 강의를 하고 있었다. 교실에서는 될 수 있는 대로 코트 등속은 입지 않는 그였지만 갑작스러운 혹한에는 견딜 수 없었다.

태양볕을 외면한 북쪽 강의실의 아침 첫 시간. 입술이 파랗게 질려 떨고 있는 학생들. 그래도 여학생들은 대개 두텁게 차려입고 장갑까지 낀 사람도 있지만, 남학생 속에는 검은빛으로 염색한 미군 작업복 그대로의 몸차림도 몇 보였다.

한민은 학생들에게 노트 필기를 시키고 있었다. 한 구절씩 부르는 대로 받아쓰고 있는 그들은, 입김으로 손가락을 후후 불어가며 펜을 움직이고 있었다. 모두들 시멘트 바닥에 놓인 발을 가만히 두지 못하고 꼼지락거리고 있었다.

한민도 발이 시려왔다. 그는 교단 위를 왔다갔다 하면서 강의를 진행해 갔다. 이야기할 때마다 입에서는 부연 김이 서려 나왔다. 그는 자기 자신이 움직이면서 입을 놀리고 있어도 이렇게 추운데, 그대로 앉아서 버티는 학생들은 얼마나 고될까 하는 생각이 들었다.

한민은 시계를 보았다. 강의 시간은 아직도 삼분의 일이나 남아 있었다. 그만할까 하는 생각도 들었으나, 강의의 진행되는 대목이 거기서 중단하기엔 전후의 단락이 잘 지어지지 않는 부분이었다. 그뿐만 아니라, 다음 주로 이번 학기 강의는 다 끝내야 하겠기에 그는 그대로 계속해 가고 있었다.

"선생님, 그만합시다."

뒤에 앉은 한 학생이 고개를 들지 않은 채 소리쳤다.

"손이 곱아서 필기할 수가 없습니다."

처음 학생의 발언에 용기를 얻었음인지, 그 앞의 학생이 얼굴을 쳐들고 말했다.

"알았어요."

그는 한 마디 대답만 하고는 강의를 계속해 갔다. 끝내기를 바라는 눈매로 한민의 얼굴을 바라보던 학생들은 다시 필기를 시작했다.

지난 주일만 해도 아직 이월 하순인데, 강의 시간이 끝나자 한 학생이 소리쳤다.

"선생님, 종강합시다."

한민은 아무 대답도 않고 그대로 돌아서 나와 버렸다. 오늘의 경우는 그때와는 다르다고는 하지만 역시 마음속이 개운치 않았다.

그는 소정된 시간보다는 조금 빨리 끝내고 연구실로 돌아왔다. 난방시설도 못하는 학교 당국에 대한 반발적인 감정이 학생에게로 퍼부어지지 않았나 하는 생각도 없지 않았다.

연구실은 난로만 덩그러니 놓여 있지만 아직 연료 공급이 되어 있지 않았다. 그는 교재를 책상 위에 던지고는 방 안을 뚜벅뚜벅 걸었다. 추워서 그대로 앉아 있을 수가 없었다. 한참 후 그는 연구실을 나왔다. 어디로 갈까 생각하다가 연료 관계도 알아볼 겸 서무실 쪽으로 발을 옮겼다.

도어를 열고 들어서니 방 안은 화끈했다. 얼었던 이마에 단기가 서려 왔다. 연탄난로는 벌겋게 닳아있었다. 순간 불끈 화가 치밀었다. 수업을 돕기 위해 있는 사무실인지 딴 사무를 보기 위한 곳인지 분간할 수 없다는 생각이 들었다.

교수나 학생보다 사무원을 위한 대학, 본말이 전도된 어처구니없는 일이었다. 와락 분노가 치밀었다.

그는 서무실을 나와 화장실 쪽으로 가고 있었다. 무엇인가 맞부딪쳐야 풀릴 심정이었다. 모든 것이 잘못되어 가고 있다는 생각뿐이었다.

그는 학장실 문을 노크하고 대답도 듣기 전에 안으로 들어섰다. 푸근한 공기가 온몸을 휩싸여 왔다. 심부름하는 소녀가 문 곁에 앉아 있을 뿐 학장의 자리는 비어있었다.

그는 탈진한 사람처럼 학장실을 나와 냉기서린 복도를 맥풀려 걷고 있었다. 어딘가 근본적으로 잘못되어가고 있다는 생각이 거듭 되풀이되어 왔다.

한민은 조영호의 연구실로 갔다. 문을 노크했다.

"네."

안에서 대답 소리가 났다. 이 추위에 냉방에 가만히 있다니. 신기한 생각이 들었다. 문을 열고 안에 들어서니 자욱한 연기에 눈이 아리고 종이 타는 냄새가 코를 찔렀다. 연기를 빼려고 열어놓은 유리창에선 찬바람이 휘몰려 들어오고 있었다. 그러나 자기 방보다는 좀 덜 추웠다.

"곰을 잡는 거야?"

"하두 춥길래 난로에 신문지를 땠더니 이 모양이야."

조영호는 입을 씰룩이며 의미있는 웃음을 지었다. 한민도 조금 전까지의 분노가 어디로 사라졌는지 맥빠진 사람처럼 가느다란 연기가 아직도 새어나오고 있는 난로를 내려다보고 있었다.

"눈은 좀 맵지만, 아까보다는 한결 나은 편이야."

"무연탄은 언제부터 줄 작정인가?"

한민은 매운 눈을 비비며 말했다.

"글쎄, 나도 모르겠어……."

"이래서야 어디 일을 할 수 있어야지."

"이 사람, 누가 자네더러 일을 하래나. 연구구 뭐구 있어. 이렇게 연구 놀이를 하구 있는거야. 하하"

조영호는 크게 웃었다.

"연구 놀이……."

되뇌이며 한민도 따라 웃었다.

"이것이 싫으면 아무 말도 말고 그저 그만두는 거야. 그 수밖에 없다니까."

자포자기에 가까운 조영호의 어조다.

"수업도 제대로 안되고……."

"아니, 자네 여태 종강 안했나? 영하 십도에 수업은 무슨 수업. 다 돈 받은 만큼 하는 거야. 별수 있어?"

"추운 데 나가 차나 한잔 하지. 이렇게 매워서야 어디 견디겠어?"

"그래도 떨고 있는 것보다 나아요."

조영호는 열어놓은 창문을 닫았다.

한민은 조영호와 함께 그의 연구실을 나와 구내식당 쪽으로 걸었다. 코로 숨을 들이쉬면 콧수염이 얼어붙어 왔다. 가슴 속은 허전하기만 했다.

"나, 한 가지 결심했어……."

마시고 난 커피 잔을 내려놓으며 조영호가 말했다. 예사롭게 꺼내는 말이지만, 그의 표정은 굳어 보였다.

"결심이라니?"

"나, 학관으로 나가기로 했어."

"학관?"

"응."

한민은 자기 귀를 의심했다. 다른 대학에 출강하던 것도 다 집어치우고, 잡문이나 참고서 집필도 거부하고, 연구실에 처박혀 책만 가지고 씨름하던 그가 이렇게 결심하다니…….

"참말이야?"

한민은 다시 다졌다.

"그렇대두. 이대로 가다간 이것도 저것도 안되겠는 걸. 교수란 연구를 해야 교수지. 이 조건 가지구 어디 되겠어? 진짜 연구를 못하고 연구하는 척하는 것보다는 깨끗이 벗고 거리에 나서는 게 낫겠어. 생활이 안정돼야 연구고 뭐고 있지. 한 달에 신간 원서 한 책 못 사보는 주제에 무슨 연구야. 빛 좋은 개살구지. 연구 안하는 교수, 연구 못하는 교수, 그것은 학생을 속이고 국민을 희롱하는 거야. 집안에 들어가면 생활 능력이 없는 가장이 가권이 서? 학교에 나오면 연구 못하는 교수가 교권이서? 억지의 속임수보다는 깨끗이 벗고 나서는 거야. 그래, 나는 결단을 내렸어. 다음 주부터 입학시험 준비 학관에 나가기로……."

조영호가 말을 듣고 있는 한민은 우울했다. 조영호도 웃고는 있지만 쓸쓸한 표정이었다. 이대로 가면 모두가 그렇게 될 수밖에 없을 것만 같았다. 현재 빚을 지고 있는 자기 자신도 아무 타개책도 마련하지 못하고 있지 않는가. 결국 자기 자신도 조만간 그 길을 밟을 수밖에 없는 꼴임이 분명했다.

"국회의원 거마비가 팔만 원이라지 않나. 그런데 만 원짜리 봉투를 들고 가 어떻게 산단 말이야? 한 잎도 안 뗀 봉투 액수를 들고 그대로 해야 만이천 원. 글쎄 그 거마비의 칠분지 일밖에 안된데서야 말이 돼. 어떠한 경제 기준에서 산출한 숫자인지는 몰라도……."

"아무튼 무슨 타개책이 시급히 강구돼야겠어. 교원은 줄곧 국가의 시책에서 망각지대로 방치되어 온 것만 같아, 교육 그 자체부터도."

"권력이면 제일이지, 다른 것을 생각하게 됐어? 정권을 잡은 날부터 다음 선거 대비에 급급해 있으니 언제 국가고 백성이고 생각할 겨를이나 있겠어?"

"아무튼 큰일이야."

"이대로 썩어가다간 저절로 꼭지가 문드러질 때를 기다려야 한다니까……."

"그래도 무엇이 조금씩 나아져야지, 이대로 가다간 무슨 희망이 있어야 살아가지."

"글쎄, 아침에 눈뜨고 일어나면 앞이 캄캄하다니까. 내일에 대한 어떤 희망이나 서광, 이런 것이 어디 보여야지?"

"그럴수록 결국 자기 자신에 충실하게 살아가는 수밖에 없어."

"흥, 충실? 그것도 한계가 있단 말이야. 이러한 상황에서 충실이고 뭐고 있을 수 있어? 완전히 포기된 상태인데……."

"그러나 자네나 나야 자기가 하고 싶은 일을 해나가고 있는 거기서 삶의 의의를 찾고 있지 않아?"

"그것도 정도 문제야. 이제는 의의고 보람이고 다 없어. 가치 기준이 엉망이 됐는 걸"

"하기야 인간 값이 물건 값만 못하게 가치가 뒤집혀졌으니……."

"아니 대학 교슈 열 개 묶어놔도 새나라 택시 한 대 값도 못된다니까. 제일 싼 게 지식이야. 그리고 그 지식이 고급이면 고급일수록 이 땅에선 더 값 없게 됐어. 나는 아주 연구할 의욕을 상실했어. 왜 학문을 해야 하는가 하는 데 대해 근본적인 회의를 느끼고 있어."

"참 꿈 없는 민족이나 개인처럼 불행한 건 없어."

"전통이란 좋은 것을 이어가는 것과 새로운 것을 만들어가는 것이 아냐? 그런데 이어갈 것도 신통치 않은데, 이런 쓰레기통에서 무엇이 만들어지겠어."

"다 연구실을 뛰쳐나가서야 마지막이지. 하기야 이제라도 체면이고 지식이고 다 벗어 붙이고 나서서 구멍가게라도 차리면 이보다야 더 못살겠어?"

"그러니까 제일 약한 것이 인텔리란 말이야, 권력 앞에 비굴하고……."

"그 서푼짜리도 못되는 인텔리는 왜 또 끄집어내?"

"이 경우는 지식인이라기보다, 그 유행어가 격에 맞는단 말이야. 교수란 고매한 인격과 심오한 학식과 인생을 내다보는 투철한 혜안(慧眼)을 갖춘 진리의 전수자(傳授者)여야겠는데, 이 꼴로야 어디 값싼 인텔리밖에 더 돼?"

조영호의 말은 한민의 폐부를 찌르는 듯했다. 그러나 조영호가 학관에 까지 출강해야 한다는 것은 아쉬운 일이었다. 또 한 사람 연구실에서 이탈되는구나 하는 허탈감이 휩싸여 왔다.

"조금도 심각할 건 없어. 이젠 닥치는 대로 살아가는 거야."

"그렇게 얘기하는 자네가 훨씬 심각해 보이네."

"그래?"

조영호와 한민은 서로의 얼굴을 쳐다보며 쓸쓸히 웃었다. 얼었던 몸은 제풀에 녹아 오히려 열기를 느꼈다.

학기말 시험도 끝나, 사무적인 일은 대충 정리되었다. 한민은 합방 전후의 한일(韓日) 관계를 조사하기 위해 구한국 말엽의 신문을 뒤져가며 자료를 뽑고 있었다. 일진회(一進會) 관계 기록을 초하고 있는데, 안중근(安重根) 의사의 법정 공판 광경 및 논고문 내용이 게재된 지면이 눈에 띄었다. 그는 그 기록을 훑어갔다.

安重根의 母親에게 辯護 委托을 受하고 旅順에 赴한 辯護士 安重根氏의 公判時 傍聽한 記注 槪要의 文字를 接하였으므로 揭載하여 公衆에 紹介함.

安重根의 公判을 本年 二月 七日 年前 九時부터 十二日까지 凡 五回를 關東都督府 地方法院에서 開廷하였는데 其 顚末이 如左함.

此事件 公判에 對하여 傍聽을 願하는 者가 踏至하는 故로 警察官吏 一同이 一列로 整列하고 傍聽券을 交附하여 同日 年前 八時 二十分에 入場을 許하였는데 各國人이 約 二百八十名이더라.

普通傍聽席에는 肩肩相磨하여 地가 無하고 辯護士 安秉瓚, 同事務員 高秉殷, 英國 辯護士 뚜굴네스, 同通譯 西川玉之助, 露國 辯護士 미해이로우, 同通譯 韓基東 諸氏는 特別히 辯護人席側의 一椅子에 列坐케 하고 構內 婦人席에는 日本 文武官 夫人 及 露國 領事 夫人 等이오 新聞記者席에는 各新聞記

者 等이오 載判官席의 背後에는 稅所中將, 星野少將 湯本經理部長, 平石高等 法院長, 佐藤警視總長, 露國領事 等이 列席하였더라.

被告人 安重根(一名 應七), 禹德淳(一名 連俊), 曺道先, 劉東夏(一名 江露) 를 新調한 護送馬車에 載하고 典獄, 看守長 二人, 看守 十人이 警衛하고 騎馬한 巡査 及 憲兵이 前後 擁護하고 且 巡査를 沿道 處處에 配置하여 警戒 가 甚히 嚴密한데 八時 三十分頃에 該馬車가 法院 門前에 到着한지라, 其後 八時 四十分에 被告人 四名이 入廷하매 身名을 不惜하고 死生相契하여 大事 를 惹出한 者의 容貌가 如何한가 傍聽者가 皆鵠頸而望하더라.

九時頃에 裁判長 眞鍋十藏, 檢察官 溝淵孝雄, 書記 渡邊良一, 通譯生 園木 末喜 諸氏가 着席하고 官選 辯護士 水野吉太郎, 鎌田正治 兩氏가 出席한 後 典獄 一人, 看守長 二人 及 看守 六人과 警視 警部 各 一人, 巡査 四人이 嚴 重히 戒護하고 被告 四名은 手錠을 去하고 縛繩을 解한 後에 裁判長이 開廷 의 旨를 告하고 被告 等의 氏名 年齡 住所를 一般審問한즉

被告 安重根 曰 年은, 三十一, 原籍은 韓國 平安南道 鎭南浦, 出生地는 黃海道 海州라 하고, 被告 禹德淳 曰 年은 三十三, 原籍은 韓國 京城 東部 養士 洞, 出生地는 忠淸道 堤川이라 하고, 被告 曺道先 曰 年은 三十七, 原籍은 咸鏡道 洪原 鏡浦面, 出生地는 同地라 하고, 被告 劉東夏 曰 年은, 十八, 原籍 은 咸鏡道 元山港, 出生地는 同地라 하더라.

其後 檢察官이 起立하여 左의 起訴事實을 陳述하다.

起 訴 事 實

被告 安重根은 樞密院 議長 公爵 伊藤博文 及 其隨行員을 殺害하기로 決意 하고 明治 四十二年 十月 二十六日 年前 九時에 露國 東淸鐵道 哈爾賓驛에서 豫히 準備한 拳銃을 發射하여 公爵을 致死케 하며, 且 公爵의 隨行員된 總 領事 川上俊彦, 官內大臣 秘書官 森泰二郎, 南滿洲鐵道株式會社 理事 田中淸 次郎의 各 手足 胸部 等에 銃創을 負케 하였으나, 右 三先은 安과 共同의

目的으로 以하여 東淸鐵道 蔡家溝驛에 留하여 豫備의 行爲를 爲하였으나 露
國 衛兵의 妨한 바 되어 其 目的을 遂치 못한 者요, 劉東夏 는 安 等의 決
意를 知하고 通信 通譯의 任을 富하야 其 行爲를 傍助한 者라.

溝淵 檢察官이 範罪 事實의 陳述을 終하매 裁判長이 先히 被告 安重根을
審問한즉 曰⋯

한민이 이 기록 속의 중요한 부분을 초하고 있는데 노크 소리가 났다.
"네, 들어오세요."
낯선 젊은이가 연구실에 들어섰다.
"저, 한 교수님이십니까?"
"그렇습니다."
"이 고문님께서 이걸 전하라고 해서 왔습니다."
젊은이는 편지를 내밀었다.
한민은 이 고문이라는 것이 누군지 선뜻 머리에 떠오르지 않았다. 봉
투를 보니 이윤이었다.
"여기 앉으시오."
한민은 젊은이에게 의자를 가리키며 권했다.
"아닙니다. 밖에 차를 세워놓아서 나가봐야 되겠습니다. 그런데 지금
오실 수 있으시면 모시구 오라구 이 고문님께서 그랬습니다."
"그럼, 좀 기다리시오."
한민은 피봉을 찢어 속의 편지를 끄집어내었다.

긴급히 상의할 일이 있으니 이 차로 꼭 좀 와주기 바라오. 내가 찾아
가야 하겠으나 지금 자리를 비울 수 없어 그러니 관용 있기를⋯⋯. 총총.

긴급이라니 대체 무슨 일일까 하고 생각하여도, 한민은 짐작이 가는

일이 없었다.

"그럼, 지금 가지요."

"네, 차에 가 기다리고 있겠습니다."

한민은 외투를 입고 연구실을 나왔다. 복도를 걸어가며 생각해도 도무지 그럴싸하게 떠오르는 일이 없었다.

'대체 무슨 일일까?'

그는 지프차 속에서도 몇 번이나 혼자 되뇌이고 있었다.

다섯 시가 갓 지났는데도 흐린 탓인지 밖은 어두워져갔다. 눈이라도 내릴 것같이 날씨는 음산했다. 차는 최고회의 구내로 들어가 현관 앞에 섰다. 한민은 차에서 내렸다. 자기로선 처음 와보는 곳이었다. 현관문 안에 들어서자 젊은이는 접수구에 가서 전화 연락을 하고 있었다. 수화기를 놓은 젊은이는 한민 앞으로 다가왔다.

"올라오시랍니다."

젊은이는 한민을 엘리베이터 앞까지 안내해 주었다.

한민은 그가 시키는 대로 자동 엘리베이터를 타고 팔층에 가 내렸다. 이윤이 거기 나와 있었다.

"바쁠 터인데 오라구 해서 미안해."

이윤은 퍽 즐거운 표정으로 한민을 맞아주었다.

"천만에, 고위층에서 부르시는데 여기가 감히 어디라고……."

한민은 슬쩍 꼬아 붙였다.

"왜 이래, 처음부터……."

"그런데 대체 뭐길래 그렇게 긴급해?"

"여기 들어와 조금 기다려요. 내가 하던 일을 곧 끝 마칠게."

한민은 이윤의 명패가 붙어 있는 방으로 그를 따라 들어갔다. 실내에는 아무도 없었다.

"여기 앉게."

한민은 구석에 높여 있는 응접세트의 한 자리에 앉았다. 사무용 테이블이라고는 하나밖에 놓여 있지 않았다. 이윤은 그 책상에 앉아 펴놓은 서류를 정리하고 있었다. 한민은 담배를 피우며 방 안을 둘러보았다. 이윤이 움직이는 종이 소리 이외에는 아무것도 들리는 것이 없었다. 밖에서 들려오는 소리도 없었다.

"이 방은 자네 혼자 쓰나?"

"응, 그래"

"조용해서 자기 일두 할 수 있겠는데……."

"그럴 틈이나 있어. 일도 바쁘지만, 사람 고역에 뒤볶여서 낮엔 정신이 없어. 지금 근무 시간 후니까 그렇지."

"그렇게 바쁜가?"

"응."

이윤은 책상 위에 놓여 있는 서류를 다 걷어 넣고 일어섰다.

"기다려서 미안해. 자, 그럼 나갑시다."

"아니, 또 어디로 간다는 거야?"

"여긴 곧 잠가."

한민은 이윤의 앞에 서서 방을 나왔다. 이윤은 엘리베이터 앞으로 가고 있었다.

"아니, 밖으로 나가는 거야?"

"응."

현관에 나온 그들은 대기하고 있는 지프차에 올라탔다.

한민은 어떻게 되는 영문인지 몰라 이윤에게 물으려 해도 운전수가 있어 그대로 말없이 앉아 있었다.

차가 멈춘 곳은 복판의 외식음식점이었다. 이윤이 미리 연락해 놓은 모양이어서 이들은 완전히 격리된 구석방으로 안내되었다.

오버코트를 벗어 걸고 난 다음, 보이가 가져온 뜨거운 물수건으로 얼굴을 닦으며 한민은 어리벙벙해서 이윤을 바라보았다.

"사실은, 한형에게 조용히 의논할 일이 생겼어."

이윤이 말머리를 꺼냈다.

"갑자기 무슨 일이길래?"

"내 일신상에 관한 문제야."

"그럼, 좋은 일이 생겼나보군."

한민은 이윤이 심각하면서도 우울하지 않은 표정을 보고 육감에 느껴지는 바가 있었다.

"글쎄, 꼭 그렇게 해석할 성질의 것도 아니야."

"아무튼 얘기해 보게나."

"잘 듣고 객관적 입장에서 냉정한 판단을 내려주게."

물수건을 가져왔던 젊은 소년이 문을 열고 얼굴을 들이밀었다.

"아저씨, 상 올릴깝쇼?"

"응, 가만 있자, 한형 술은 뭘루 하겠어, 맥주? 정종?"

"글쎄, 날씨두 찬데 따끈한 정종으로 하지."

"그럼 정종에 맞는 안주로 해가지구 와."

"네."

소년이 문을 닫으려는데,

"얘."

하고 이윤은 다시 불렀다.

"네?"

"색시는 천천히 들어오라구 그래."

"네, 알았습니다."

소년이 사리진 후 이윤은 나직한 목소리로 말을 계속했다.

"선거가 다 끝나 국회가 소집되고 대통령도 취임하지 않았어. 그리고 내각도 구성이 되어 민정이 본 궤도에 오르고 있지 않아?"

"그건 신문에서 보고 알구 있어."

"그런데, 내가 있는 기구라는 건 최고회의가 없어졌으니까 자동적으로 해체되게 되었어."

"그거야 필요하다면 다른 명목으로라도 존속시키면 될 거 아냐?"

"그럴 수도 있겠지만, 현재로서는 우선 해체되는 거야."

"그럼, 대학으로 원대 복귀하면 되지 않아?"

"그런데 일이 그렇게 단순하지 않단 말이야."

술상이 차려져 왔다. 이야기는 다시 중단되었다.

"그럼, 천천히 들어가며 이야기하지."

이윤은 한민의 잔에 술을 따르며 말했다.

"이거 미인이 첫잔을 따라야 할 텐데…… 조금만 기다리게."

"그까짓 실속도 없는 미인들……."

한민은 이윤의 잔에 술을 따랐다.

"자, 듦세."

한민은 이윤을 따라 첫잔을 들었다.

"그런데, 그대로 학교로 돌아가면 별문제인데 나더러 계속 제삼공화국에서 일 보라는 걸세."

"그럼, 현재 기구의 연장이 아니구?"

"그러니까 생각할 문제란 말이야. 자, 한 잔."

이윤은 마시고 난 잔을 한민에게 권했다.

"그렇게 서론을 길게 끌지 말고, 간단히 요점만 얘기하게나."

한민은 잔을 돌리며 말했다.

"글쎄, 이 전후의 관계를 상세히 모르고는, 한형이 정확한 판단을 내릴 수 없을까봐 그러는 걸세."

"그쯤 하면 대충 윤곽은 알았으니까, 이제 핵심을 이야기하게나."

"자넨, 남의 일이 돼서 그렇게 가볍게 여기지만, 좀 자기 일처럼 생각하고 자세히 듣게나."

"이 사람이 벌써 능구렁이 정치가들의 화술을 따라가는가보이."

"글쎄, 그런 게 아니래두, 사람두 참."

"그럼, 어서 자네 생각대로 이야기하게."

"그런데 그게 차관 자리야."

"차관?"

한민은 너무도 의외의 일이기에 곧장 반문했다.

"응, 지금 내가 맡고 있는 부문의 차관 말이야."

"장관은 아니고 차관?"

"응, 왜 그래?"

"아아니."

이윤은 한민의 반응을 살피는 눈치였다. 한민은 이윤에게 잔을 권하고 나서 다시 말을 계속했다.

"장관이라고, 자네더러 수락하는 건 물론 아니야. 하지만 수락하든 안하든 그건 별개로 쳐놓고, 대학 교수가 차관으로 들어가는 건 그 랭크의 비중에 있어 우선 반대야. 그렇기 때문에 나는 현직 일류 대학 총장들이 문교부 장관으로 기어들어가는 것을 졸렬하게 생각하고 있어. 그것은 대학의 격을 스스로 격하시키는 결과밖에 안되는 거야. 대학의 최고 책임자 자신이 대학의 격을 떨궈가면서까지 권세와 돈에 눈이 어두운데, 어느 누가 대학의 자주성이나 교권의 존엄성을 인정하려고 들겠어? 또 자네의 경우는 장관이라도 반대지만, 차관은 더욱 반대야."

한민의 목소리를 높아졌다.

"좀 조용조용히 이야기하세. 그래서 일부러 구석진 방으로 정했는데."

이윤은 한민을 제지하며 술잔을 권했다.

"자넨 딴 욕심 내지 말고, 그만큼 외도를 했으니까, 이제는 대학으로 돌아와야 해."

한민은 단정하는 어투로 말했다.

"그런데 그게 그렇게 단순하지 않단 말이야. 일방적으로 덮어놓고 거절할 수도 없고……."

"이 사람이, 아니 자네가 안하면 대한민국에 차관할 사람이 없을까봐 걱정인가?"

"소리를 좀 낮추어. 그것만이 아니야. 일주일에 한두 시간씩 강의는 계속 나가겠지만, 이 년 가까이나 자리를 비워놓고 보니, 학생이나 동료들을 볼 면목도 없단 말이야. 그것이 아주 괴로워……."

"그건 나도 이해할 수 있어. 아마 그것은 자네 진짜 양심에서 우러나오는 고백일 거야. 동료들이 모두 그 사이 거지꼴이 다 됐는데, 혼자 좀 잘 지내다가 돌아간다는 거. 그러나 그것은 어디까지나 고문이나 자문의 역할에 지나지 않았으니까, 일선 정치는 아니었잖아. 그러나 장관이나 차관의 직책을 맡는다는 것은 직접 행정부처의 책임자가 되는 것이 아니니까, 그거와는 근본적으로 다른 문제야."

"아무튼 근명 간에 단안을 내려야 할 터인데, 난관에 봉착했어."

"평안감사도 싫다면 그만인데, 목을 매 끌어가겠나."

"그렇지야 않겠지만, 비협력이라는 비난은 면치 못할 거야."

"잘 생각해 보게나. 장관이나 차관이라면 행정의 최고책임자인데, 그래 자네가 차관으로 들어간다면, 지금까지 그 부문의 아무 장관도 하지 못했던 획기적인 시책이라도 강구할 수 있겠어? 그것만이 아니라, 장관을 설득해 가지구 그 시책을 현실면에 반영시켜 국민에게 혜택을 줄 수 있는 새로운 아이디어나, 끝까지 밀고 나갈 배짱에 자신이 있어?"

"그거야, 해보아야 알 일이지만, 나로서도 하나의 확고한 플랜은 있네."

"그건 뭔데."

"그건 실지의 시책에 옮겨봐야 알 문제니까. 그리고 또 어디 차관이 혼자 하나, 장관의 의사와 결합되어야 할 일인데."

"이 사람아, 그 기본자세부터 틀려먹었네. 확고한 신념이 있어도 성과를 거두기 힘든 판이네."

"글쎄. 꼭 하겠다는 건 아니야."

"아니, 자네 속셈은 벌써 반 이상 기울어진 게 아니야?"

"그렇다면 자넬 일부러 만나 상의할 필요가 있었겠나."

"그럼, 그건 그렇다 치고, 조직에 대한 아무 실적도 없고 당원도 아닌 샌님 차관이, 설령 수뇌부 한두 사람의 추천을 받았다 쳐도, 당의 그 격렬한 압력 속에서 견딜 수 있겠는가?"

"그건 저쪽에서 미는 거니까, 어느 정도 안심할 수 있어."

"모르지, 몇 달도 안돼 귀신도 모르게 모가지가 날아갈지 누가 아나? 아무튼 잘 생각해서 결정하게. 누가 뭐라 해도 결국은 자네 자신의 문제이니까, 내 의견은 참고 정도고, 최후 단안을 자네가 내려야지."

"자네의 의견을 참작해서, 심사숙고하겠네. 그런데 학교도 한 이 년 멀어지고 나니, 솔직히 말해서 매일 계속 수업을 한다는 건 이젠 감당해낼 것 같지 않아."

"이 사람아, 자네 정직해서 좋네만, 그건 누구나 그렇게 될걸세. 그러나 이번에 학교를 버리고 가거든 다시는 돌아올 생각일랑 아예 하지 말게. 교수라고 정치를 하지 말란 법이야 있나. 아무데로 가도 자유야. 그것까지는 용서할 수 있어. 하지만, 감투가 떨어지면 어슬렁어슬렁 다시 학원으로 기어들어 오는 건 절대 반대야. 좋아서 떠날 때는 언제고, 다시 돌아올 때는 언제야. 대학은 어디 관리나 국회의원 낙제생의 구제손가?"

"그건 나도 각오하고 있어. 만약 수락하게 단정을 내릴 때는, 그 자리에서 떨어져도 학교로 돌아가지 않을 작정이야. 나도 양심이 있지."

"너무 장담 말고 잘 생각하게나. 오늘밤 내가 발언한 걸 오해해서는 안돼. 나도 진심을 솔직히 토로했어. 표현이 좀 과격했는지는 몰라도……."

"천만에, 그 시원한 소리를 듣고 싶어서 자넬 청한 걸세. 나도 속 시원하이. 하, 이제 술이나 듭세."

"이 사람이 혼자 다 짜놓은 각본에 사람을 꼭두각시를 시키고 무슨 변명을 늘어 놓으려구, 하하."

한민은 이윤의 술잔을 받으며 핀잔어린 웃음을 지었다.

"만일의 경우, 부득이 수락하게 된대도 너무 욕 말게……."

"시시한 차관 자리 집어치워. 하지만 제 좋아가는 걸 누가 막아……."

한민의 말끝은 쓸쓸히 흐려졌다.

"얘."

이윤의 부르는 소리에 소년이 나타났다.

"여기 색시들 들어오라구 그래."

"오늘 저녁은, 그러면 이 자리가 축하주 전주곡이 되는 셈야."

"이 사람이, 아직 결정을 내리지 않았대두……."

"실례합니다."

창 밖에서 여인의 목소리가 났다.

"어서 들어와요."

두 여인이 방으로 들어섰다.

"아니, 이 선생님 오래간만이에요."

한 여인이 이윤을 보며 반색을 했다.

"자네, 여기 단골인가보군?"

한민은 이윤을 건너다보았다.

"응, 전에 한두 번 온 일이 있어."

"자, 윗저고리 벗으세요."

한민은 자기 옆에 앉은 아가씨가 시키는 대로 양복 윗도리를 벗었다. 할 말을 다 털어놓고 나니 속이 시원한 것 같으면서 역시 뒷맛은 쓸쓸했다. 그는 색시가 따라주는 잔을 계속해 마셨다. 무엇인가 아끼던 물건을 놓친 것만 같은 아쉬움과 허전함이 물밀려왔다. 기뻐서가 아니라 답답하고 서글퍼서 실컷 취하고 싶은 밤이었다.

이튿날 석간에는 이윤의 사진과 함께 차관 발령의 기사가 보도되어 있었다. 한민은 육호 활자의 기사를 한 자도 놓치지 않고 훑어 내려갔다. 약력 속에서 교수라는 대목이 유달리 눈에 걸려왔다. 그는 기사를 다 읽고 나서도 오래도록 신문지면을 응시하고 있었다. 자리에서 일어난 그는 밖으로 나왔다.

잎이 다 떨어진 나뭇가지들이 몹시 앙상해 보였다. 그는 손수 우체국에 가서 이윤에게 축전을 쳤다. 비록 외도라고는 하지만, 연구실에서 영영 떠나간 그의 새로운 행로에 행운이 깃들기를 진심으로 기원하는 심정이었다.

"절대로 학교론 돌아가지 않을 작정이야."

한민은 어제 저녁 이윤이 단언하다시피 하던 말을 떠올렸다.

조영호는 학관에 출강하여 자기의 기본자세를 바꾸어버렸고, 이윤은 관계로 들어가 연구실에서 아주 떠나버리고만 지금, 한민은 자기 주위가 공허해짐을 막을 길 없었다. 자기 자신도 동요하고 있는 것만 같았다.

그는 세상이 다 썩어가도 학원만은 건전하고 모든 사람들이 권력과 금욕에 혈안이 되어 날뛰며 영달을 꿈꾸어도, 연구실에 처박혀 있는 축들만은 건재하다고 생각하던 그 최후의 주체마저 흔들리고 있다는 불안을 느꼈다. 현실에 득실거리는 부정과 부패와 악의 진구렁 속에서 고고하게 버티어 온 마지막 보루마저 허물어지는 날이면, 참말 영원히 장미꽃 피기는 바랄 수 없는 쓰레기통으로 화할 것이 아닌가 하는 생각마저 들었다.

"한 선생, 이거 대단한 건 아니지만……."

안일이 신간 한 권을 들고 와서 한민 앞에 내놓으며 말했다.

"아, 감사하오."

한민은 그 책을 받아들고 고마운 뜻을 표했다.

표지를 보니 '第四 에세이集'〈孤獨의 瞑想〉이라고 씌어 있었다.

요사이 매일같이 신문 광고에 나기에 눈에 익은 이름이었다.

"이건 언제 집필한 거요?"

"아니, 한 선생 귀국했을 무렵 정리하던 그 원고 아니요."

"아, 참말. 아무튼 부지런하시오."

그제야 한민은 자기가 돌아온 다음날 교수실에서 조영호와 함께 보았던 기억을 떠올릴 수 있었다.

"한 선생, 그거 보시구 서평이나 하나 써주세요."

"아니, 신문 광고에 보니까, 저명인사들의 서평이 사진과 함께 대문짝만큼 연명으로 실려 있던데."

"그건 출판사에서 이름을 빌어 선전용으로 쓰는 건데, 어디 본격적인 서평이랄 수 있어요?"

"그래도 그게 효과는 크겠던데요?"

"글쎄요."

"나야 문학에 문외한인데 어떻게……."

한민은 그것이 자기가 직접 관계하는 분야의 학술서적이면 몰라도, 그렇지 않은 글에는 왈가왈부하고 싶지 않아 완곡하게 회피했다.

"아니, 그 전문가들의 의례적인 찬사보다 오히려 비전문가의 가차 없는 평이 더 좋아요."

"그래도 철학이나 예술이라는 데는, 나 같은 것이 섣불리 끼어들 자리가 아닌 것 같아요……."

한민은 곡학아세의 사이비 철학이라고 평하던 조영호의 말을 속으로 생각하고 있었다.

"아무튼 읽어보시구, 선량한 독자로서의 고견을 들려주시오."

"이것도 한창 베스트셀러겠던데요?"

한민은 말끝을 돌려 물었다.

"네, 재판(再版)에 들어갔어요."

안일은 당연하다는 듯한 말투로 받고 있었다.

"안 선생, 거 인세 굉장하겠군요?"

"어디 출판사에서 한 몫에 줘야지요. 찔끔찔끔 용돈 주듯이 하는 걸."

한민은 학술서적은 단 오백 부도 팔리기 힘든데, 역시 팔리는 책은 따로 있나보다 하는 생각이 들었다.

"그런데 한 선생, 이윤이 차관이 됐습니다."

안일은 감탄어린 어조로 말했다.

"글쎄, 신문에 그렇게 났더군요."

"그 친구 출세했어요."

안일의 그 소리가 한민의 구미를 몹시 거슬렸다.

"글쎄, 출세라고 볼는지, 외도라고 할는지……."

"아니, 출세 아니구요. 장관보다야 못하지만……."

"안 선생에겐 아마 장관 교섭이 있을걸요."

한민은 좀 핀잔기를 띄웠다.

"천만에요. 나같이 현실 비판을 하는 사람은 싫어하거든요."

"그거야 어디 현실 비판인가요. 혼자의 명상이지."

한민은 책 표지를 내려다보며 말했다.

"그 친구 생각 잘했어. 여기 있어봐야 밤낮 이 꼴인데……."

"그럼 어디 안선생도 잘 생각해 보시구려."

"그러나 인텔리는 역시 현대의 증인인 만큼 현실 비판의 위치에서 앙가주망해야지요."

"앙가주망……."

한민은 안일의 말끝을 받아 되씹고 있었다.

"아, 내가 시간 가는 줄 몰랐군."

안일은 팔목시계를 바라보며 놀라는 표정이었다.

"왜, 또 바쁜 일이 있소?"

"신문사 논설위원들과 망년회 모임이 있어요. 이거 늦었군."

안일이 나가버린 뒤 한민은 멍청히 연구실에 앉아 유리창 밖을 내다보고 있었다. 잎이 떨어져 앙상한 나뭇가지 사이로 싸늘한 잿빛 하늘에 싸락눈이 내리고 있었다.

제7장

한민은 남궁 선생에게 새해 인사를 드리러 가려고 집을 나섰다. 버스에서 내린 그는 계동 골목에 접어들었다. 길에서 놀고 있는 어린이들, 그들 속에서 때때옷 입은 아이는 별로 찾아볼 수 없었다. 도무지 설날 기분이 나지 않았다. 그는 미끄러지는 길을 조심스럽게 걸으며 혼자의 생각에 잠겨갔다.

온 겨레가 진심에서 다 같이 즐길 수 있는 단 하루의 명절도 없는 나라. 크리스마스는 독실한 기독교 신자보다, 통행금지 해제에 편승하여 밤거리에 우글대는 군상들의 환락을 위한 공휴일, 양력설은 관공서와 거기에 관계있는 일부 국민만의 명절, 음력설은 농어촌과 도시 서민들의 명일. 관계 당국에서는 핏대를 돋우어가며 이중 과세 폐지의 담화를 발표하고, 신문지상에서는 그것을 대서특필하지만 아무도 거기에 귀 기울이는 사람은 없다. 사실 힘이 겨워, 아예 묵살하고 지내는 사람들이 적지 않다. 오히려 이중 과세 폐지를 부르짖는 층에서 크리스마스 이브에서부터 양력설을 거쳐 음력설에 이르기까지 삼중 사중의 과세를 하고 있는지도 모를 일이다.

남북통일이 이룩되는 날, 그날이나 온 겨레의 명절이 될까. 그는 엉뚱한 공상에 젖어 갔다.

자기 집만 해도 그렇다. 단 한 번이나 명절을 명절답게 지내본 적이 있었던가. 6·25 사변 이후는 더욱 그랬고, 4·19 후는 하루도 평화로운 날이 없었다. 명절이 오면 어머니는 아버지를 더 그리워하고, 공휴일만 되면 혁의 짜증은 더 심해진다. 그런 날이면 정아는 또 정아대로 용돈에 아쉬운 불만을 내대고, 아내는 그 틈바구니에서 치다꺼리를 하느라고 더욱 신경질을 부리지 않은가…….

한민은 골목을 빠져나오는 자동차 소리에 깜짝 놀라 멈칫했다. 머릿속에서 엇갈려 가던 상념들은 산산이 흩어졌다.

한복 차림으로 서재에 앉아 있는 남궁 선생은 주기에 안색이 벌겋게 익어 있었다. 과 조교인 고인환군 외에는 다른 손님이 없었다.

남궁 선생에게 세배를 드리고 난 한민은 인환의 세배를 받았다.

"지금 선생님 댁으로 갈 참인데요."

인환은 이렇게 만난 것이 멋쩍다는 듯한 표정으로 말했다.

"여기서 만났으면 됐지. 우린 아무 쪽 설도 뚜렷하게 쇠는 편이 아니야."

"한 교수도 아마 이제는 사십 가까이 되지?"

남궁 선생은 한민과 둘이 있을 때는 한 군이라고 부르지만, 한민의 제자나 그 밖의 다른 사람이 옆에 있을 때는 한 선생이나 한 교수로 구분해 불렀었다.

"네, 꼭 마흔이 됩니다."

"그 사십이라는 고개가 곰곰치 않아. 그것이 인생의 전후 분수령이라고나 할까. 공자는 사십을 불혹(不惑)이라고 했지만 그건 정신면에서구, 육체는 거기서부터 내리막길이란 말이야. 생각의 깊이야 세월이 갈수록 익어가지만, 첫째 기억력이 감당해 주어야지…….."

"사실 선생님 앞에서 건방진 말씀입니다만, 저도 이젠 사십이구나 하니까 기분이 그렇게 좋지 않습니다."

"하기야 예전엔 사십이면 늙은이 구실을 했지만, 요새 사십은 아직 팔팔한 젊은인 걸."

"아무 한 것 없이 나이만 먹는 것 같습니다."

"그렇지만 인생은 사십부터야. 특히 학문에 있어서는. 자연과학은 숫자를 다루니까 별개지만, 인문과학에 있어서는 연륜이 필요하단 말이야. 그런데, 그 사십부터 처신하기가 대단히 어려워. 말하자면 곱게 늙기 어렵단 말이야. 명예니 지위니 하는 데 대한 욕심도 생기고, 또 실지 유혹도 있단 말이야. 거기다 생활 부담이 늘어가면, 권력이니 금력이니 하는 데 대해 아부하거나 비굴해지기도 쉬워. 더욱이 이런 난세에서야……."

한민은 모든 명리를 초탈하고 갖은 수난을 겪으면서도 학같이 고고하게 늙어온 스승을 바라보면서 우러러 존경하는 마음을 금할 수 없었다.

소반에 술상이 차려져 들어왔다.

"그럼, 전 먼저 물러가겠습니다."

고인환군이 일어났다.

"아니, 같이 하지?"

"전 먼저 들었습니다."

"그래?"

고군을 보내고 난 다음에 한민은 남궁 선생과 술상에 마주앉았다.

"제가 따르지요."

한민은 남궁 선생이 들고 있는 주전자를 당기려고 했으나 남궁 선생은 손을 내저으며 말했다.

"가만있게, 오늘 첫잔은 내가 따라야지."

남궁 선생은 한민의 잔에 술을 따르며 말을 계속했다.

"이거 집에서 청을 한 매실준데 맛이 괜찮네, 향기도 좋고……."

한민은 주전자를 받아 남궁 선생의 잔에 술을 따랐다.

"자, 그러면 같이 잔을 들지. 한 군도 인생 사십이니까, 이제부터 중반전이다. 시류의 속된 욕망에 이끌리지 말고 자기 신조대로 계속 정진해야지."

한민은 남궁 선생과 함께 첫잔을 들었다. 마시고 난 뒤가 코끝에 향긋했다.

"어때, 술맛 괜찮지?"

"네, 선생님 한 잔 드시지요."

한민은 남궁 선생에게 잔을 권했다.

"나는 아침부터 계속 마셔와서…… 조금만 따르게."

남궁 선생은 잔을 비우고 한민에게 내밀었다.

"자네도 내 술 한 잔 받아야지."

한민은 받아 마셨다. 맛은 순해도 도수가 꽤 높은가 보아 얼굴이 화끈해 왔다.

"세상이 하도 어지러워, 옥석을 가릴 수 있어야지, 청빈(淸貧)이란 말이 무능이란 뜻으로 통하게 됐으니 참."

"바깥뿐이 아닙니다. 저는 집안에서도 주변머리 없고 못났다고 구박을 받고 있습니다."

"글쎄, 가치 기준이 인간 중심이 아니고 물질의 다과로 바뀌었다니까 그래."

한민은 잔을 남궁 선생에게 돌리고 술을 따랐다.

"술처럼 정직한 것은 없어. 조금 마시면 조금 취하고, 많이 마시면 많이 취하고. 육십 평생에 주변에서 배신도 많고 변절도 많았지만, 변하지 않는 것은 역시 술맛밖에 없단 말이야. 그런데 그 술도 자꾸 질이 나빠져가니……."

남궁 선생은 한민의 잔에다 또 술을 따르고 있었다.

"전, 이제 그만하겠습니다."

"얼마 마셨나? 좀 더 하지."

남궁 선생은 책이 삼면 벽을 가린 서가 쪽을 두리번거렸다.

"가만 있자, 그게 어디 있던가, 마침 생각났어."

한민은 무엇인지 몰라 남궁 선생의 거동을 살폈다. 남궁 선생은 자리에서 일어나서 서가 쪽으로 걸어가 책 한 질을 빼내 왔다. 그는 책 표지의 먼지를 손바닥으로 떨면서 말했다.

"이거, 『여유당전서(與猶堂全書)』일세."

한민은 모서리의 종이 빛깔이 누렇게 변한 책을 바라보았다.

"전번 퇴임 후에, 연구실에 가져갔던 책들을 다 집으로 옮겨왔는데, 거기서 이걸 발견했네. 학교 도서관 책인 줄 알았는데 석계(石溪)의 장서인이 찍혀 있지 않겠나."

아버지의 아호(雅號)인 석계라는 소리를 들었을 때, 한민의 가슴은 뭉클했다.

"자, 석계의 손때 묻은 책이니 가져다 간수하게."

한민은 『여유당전서』를 받아들었다. 코허리가 시큰해 왔다. 아버지의 장서는 사변통에 전부 산일되어 단 한 권도 남지 않았었다. 책표지에 붓으로 서명되어 있는 아버지의 필적을 바라보며 한민은 아버지를 직접 대면한 것만 같은 감격에 젖었다.

"그럼, 전 물러가겠습니다."

"아니, 술 좀 더하지."

"많이 했습니다."

한민은 남궁 선생에게 인사를 하고 그 앞을 물러나왔다.

책 보따리를 들고 골목을 걸어 나오며 그는 생사를 알 수 없는 아버지가, 꼭 어딘가 살아 있을 것만 같은 환상에 젖고 있었다. 그 책을 보면 또 눈물을 흘리며 푸념을 할 어머니의 모습이 어른거렸다. 집으로 향하는 그의 발걸음은 무겁고 가슴은 답답하기만 했다.

한민은 연구실에 늦게까지 남아 있었다. 남들이 다 돌아가고 난 늦은 시간이면 주위가 고요해져서 일하기 알맞았다. 그는 자료를 뽑아놓은 카드를 정리하고 있었다. 종이의 싸락 하고 넘어가는 소리밖엔 들리는 것이 없었다. 그는 아무 잡념 없이 일을 계속해 갔다.

갑자기 가라앉은 정적을 깨뜨리고 복도에서 발자국 소리가 들려왔다. 뚜벅뚜벅 가까워진 소리는 그의 방 앞에서 멈춰졌다. 그는 일손을 멈추고 도어 쪽에 귀를 기울였다. 동료들은 이미 다 퇴근했고, 자기를 찾아올 사람은 아무도 없을 시간이었다. 한참 있다가 도어의 핸들이 절거덕거렸다. 그러나 자동키가 달려 있는 문은 열리지 않았다. 그제야 노크 소리가 났다.

"누구요?"

한민이 소리쳤다.

"난데……, 한 교수 있소?"

"네."

한민은 도어 쪽으로 걸어갔다. 듣던 목소리의 임자를 생각하며 그는 천천히 문을 열었다. 뜻밖에도 거기 최상억 사장이 서 있지 않는가.

한민은 이상한 생각이 들었다. 전화로나 운전수를 시켜 자기를 불러내는 일은 있어도, 단 한 번도 직접 이렇게 연구실로 찾아온 일이 없는 그였다.

"아니, 최 사장 웬일이야?"

"자네 연구하는 걸 좀 보러 왔어."

최상억은 비실비실 멋쩍은 웃음을 짓고 있었다.

"어디 길 잘못든 게 아니야? 자, 어서 들어오게."

한민은 최상억을 연구실 안으로 이끌어 들였다. 의자에 앉은 최상억은 담배만 뻑뻑 빨아 뱉으면서 말이 없다.

"참말, 자네 길 회끼지 않았나?"

"왜, 나는 여기 못 올 사람인가?"

"그런 건 아니지만, 평생 와본 일이 없는 사람이, 이 야밤중에 나타났으니."

"좀, 일이 있어 왔어."

태연히 웃고는 있지만, 최상억의 그 웃음 속엔 한민이 보기에도 초조한 빛이 어려 있었다.

"무슨 일?"

"오늘밤 자네 집에 가 자야겠네."

한민은 육감에 오는 것이 있어 그 이상 묻지 않았다.

"조금 앉아 있게. 나 이걸 걷어 넣구."

한민은 책상 위의 자료들을 정리해 가지고 카드 북스에 집어넣었다.

"다 됐어. 그럼 갈까?"

한민은 최상억과 함께 연구실을 나왔다. 현관 앞에는 최상억의 자가용 세단이 서 있었다. 한민은 최상억을 따라 차에 올라탔다. 그는 달리는 차 속에서 생각하고 있었다. 이 친구가 무슨 일을 저질러 놓았기에 이렇게 밤에 찾아왔을까? 그건 그렇다 하고, 대체 좁고 군색한 집안에서 어느 방에다 이 친굴 재울까, 그것이 한민에게는 더 걱정스러웠다.

차는 한민의 집 앞에서 멈췄다. 둘은 차에서 내렸다.

"내일 아침 일찍 와."

최상억은 운전수를 보고 말했다.

"네."

"이 차는 그만두고 택시를 불러 타고 와."

"네."

차가 떠난 다음, 한민은 최상억을 인도하며 대문 안에 들어섰다.

"여보, 최 사장이 오셨소."

한민은 현관 앞에서 안에 들리게 커다란 소리를 쳤다. 손님이 왔으니

너저분한 것들이나 치워놓으라는 암시의 뜻에서였다. 안에서는 물건들을 옮기고 널린 것을 치우느라고 덜그덕거리는 소리가 들려왔다.

"최 사장님이세요, 어서 오세요."

현숙이 나와 반기며 맞았다.

"이거 밤중에 미안합니다."

"집안이 누추해서."

최 사장의 초대를 받아 그 집에 다녀온 일이 있는 현숙은 순간적으로 그 호화로운 저택을 떠올리고 있는지도 몰랐다.

하지만 최상억과 함께 서재로 들어갔다.

좁은 방은 주위가 책으로 둘러싸여 두 사람이 들어서니 그것으로 꽉 차 숨이 막힐 것 같았다. 최상억은 어색한 듯 책장을 두리번거리며 앉을 염을 하지 않고 있다.

"자, 앉게."

한민은 최상억의 팔을 끌며 앉기를 권했다.

"대학 교수의 살림이 이것밖에 안되나?"

최상억이 앉으며 말했다. 농담이 아니라 상상외라는 듯한 진정에 어린 말투였다.

"이게 어때서?……"

"이렇게 좁아서야, 어디 연구가 되겠는가?"

"이만 집도 없어서 셋방살이하는 친구도 있는데……."

"참말 이런 줄은 몰랐는데."

"나라가 원체 가난한 걸 어떻게 하나. 자네 얼굴 보니 술 좀 해야겠네."

최상억은 머리를 끄덕였다.

"여보……."

한민은 안방 쪽을 향하여 아내를 불렀다.

"술 좀 가져오구, 저녁 준비도 해요."

한민은 방문을 반쯤 열고 앞에 온 아내에게 말했다.

"아니, 저녁은 먹구 왔어."

최상억이 제지하며 말했다.

"참말인가?"

"지금이 몇시게……."

"그럼, 술상부터 차려와요."

한민은 최상억의 의견에 따랐다.

"그런데 대체 무슨 일인가?"

현숙이 부엌 쪽으로 나간 다음, 한민은 상억을 바라보며 나직이 물었다. 최상억은 반도 타지 않은 담배를 재떨이에 비벼 던지며 큰 숨을 내쉬고 있었다.

"사고가 생겼어."

그는 침통한 표정을 지으며 잠시 멈췄다 말을 계속했다.

"그래, 한 사람이 들어갔어."

"누가?"

"경리 책임자가. 그런데, 나를 찾고 있는 모양이야. 아마 오늘밤이나 내일 새벽쯤 집으로 찾아올지도 몰라……."

최상억은 다시 담배에 불을 붙였다.

"대체 어떤 사고길래?"

한민은 제풀에 긴장해졌다.

"밀수 사건이야. 현품은 즉각 처분해버려 흔적도 없게 돼 있는데, 아마 어느 놈이 밀고한 모양이야. 자식이 끝까지 부인하면 될 건데, 글쎄 저 바보가 내불었단 말이야."

"누가?"

"잡혀간 경리과장 말이야."

한민은 최상억의 말이 귀에 걸렸다. 잡혀 들어가 모진 고문에 견디다 못해 자백한 놈이 옳은 건지, 최상억의 말대로 그 바보 같은 작자가 잘못한 건지 알쏭달쏭해졌다. 그러면서도 신변에 위기를 당해서 자기를 찾아온 최상억이 고마운 생각이 들었다. 그렇게 큰 기업체를 운영하고 주위에 실업계의 많은 친지들을 가지고 있는 그가 정말 막다른 골목에선 어느 누구도 믿을 수 없어, 자기 집에 숨겨 달라고 찾아왔다는 사실, 한민은 중학시절부터 그와의 오랜 우정을 되새겨갔다. 그러나 이 넓은 서울 천지에, 그렇게 돈발이 서고 얼굴이 넓은 최상억 한 사람이 은신할 곳이 없는가 하는 생각이 삭막하게 느껴지기만 했다.

"어떻게 뒤에서 운동을 해보지?"

한민은 위로삼아 말했다.

"글쎄, 나 자신이 수사 대상에 오르고 있으니, 직접 나설 수 있어야지. 오늘밤 경과를 보고 사람을 세워 손을 써야겠어."

"그래, 재벌도 그 파렴치한 방법까지 써서 돈을 긁어보아야 하나?"

한민은 참고 있던 한 마디를 결국 터뜨리고야 말았다.

"어디 재벌이랄 것까지야 있나. 참 사람의 욕심이란 치사한 거야, 지나고 보면 후회도 되지만……."

최상억은 침을 꿀꺽 다졌다.

현숙이 술상을 차려가지고 들어왔다.

"갑자기가, 아무 준비도 없어서……."

"최 사장도 다 아는 형편인데 뭐."

한민은 아내가 미안해 변명을 늘어놓는 말을 받아 넘겼다.

"자, 술이나 흠뻑 마시고 취하게. 그래야 잠이 오지. 하늘이 무너져도 솟아날 구멍 수가 있다는데."

"어떻게 되겠지."

최상억은 억지로 웃음 지으며 술잔을 들었다. 한민은 그에게 거듭 몇 잔 권했다. 잠시라도 그 일을 잊게 하고 싶었다.

"요새일은 돈만 찌르면 안 되는 것이 없다던데……."

"글쎄, 돈 줘서 싫다는 놈이 어디 있어? 그런데 그것으로 들어온 돈을 다 처넣어도 모자라 더 찔러넣어야 할 판이니 말이지."

"그까짓 돈이야 있다가도 없고 없다가도 있는 건데 사람이 살고 봐야지."

"하기는 그래. 아이, 사업이란 골치 아파."

"자, 술 들어. 좀 취하게."

"이젠 못 먹겠어. 넘어가지 않아."

"그럼, 맥주를 사올까?"

한민은 최상억의 의향을 물었다.

"아니, 아무 것도 싫어."

최상억은 도리질을 했다.

"그래, 천하의 최상억의 힘으로도 대한민국에 안되는 일이 있어?"

한민은 그의 긴장을 풀어주려고 일부러 농을 섞었다.

"글쎄, 요새 무역업계 치고 밀수 안하고 세금 뜯어 먹지 않는 놈이 어디 있어? 나같이 운 나쁜 놈이나 걸려들지. 꼬박꼬박 세금 바치고 어디 사업이 돼야지. 정도의 차이는 있지만……."

"자, 그만 생각하고 한 잔 더 들어."

"아니, 정말 못 먹겠어. 냉수나 한 그릇 줘……."

한민은 아내를 불렀다.

"상 내가고 냉수 한 그릇 떠와요."

현숙이 쟁반에 냉수 그릇을 담아들고 왔다.

"그리고 자리 준비해요."

한민은 냉수 그릇을 받아 상억에게 권했다. 상억은 꿀꺽꿀꺽 소리를 내며 한 사발을 다 마신다.

"자네 참말 속이 타는 모양일세 그려."

"이렇게 골치 아파 보기는 처음이야. 아주 사업에 진절머리가 났어."

한민은 시계를 보았다. 벌써 한 시가 넘었다.

"그럼, 우리 잘 준비를 할까?"

"응."

한민은 책상을 마루로 들어 내놓고 땅바닥에 흩어져있는 책들을 책상 위에 걸어 올렸다. 둘의 자리를 까니 방 안에 가득 찼다.

"자, 그럼 옷을 벗지."

"응."

한민은 자기가 먼저 옷을 벗고 자리에 들었다. 최상억은 생각에 잠겨 앉은 대로 움직이지 않았다.

"아 사람아. 뭘 생각하나, 한잠 자구 나야 또 내일 대책을 세울 게 아닌가. 자, 벗고 눕게."

한민은 다시 일어나 최상억의 양복저고리를 벗겼다. 그러나 상억은 웃옷만 벗고 양복바지는 입은 채로 이불속으로 들어가고 있었다.

"이 사람아, 아래도 벗어야지. 그걸 입구야, 어떻게 자나?"

"괜찮아."

한민은 그 이상 최상억의 신경을 거슬리게 하고 싶지 않았다. 자리에 누워서도 둘 다 눈이 멀뚱멀뚱했다.

"불을 끌까?"

한민은 최상억 쪽을 바라보며 물었다.

"응."

한민은 자리에서 일어나 전등을 끄고 누웠다. 최상억은 부스럭거리며 이따금 한숨을 내뿜고 있었다. 한민도 금방 잠을 청해낼 수 없었다.

그는 눈을 감은 채 책상 쪽으로 돌아누워 생각에 잠겼다. 자기는 지금 수사 중인 범인을 은닉하고 있다. 지금이라도 상억이 숨어 있는 것을 알아내어 수색을 오면 자기도 체포되어 가야만 한다. 그러나 그것이 조금도 두렵지 않았다. 어떻게 상억이 무사했으면 하는 생각만 간절했다. 마치 공범자 같은 심정이었다. 그만큼 사회의 정의보다 우정이 앞서는 것일까. 만일 자기가 상억의 경우라면, 누구를 찾아갈 것인가. 선뜻 대상이 떠오르지 않았다. 내가 상억을 찾아갈 수 있을까 망설여졌다. 그렇다면 조영호를 찾아갈까. 그렇잖으면 박천우나 이윤, 모두가 선뜻 내키지 않았다. 결국 남궁 선생을 찾아갈 것인가. 그러나 남궁 선생 앞에서 구구한 변명을 늘어놓을 수도 없지만, 파렴치범이라고 즉석에서 노기를 띠고 불호령을 내릴 것이 아닌가. 차라리 정정당당한 사상범이라면 몰라도. 결국은 마음놓고 갈 곳이 없을 것만 같았다. 주위가 외로워졌다. 인간관계에서 고립된 자신, 그런 의미에서도 최상억을 안전하게 보호하고, 나머지는 법의 심판을 기다리고 싶었다. 만일 유죄 판결이 나면, 그때의 일은 그때에 맡기기로 하고……

한민은 최상억 쪽으로 되돌아 누웠다. 꿀컥 침을 삼키는 소리가 들렸다. 그는 아직도 잠들지 못하고 생각에 몰려있는 모양이었다.

한민은 오래도록 잠을 이루지 못하다가 새벽녘에야 눈을 붙였다. 한잠 끝에 눈을 뜨니 최상억은 깊은 잠에 떨어져 있었다. 밤새 승강이를 하다가 겨우 잠든 모양이었다. 그는 최상억이 깨지 않게 살그미 일어나 밖으로 나왔다. 머릿속이 흐리멍덩했다. 그는 세수를 하고 대문 밖으로 나와 앞뒤를 살펴보았다. 혹 수상한 사람이라도 나타나 있지 않나 해서였다. 그러나 그럴싸한 아무 것도 눈에 띄는 것은 없었다.

저 아래쪽에서 자동차가 한 대 올라오고 있었다. 무엇인가 하고 약간 의심이 났다. 그는 대문 안으로 들어와 빗장을 걸었다. 자동차는 자기 집 앞에서 멈췄다. 그는 대문 틈새로 밖을 내다보았다. 차에서 잠바차림의 젊은이가 내리는 뒷모습이 보였다. 그는 그 순간 긴장했다. 대문 쪽으로 가까이 다가오는 것을 찬찬히 보니 최상억의 운전수였다.

한민은 대문을 열었다.

"안녕하세요?"

"일찍 왔군요."

"계시지요?"

"아직 자고 있는데……."

운전수를 세워두고 한민은 서재로 들어갔다. 최상억은 아직 자고 있었다. 깨우려 하다가 너무 곤히 잠들어 있어, 그는 주춤하고 돌아섰다. 운전수에게 들어와 좀 기다리도록 말하고 문을 열었다. 힐끗 돌아보고 밖으로 나가려는 데 최상억이 눈을 뜨고 한민을 바라본다. 최상억은 놀란 것처럼 소스라쳐 일어나고 있었다.

"좀 더 자지?"

"아니, 잘 잤어."

"깨우려다 너무 깊이 잠들었기에 두었는데……."

"벌써 이렇게 됐나?"

최상억은 시계를 보며 말했다.

"사람이 찾아왔어."

"누구?"

최상억의 눈이 휘둥그레졌다. 그는 자면서도 쫓기고 있는 꿈을 꾸었다.

"엊저녁 운전수 말이야."

"응……."

그는 화다닥 일어났다.

"그럼, 들어오라구 할까?"

"그러게."

한민은 대문 앞에 나가 운전수를 데리고 들어왔다.

"그 후 어떻게 됐어?"

최상억은 밑도 끝도 없이 운전수에게 물어댔다.

"윤 상무님이 담당 검사를 만나러 갔어요."

"집엔 아무도 안 오고?"

"지금까지는 아무도 안 왔습니다. 그런데 어제 저녁에 검찰에서 나와 회사의 경리장부를 걷어갔어요."

"그래?"

최상억은 몹시 놀라는 표정이었다. 그는 한참 머리를 수그리고 생각하다가 말을 계속했다.

"윤 상부가 돌아오는 대로 아무도 모르게 이리로 와."

"네."

"그리고 서대문에선 그 후에 아무 소식도 없었나?"

"전무님이 오늘 아침 일찍 면회를 간다나 봐요."

"알았어. 그럼, 다른 일이 생기는 대로 곧 연락해."

"네."

"가 봐."

집안 식구에게도 될 수 있는 대로 눈치채지 않게 하기 위해, 한민은 자기가 직접 나가 운전수를 보내고 대문을 잠갔다.

"자, 최 사장 세수하시오."

한민은 밖에다 세숫물을 떠놓고 서재로 들어서며 말했다.

"단단히 걸린 것 같애. 자식들이 장부까지 압수해 가는 것을 보니……."

최상억은 침통한 표정으로 말했다.

"더 확대되기 전에 손을 쓰렴."

한민도 걱정되어 말했다.

"글쎄, 내가 뛰어다녀야 하겠는데, 이렇게 발이 묶였으니 꼼짝할 수가 있어야지. 회사 안엔 요령 없는 것들만 우글거리고 있으니……."

"자, 나가 세수하게. 머리부터 좀 거뜬히 해놓고 대책을 세우게나."

그제야 최상억은 일어나 세수하러 나갔다. 한민은 이부자리를 가리며, 돈 벌기도 쉽지 않은 일이구나 하는 생각이 들었다. 부정과 부패를 뿌리째 뽑으라고 외치면서, 이 경우는 눈앞에 생긴 일을 보고만 있을 뿐 더러 간접적으로 범죄를 방조하는 꼴이 되었으니, 자기 처신이 우스꽝스럽기만 했다. 법과 인간, 정의와 우정, 생각의 조각들이 그의 머릿속을 헤살지어 갔다.

최상억이 세수하고 들어오자, 얼마 아니되어 아침상이 들어왔다. 한민은 최상억과 밥상에 마주앉았다. 최상억은 계란 프라이만 집고는 수저를 놓는 것이었다.

"아니, 밥 조금 들어. 뭘 먹구라야 몸이 견디어낼 게 아니야."

"당기지 않아."

한민은 억지로 최상억에게 수저를 주었다. 그러나 최상억은 두어 숟갈 뜨는 둥 마는 둥 하고는 수저를 놓는다.

"좀 더 들지?"

"모래알같이 깔깔해서 목으로 넘어가야지."

"자네, 그러다간 몸을 버리겠네……."

한민도 아침을 대충 들고 상을 물렸다.

한민은 회사의 기밀에 속하는 범죄 내용을 캐어물을 수도 없고, 그렇다고 대책도 없으면서 덮어놓고 괜찮다고 위로할 수도 없어, 거의 화제를 잃어버리고 있었다. 최상억은 자기대로 무료히 앉아 새 소식을 기다리는 눈치고, 전화통에 매어달리다가는 대문 소리만 나면 바깥쪽을 기웃하고 있었다.

정오가 지나서야 윤 상무가 나타났다. 그사이 최상억은 몹시 초조하여 안절부절 하고 있었다. 윤 상무를 보자 최상억은 화색이 돌며 그를 맞아들였다. 한민은 최상억의 소개로 윤 상무와 인사를 나누고 그들 옆에 앉았다. 최상억은 한민의 소개에는 개의치 않고 윤 상무와 이야기를 주고받고 있었다.

"그래, 담당 검사를 만났소?"

"만났어요. 그런데 벌써 상당히 확대된 것 같아요."

"왜?"

"압수해 간 우리회사 비밀장부가 테이블 위에 노출되어 있는 것을 보니."

"그러면 완전 백지화하기는 힘들겠는데."

"그리고 발견된 현품도 일부 압수해 왔나봐요."

최상억은 눈을 깜빡이며 한참 생각하다 말을 이었다.

"그럼, 윤 상무, 이렇게 하는 것이 어떻소? 경리과장이 이미 사실대로 불었고, 그 증거물인 장부와 현품도 압수해 갔으니, 이제 사실 자체를 근본적으로 부인할 수도 없지 않겠소? 벌써 때가 늦었단 말이야. 그러니 최악의 경우에 대비해서 서대문에 면회를 가서, 모든 것을 보장할 터이니 간부는 아무도 모르며 단독으로 저지른 범행이라고 그렇게 버티라고……."

윤 상무는 한참 묵묵히 생각하다가 무겁게 입을 열었다.

"저도 그런 생각을 해보았는데요. 그렇게 하면 남는 것은 액수의 다과 문제고……, 인적 피해는 그 이상 확대되지 않을 것이라는 점에서……. 그런데 경리과장이 그것을 수락할지 그것이 문제입니다. 만일의 경우 징역이라도 받게 되면……."

"그런 점도 있어요. 그러나 그것은 밖에서 힘써서 체형은 안 되는 방향으로 몰고 나가야 할 거구, 우선은 육신상이든 경제적인 문제든 모든 것을 책임진다고 해야지."

"글쎄요, 다른 간부는 아직 하나도 들어가지 않고 혼자만 갇혀 있으니, 그렇게 자기 혼자 책임을 지자고 하겠는지요?"

"그러게 윤 상무가 가서 잘 좀 설득하란 말이오."

최상억의 말에는 약간 짜증이 섞여 있었다.

"그럼, 가서 설득해 보지요."

윤 상무는 마지못해 대답하는 말투였다.

"그래서 안되면, 경리과장 부인에게 약정서를 써주고 그 부인더러 직접 가서 설득시키는 방법을 써보시오."

"알았습니다."

"그리고 오늘밤에 윤 상무가 직접 검사 집으로 찾아가서, 사건을 이이상 진행시키지 말고 당분간 보류하고 있도록 대책을 세워보시오."

"그러면 액수는 어떻게 할까요?"

"잘 생각해서 해요. 나는 머리가 아파서……."

최상억은 한민에게 눈길을 돌리며 서글픈 웃음을 띠었다.

"그럼, 다시 연락드리겠습니다. 여기 쭉 계시겠지요?"

"내가 거처를 옮길 때는 또 연락할 터이니까, 여긴 비밀로 하시오."

"네."

"그리고 회사 전화나 우리집 전화는 테이프가 걸려 있을지 모르니까 말들 조심하라고 하시오."

"네, 알았습니다."

윤상무가 다녀가고 나서 얼마 안 되어 최상억은 옷을 차려입고 있었다.

"왜, 어디 나가려고 그래?"

"응."

"무엇이 뒤를 밟고 있을지도 모르는데, 위험하지 않아?"

"괜찮을 거야."

"왜, 여기가 불편해서 그래?"

"아니."

최상억은 부정하지만, 한민은 자기 집이 불편해서 가겠다는 것으로 해석되었다.

"상억이, 여기서 하룻밤 더 자구 좀 더 자세한 정보를 듣고 행동하지."

"아니, 괜찮을 거야. 지금까지 집으로 안 왔다는 것을 보니까."

말은 그렇게 하나 상억의 얼굴에는 불안이 가시지 않고 있었다.

"그럼, 집으로 가려구?"

"집으로 어떻게."

"그럼, 어디로……."

"나가봐야 알겠어."

"사람, 고집도. 하룻밤만 더 있으래두. 위험한데 어디로 가?"

"아니, 괜찮대두."

최상억은 한민이 만류하는 것을 듣지 않고 부득부득 문 밖으로 나가고 있었다. 한민은 마음이 놓이지 않아 자기도 오버코트를 주워 입고 따라 나섰다. 언덕바지 큰길에 나서자 최상억은 지나가는 택시를 불러 세웠다.

"미안했어."

그는 차에 오르며 말했다.

"그럼, 조심하게나."

차가 모퉁이로 사라지는 것을 보고 한민은 집 쪽으로 돌아섰다. 마음 속은 몹시 꺼림칙했다. 그러면서 못내 아쉬운 기분이었다. 저러다가 어디 가 걸리지 않을까, 좁고 옹색한 자기 집에 있기 미안해서 간 것일까, 여러 가지 생각이 이어져갔다.

서재 안에 들어오니 윤 상무와 상억의 대화가 떠올랐다. 모든 것은 보상할 터이니 경리과장 혼자 책임을 지고 버티라는 것, 그것이 설령 징역이라도 경제적인 보상으로 감수하라는 것, 생각할수록 마음이 아팠다. 돈의 위력이 새삼스럽게 공포를 느끼게 했다. 돈만 있으면 징역도 대신 시키고 병역도 앉아서 땔 수 있는 지극히 편리한 사회, 그러니까 수단 방법을 가리지 않고 돈을 버는 것이 아닌가. 논리는 시시하게 비약해 가는 것이었다. 모든 것이 흥미 없어졌다. 그는 그 이상 더 생각하고 싶지 않았다. 그러나 최상억이 어젯밤 대학 교수의 생활이 이것밖에 안되는가 하던 말은 자꾸만 목에 걸려왔다.

한민은 연구실에서 졸업논문의 심사를 하고 있었다. 이번 졸업반은 대학에 입학한 4·19, 5·16 등 소용돌이 치는 정치 풍토 속에서 데모 선풍이 휘몰려 안정된 자세로 공부할 분위기가 조성되어 있지 않았는데도 제각기 정해진 테마에 대한 어느 정도의 성과를 이룬 것이 퍽 마음에 흐뭇했다. 특히 자기 연구실에 있는 강세훈 군이 동학란(東學亂)을 종래의 일반 추세인 국내적인 배경을 중심으로 보는 관점에서 벗어나, 외국 세력의 침입에 각광을 비쳐 분석한 점은, 그 참고서적의 광범위한 섭렵과 더불어 몹시 애쓴 흔적을 느껴 앞날이 믿음직스러웠다. 더욱이 우리 역사를 선입관적인 민족주의의 국수적(國粹的)인 면에서 보거나, 그와 반대로 과도한 서구(西歐) 위주의 편파적인 눈으로 폄시(貶視)하는 경향이 많은 데 비추어, 냉정한 객관적 안목으로 분석 비판하면서 주체성의 발판 위에서 다룬 점은 사학도로서의 그 자세에 호감이 갔다.

젊은 세대는 재즈나 맘보만 좋아하고 학구적인 성실한 태도나 열의가 결여되어 있는 것으로 피상적인 판단을 내리기 쉬운데, 각고한 노력의 결정으로 이루어진 그러한 논문을 대하니, 자신에게도 적지 않은 자극적 활력소(活力素)가 됨을 느꼈다.

그는 원고지에 정성들여 청서하여 제출한 논문의 한 장 한 장을 넘기면서 그러한 보람 속에서 시간 가는 줄을 몰랐다.

"선생님, 전화가 왔습니다."

조교 고인환 군이 알려주었다. 한민은 과 연구실로 가서 수화기를 받아들었다.

"한 선생님이세요?"

"네."

"저예요."

"네?"

한민은 목소리로는 누군지 분간할 수 없었다.

"저, 보리에요."

"응, 보린가?"

"네, 그런데 선생님 지금 바쁘시죠?"

한민은 잠깐 망설였다.

"응, 지금 좀 하는 일이 있어, 왜 그래요?"

"아니, 특별히 바쁘시지 않으면 좀 나와줍시사 하구."

"그럼, 여길 오면 안돼요?"

"나오셔야 할 일이야요."

"그게, 대체 무슨 일인데?"

"선생님, 좋은 데로 안내할까 하고요."

"좋은 데라니 어딘데?"

"글쎄, 나오시면 알아요."

"거기는 어딘데?"

"여긴 신문회관 지하 다방이에요."

"신문회관?"

"네, 서울신문사 앞 말이에요."

"응."

"네, 나오시지요?"

"글쎄……."

한민은 어떻게 할까 생각하고 있었다.

"나오셔요, 좋은 일이 있어요."

"……."

"네? 나오시죠?"

보리의 목소리는 부드러우면서도 약간 강요하는 어조였다.

"그럼, 나가보지."

"감사합니다. 지금 곧 나오셔요, 네?"

"그러지."

한민은 오래간만에 보리를 만나고 싶었다. 그는 보던 논문을 접어놓고 밖으로 나왔다. 교문 밖 한길에 나온 그는 택시를 잡아탔다.

"어디로 가자는 걸까? 갑자기 보리가……."

한민은 차 속에서도 그걸 생각하고 있었다. 차에서 내린 그는 신문회관 로비에 들어섰다. 회관 아래층 화랑(畵廊)에서는 어느 화가의 도불(渡佛) 기념 미술전람회가 열리고 있었다. 한민은 그 앞을 스쳐 지하실 계단으로 내려갔다.

희미한 불빛 속에 담배 연기가 자욱한 다방 안은 사람의 얼굴을 금방 알아볼 수 없었다. 한민은 안 쪽을 살피며 두리번거렸다. 구석 쪽에서 보리가 일어서며 손을 흔들고 있었다. 한민은 그쪽으로 갔다.

"선생님, 일부러 나오시라구 해서 죄송합니다."

"어디 그렇게 좋은 데가 있다구 그래?"

한민은 복스에 앉으며 말했다.

"그저 선생님을 만나구 싶어서 그런 거예요."

"나도 오래 못 만나서 궁금하던 참이야."

"참말이에요? 선생님."

"그럼."

"선생님도 그럴 때가 있어요?"

"나는 뭐 아무 감정도 없는 사람인가……."

레지가 차 주문하러 왔다.

"선생님 차 뭐 드시겠어요?"

"보리는 들었어?"

"아니요."

"선생님 먼저 정하세요."

"난 커피로 하지."

"그럼, 저도 커피를 하겠어요. 커피 두 잔 가져오세요."

보리는 레지에게 시선을 돌리며 말했다.

"사실은 선생님, 부탁이 하나 있어요."

"무슨 부탁인데?"

"이번에 동생이 대학 입학시험을 치잖아요?"

"아직두 시험칠 동생이 있던가?"

"막내 원우 말이야요."

"응, 그렇게 되는가?"

"네, 그런데 사학과를 지망하겠대요."

"사학과?"

"네."

"하필이면 배고픈 과를 왜 택한대?"

"자기 소원이라니 할 수 있어요?"

"공과 계통이 한창 붐인데……."

"한때는 상과더니 그것도 유행 같아요."

보리는 커피 잔을 핥듯이 조금씩 마시며 말했다.

"어디 상과뿐인가. 해방 직후는 영문과가 날개를 돋쳤구, 그 다음에는 법과, 정치과, 그러다가 상과로. 그러나 이제는 공과로 몰리는 셈이지. 의과는 늘 경쟁이 심하구……."

"아마 너무들 실리주의로만 따르는 결관가봐요."

"그런 면도 있겠지만, 꼭 그렇게 볼 것만도 아닌 것 같아. 원대로 앞날을 생각하는 면도 없지 않겠지. 현재 전쟁 덕에 벼락부자가 된 사람들이 어디 다 상과 출신인가? 국회의원이나 장관이 모두 정치과를 나왔어야지."

"인생은 그저 자기가 하고 싶은 일을 하다가 죽는 것이 의의가 있을 것 같아요."

"보리도 어른 같은 소리를 하는데……."

한민은 웃으며 말했다.

"그럼 어른이 아니구요. 시집 안 갔을 뿐이지."

"……."

"멀지 않아 제 생각대로 큰일 하나 하는걸 보세요."

"뭐, 하늘의 별이라도 따려나?"

"글쎄 두구 보세요, 놀라실 테니까."

"그래, 볼께."

"원우는 학자가 되겠다나봐요……."

"학자?"

한민은 곧장 반문했다.

"네."

"한 십년은 연구실에 들어박혀도 먹는 데 걱정이 없어야지. 다른 조건은 내놓구라두. 그리고 모든 명리를 초탈해야 하니까……."

"선생님은 좋지 않으세요? 자기가 하고 싶은 일을 하고 계시는데 그게 얼마나 삶의 보람이 있어요."

"보리같이 생각하는 사람이 몇이나 되겠어?"

"신부님이나 수녀님들을 보세요. 저는 속물 세계를 떠난 그런 삶이 깨끗하고 거룩해 보여요."

"나는 종교는 잘 모르지만, 그런 아직도 보리의 소녀 같은 센치가 아닐까?"

"제가 어디 소녀예요. 저는 제 갈 길에 대해 내면에서 저 자신과 싸우고 있어요."

"또 이야기가 어려워지는군. 아무튼 눈앞의 이해를 떠나 고고하게 자기 세계를 지킨다는 건 어려운 일이야. 그래, 원서는 냈어?"

한민은 보리가 꺼내놓은 본론으로 돌아갔다.

"아니요. 그래, 선생님의 의견을 듣고 최종 결정을 내릴라구요."

"실력은 어떤데?"

"괜찮은 편인가봐요."

"제가 하겠다면 시키는 거지. 내일 일도 모르는데, 이 조령모개하는 현실에서 긴 앞날을 예측할 수 있어야지."

"그럼, 선생님 잘 부탁합니다."

"누나를 닮았으면, 잘하겠지."

"선생님만 믿겠어요."

"그런데, 그런 일은 형이 걱정하지 않고, 왜 누나가 뛰어 다니는 거야?"

한민은 다 식어버린 커피를 마시며 물었다.

"오빠가 정치 때문에 정신 차릴 수 있어야죠?"

"아니, 선거두 다 끝났는데……."

"정당인가 뭔가 새로 조직하느라고 야단법석이야요. 하루도 집에 가만히 붙어 있질 않으셔요. 매일같이 새벽에 나갔다간 밤늦게 돌아오셔요."

한민은 지난번 박천우가 자기 이념이 구현될 수 있는 혁신 정당을 새로 만드는데 발 벗고 나서야 하겠다는 일을 되새겼다.

"이젠 참말 정치에 발 벗고 나섰군 그래."

"나가지 않는 날은 손님을 집안에 끌어들이구, 아주 법석이야요."

"무슨 일을 시작하면 물불을 가리지 않는 성미니까."

"선생님, 그러면 일어나세요."

"어딜가려구?"

"제가 좋은 데로 모신다구 그러지 않았어요."

"오늘은 내가 보리를 위해서 한턱내야지."

"그 한턱은 후에 하세요. 오늘은 제가 모실게요. 뇌물 같아서 겁이 나세요?"

"뇌물?"

한민은 소리내어 웃었다.

"그럼, 보리를 따라갔단 쇠고랑 차겠는데?"

"네, 저도 같이 유치장 들어갈게요."

보리도 따라 웃었다.

"한 선생님, 워커 힐 가보신 적 있으세요?"

"워커 힐?"

"네."

"없어. 그건 왜 물어?"

"하두 대단하다기에 한 번 가보려구요."

보리는 마침 손님이 내리고 난 차를 잡았다.

"자, 선생님 타세요."

"거긴 가서 뭘 하려구?"

"어떻게 해놓았는지 한 번 구경하게요."

자기가 미국으로 떠나기 전, 광나루 언덕에 거액을 들여 유엔군 휴양소를 짓는다고 신문지상에서 여론이 분분하던 것을 생각하며 한민도 대체 어떤 시설인가 하는 호기심이 났다.

차는 도심지를 빠져 왕십리 쪽으로 달리고 있다. 거리는 어두워갔다. 뚝섬 다리를 건너니 헤드라이트 불빛이 줄을 짓고 있었다.

보리가 말하던 동생의 입학시험이란 겉으로 내대는 이야기고, 워커 힐 행이 본론이었구나 생각하며, 한민은 국회의원 선거 때의 남행 열차를 머릿속에 그리고 있었다.

골프장을 지나 한참 달리던 차는 광나루로 가는 산모퉁이를 돌지 않고 왼쪽으로 꺾어 숲속의 새 길을 올라가고 있었다. 여기가 이렇게까지 변했나 하고 그는 눈알을 휘둥그렸다.

"많이 변했는데, 이건 전에 없던 길이 아니야!"

한민은 옆에 앉은 보리를 돌아보며 말했다.

"저도 저 아래로 지나가면서 올려는 봤지만 이 길은 처음이에요."

차는 산길을 돌아 워커 힐 본관 앞에 닿았다. 그들은 차에서 내렸다. 산등성이, 골짜기, 할 것 없이 등불이 휘황했다. 여기저기 서 있는 큰 건물에서는 창마다 불빛이 반짝였다. 저 아래쪽 한강은 엷은 달빛에 반사되어 강물이 훤하게 내려다보였다. 한민은 한참 어리둥절했다. 보리도 경이에 찬 눈을 깜박이고 있었다.

웨이터의 안내로 그들은 본관 안에 들어섰다.

"쇼 구경을 오셨어요?"

웨이터가 물었다.

"여기 처음이야요."

"아, 그러세요. 그럼, 저기 가 앉으세요."

그들은 웨이터가 안내하는 대로 로비의 좌석에 가 앉았다. 웨이터가 구내 안내도를 들고 와서 자세한 설명을 하고 난 뒤에 물었다.

"식사하시지요?"

"네."

보리가 대답했다.

"조금 있으면 쇼가 시작될 시간인데, 거기 들어가셔서 구경하시면서 식사를 드시지요."

"그럼, 그렇게 할까요?"

보리가 한민의 동의를 구하는 듯이 힐끗 눈길을 주며 말했다.

"좋도록 합시다."

한민은 보리와 함께 웨이터의 뒤를 따랐다. 메인 홀 회전무대 앞 테이블에 자리를 잡았다. 쇼는 아직 시작되지 않고 있었다. 한민은 어두컴컴한 속에서 주위의 테이블을 둘러보았다. 외국 사람보다 한국 사람들이 더 많았다. 그가 뉴욕에서 최상억 사장과 같이 나이트 클럽에 갔던 때의 바로 그 인상이었다. 한국도 많이 변해 가는가보다 하고 그는 혼자 속으로 뇌까렸다.

웨이터가 주문하러 왔다.

"선생님, 뭐 드시겠어요."

보리가 한민을 보며 물었다.

"나는 맥주나 들지."

"아니, 술도 드시고, 뭐 식사하세요."

머릿속이 어리둥절한 탓인지 한민은 도무지 식욕이 나지 않았다.

"난 식사 안하겠어. 맥주면 돼."

"뭐 좀 드세요."

"간단한 안주나 하나 하고……."

"저, 맥주하고 비프 스테이크 둘 가져오세요."

보리는 일방적으로 주문하고 있었다.

"아니, 간단한 걸루 하지."

"그래도 식사 조금 드세요."

한민은 그 이상 고집을 세우고 싶지 않았다.

웨이터가 저쪽으로 사라졌을 때 한민은 보리를 보며 말했다.

"외국에 온 것 같은데……."

그의 어조는 감탄과 비꼬임이 섞여 있었다.

"유엔군 상대로 지었다지 않아요. 처음에는 외국 사람만 상대했는데, 유엔군이 일본으로만 유양을 가니까 할 수 없이 한국 사람에게도 개방했다나 봐요."

웨이터가 테이블 위에 음식을 차려놓고는 묻지도 않고 보리와 한민의 컵에 차례로 맥주를 따라놓고 갔다.

"그럼, 선생님 술 드세요. 전 식사 하겠어요"

"보리두 한 잔 들지."

한민은 자기 잔을 들면서 말했다.

"전 술을 못해요."

"아니, 저번은 잘하던데."

"그때는 선생님을 오래간만에 만나니까 막 울구 싶었어요. 그래, 먹을 줄 모르는 술을 강짜로 들이켰어요. 그날 밤 집에 가서 다 토하구, 죽을 뻔했어요."

한민은 가슴속이 찌릿해 왔다.

"그럼, 한 잔도 못해?"

"못해요. 그날 밤이 처음이었어요."

"보리에게도 그런 강짜가 있어?"

한민은 웃으며 말했다.

"그럼요. 제 고집도 엔간해요."

한민은 보리에게 억지로 술을 권하지는 않았다. 자기혼자 마시고 있었다. 보리는 한민의 잔이 비기 바쁘게 계속 술을 따라놓았다.

조명등이 켜지며 무대가 눈이 부시게 밝아왔다. 쇼의 개막을 알리는 사회자의 영어와 한국말로 된 인사가 끝났다. 다시 어두워진 무대 위에, 스포트라이트의 강한 빛을 받으며 무희(舞姬)들이 나타나 춤추기 시작했다.

쇼와 춤, 무대는 파노라마처럼 전환되어갔다. 한 눈을 팔 여유도 주지 않았다. 조금의 휴식이나 단절도 없이 프로는 계속 바뀌어지며 이어졌다.

한민은 옆에 앉은 보리를 슬며시 돌아보았다. 보리는 무대에 눈을 박은 채 움직이지 않았다. 승강식 회전무대 위에 선 반나체의 무희들은 무대가 회전하여 높이 솟아오를 때 맨 앞에 앉은 손님에 거의 손이 닿을 정도의 가까운 거리에서, 선정적인 웃음을 지으며 맴돌고 있었다.

마지막엔, 회전무대는 무희를 실은 채로 아래층으로 가라앉아 들어가고 쇼의 막은 내려졌다.

"아무것도 생각하지 않고 이렇게 즉흥적으로 즐기구나면 머리가 거뜬해지는 것 같아요."

보리가 유쾌한 표정으로 말했다.

곧 이어 손님들이 자유롭게 춤출 수 있는 댄스파티가 시작되었다. 밴드의 음악에 맞추어 여기저기서 쌍쌍이 무대 위에 나가고 있었다.

"선생님은 춤출 줄 모르세요?"

보리가 물었다.

"왜, 아느냐고 묻지 않고?"

"그럼, 아세요?"

"보리는?"

한민은 자기 대답은 하지 않고 되물었다.

"전 학교 시절에 배운 포크 댄스밖에 몰라요."

"그럼, 현대 여성이 아니군."

"선생님은?"

"나는 발을 뗄 줄도 모르니까."

"아니, 미국까지 갔다 오시구두?"

"외국 사람은 어디 밤낮 먹구는 춤만 추구 하는건가?"

"그래도 영화 같은걸 보면 대개 다 추는 것처럼 되어 있지 않아요?"

"그러나 미국 같은 데서두 상류 가정에서는 그렇게 춤추는 것 같지 않던데……."

"그래요? 우리가 상식으로 느끼는 것하구는 다르군요."

"글쎄, 내가 많은 사람을 접촉하지 못하고, 또 사교장이란 델 별로 가 볼 기회가 없어 그런지는 모르지만……."

음악은 포크 댄스 곡으로 바뀌어졌다.

"우리 저기 나가 한 번 춰볼까요?"

보리가 제의했다.

"나는 전연 모른대두. 무슨 창피를 주려구……."

한민은 몸을 뒤로 젖히며 손을 내저었다.

"선생님은 역시 미국에 갔다 오셔서 여전히 시골뜨기시군요."

"그 대신 술을 잘하지 않아. 한 가지만 하면 되지, 이 바쁜 세상에 두 세 가지씩 할 수 있어?"

둘은 함께 웃었다.

"그럼, 술 더 드세요."

"이젠 그만 하겠어요."

"좀 더 드세요."

보리는 웨이터를 불러 다시 맥주를 청했다. 한민은 보리가 따라주는 대로 계속 잔을 비웠다.

"다른 아무 것도 취미가 없으시니, 술 밖에 하실 게 있으세요?"

"취미로 마시는 게 아니라, 피로를 풀려구 마시는 거야. 신식 용어로 말한다면 레크레이션이라고나 할까?"

한민은 웃으며 또 술잔을 들었다.

"낚시는 안하세요? 요새 아주 대유행인 모양이던데요."

"그것도 머리를 개운하게 하는 데 좋다두만. 그러나 시간이 너무 많이 소비돼서……."

"그러니까, 저에게도 그렇게 시간에 인색하시지요?"

"그런 것도 아니지만……."

"이렇게 제가 꾀래도 부려야 겨우 만나뵐 수 있으니……."

"그래야 더 그립지 않아……."

한민은 취기가 돌기 시작했다. 보리는 병에 남은 술을 다 따랐다.

"더 가져오라구 할까요?"

"아니, 그만하겠어. 취해 오는데."

"더 하세요."

"아니, 그만. 혼자 먹으니까 재미없어."

"저는 선생님 드시는 걸 보는 게 재미있어요."

한민은 맥주잔을 쭉 마시고 나서 컵을 테이블 위에 엎어놓았다.

"그럼, 우리 일어나볼까?"

"네."

손님들은 많이 줄어들었다.

"오늘, 보리 덕에 좋은 구경했어."

"그럼, 가끔 오십시다."

"요담엔 내가 초대를 해야지."

그들은 홀 밖으로 나왔다. 복도에는 아직 손님들이 우글거리고 있었다. 현관을 나온 그들은 돌아갈 손님을 기다리고 있는 차에 올라탔다.

한민은 술기운이 어린 속에서 혼자 생각하고 있었다. 개인의 영업이라면 몰라도 국제 오락장을 만들기 위해서 가난한 국고를 털어 막대한 금액을 소비하다니, 그것보다 더 긴급한 일이 많았을 터인데⋯⋯. 그것으로 초등학교 교실만 지어도 대체 얼마나 많은 숫자를 지을 수 있을 것인가. 외화 획득이라지만, 외국 손님이 저만큼 밖에 안된다면 결국은 소경 제 닭 잡아먹는 격이 되지 않을까. 글쎄 현대국가에 그러한 시설도 물론 필요하겠지만⋯⋯. 그러나 한민은 머리를 가로저었다. 대학 도서관과 연구실엔 얼음이 얼고 국비로 지은 오락장엔 스팀이 돌고⋯⋯. 아무리 생각해도 톱니바퀴가 제대로 맞아 들어가는 것 같지 않았다.

第8장

입학시험에 따르는 출제, 시험감독, 채점 및 합격자 전형, 그 뒤를 이어 학기만 성적 제출, 졸업생 사정 등, 대학의 이월은 어수선한 속에서 새봄의 입김을 느껴볼 겨를도 없이 지나가고 있었다.

졸업식 날 한민은 식장에 나가지 않고 연구실에 앉아 있었다.

기형적으로 비대해진 맘모스 종합대학의 행사란 대체의 경우, 사무 부서를 담당하고 있는 간부급을 중심으로 한 의식이기 마련이었다. 그것도 자칫하면 엄숙하다기보다 형식적인 쇼 같은 인상을 주는 때가 적지 않았다. 졸업식이라고 그 테두리에서 벗어나지 않았다.

졸업생이 형설의 공을 쌓고 교문을 떠나는 날, 그 영광을 축복해 주고, 그들을 길러낸 스승에 감사하는 자리가 되어야 할 식전이, 교수는 어느 구석에 가 박혀 있는지도 모르는, 내빈 위주의 떠들썩한 졸업식이란 한민의 구미에 맞지 않았다. 그러기에 그는 가급적 그런 자리면 참석하기를 꺼려했었다.

이층 유리창을 거쳐 밖을 내다보니 캠퍼스는 온통 사람의 물결로 덮여 있었다.

강세훈군이 가운도 입지 않은 채 한민의 연구실로 들어왔다.

"아니, 강군은 식장엘 안 들어가나. 시작될 시간이 다 되어가지 않아?"

"저, 안 들어갈랍니다."

"왜?"

"여기에 그대로 있겠습니다."

"고향에서 누구 올라오셨나?"

"아무도 안 올라왔어요."

그의 표정은 픽 쓸쓸해 보였다. 대부분의 졸업생들이 말쑥한 새 양복으로 차려입고 꽃까지 꽂았는데, 세훈은 늘 입고 다니던 그 염색한 군대 작업복 그대로였다.

"그래도 일생 한 번 있는 최고 학부의 마지막 졸업인데, 식에 참석해야지."

"안 나겠습니다."

세훈은 고개를 약간 숙인 채 같은 대답을 되풀이하고 있었다.

"그러지 말고 참석해. 가만 있자, 가운은 어디 있어?"

"저기 있습니다."

한민은 세훈이 손가락질하는 쪽으로 시선을 돌렸다. 서가 빈칸에 가운이 뭉뚱그려진 채 놓여 있었다. 한민은 가운을 들어다 쭉 폈다. 다리미질을 하지 않아 쭈글쭈글한 대로였다.

"자, 입어."

한민은 가운을 툭 털어, 세훈에게 입히기 시작했다.

"두세요, 제가 입겠어요."

그제야 마지못해 세훈은 가운을 스스로 입고 있었다. 한민은 조교를 불러 교문 앞에 나가 꽃 한 송이 사오라고 시켰다. 조교가 금방 되돌아왔다. 웬일인가 했더니 그 뒤에 영옥이 따라 들어왔다. 영옥의 손에는 새빨간 카네이션 두 송이가 들려 있었다.

"막 계단을 내려가는데, 영옥이 꽃을 들고 오지 않겠어요."

"식장에서 아무리 찾아도 보여야죠. 그래서 혹시나 하고 이리로 왔어요."

조교의 뒤를 따라 다급하게 말하는 영옥의 얼굴은 불그레해졌다. 그러나 영옥은 세훈을 만나 사뭇 다행이다 라는 듯한 표정으로 웃으며, 세훈의 윗포켓에 꽃 한 송이를 끼어주었다. 그제야 세훈의 구겨졌던 얼굴도 다소 피기 시작하며 웃음이 번져 나왔다. 옆에서 바라보고 있는 한민은 흐뭇한 기분이었다.

영옥의 가운은 주름 하나 없이 깨끗하게 다려져 있었다. 그 탓으로 옆에 서 있는 세훈은 더 후줄그레해 보였다.

"식이 곧 시작될 거야요."

영옥이 재촉하듯 말했다.

"자, 그럼 가 봐요."

한민은 세훈의 등을 가볍게 두드리며 말했다.

"선생님은 안 나가세요?"

영옥이 물었다.

"나는 여기 있겠어."

"그럼, 갔다 오겠습니다."

영옥이와 세훈, 그 뒤를 따라 조교도 함께 식장으로 떠나갔다. 한민은 의자를 창가에 돌려놓고 앉아 웅성대는 바깥 풍경에 눈길을 던지고 있었다. 사람의 물결은 조금도 멈춰 있지 않고 밀려갔다 밀려오고 끝이 없었다.

식이 끝났나 보아 사람들이 식장 쪽에서 밀려나오고 있었다. 떠들썩하는 소리가 연구실에서 번져왔다. 한참 있다 세훈이 졸업장을 들고 돌아왔다.

"선생님, 감사합니다."

"졸업생 축하하네. 그동안 고생도 많이 했지만……."

한민은 세훈의 손을 잡았다.

"선생님 덕분입니다."

군대에 갔다 오느라구 몇 해 늦어, 후배들하고 같이 졸업하게 되는 그의 착잡한 심경을 한민은 이해할 수 있었다.

"역시, 사람의 일생이란 긴 세월을 봐야 하니까, 한 단계씩 차근차근히 밟아나가야 해. 힘든 환경 속에서 끝까지 잘했어."

가정교사로 학비를 조달해 가며 쭉 고학해 온 세훈의 끈기를 한민은 진심에서 치하했다.

"저도 그렇게 생각합니다. 제대한 직후는 복학할까 말까 망설였는데 역시 잘했다고 생각합니다."

"참 잘했어."

"그런데 선생님, 저하구 사진 한 장 찍어 주세요. 친구가 카메랄 가지구 왔어요."

"응, 그러지."

한민은 세훈을 따라 교정으로 나갔다. 직업 사진사는 물론, 이루 헤아릴 수 없는 아마추어 카메라맨이 우글거리는 속에서, 사진 찍을 자리를 찾기도 힘들었다. 겨우 자리를 정하고 보면 다른 패들이 뒤에서 막는다고 야단들이고, 사진기를 조정해 놓으면 연속 앞으로 지나가는 사람에 가로막혀 셔터를 누를 틈을 주지 않았다. 한참 대기하고 난 끝에야 겨우 사진 한 장을 찍는 형편이었다. 꼭 대목 장판에 들어선 것만 같았다.

"선생님, 저하구두 같이 찍으세요."

영옥이 축하로 받은 커다란 꽃다발과 선물 상자를 안고 나타났다.

한민은 맞닥은 몇몇 학생과 사진을 찍고 다시 연구실로 돌아왔다. 오래 정들여 기르던 새를 공중으로 훨훨 날려 보낸 것만 같은 아쉽고 허전한 심정이었다.

해는 기울어졌고 캠퍼스에 붐비던 사람의 물결도 거의 흩어져 갔다. 그러나 졸업한 자녀를 앞세우고 인사하러 오는 부형은 단 한 사람도 없었다. 예년 당하는 일이지만, 세월의 탓인지 새삼 서운한 심정을 막을 길 없었다. 세훈의 경우 같은 건 예외지만, 가족이 몇씩 따라오지 않은 학생은 거의 없을 것이었다. 강아지도 사년간 맡아 길러주면 찾아가는 날 주인집에 인사 한 마디쯤 있을 법한 일인데, 자식을 몇 해씩 맡겨두었다가 졸업하고 떠나가는 데 얼굴 한 번 안 보인다는 것은 너무 박절하다는 생각뿐이었다.

그러나 결국 모든 것은 미흡한 자기의 책임으로 돌아오는 수밖에 없어 어느 누구를 탓할 마음은 없었다. 학자답지 않는 학자, 교원답지 않는 교원, 스승답지 않는 스승, 모든 결과는 이런 귀결점으로 돌아오는 것만 같았다. 한민은 자기 자신에 대한 스스로의 반성에 몰려가고 있었다.

조영호가 파이프 담배를 뻑뻑 빨며 들어섰다.

"한 교수도 별수 없구만. 처량하게 앉아있는 걸 보니……."

조영호의 말은 뼈가 들어 있었다. 한민은 멋쩍게 웃었다.

"왜 처량해?"

"그렇게 보이는 걸……."

"으레 그런 건데, 뭐. 어디 금년이 처음인가?"

"나 자신이 시시하게 여겨져서 그래……."

"그걸 이제 알았나, 원."

"글쎄, 늘 겪는 일이지만……. 그러게 나처럼 아예 기대를 걸지 말란 말이야. 기대가 크면 클수록 배신감이 큰 거야. 그리고, 정도 줄 것 없어. 그만큼 공허감이 더 반동해 온단 말이야. 그저, 정한 시간이나 하구, 그 다음은 자기 일 하는 것이 제일이야."

조영호는 내키는 대로 툭툭 내쏟고 있었다. 한민은 그저 멍멍했다. 조영호의 말을 부인할 아무런 건더기도 자신에겐 없었다.

"자, 나가 술이나 한잔하지. 나 오늘 학관에서 강사료 탔어. 이 사람 놀라지 말게. 일금 오만 원이야. 자그만치 여기 월급의 삼배가 넘는다는 걸. 이건 세금이구 뭐구 푼돈 하나 떼지 않고 그대로야……."

"아니, 명색 대학 교수가 종로 복판에 발가벗고 나섰는데 기껏 그건가?"

조영호가 맡은 시간 수에 비하면 많은 액수라고 생각되면서 한민은 서글픈 심정에서 군이 그렇게 말했다.

"글쎄, 얼굴 값으론 너무 싸지?"

"어디, 값가는 얼굴들이라야지……."

"자, 일어나요."

조영호는 한민의 팔을 끌었다.

술이야 누가 사든지 아무튼 한 잔 해야 속이 풀릴 것 같아, 한민은 영호와 함께 연구실을 나왔다. 교정에는 꽃송이, 껍깍지, 캐러멜통, 조각할 것 없이 지저분하게 흩어져 있고, 남아 있는 사람들도 몇 되지 않았다. 교문 앞에 줄을 쳤던 꽃장수들도 간 데 없고, 교통정리를 하느라고 호각소리를 요란스럽게 내던 경찰관의 모습도 보이지 않았다. 퇴색된 빨간 천으로 싼 사진기를 둘러매고 서 있는 사진사의 맥빠진 모습과 더불어, 한 물결도 스쳐간 교문 앞 거리는 대사를 치르고 난 집 뜰 안같이 한산하고 쓸쓸해만 보였다.

집안에서의 가족 간의 대화란 서로 용건이 있을 때 밖에는 별로 없었다. 온 가족이 한데 모여 단란한 분위기를 가진다는 일은 애당초 상상조차 할 수 없는 일이었다. 그것은 식구 각자가 제각기 지니고 있는 성격의 탓도 이었지만, 그보다 큰 원인은 6·25와 4·19가 가져온 외부적인 여독이 더 큰 것이었다.

한민은 아침이 끝나면 학교 연구실로 곧장 나가고, 저녁에 돌아와 밥상을 물리고 나면 서재에 들어박히는 것이 매일의 일과였다. 혁은 혁대로 아랫방에 처박혀 식사 때 이외에는 거의 외부와의 접촉을 단절하고 달팽이처럼 혼자의 번민을 반추하고 있었다. 어머니는 그러한 불구의 아들과 남편의 생사만을 머리에 두고 죽지 못해 사는 심정으로 기도와 염불로 세월을 보냈다. 그런 분위기에 질식할 것만 같은 정아는, 학교에 갔다 오는 외에는 될 수 있는 대로 그 탁한 공기에서 벗어나려고 바깥으로만 싸돌아다녔다. 그 틈바구니에서 현숙은 시덥잖은 살림을 억지로 꾸려 가느라고 애태워, 얼굴에서 짜증이 가셔지는 날이 별로 없었다. 모두가 한데 어울려지지 않고, 제 나름의 외로운 구멍 속에 도사리고 있는 것만 같은 절름발이 집안 꼴이었다.

"오빠, 등록 마감이 내일인데……."

한민이 현관을 나서려는데, 정아가 말했다. 정아가 오빠에게 말을 걸어오는 것은 대개의 경우 돈이 필요한 때뿐이었다. 집안 살림이 돌아가는 꼴을 눈치 챌 수 있게 자란 나이지만, 그가 돈 이야기를 꺼낼 때는 웃는 모습이란 거의 발견할 수 없고 뾰로통하지 않으면 오들오들 불안에 찬 표정이었다. 여학교 다닐 때는 아직 나이도 어렸고, 그만큼 순진했기에, 웃는 얼굴로 손을 내밀었다. 그러나 대학에 들어가자, 일그러진 집안 분위기에 쩔어 생각하는 것도 단순하지 않고, 달라는 돈 액수도 커졌기에, 어느 사이엔지 그러한 편벽된 모습으로 굳어져버렸다.

"얼만데?"

학교 납입금 통지서가 왔을 때, 아내가 걱정하며 뇌까리던 액수를 들은 바 있었지만, 한민은 확실한 금액을 기억하고 있지 않았다.

"만팔천 원이야요."

"만팔천 원?"

한민은 반문했다. 곧 자기 월급보다 더 많은 액수라는 비교가 스쳐갔다.

"거기다 새학기 교과서도 사야겠고, 이걸 벗어놓으면 입을 것도 없는데……."

정아는 자기 오버코트를 가리키며 말했다.

"신발도 이렇구……."

그는 다 낡아진 구두를 내대며 덧붙였다. 돈 달라는 말은 꺼내기 힘드니까, 말을 하는 김에 다 뭉뚱그려 하겠다는 듯이 계속 주워섬기고 있었다.

"알았어."

"내일까진데요……."

"알았대두……."

한민의 말소리는 퉁명스러웠다. 그는 대문을 나서 정류장 쪽으로 걸으며 어디 가 구득해야 할까 하고 생각에 잠겼다. 물고 있는 담배가 다 타들어가는 것도 몰라 입술이 따가워지자 그는 와락 내뱉어버렸다.

정아도 이제 졸업반이 된다. 다 큰 계집애를 궁상맞은 옷차림 그대로 밖에 드러내놓을 수는 없는 일이었다. 이제 등록 두 번만 하면 졸업하게 될 거구, 그러면 그 다음부터는 그만큼 부담이 좀 덜어질 것이 아닌가. 여럿이 아니고 단 하나인 누이동생인데, 요새같이 심리적으로만 대상을 구하려 드는 사내놈들에게, 그 궁상맞은 옷차림으로는 눈에 들지도 않을 것이 아닌가. 그러면 어떻게 할까……. 버스에서 내려 교문 쪽으로 걸어가면서도 한민은 계속 그것을 생각하고 있었다. 연구실에다 가방을 팽개치고 난 그는 서무과장을 찾았다.

"나, 그 상조회 돈 좀 빌립시다."

한민은 긴 사설 없이 무턱대고 본론부터 내대었다.

"가만 있자, 한 선생, 전에 쓴 것이 없으시던가?"

"아마, 미국 가기 전에 쓴 것은 그 사이에 다 갚아졌을 겁니다."

"그랬던가요? 어디 장부를 봅시다."

서무과장은 뒤에 있는 캐비닛 속에서 장부 하나를 끄집어내어 넘기기 시작했다.

"아, 다 갚아졌군요. 그럼, 쓰실 수 있습니다."

"그럼 이만 원만 돌려주세요."

"이만 원!"

서무과장은 한민의 얼굴을 빤히 쳐다보며 말했다.

"이만 원은 안되겠습니다. 규약에 제한이 있어서 한 달치 봉급을 넘지 못하게 돼 있습니다."

"그래요? 픽 딱한 일이 있는데……."

"무슨 일인데요, 갑자기……."

"등록금 때문에 그래요."

"요새 등록금들 때문에 난리 났습니다. 선생들마다 요구하시는데, 이젠 대출할 재원이 있어야지요?"

서무과장은 다른 장부 하나를 펼쳐보며 말했다.

"어떻게 편법을 좀 써주시오."

"글쎄, 억지로 초과해야, 만오천 원밖에 안되겠는데요."

"이거 야단났군. 내일이 등록 마감날이라는데……."

서무과장은 난처한 표정을 지으며 한참 생각하다 말을 떼었다.

"그럼, 한 선생, 이렇게 하시면 어떻겠어요? 그렇게 사정이 딱하시다니, 만오천 원만 차용하시구, 나머지 오천 원을 가불로 해서 이번 봉급에서 삭제하도록 하시면……."

"네, 우선 그렇게라도 해주세요."

한민은 그나마도 임시변통책이 됐다 싶어 즉각 응락했다.

"사실 가불은 전연 안하게 돼 있는데, 아주 그렇게 딱한 경우라니……."

서무과장은 생색을 내는 말을 덧붙였다.

"네, 감사합니다."

한민은 인사를 하면서도, 비굴해지는 자신을 가눌 수 없었다.

"그럼, 은행에 가 찾아와야 할 터이니까 이따 들르세요."

"네, 부탁합니다."

서무실을 나온 그는 다행이었다고 안도의 숨을 쉬면서도, 자신이 시시하고 옹졸하게만 느껴졌다. 가불액이 다음 봉급에서 삭제되면 다음날 생활이 또 막연해진다.

그는 대학원 사무실로 찾아갔다. 논문 원고료가 어떻게 됐나 알아보기 위해서였다. 그것이 나오면, 가불액을 메울 수 있겠다는 생각에서였다.

"그 논문 고료 지불은 어떻게 되는가요?"

한민은 담당 사무원에게 물었다.

"무슨 논문 말입니까?"

사무원은 놀라며 반문해 왔다.

"아니, 이번 대학 논문집에 실리는 원고료 말이요."

"네에, 그거 말입니까. 아직 논문집이 나왔어야죠. 그건 논문집이 나온 후에 지불하게 돼 있습니다."

"논문집은 언제 나오는데?"

"아직 한 달은 더 걸릴 겁니다."

"한 달?"

"네."

"그럼, 논문집이 나오면 곧 지불되겠군요?"

"논문집이 나와도 다른 제작비와 함께 원고료를 청구해서 경비가 영달 돼야 합니다."

"영달?"

"네."

"그게 왜 그렇게 늦는가요?"

"늘 사무 절차가 그렇게 되는 걸 선생님도 잘 아시면서요. 저희들이야 금방 내드리고 싶지만, 어디 돈이 나와야지요."

"알았소."

한민은 불쾌한 기분을 이기지 못하며 대학원 사무실을 나왔다.

"자식들, 쥐꼬리만큼 주는 걸 가지고……."

그는 혼자 중얼거렸다.

연구실로 돌아오려고 교정으로 나서는데, 총장의 세단 대형차가 교문에서 들어오고 있었다. 그는 자동차와 마주친 눈길을 선뜻 돌렸다.

"빌어먹을 놈들……."

그는 누구에게랄 것 없이 분노를 내뱉었다.

"사무원들 앞에서까지 굽실거려야만 하는 교수로 만들어놓고……. 교권은 무슨 썩어빠진 놈의 교권……."

그는 혼자 뇌까렸다. 앞이 뿌옇게 흐려져 갔다.

한민은 동서빌딩 현관에 들어섰다. 스팀의 온기가 몸에 후끈해 왔다. 그는 윗층으로 통하는 옆 수위실 앞으로 다가갔다. 동서산업공사가 몇 층에 있느냐고 물으려 하다가, 벽에 걸려 있는 사무실 배치표에 눈이 갔다. 오층이었다. 빌딩을 새로 짓고 자기 회사 사무실도 그 속에 옮겼다는 이야기는 최상억 사장에게서 들었지만, 그가 신관으로 찾아온 것은 처음이었다.

그는 승강기 문 앞으로 다가갔다. 신호 단추를 누르고 엘리베이터가 내려오기를 기다렸다. 여섯시까지 꼭 와달라고 했지만, 이 작자가 자리에 붙어 있을까 하고 한민은 생각했다. 전에도 약속을 해놓곤 그 시간에 외출하거나, 아예 잊어버리고 만 때가 있었기 때문이었다. 승강기에서 나온 그는 두리번거리며 오백일호실을 찾았다. 그러나 호실 넘버가 붙어 있는 도어마다 동서산업공사라고 써있었다. 아마도 이 한 층을 거의 다 쓰는가보다 싶었다. 그는 사장실이라고 써 붙여 있는 도어를 노크했다. 안에서 대답 소리가 났다. 그는 도어를 열고 안에 들어섰다.

"누구를 찾으세요?"

여비서인 듯한 소녀가 물었다.

"최 사장 계신가요?"

"안 계셔요."

"안 계셔? 만나기로 약속돼 있는데……."

"네에, 그럼 한 교수님이세요?"

"네."

소녀는 갑자기 표정이 부드러워졌다.

"사장님이 잠깐 외출하셨어요. 나가시면서 한 교수님이 오시면 기다리시게 하라고 그러셨어요. 곧 돌아오실 거예요."

여비서는 사장실 도어를 열고 한민을 인도했다.

"여기 앉으셔서 조금만 기다리세요."

여비서가 권하는 대로 한민은 응접 소파에 앉았다.

복도에서 본 사무실의 규모나 방 안에 차려놓은 집기 비품 등으로 보아, 사업이 훨씬 확장된 것만 같은 인상이었다.

여비서가 가져다 놓은 찻잔을 들면서 한민은 여러 가지 생각을 하고 있었다. 이만큼한 사업을 하면서 왜 하필이면 밀수까지 할까. 혹시 이렇게 크게 된 것이 모두 그러한 부정으로 이루어진 것이나 아닐까. 그렇다면 결국 간접적으로 온 국민을 등쳐먹는 결과가 되는 것이 아닐까. 왜 좀 정정당당히 해가지 못할까. 역시 사람의 욕심엔 끝이 없는 것인가 보다 하는 생각마저 들었다.

문소리가 났다. 최 사장이 돌아왔나 하고 한민은 도어 쪽으로 얼굴을 돌렸다. 전에 최 사장이 집에 와 있을 때 찾아왔던 윤 상무였다. 그러나 저쪽에선 금방 알아보지 못하고 생각하는 눈치더니,

"아, 한 교수님."

하고 손을 내민다.

"안녕하십니까?"

한민은 자리에서 일어나 악수를 했다.

"참 그땐 폐가 많았습니다. 어서 앉으시지요."

"최 사장은 밖에 나가셨다구요?"

"네, 지금 곧 오신답니다."

윤상무가 나가고 얼마 안 되어 최상억 사장이 들어왔다.

"아, 한 교수 미안하오. 갑자기 급한 일이 생겨서……."

최상억은 한민과 소파에 마주앉았다.

"지난번에는 여러 가지로 신세 많았소."

"그래, 그 일은 해결이 잘 됐어?"

"응, 이제야 겨우 결말이 났어. 거기서 생긴 걸 다 집어넣구두, 결국 더 찍어 넣은 셈이야. 거기다 구속된 사원을 빼내느라구, 아주 혼났어."

"그 경리과장인가 하는 사람도 석방됐군 그래?"

"그게 그대로 억류되면, 완전히 해결될 수 있어? 기소되면 최소한의 형이라도 받아야 할 건데……. 아이, 염병 치르구 난 것 같아."

"그 사람이 이번엔 공신이었구만."

"공신이 다 뭐야. 그게 똑똑히 놀았으면 처음부터 확대 안되는 건데."

"아니, 그렇게만 생각할 수 있어?"

"끝까지 버티면 그사이 손쓸 수 있는 건데, 이건, 첫판에 금방 불었으니, 그걸 뒤집을 수 있어야지. 바보같이 죽을 쒀놓았지 뭐야."

"그래, 그 사람, 지금도 근무하고 있는가?"

"응, 다른 자리로 바꿔놓았어."

"자네도 이젠 이만큼 사업이 커졌으니까, 정도로 가지."

"아닌 게 아니라, 나도 그렇게 생각하고 있어. 그 일만 생각하면 머리 끝이 일어선다니까. 아주 지긋지긋해."

최 사장은 머리를 내저으며 치를 떨었다.

"세상이 좁은 걸 참말 이번에 알았어. 일이 그렇게 벌어지구 보니까, 어디 숨을 데가 있어야지. 친척집은 다 제일차로 수사 대상에 오를 거구, 동업자 친구들은 피차 체면 문제구. 그 다음 몇몇 아는 사람은 가서 구구한 설명을 할 수 없구, 찾아갈 곳은 자네밖에 없었어. 아무튼 고마웠어."

최상억은 진심에서 사의를 표해 왔다.

"아니야, 그런 위기를 당하니까, 훈장이 제일 믿을 수 있을 것 같았어. 이 친구 겁을 집어먹구 받아주질 않으면 어쩌나 하고 걱정은 되두만."

"그래, 우리 집에서 나와선 어디로 갔댔어?······"

"정양도 할 겸 메디컬센터에 입원했댔지."

"그런 편리한 방법도 있구만."

한민은 속으로 끄덕였다.

최 사장은 버저를 눌러 여비서를 눌렀다.

"윤 상무 좀 오시라구 그래."

"네."

"오늘은 자네를 예쁜 색시 구경 좀 시켜야겠네."

최 사장은 히죽이 웃으며 말했다.

"이 사람, 누가 색시에 걸신들린 줄 아나?"

"아니, 그런 의미가 아니구, 학자님들이야 어디 기생집 출입 하나. 밤낮 그 곰팡이 냄새 나는 연구실에만 틀어박혔지."

"나두 거리에 나와 곧잘 술을 하네."

"그럼, 오늘은 어디 자네 단골로 가볼까?"

"단골이랄 것까지야 없지만, 기껏 맥주홀인데 뭐."

윤 상무가 들어왔다.

"부르셨어요?"

"예, 윤 상무, 우리 오늘 한 교수 모시고 저녁이나 합시다."

"네."

윤 상무도 싫지 않은 표정이었다.

사무실에서 내려와 자동차 앞에 오니 운전수가 한민을 보고 알은 체를 했다. 집에 왔을 때의 기억이 있는 모양이었다. 한민은 최 사장과 함께 뒤에 타고 윤 상무는 운전수 옆에 앉았다.

"자네 좋아하는 데 있으면 안내하게."

최 사장은 앞자리의 윤 상무에게 말을 건넸다.

"글쎄요, 사장님 좋으신 대로 하세요."

"가만 있자……."

최 사장은 잠깐 생각하다가 말을 이었다.

"청운각으로 가지, 어떻겠소?"

"그럽시다."

윤 상무가 대답했다.

가는 방향을 대기하고 있던 운전수는 엔진을 걸었다. 광화문 네거리를 지나고 중앙청 모퉁이를 돌아, 차는 효자동 길을 달리고 있었다. 어두워진 거리엔 가로등이 환히 비치고 있었다.

"요새 학원도 많이 부패했다면서?"

불쑥 최 사장이 말했다.

"누가 그래?"

"모두들 그러더군."

한민은 문득 도둑이 제 발이 저리다는 생각을 하고 있었다.

"그건 학원 재단이 부패했다는 말이겠지, 교수야 어디 부패할래야 부패를 시켜주는 사람이 있어야지……."

"어때, 입학기의 대목장을 만나 한 교수도 괜찮았소?"

최상억은 의미 있는 웃음을 지으며 말했다.

"아니, 최 사장은 언제 대학 교수에게 이권운동하듯 큼지막한 뇌물 덩어리 한 번 갖다 바쳐본 적이 있소?"

한민은 이제 겨우 국민학교에 들어간 어린이가 있는 자기와 비교하며 말했다.

"글쎄, 처음엔 자식을 일찍 둔 것이 좀 부끄러웠는데, 지나구 보니까 요샌 괜찮구먼."

"역시 자식은 일찍 길러야 되겠습니다. 나는 아득해요."

"그것도 금방인데 뭐. 아무튼 한 교수, 내년엔 잘 부탁하오. 암만해도 직접 한 교수 지도를 받아야 할 것 같아."

한민은 아무 대답 없이 웃음으로 메웠다.

차는 청운동 길을 꼬불꼬불 돌아서 청운각에 닿았다.

"어서 옵쇼!"

현관에 대기하고 섰던 보타이의 소년이 소리치며 차 옆으로 뛰어왔다.

"최 사장님 오세요?"

소년은 차에서 내리는 최상억 사장을 보자 웃음에 넘쳐 허리를 굽실했다.

"방이 있나?"

"네에."

"귀빈을 모시고 왔으니 좋은 방을 내놓아."

"네에."

소년은 뼈 없는 사람같이 연방 굽실거리며 대답했다. 한민은 최상억의 뒤를 따라 보이가 안내하는 방으로 들어갔다.

이들이 자리에 앉자마자 보이가 물수건과 담배가 놓인 접시를 들고 들어왔다.

"색시는 누구를 부를깝쇼?"

그는 최 사장의 동정을 살피며 말했다.

"가만 있자, 오늘은 한 교수를 오입 좀 시켜야겠는데……."

최 사장은 한민을 바라보며 웃었다.

"그거, 그렇게 흔한 오입이 있으면 한 번 해봅시다."

한민도 농조로 대답했다.

"한 사람은 젊고 예쁜 신품으로 하고, 그 담엔 그 고전음악을 하고 가야금 잘 타는 색시 있지 않아?"

"향심이 말이야요?"

"응, 맞았어 향심이. 그리고 저 윤 상무 좋아하는 평양 색시 있지 않아?"

"어디, 특별히 좋아하는 색시 있어야죠?"

윤 상무가 약간 멋쩍은 듯이 웃으며 받았다.

"아니, 전번에도 집에까지 바래다준 그…… 뭐드라, 트위스트 잘 추는 색시 말이여."

"원 사장님두……."

"네, 알겠습니다."

보이는 여전히 굽실거리며 나갔다.

"사장님은 자녀를 일찍 두셔서 참 좋으시겠어요."

윤상무가 색시의 공격에서 화제를 돌리고 있었다. 그는 뻔대머리 탓인지 오십이 넘어 보였다.

"아니, 윤 상무께서는 장성한 자녀들이 없으신가요?"

한민이 윤 상무의 말을 받았다.

"윤 상무는 1·4후퇴 때 월남했어요. 가족이라곤 하나도 같이 나오지 못하고, 단신으로."

윤상무의 얼굴이 약간 흐려졌다. 한민은 잘못 말을 걸었다는 생각이 들었다.

"물론, 저쪽엔 장성한 아이들이 있지, 생사는 모르지만. 여기 와서 몇

해 버티다가 재혼을 했으니, 애들이 고만고만하지."

최 사장은 손으로 형용하며 이야기했다.

"이젠 다 잊었는데, 그런 이야기는 해서 뭘 하겠어요."

윤 상무는 군이 화제에서 멀어져가려고 애쓰는 것 같았다.

"잊고 살아야지, 여기서 난 애들도 커가고, 신접살림의 새 정이 두터워지면 저절로 잊게 될 터인데. 사변 덕분에 젊은 마누라가 생겼으니 덕봤지 뭐, 하하."

최 사장은 말끝에 일부러 익살을 덧붙이며 웃었다.

"그런데 보통 때는 괜찮은데 가끔가다 문득문득 생각나는 때가 있어요. 그럴 때면 새사람에게 미안하단 말야요. 한 번은 추운 저녁인데, 동대문 앞을 지나가노라니까, '아버지!'하고 부르는 소리가 나지 않겠어요. 꼭 북에 두고 온 작은놈의 목소리 같단 말이야요. 그래, 무심결에 돌아보았지요. 바로 내가 떠날 때 그놈만큼 육칠세 돼 보이는 거지아이가 깡통을 들고 벌벌 떨구 있지 않아요. 그놈은 나를 부른 것이 아닌 모양인데, 내 자식도 어디서 저 꼴을 하고 있지 않나 생각하니 창자가 찢어지는 것 같더군요. 그래, 그날 저녁에 취해 들어와 갖군 별일 아닌 부스럼을 긁어 집안싸움까지 하구."

"아무튼 큰 비극입니다."

한민은 그렇게 말하면서 자기도 아버지를 생각하고 있었다. 자기 아버지도 어디 가서 사변 때의 자기나 자기 동생만큼 한 사람들을 보게 되면 그런 생각을 할 것이 아닌가 하고.

술상이 놓여지고 색시들이 들어왔다.

"자, 한 교수 이쪽으로 앉으시오."

최 사장은 아랫목 큰 보료 자리를 한민에게 권했다.

"여기 그대로 앉지요."

"주빈인데, 어서 오시오."

한민은 최상억의 권에 못이겨 옮겨 앉았다. 최 사장은 한민과 마주 앉고 옆에 윤 상무가 자리 잡았다.

"자, 젊은 색시는 한 교수 옆으로 가 앉아 잘 구슬려봐. 신랑감이 어떤가. 참 아가씨 이름이 뭐지?"

"인사드리겠습니다. 저 김영옥이야요."

"영옥이?"

한민은 눈을 깜빡하며 옆에 앉은 여인을 바라보았다. 이번에 졸업한 여학생과 같은 이름이었기 때문이었다.

"향심인 이리 와요. 그리고, 자넨 애인 옆에 가 앉고."

최 사장은 윤 상무를 가리키며 몸맵시가 날씬한 색시에게 말했다.

"참, 자네 이름은 뭐랬더라?"

"저 김메리야요."

"응, 메리, 참 그랬지. 비행기 편으로 직수입한……."

최 사장은 능란하게 분위기를 이끌어가고 있었다.

잔에 술이 따라졌다.

"자, 한 교수, 듭시다. 그리구 오늘은 좀 기분내요."

최 사장은 첫잔을 들자마자 한민에게 권해 왔다.

"최 사장, 그 자꾸 교수교수 하지 말아요. 훈장이라면 옆에 왔던 색시도 도망친다는데……."

"흥흥, 모르는 소리. 요새 색시들은 문화인을 좋아한다나봐……."

"흥, 문화인? 그 반댈 거요."

한민은 웃으며 잔을 돌렸다.

"교수는 어디 오입 한 번 더 하면 벼락이 친답디까? 그 줄 듯 줄 듯 하며 냄새만 피우는 사장님들 돈에 지쳐서, 참말 그럴지도 몰라요."

향심이 최 사장을 흘기는 시늉을 하며 이야기에 끼어들고 있었다.

"흥, 늑대는 못하는 말이 없군."

"왜, 날더러 늑대라고 그래요?"

향심이 최 사장 허벅지를 꼬집으며 반문했다.

"아야, 기생 늙은 게 늑대지 뭐야."

"나이 삼십에 뭐가 늙었어요?"

"흥, 기생 나이 삼십이면 환갑이라는 걸 모르나?"

한바탕 웃음이 터졌다.

"자, 술 드세요."

옆에 앉은 영옥이 잔을 들어 한민의 입에 대며 권해 왔다.

한민은 그 잔을 마시고 영옥에게 한 잔 따라주었다.

"흥, 저 댁에서는 벌써부터 가화에 만사성인데(家和萬事成)……."

최 사장은 한민 쪽을 바라보며 웃었다.

"사장님은 왜 남의 집안일에까지 참견이세요?"

영옥이 새침을 띠며 말했다.

"흥, 신품이 줄 알았더니, 너는 한술 더 뜨는구나."

"요새 아다라시가 어딨어요."

술판은 차츰 흥거워졌다. 최 사장과 윤 상무는 계속 한민에게 잔을 권해 왔다.

"빨리 들고 잔 돌리세요."

향심이 재촉하며 권했다. 한민은 색시들의 채근에 받은 잔을 오래 둘수가 없어 계속 마셨다.

"자, 윤 상무, 젊은 마누라 치다꺼리에 고되겠는데, 이거나 많이 드시오."

최 사장은 윤 상무에게 잔을 돌리며 해삼 접시를 손가락질하고 있었다. 그는 아까 1·4후퇴 이야기를 꺼내 윤상무가 거기에 신경이 쓰였는가 싶어 기분을 돌리게 하려는 눈친가 보았다.

"이걸루는 안되겠어. 큰 잔 가지구 오라구 그래."

최사장의 말을 받아 향심이 손뼉을 쳤다.

"여기 중포 하나 가져와요."

나타난 보이에게 향심이 말했다.

새로 가져온 큰 컵이 몇 차례 돌고 나니 한민도 취해왔다.

북·장구·가야금이 들어오고, 향심의 남도창이 시작되었다. 가락은 다시 바뀌어 민요로 옮겨지고, 메리는 흥을 내어 홀라춤을 추었다.

"한형."

최상억이 얼근히 취해 가지고 한민의 목에 팔을 감으며 말했다.

"나는 이렇게 마시는 술이 제일 기분 좋아. 비즈니스가 없으니까. 사업 때문에 교제하는 술이란 신경만 쓰이고 도무지 맛이 나야지"

한민은 그 진의를 알아들을 수 있었다.

"오늘밤은 나도 기분 좋아."

"자네도 기분 좋지. 이렇게 허심탄회한 기분으로 마시니까. 자네 같은 샌님도 이런 데 가끔 와야 세상 돌아가는 걸 알지?"

"그렇잖아도 많이 배우고 있어."

한민은 큰 잔을 비우고 최상억에게 권했다.

"나 취했어. 내가 자네보다 먼저 쓰러져서야 되겠나, 미안해서."

최상억은 혀가 잘 돌지 않았다.

"아직 괜찮은데 뭐, 들어."

한민은 최상억에게 큰 컵으로 권했다.

"아니, 그 작은 잔으로 주어. 내 이따 자네하고 상의할 일이 있어."

"지금 이야기하지, 뭐."

"아니 둘이서 할 이야기가 있다니까."

최상억은 잔을 비우고 한민에게 돌리며 말했다.

"야, 고전 그만하고 이젠 현대로 넘어오지. 그 밴드 좀 불러와. 밴드."

최 사장의 말에 장구 소리는 멈춰지고, 색시들은 술상머리로 돌아왔다.

"자, 늑대 수고했어. 한 잔 들어."

"최 사장님, 늑대 좋아하시네요."

향심은 혀끝을 쑥 내밀며 잔을 받았다.

"요걸 그저."

최 사장은 향심의 목을 끌어 뺨에 입을 비비고 있었다.

"자, 한 교수님, 좀 드세요."

윤 상무가 또 잔을 권해 왔다. 한민은 이러다간 취해 거꾸러지겠다는 생각을 하면서도 거절할 수 없었다. 조금만 따르라고 해도 색시들은 더욱 주전자를 누르며 잔을 채웠다.

밴드의 음악이 흥청거리며 방 안을 뒤흔들었다.

"야, 그 샌님 훈장 좀 바람 내봐."

최 사장이 메리와 춤을 추며, 영옥이를 보고 말했다.

"자, 일어나세요."

영옥이가 한민의 팔을 끌며 일어섰다. 한민은 한쪽 팔을 내저으며 거절했다.

"자, 일어나세요, 같이 춥시다. 영옥이 정들자고 하는데……."

향심이 윤 상무와 같이 일어서며 한민에게 권했다.

"일어나세요, 어서."

영옥이 한민의 겨드랑이에 두 손을 넣어 간질이며 일으켰다. 한민은 영옥에게 끌려 자리에서 일어나 그와 손을 마주 잡았으나 취기로 발을 옮길 수도 없었다. 음악은 계속 흥겹게 방 안에 넘쳐흐르고 있었다. 그는 영옥이에게 껴안겨 억지로 맞지도 않는 스텝으로 왔다 갔다 하다가 제 자리로 돌아왔다.

"참말 못 추세요?"

영옥이 잔에 술을 따르며 말했다.

"응, 몰라. 춤이라고 발을 떼어본 것이 오늘 처음이야."

"진짜 샌님이시네."

영옥이의 그 소리가 반은 감탄 같고, 반은 조롱같이 한민의 귀에 들려왔다.

한민은 자기 자신이 살아가는 자세에 후회는 하지 않았지만, 현실면에서 너무 동떨어진 생활을 하고 있다는 느낌이 들었다.

메리의 트위스트에 이어 색시들의 노래가 마이크를 통해 계속 흥겹게 이어져갔다. 최 사장은 호주머니에서 지전 뭉치를 꺼내어 침을 퉤퉤 발라서는 색시들의 이마에 붙여주고 있었다. 그 침이 조금도 더럽다는 표정 없이 색시들은 좋아서 히히덕거리고만 있었다.

한민은 울적했던 기분이 가시는 것만 같은 유쾌한 분위기에 흠뻑 젖어들어갔다.

윤 상무는 다른 차를 타고, 한민은 최 사장과 함께 그의 차에 올랐다.

"어디부터 갈까요?"

차를 몰아가며 운전수가 물었다.

"사보이 호텔 앞에 갔다 대."

"아니, 또 어딜 가려구?"

한민은 취기에 눈을 감은 채 말했다.

"우리 명동에 가 입가심이나 합시다."

"난, 이제 더 못하겠는데……."

"글쎄 거뜬하게 맥주 한 잔만 하재두."

차에서 내린 한민은 최상억에게 끌려 바로 들어갔다.

"아이, 최 사장님 오시네요."

몸집이 듬직한 여인이 뛰어나오며 반겼다.

"응, 김 마담."

"어디서 이렇게 취하셨어요? 좀 일찍 들르시지 않고, 이렇게 늦게."

"그럼 갈까?"

"왜 이렇게 비싸게 구세요? 자, 여기 앉으세요."

최상억은 마담이 밀어 넣는 복스에 털썩 주저 앉았다.

"자, 한 교수 여기 앉으시오."

한민은 휘청거리며 자리에 앉았다. 여급들이 두 사람을 싸듯이 모여왔다.

"여기 술 가져와."

"맥주로 하실까요?"

마담이 물었다.

"응, 마담 내 소개할까. 이 사람, 내 동창 친구야. 한 교수라구, 대한민국에서 제일 모범적인 훈장이야."

"또 그 훈장 타령이야?"

한민은 게슴츠레해진 눈을 뜨며 말했다.

"그럼, 훈장인 걸 훈장이라구 해야지, 장사꾼이라구 하나?"

"한 선생님시군요?"

마담이 받았다.

"김 마담."

최상억은 마담을 똑바로 쏘아보며 말했다.

"네."

"한 교수가 오면, 내 이름으로 달아놓고 술은 얼마든지 줘요. 얼굴 잘 기억해 둬."

"네, 알아 모시겠습니다."

술이 따라졌다.

"자, 브라보……."

최상억은 잔을 높이 들며 소리쳤다. 그 모습에서 한민은 이십여 년 전 중학시절, 운동선수로 활약하던 때의 상억을 연상하며 첫잔을 비웠다.

"한형, 내가 지금부터 이야기하는 것을 취중담으로 듣지 마시오."

최상억은 한민에게 잔을 건네며 말했다.

"그래, 이야기해 봐요."

한민은 무슨 소리를 하려고 그렇게 다지는가 생각하며 취기를 억지로 가누어갔다.

"실은, 이번에 생산업체 하나를 새로 차렸소. 그런데 내 힘엔 벅차단 말이야. 전무구 상무구 해도, 다 제 일처럼 적극적으로 성의를 내지 않는 단 말이야. 눈앞에선 알랑알랑하지만, 내 눈만 없으면 딴 수를 낼 구멍들이나 찾고……."

"아니, 그 윤 상무는 사람이 성실해 뵈던데?……"

한민은 윤 상무에게서 받은 호인상대로 말했다.

"그렇게 고지식하면, 정확은 하지만, 융통성이 없어 탈이야. 다른 놈들도 그래. 협잡을 안 하면 무능하구, 도대체 사람을 믿을 수 있어야지."

"이 사람아, 협잡은 자네가 솔선수범하지 않았나?"

한민은 주기에 힘입어 한 마디 던졌다.

"한형, 그렇게 사람의 약점만을 꼬집지 말란 말이야. 그게 훈장의 단점이야. 그건 그렇구, 나도 이제는 그런 협잡은 안 해. 정정당당하게, 정말 하나의 기업가로서 해볼 작정이야. 그러나 후진국에선 역시 사업이라는 게 어떤 궤도에 오를 때까지는 약간은 속임수가 없을 순 없어. 그것은 국고를 털어먹거나, 개인을 수탈하거나, 또는 관권과 결탁해서 이권을 끌어오거나, 그 방법의 차이가 있을 뿐이야."

"이 사람, 그렇게 자기합리화만 하지 말고……. 자, 어서 잔이나 들게."

한민은 최상억에게 권하며 말했다.

"아니, 이건 자기합리화가 아니야. 다 도둑질하구 안 한 척하니 그렇지. 내가 정직하게 고백한다는 것만도 대단한 거야?"

"하기야 6·25 후에 일어난 재벌치고 부정이 없이 커진 거야 있었나?"

"옳지, 바로 그거야. 그러나 이제는 긁어먹을 것도 다 바닥이 나, 건더기가 없단 말이야. 적산 불하도 없고, 원조 물자도 줄고. 그러니까 이제는 생쥐처럼 세금을 뜯어먹으려 들지 않나, 하하하."

"이젠 그렇게 건더기가 없나?"

"글쎄, 자질구레한 건더기야 있지, 큰 것이 없다 뿐인지. 그러나 모르지, 한일 국교나 트이면 또 사태는 달라질 거야."

"그럼, 자넬 위해서는 한일 국교가 빨리 정상화되어야겠네."

"이 사람, 농담 그만하게. 나는 이젠 정정당당히 대결하기로 결심했대두."

"잘하게나."

"글쎄, 그 잘 하는 게 문제란 말이야. 그래, 자네 힘을 좀 빌려야겠네."

"내가 무슨 힘이 있나?"

"아니야. 자네 그 케케묵은 훈장 노릇 다 집어치우고 나와 함께 일을 하세."

한민은 취중에도 충격이 왔다.

"이 친구가 돌았어. 내가 그런 일을 알아야 하지."

"아니야. 지금 나에게는 정확하게 자기 자리를 지키고, 내가 하는 방향이 잘못되는 것 같을 때, 적극적으로 반대하고 나서서 건설적인 건의를 할 수 있는 사람이 필요하단 말이야."

"내가 어디 그런 재간이 있나. 어림도 없는 소리."

한민은 최상억의 말이 농담만은 아닌 것 같아 즉석에서 일축했다.

"글쎄, 그러지 말고, 내 말 좀 잘 생각해 보게. 대한민국엔 아직도 눈만 바로 뜨고 보면 돈이 눈앞에 때굴때굴 굴러 다니구 있어. 자네하고 손을 잡으면 그것을 협잡하지 않고 걸어 들일 수 있단 말이야."

"이 사람, 실없는 소리 그만하고 술이나 들게. 내가 뭐 사업의 사자나 알아야 자네 일을 거들지."

"아니야, 사업이라는 게, 지극히 복잡한 것 같아도, 정통에 들어서면 그렇게 어려운 것도 아니야. 누가 갖가지 기술을 다 가지고 있는 사람이 있나? 마지막에 가서는 유능한 기술자나 사무원을 어떻게 부리는가 하는 두뇌의 문제지. 돈만 따라다니다간 사람 놓치기 일쑤고, 돈도 푼돈밖에 건질 수 없지만, 인간만 부릴 줄 알면, 어느 정도의 자본이 축적된 후에는 돈은 저절로 모아지는 걸세. 그래, 포드나 카네기가 자동차 부속품 하나하나를 다 알고, 강철제작과정을 일선 기술자보다 더 잘 알았겠단 말인가? 요는 아이디어의 싸움이야."

"자네 견해에도 일리가 없는 것은 아니네만, 역시 고기는 놀던 물에서 놀아야 해. 섣부른 생각으로 풍선을 타다간 이것도 저것도 다 안되는 걸세."

"그게, 샌님의 똥고집이란 말이야. 그 껍질을 벗고 광장으로 나오란 말이야."

"광장?"

한민은 껄껄 웃었다.

"이야기만 하시고 말고 술 좀 드시구, 저두 한 잔 주세요."

마담이 사이에 끼어들었다.

"자, 한 잔."

최상억이 마담에게 잔을 권하고 술을 따랐다.

"저두 한 잔 주세요."

한민의 바로 옆에 앉은 안경쟁이 여인이 한민의 앞에 있는 잔을 들어 권하며 말했다. 한민은 잔을 비우고 안경쟁이에게 건넸다. 여급들은 저희들끼리 술잔을 권하며 가져오는 안주 접시마다 금방금방 비우고 있었다.

한민은 정신이 흐릿할 정도로 취해 왔다.

다시 술과 안주가 날라져 왔다.

"이젠 그만 가져와요."

한민이 제지했다.

"괜찮아. 어이 마담, 오늘밤 어디 바가지를 씌울 대로 씌워봐……."

"아이구, 언제 최 사장님에게 누구 바가지를 씌웠어요?"

최상억은 소리 내어 웃었다.

"자, 한 교수, 내 이야길 잘 생각해 봐요. 그래, 차츰 연구재단이나 장학재단 같은 것도 만들어보잔 말이야."

최상억이 한민에게 잔을 권하며 다시 다졌다. 그도 흠뻑 취한 모양으로 발음이 제대로 돌지 않는 말투였다.

만취된 최상억 사장이 그의 집 앞에서 먼저 차를 내렸다. 한민은 자기 집을 향해 달리고 있는 차 속에서 혼몽한 취기를 가다듬으며 최상억의 이야기를 되씹고 있었다.

인생 사십, 자기는 지금껏 하나의 지표를 세우고 꾸준히 힘써왔다. 지금까지 닦아온 길은 앞으로 걸어갈 길의 기초 작업밖에 안된다. 정말 성과를 올릴 수 있는 것은 이제부터다. 그 사이 집안 살림은 보잘 것 없게 되었지만, 자기 양심에 거리끼는 일은 하나도 없었다. 남에게 피해도 끼치지 않고, 부끄러울 것 없이 떳떳이 살아왔다. 돌이켜보면 생애의 전반이었다.

그런데 이제 새삼스럽게 이 지점에서 방향을 돌린다고 하자. 큰 기업체의 간부로 들어가면 우선 빚이 없어지고, 식생활이 안정되고, 점차 부유한 살림으로 전환되어갈 수 있을 것이다. 매일 만원 버스에 시달리지 않아도 되고, 상억의 말대로 케케묵고 구질구질한 삶에서 벗어날 수 있다. 등록금 걱정을 할 필요도 없고, 아내의 구김살을 보지 않아도 되고, 일개 사무원들에게까지 머릴 숙여야 하는 모멸감을 느끼지 않아도 된다.

그러나 인간의 삶이란 배부르게 먹는 것만으로 전부일까? 그것으로 모든 욕망이나 보람이 완전히 충족될 수 있을 것인가? 그는 새삼스럽게 자문했다.

사업에는 전연 백지인 자신, 자리만 지키고 있으면 된다지만, 그런 허수아비 존재로 무슨 쓸모가 있을 것인가? 더구나 투자 한 푼도 없이 들어앉은 명예 중역, 그것은 결국은 하나의 고급 고용원에 불과한 것이 아닐까.

상억의 제의를 액면 그대로 다 믿어, 동업자 같은 위치에 있다고 하자. 자신이 인생을 다 살고, 최후를 마치는 시간에, 스스로 그 결과에 만족할 것인가? 그는 머리를 가로저었다. 기름지게 잘 먹고 지냈다느니보다, 차라리 군색하게는 살아왔어도, 지금의 이 길을 그대로 꾸준히 걸어 그 지질한 성과나마 종합해 가는 것이 떳떳이 자기 자세로 잘 살아왔노라고, 죽음에 앞서 마지막 미소를 머금을 것이 아닐까?

그러나 상억이 사업을 확충해서 건강한 방향으로 운영하고, 거기에 연구재단이나 장학재단 같은 문화사업에도 눈을 돌리겠다는 결의를 털어놓는 것을 전적으로 거부하는 것은 너무나 비타협적인 자기 고집이 아닐까.

두서없는 생각은 끝이 없었다. 그러나 그 엇갈리는 생각들은 결국은 한곬으로 몰려오고 말았다.

어차피 처음부터 기업가로 나선 사람들은 그 한 가지 한 가지의 사업이 성취될 때마다 의욕을 느끼고, 계속 한 가지의 사업이 성취될 때마다 의욕을 느끼고, 계속 다음 단계로 전진하고 있는 것이 아닌가? 그것은 그것대로 수긍이 갈 수 있는 것이다.

그러나 자기의 경우는 지금까지 살아온 모든 과거를 하루아침에 모조리 불사르고 딴 길로 접어드는 것, 그것은 결국 자기 인생의 전반부를 스스로 백지화하고 나가는 결과밖에 되지 않는다는 결론으로 돌아오고 마는 것이다.

결국 자기와 상억이가 갈 길은 이미 확연히 구분되어 있는 제각기 다른 방향이라고 단정되었다.

차에서 내린 한민은 몸을 겨우 가누며 대문을 두드렸다. 아내 현숙이 대문을 열자, 그는 온 몸뚱이를 맡기듯이 비틀거리며 안으로 들어섰다.

"나, 오늘부터 회사 중역이 됐어."

취한 남편이 갈피를 잡을 수 없는 소리에 아내는 눈이 휘둥그레졌다.

"나, 회사 간부로 나가기로 했어."

방 안에 들어와서도 한민은 혀 꼬부라진 소리로 같은 말을 되풀이했다.

"당신 취했어요. 자, 어서 옷이나 벗으세요."

아내는 한민의 스프링코트를 벗기려고 했다.

"아니, 최 사장네 회사로 들어가기로 결정했대두."

"지금 몇신 줄 아세요? 통행금지가 지났어요. 자, 어서 옷 벗고 누워요."

현숙은 한민의 말은 상대도 하지 않으려 들었다.

"나, 오늘 학교 그만 뒀어."

"참말이에요?"

그제야 현숙은 남편의 말을 겨우 받는 양했다.

"대학 교수를 그만두었대두."

"학교에서 무슨 일이 있었어요?"

"내가 그만두는데, 일은 무슨 일."

한민은 더욱 혀가 말려들어가는 말소리였다.

"아니, 누구하고 싸웠어요?"

"싸우기는 누구하고 싸워. 내일 아침부터 자가용이 온단 말이야. 최 사장과 같이 사업하기로 했어."

"아니, 그게 무슨 소리예요?"

현숙은 남편의 곤죽이 된 말이 믿어지지 않았지만 점점 호기심이 생겼다.

"빚도 내일 다 갚아줄게. 이젠 생활도 걱정 말아. 그리고 식모를 두어 식모를……."

"어디서 이렇게 취했어요?"

현숙은 무슨 영문인지 알 수 없었다.

"이젠 내 앞에서 그 우는 소릴 하지 말란 말이야."

"누가 뭐랬어요."

"찍 소리도 하지 말란 말이야. 그래, 대학 교술 그만 두면 내일부터 당장 잘 살게 되는 거 너도 찬성이지. 응?"

"아니, 잘 사는 거 싫다는 사람이 어디 있겠어요?"

"그럼 됐어. 어디 실컷 호강 좀 해봐라. 어때, 대학 교수 그만두는 거 찬성이지, 응 대답해 봐."

"그만하시고 주무셔요."

현숙은 어처구니없어 손쓸 바를 몰라 했다.

"웃긴 왜 웃어, 잘 살 수만 있다면 대학 교수 그만 두는 거 찬성이지. 응, 정확하게 대답해 봐요."

"이 궁상맞은 살림을 벗어날 수 있다면 벗어나는 게 좋지 않구요."

"바로 그거야. 맞았어, 그거야. 그게 당신 진심일거야. 음, 알았어 알았어."

한민은 옷 입은 채로 그 자리에 스르르 녹아 떨어졌다.

제9장

한민은 교실에 들어섰다. 신입생의 첫 시간 강의였다. 신학년 벽두의 첫 시간이란, 학생은 물론 선생도 적잖이 긴장되기 마련이었다. 그것이 대학의 문을 처음 두드린 신입생의 경우는 피차 더욱 그러했다.

국민학교와 중·고등학교의 극도로 구속된 규칙적인 생활에서 벗어나, 거의 방임된 상태로 자유가 허용된 대학 분위기에 접하자, 플래시맨들은 그 급변된 환경에, 처음에는 경의에 찬 눈을 돌리거나 어리둥절해지기 일쑤였다. 그러나 한편 맥풀린 것만 같은 대학의 첫인상에 마음속으로 한가닥 실망 어린 감정을 느끼는 일면이 없지 않았다. 그것만이 아니라, 얼른 보기에는 아무 제약도 없는 무제한 자유만 같아, 그것을 제 나름으로 오인하거나 착각하고, 재빠르게 방종의 샛길로 떨어져버리는 경우도 전연 없는 것은 아니었다.

아무튼 수험 준비에 질식할 정도로 질렸다가, 숨막히는 시험지옥을 거처 합격의 기쁨을 안고, 그 두근거리는 흥분을 다 가라앉힐 겨를도 없이 대학 캠퍼스에 들어선 그들은, 부풀은 가슴 뿌듯이 청운의 꿈을 그릴 수 있는 것이었다. 그만큼 대학이란, 진리 탐구의 전당 이전에, 자유분방한 젊음을 마음껏 구가할 수 있는 피 끓는 정열의 배출구인지도 모를 일이었다.

한민은 교단 위에 서서 교실 안의 얼굴들을 훑어보았다. 꿰뚫어보는 듯한 맑은 눈동자, 윤기 있는 얼굴, 터질 듯이 탄력을 발산하는 육체, 젊음이 약동하는 청순한 감각을 안겨다줌을 느꼈다. 한창 물이 올라 봉오리가 부풀은 과원 속에 서 있는 기분이었다.

아무리 온 세상이 썩어빠진다손 치더라도, 이 때묻지 않은 순수성과 넘쳐흐르는 정열과 굴하지 않는 기백이라면, 그 모든 불순한 것들을 정화시킬 수 있을 것만 같아 보였다. 무엇인가 한 줄기의 서광이 비쳐오는 것만 같아 보였다. 무엇인가 한 줄기의 서광이 비쳐오는 것만 같은 동경의 요람 속에서, 한민은 자기가 하고 있는 일에 대하여 새삼 보람과 긍지를 느끼는 순간이기도 했다.

그는 그들에게 힘든 경쟁을 거쳐 영예롭게 합격된 각고의 노력을 치하하고, 계속 꾸준히 정진할 것을 격려하는 간단한 머리말을 하고 강의를 시작했다. 감격에 찬 얼굴들엔 결의의 빛이 스쳐갔다.

아직 교재가 준비되지 않은 학생이 많아, 그는 강의 진행 계획에 대한 개요를 설명하고, 몇 학생의 질문을 받은 뒤에 첫 시간 강의를 간단히 끝냈다.

밖에 나오니 자기의 얼굴이 화끈 달아 있음을 느꼈다. 그는 자신도 흥분했었구나 하고 혼자 멋쩍게 웃었다.

대학 교수의 직책이 전문 분야에 대한 연구가 필수의 사명이라면 수업은 그 연구 결과를 직접 전수하여 후진을 길러내는 다른 일면의 의의를 지니는 것이 아닐까. 그는 연구실 쪽으로 걸어가며 생각에 잠겼다. 그러나 자신은 아직 고매한 인격으로 그들을 이끌어갈 만한 연륜을 쌓지도 못했고, 원숙한 학문의 경지도 이룩하지 못한 초년병에 불과했다. 그런 바에야 성의와 정열과 끊임없는 노력으로 그들과 접촉하고 그들을 이해하고 그들을 이끌어가야만 할 것이 아닌가. 생각이 여기에 미치자 그는 자기의 미흡한 힘이 더욱 절실하게 느껴져 왔다.

한민이 대학원에 적을 두면서 고등학교에 나가던 때의 일이었다. 그때는 정열 하나만으로도 모든 것이 통할 수 있었다. 성의껏 온 힘을 다 기울이면, 그것으로 학생들의 욕망을 채워줄 수 있었고 만족한 수업을 할 수도 있었다. 그러나 대학은 달랐다. 정열만으로 소기의 목적을 달할 수는 없었다. 그 뒷받침이 될 수 있는 학문의 연구가 병행되지 않고는 충실한 강의도 되지 않았다. 그 연구 분위기의 조성이 미흡한 것이 그에게는 못내 아쉽기만 했다. 저 신입생들의 몸뚱이에서 풍겨지는 넘쳐흐르는 정열과 반짝이는 눈동자에서 발산되는 진실성이, 졸업할 때까지 변치 않고 지속될 것인가 하고 그는 혼자 중얼거리며 연구실 복도로 들어섰다.

삼월 중순에 접어들면서부터 세상은 갑자기 뒤숭숭해졌다. 일본 동경에서 한일 농상(農相)회담이 개최되자, 국내에서는 재야(在野) 각계 대표들로 대일 굴욕 외교 반대 범국민 투쟁위원회가 결성되고, 한일회담의 즉각 중지, 일본의 한국에 대한 사과, 평화선의 수호 등을 내세운 선언문의 발표되었다. 그와 함께 현 정권은 조국에 대한 또 하나의 반역 행위로써 국제적 신의의 추락과 대내적 실정을 메우기 위한 배출구를 친일매국외교에서 찾고자 한다는 등의 경고문이 덧붙기도 했다. 망국외교의 진상이니, 민족사상 또 하나의 역적 칭호가 기록된다느니 하는 신문지면의 자극적인 문구는 아직 완전히 치유되지 않은 국민의 쓰라린 대일 감정에 불을 질렀고, 그 파문은 학원 내에까지 퍼져 들어왔다. 더욱이 투쟁위원회의 전국 중요 도시에서 행한 굴욕외교 반대 유세는 시민들의 반일 감정을 극도로 자극했고, 학생들은 일본에 대한 적개심에 불타 불안의 화근은 점점 퍼져만 갔다.

여기에 동경에서 열린 여당 간부와 일본 외무대신간의 회담에서, 오월 초에 한일협정에 조인하게 합의되었다는 소위 김(金)·오오히라(大平) 메모의 신문보도는 흥분의 절정에 달한 민족감정을 폭발 직전에 몰아넣고 말았다.

삼월 하순의 오후, 한민은 수업을 하기 위해 강의실 쪽으로 걸어가고 있었다. 그런데 교정에는 많은 학생들이 한데 모여 웅성거리는 폼이 심상치 않은 기미를 보였다. 강의실 문을 열고 들어섰으나 학생은 한 사람도 없었다. 흑판에는 '休講'이라고 커다란 글씨 옆에 '運動場에 集合'이라고 씌어 있었다. 강의실 문을 닫고 복도로 나오는 그의 마음은 무겁고도 착잡했다.

교정 스피커에서는 분노에 차 울부짖는 소리가 울려왔다. 순간 4·19 때 일이 그의 머리를 스쳐갔다. 공교롭게도 화요일, 또 다시 피비린내 나는 사태가 벌어질 것만 같았다. 일본 독점 자본의 교활한 음모니, 삼십육 년 간의 압제와 착취의 대가가 육억 불이니, 살인적 정치 탄압을 자행한 일본 제국주의니 하는 선언문 구절이 울려나오고, 교정을 진동시키는 함성과 박수 소리가 뒤따랐다.

한민이 가까이 갔을 땐, 한 학생이 마이크 앞에서 결의문을 낭독하고 있었다. 눈여겨보니 자기 과의 유응수 군이었다. 한민은 깜짝 놀라 발걸음을 멈추고 지켜보았다. 자기가 옳다고 생각한 일은 굴하지 않고 끝까지 내버티는 그의 성격이 결국 선두에 나서게 했구나 하는 생각을 하면서도, 한민은 이 경우에 어떻게 했으면 좋을지 자기 행동의 방향을 잡을 수 없었다. 자기 자신은 이 얼마 동안 복잡하고도 미묘한 국내 및 대일 경제 속에서 진행되고 있는 한일 협상 문제에 대하여, 확고한 신념의 각도를 결정짓지 못하고 있었다. 그러나 원칙적으로는 한일 문제는 국교

정상화의 방향으로 가야 한다고 생각하지만, 자기 자신이 몸소 겪은 치욕의 상처가 다 식지 않은 데서 오는 감정적인 반발 아직 그대로 남아 있고, 협상에 대한 실리적인 조건도 우리 측에 그렇게 유리하게 해석될 수 없는 것 같아 현 시점에서는 자신이 반대적인 위치로 기울어져가고 있음을 그는 스스로 느끼고 있었다.

학생과 직원들이 모임을 제지하려고 마이크 옆으로 다가갔으나, 겹겹으로 둘레를 친 학생들에게 도로 밀려나오고 말았다.

마이크에서는 결의문이 한 조항씩 외쳐지고 있었다. 민족 반역적 한일 회담을 즉각 중지하고, 동경체재 매국 정상배는 일로 귀국하라. 평화선을 침범하는 일본어선을 해군력을 동원하여 격침하라. 한국에 상륙한 일본 독점 자본가의 척후병을 축출하라. 친일 주구하는 국내 매판 자본가를 타살하라. 미국은 한일 회담에 관여치 말라. 제국주의 일본 자민당 정권은 너희들의 파렴치로 신의 앙화(殃禍)를 입어 속죄하라. 현 정권은 민족 분노의 표현을 날조 공갈로 봉쇄치 말라. 오늘 우리의 궐기를 역사는 증언하려니와 우리의 행동이 신 제국주의자에 대한 반대 투쟁의 기점임을 만천하에 공포한다.

결의문 낭독이 끝나자 박수 소리가 터지고 학생들의 흥분은 더욱 고조되어갔다.

계속하여 이완용(李完用)과 일본 이께다(池田) 수상의 가상(假象)에 불을 지르는 제국주의자와 민족반역자의 화형식(火刑式)이 집행되고 있었다. 휘발유를 머금은 허수아비가 활활 타 올라가는 화염을 바라보며 학생들은 적의에 찬 함성을 울리며 스크럼을 짜갔다.

그들은 한일회담 반대의 플래카드를 앞세우고 스크럼의 대열을 지어 교문을 뛰쳐나가고 있었다. 선두에는 유응수가 서 있었다. 그는 손바닥을 둥글게 해 대고 고함을 외치며 앞장서 가고 있지 않은가.

한민은 불현듯 눈시울이 뜨거워왔다. 그러면서도 스스로의 행동을 취할 수 없이 그들이 사라진 쪽을 바라보며 멍하니 서 있었다. 설령 자기가 확고한 신념을 지니고 그들을 막으려 한다손 치더라도, 그 노도와 같은 분노의 물결은 도저히 제지할 수 없을 것이다.

한참 있다 데모대가 밀려간 아래쪽에서 총소리가 들려왔다. 한민은 마음 조이며 귀를 기울였다. 그 둔탁한 총소리는 계속되고 있었다. 그는 거의 반사적으로 교문을 뛰어나갔다. 아래쪽에서 학생들이 떼 지어 밀려오고 있었다. 최루탄이 터지는 연기가 여기저기에 뽀얗게 피어올랐다. 학생들은 다시 밀고 나갔다간 밀려오곤 했다. 최루탄은 교문 주변에서도 산발적으로 폭발했다.

한민은 교문 안으로 들어왔다. 눈이 아리고 눈물이 나와 앞을 볼 수 없었다. 계속 밀린 학생들은 교문 안으로 후퇴했다. 경찰은 교문 밖에 일렬로 늘어서서 나가려는 학생들을 저지하고 있었다. 다시 대오를 가다듬은 학생들은 '압박과 설움에서 해방된 민족'으로 시작되는 6·25의 노래를 부르며 기세를 올렸다. 노래가 끝나자 유응수가 앞에 나서서 구호를 외쳤다. '한일 매국 협상을 결사반대하자', 학생들은 그 뒤를 받았다. '제이의 이완용을 타도하자', 외침은 계속 되었다.

"자, 나가자!"

함성과 함께 학생들은 스크럼을 짜고 다시 교문 밖으로 뛰어나갔다. 밀고 밀리고 수라장이 벌어지는 속에서 기동경찰대원들의 곤봉이 휘둘러졌다. 불꽃이 튀는 학생들과 경찰관의 대치, 격분한 학생들은 자갈, 벽돌 조각, 닥치는 대로 내던지고 있었다. 다시 최루탄이 발사되었다. 선두에 섰던 학생들은 닥치는 대로 대기시켜 놓은 트럭에 짐짝처럼 끌려 올려 실려져가고 있었다. 그러나 그 사이를 빠진 데모대는 국회 의사당을 향해 뛰어가고 있었다.

곤봉 세례와 투석전, 그리고 최루탄 발사, 학생과 경찰 피차간의 대결 방법은 점차 비정상적인 험악한 양상으로 번져 사태는 더욱 악화돼가기만 했다.

이튿날도 수업은 되지 않았다. 이백팔십여 명이나 연행된 속에서 사십 명은 구속된 채로였다. '구속된 학생을 석방하라'는 구호를 외치며 학생들은 아침부터 데모에 나섰다. 학교 책임자는 아무 대책도 마련하지 못하고 당황하고만 있었다. 한민은 유응수가 어떻게 되었는가 궁금하여 여기저기에 알아보았으나 간밤에 끌려간 채 나오지 못했다는 것이었다.

서울에서만 사만 명이나 동원된 대규모의 데모, 여고생도 3·1절의 노래를 부르며 국회의사당 앞에서 연좌 데모를 벌였고, 대학생들은 시청 앞 '뉴 코리아 호텔' 앞에 진을 치고 '매판 자본가를 타도하고 민족자본 형성하라' '경제적 식민지화 노리는 일본 자본 침투의 건물을 부수라'고 외치며 호텔 간판을 떼어 불살라 버렸다. 청와대 어귀에서는 학생 데모대와 경찰 사이에 또 다시 투석전이 벌어졌다. 서울뿐이 아니라 부산·대구·전주 등 지방 각지에서도 이에 호응하는 대학생 데모가 계속 일어나 거족적인 소요로 파급되어 갔다.

이날 오후 청와대 앞에 몰려간 학생 데모대에게, 일주일 안에 공식으로 학생 대표를 만나겠다는 대통령의 담화 발표가 있어, 데모대는 일단 해산되고 구속된 학생 정원이 석방됨으로써 극도로 악화된 사태는 약간 완화되어 가는 것 같은 징조를 보였다.

그러나 구두 약속에 만족하지 못한 학생들은 사흘째도 '매국적인 한일 회담을 즉시 중지하라' '제 二의 한일 합방' 등의 구호를 외치며 또 다시 데모에 나서려는 기세를 보였다. 학장과 교무과장은 교문에 막아서서 학생들을 설득하고 저지했으나 아무의 반응이나 효과도 얻지 못했다. 거리로 밀려나간 학생 데모대는 일본 상사의 상품 포스터를 세종로 복판에서 불살라, 보기만 해도 섬찍한 화형식(火刑式)을 또 올렸다.

거리에는 중고등학생까지 합쳐 수만 명의 학생 시위가 연일 불을 뿜었고, 청와대로 통하는 길엔 모조리 바리케이드가 쳐졌다. 데모는 전국 각지에 확대되어 앞일을 예측할 수조차 없는 위기에 다다랐다.

그러나 나흘 동안이나 계속 열을 뿜던 데모는 그 불씨를 던진 일본에 가 있는 여당 간부의 소환 귀국, 한일 회담의 냉각기를 요하는 정돈, 대통령의 시내 남녀 종합대학 학생대표 면담 등의 정세 전환으로 둔화되어 가기 시작했다.

거센 태풍이 한바탕 휩쓸고 간 캠퍼스는, 공포에 싸인 속에 정의의 봉기가 보상되지 못한 분노를 고요히 잠재워가고 있었다.

돌연히 유응수가 연구실에 나타났다.

"아니, 언제 나왔어?"

한민은 놀라며 그의 손을 잡았다.

"어제 저녁에 나왔습니다."

"머리는?"

한민은 응수의 머리에 감겨 있는 붕대를 보며 물었다.

"다쳤습니다."

"어떻게?"

"경찰 곤봉에 맞았습니다."

"곤봉? 그래 대단한가?"

"이젠 괜찮습니다."

"큰일날 뻔했군……."

"죽음을 각오하고 나선 걸음인데요."

유응수는 태연하게 대답하고 있었다.

"죽음을 각오?"

한민은 혼자소리로 중얼거렸다.

"그런데, 선생님!"

유응수는 한민을 똑바로 쳐다보며 말했다.

"응?"

"이번 사태를 선생님은 어떻게 보십니까?"

응수는 붕대를 한 손으로 어루만지며 말했다.

"어떻게 보다니?"

한민은 유응수의 묻는 의도를 짐작하면서도 되물었다.

"저희들이 국민학교에서부터 대학까지 오는 동안 배운, 교육이념의 가장 핵심이 되는 것은 민주주의와 반공·반일이었습니다."

"그래서……."

"즉, 개인이 못하는 것도 나라가 이렇게 가난한 것도 다 일본놈의 악독한 식민지 정책 때문이라고 그랬고, 왜놈은 삼십육년 동안 우리를 수탈해 갔을 뿐만 아니라, 애국지사를 비롯한 많은 동포를 학살한 최악의 적이라고 하지 않았습니까? 왜놈이라면 이 세상에서 가장 간악한 인종으로 영원히 우리들의 적이라는 것이 저희들 머릿속에 뿌리깊이 박혔습니다. 그런 생각이 몸뚱이나 마음속에 배게 해놓고, 이제 와서 젊은이들의 그러한 굳어진 생각을 전환시킬 아무 준비 과정도 없이 덮어놓고 일본과 협상할 터이니 너희들은 아무 말도 말고 우리를 따라 그들과 좋게 지내라 하니 선린 우호도 경우가 있지, 어디 저희 세대에 심겨진 반일사상이 하루아침에 가셔지겠습니까?"

현실 정책의 미스의 급소를 찌르는구나 생각하면서, 한민은 한참 동안 대답할 말을 찾고 있었다.

"나도 그 점은 군과 동감이야. 일본놈이라면 전 민족이 이를 갈고 있는데 거기에 대한 기초 준비도 없이 무턱대고 협상을 추진한다는 것은, 아무리 국가의 자립이나 외교 정책상 불가피하다는 구실을 내세운다 하더라도, 역시 비난은 면치 못할 거야. 군의 세대는 전연 일본 사람을 대하지 않았고, 일본말도 써보지 않았으니 교육을 통해서만 알지만, 나 같은 세대는 뼈에 사무치게 그들에게서 고초를 겪어온 직접 피해자야. 그러니까 국가 시책의 여러 가지 객관적 조건은 생각하면서도 나 개인의 현재의 심정으로는 무턱대고 찬의를 표할 수만은 없어. 더욱이 그것이 불리한 조건하의 졸속주의 같아서⋯⋯."

유응수는 눈을 깜박이며 무엇을 생각하는 듯하다가 질문을 계속했다.

"왜 4·19 때는 학생 데모가 큰 공로를 세웠다고 영웅시하고, 이번에는 현실 시책의 그러한 미스를 규탄하여, 적당한 시기에 우리들에게 유리한 조건으로 국교 정상화를 하라고 정의의 외침을 하는데 덮어놓고 학원으로 돌아가라고 곤봉 세례를 퍼붓습니까?"

한민은 즉각 대답하기 좀 난처했다. 그것은 위정자에게 물어도 변명이나 궤변을 늘어놓지 않는 한, 질문하는 상대자를 만족하게 납득시키기 힘든 문제라고 생각되었다. 그러나 한민은 학생의 질문을 얼버무리거나 회피할 수만은 없어 자기가 생각하는 바를 이야기하기 시작했다.

"그 문제에 대해서 나는 이렇게 생각해. 4·19는 주관적이든 객관적이든 누가 보아도 부정 선거요 불법일 뿐만 아니라, 십년 독재에 대한 반항, 그러니까 불의에 대한 항거와 독재에 대한 자유의 쟁취, 이러한 대의명분을 내세울 수 있었지만, 이번의 한일 협상은 일부 극히 소수이지만 시기나 조건이 괜찮다고 보는 측과, 그것이 절대 불리한 조건이고 부적당한 시기인 데다 아직 국민의 대일 감정이 식지 않았다고 보는 대다수의 견해 차이인 만큼, 4·19 때와 똑같다고는 볼 수 없을 거야."

"그러나 국민 전체가 결사반대하는 것을 정권 연장의 목적으로 왜놈과 야합하려는 현 정권의 매국적 행위는 역시 불의가 아닙니까?"

유응수는 흥분해서 반문해 왔다.

"글쎄, 그렇게 해석할 수밖에 없게 사태가 버그러진 것은 사실이야. 그러나 나는 4·19 때도 원칙적으로는 학생은 학교 밖으로 뛰쳐나가지 말고 캠퍼스 안에서, 학생이라는 신분의 한계 내에서 현실에 대한 의사 표시를 하는 것이 더 옳다고 생각하고 있었다. 학생이 데모를 일으켰기 때문에 독재의 아성이 무너져, 언제든지 부패했거나 무능한 정권은 타도될 수 있다는 학생의 힘을 과시하는 표본은 세웠지만, 그것은 앞으로 있을 부작용도 이미 속에 내포하고 있는 거야. 말하자면 혁명의 악순환 같은 거……. 아무튼 그러한 유혈의 혁명을 보지 않고는 건전하게 전진할 수 없는 나라란, 불행한 나라라고 생각해. 4·19의 성공에 기고만장해서 앞으로 학생들이 사회참여란 명목 하에 조그만 일에까지 행정담당 책임자가 손쓸 사이도 없이 계속 거리로 뛰쳐나가게 된다는 것은 건전한 현상이라 볼 수 없는 것 같아……."

"그럼, 엄정중립을 지켜야 할 군인이 쿠데타를 일으켜 정부를 전복하고 정권을 잡는 것도 마찬가지 아닙니까?"

"그것도 물론 국가 발전상 정상적인 방법은 아니지. 평화적으로 정권이 교체되는 것보다는 불행한 일이었지……. 군대 쿠데타가 단 한 번이 아니고 계속해서 일어나, 정부를 뒤집고 정권을 쟁탈할 것을 상상만 해 봐요. 얼마나 몸서리치는 일인가를."

"그러나 이번 일은 저희들이 절대로 방관할 수는 없습니다. 그 원수들과 더욱이 불리한 조건으로 협상하다니……."

유응수는 더욱 흥분하고 있었다.

"그 같은 학생들의 정의감이나, 현실에 대한 불타는 자기희생적인 애국심의 발로, 그런 것은 나도 충분히 이해되고 공감이 가는 일이야. 그러나 학생이 캠퍼스를 벗어나는 대 사회적인 행동, 그것은 좀 더 생각할 문제야. 나는 대통령이 학교 책임자나 그 지도임무를 맡고 있는 교수를 제쳐 놓고 직접 학생 대표를 만나겠다는 것도 위기를 타개하려는 비상수단일지는 몰라도, 원칙적으로 교권을 무시한 처사라고 생각해. 학생의 문제는 어디까지든지 캠퍼스 안에서 해결되고 처리돼야 할 문제니까……."

"선생님은 상당히 여당적인 생각이십니다."

유응수는 미흡한 듯한 표정을 지으며 말했다.

"글쎄, 여당이라고 덮어놓고 싫고 야당이라고 무조건 찬성할 수도 없는 거구, 요는 하나하나의 일 자체에 판단의 기준을 두고 생각할 문제야. 난 오히려 이런 걱정을 하고 있어. 한일 협상이 일방적으로 강행되어 국교가 억지로라도 정상화되는 경우, 육십대 이상의 늙은 축은 다 성장해서 일본 정치를 겪고 목격한 사람들이어서 그들은 정면으로 반대하고 나서고, 그 아래 삼십대 이상은 일본 교육을 통해 세계를 보아온 사람들이기 때문에 물이 짙게 들어 그들은 반대는 하나 부지불식간에 향수 같은 기분으로 말려들 우려가 있고, 십대 이십대는 오히려 말로만 듣고 그들을 직접 겪어 보지 못했기 때문에 일반적인 외국인으로 느끼고 자연발생적으로 더 친근하거나 아부할 요소가 있지 않을까 하는 생각 말이야……."

"아닙니다. 선생님, 절대로 그렇지 않습니다. 반일 교육으로 일관된 저희들은 일본에 대한 나쁜 인상이 뼛속까지 스며들어, 절대로 그들과 타협하지 않습니다."

유웅수는 결연히 말했다.

"글쎄, 모두 두고 봐야 할 일이지만, 결국은 각자 자기 자신의 삶의 자세에 달린 거니까."

"그런 의미에서도 이번 일은 썩은 기성세대보다 저희들이 선두에 서 적극적으로 반대하고 나서야 합니다."

유웅수의 심각한 표정을 보며 한민은 눈을 지긋이 감았다.

유웅수가 나간 뒤 그는 일제 최후의 발악에 끝까지 항거하다 원산에 징용되어 갔던 때의 혹독한 그들이 학대를 회상하고 있었다. 그러면서 한일 회담의 전도가 여러 면에서 낙관되어지지 않을 뿐더러, 주체성을 잃고 상전 앞에 가 굽실거리는 것만 같은 모습이 자꾸만 연상되어 옴을 막을 길 없었다.

데모 선풍의 상흔을 간직한 채, 그래도 대학의 사월은 기대와 희망에 찬 환희의 계절이었다. 대학제(大學祭)를 비롯한 갖가지 행사로 꼬박 채워져 소용돌이치는 젊음이 온통 불타오르는 뜻 깊은 시간의 연속이기도 했다. 학내에 있는 각 연구 단체의 학술발표회, 연극공연, 음악회, 미술 전람회, 문학의 밤, 여학생들의 바자와 생화(生花) 전시회, 거기다 마지막을 장식하는 카니발, 눈코 뜰새 없이 다채로운 프로가 이어져나가 폭발되는 정열의 발산처로 된 느낌이었다.

개나리와 어울려 진달래가 피고, 그것이 지면 벚꽃이 화사하게 장식해 주고 그 뒤를 따라 라일락의 이국적인 향훈이 캠퍼스를 짙게 물들여갔다. 은행·자작나무·플라타너스·마로니에의 복스러운 새잎이 피어나고, 그 빛이 나날이 짙어지는 속에서 약동하는 젊음의 감격과 흥분은 그 절정에 달해 갔다.

한민은 이 분위기 속에서 자기 자신도 이십대로 되돌아가는 것만 같은 착각에 휩싸여갔다.

그러면서도 그는 사월과 더불어 동생 혁의 상처를 더 뼈저리게 느껴야만 했다.

혁에게는 사월이란 가장 괴로운 달이었다. 아니, 진정 가장 잔인한 달인지도 몰랐다. 그는 계속 집안에 처박혀 있었다. 제철이 되면 그는 골반의 상처가 근질근질 쑤셔서 견디어낼 수 없었다. 방 안에서 엎치락뒤치락 승강이를 하다가 그는 지팡이를 짚고 밖으로 나왔다. 무엇이든 닥치는 대로 지팡이로 내갈기고만 싶었다. 맑게 개인 하늘이 얄밉기만 했다.

혁은 견디다 못해 정류장까지 나왔다. 오는 버스마다 만원을 이룬 속으로 사람들이 밀고 덮씌워 올라가는 것을 바라보며 그는 멍하니 서 있었다. 지팡이를 짚고 있는 자기로는 탈 엄두도 낼 수 없었다. 그는 삼십분 이상이나 가로수에 의지하여 그 자세로 버티고 서 있었다. 사지의 기운이 빠지고 골반이 저려서 견딜 수 없었다. 자신의 육체를 지탱하는 데 맥이 빠져 집을 나올 때의 분노는 잊은 듯 땀을 뻘뻘 흘리고 있었다.

집으로 도로 들어가 버릴까 하고 몸을 돌리는데, 사람이 그다지 붐비지 않는 버스가 와 닿았다. 그는 행선지도 보지 않고, 남들이 다 타고 난 다음 지팡이에 힘주며 겨우 차에 올랐다. 그는 이마의 땀을 씻을 염도 못하고 숨을 헐떡였다. 뒤에서 누군가가 옷자락을 당기고 있다. 돌아보니 자기가 다니던 대학 배지를 단 학생이다. 자기를 알고 있는지도 모른다는 생각이 들었다.

"이리 앉으세요."

"아니, 괜찮아요."

의미 없는 반사적인 반발이었다.

"불편하실 테니 여기 와 앉으세요."

학생은 자리에서 일어서며 빈자리를 가리켰다.

"고맙습니다."

그는 삐그덕 거리며 자리에 가 앉았다. 이마의 땀이 흘러 눈이 따가웠다. 옷소매에 땀을 문질렀다. 다음 정류장에서 차장이 외치는 소리를 듣고야 차를 잘못 탄 것을 깨달았다. 그는 중간에서 하차하여 한참 신고하다가 다른 차를 바꿔 타고 학교 앞에서 내렸다.

교문 앞에 다다르니 가슴이 뛰며 눈물이 핑 돌았다. 데모대가 밀려나가던 광경이, 그리고 자기가 선두에 서서 소리를 외치며 뛰던 일이 눈앞에 선했다. 그는 그 자리에 선 채 그날의 광경을 그리며 최루탄이 터지던 한길 끝을 바라보고 있었다.

"누구를 위한 데모였던가?"

그는 자기 자신에 묻고 있었다. 아무 생각도 떠오르지 않았다. 골반이 쑤셔왔다.

조국·민족·자유? 그에 따르는 숱한 구호가 번개처럼 스쳐갔다.

"나 자신? 이렇게 불구가 되기 위하여?"

아무것도 그 대답을 위한 대가는 남아 있는 것 같지 않았다.

그는 몸을 돌려 교문 쪽으로 지팡이를 옮겨갔다. 그 동안 세월이 흘러갔건만, 교정의 풍경은 바로 그때의 사월 그것이었다. 성난 사자처럼 함성을 지르고 뛰어 나오던 얼굴들, 그러나 그 얼굴들은 다 떠나가고 알은 체를 하는 학생 하나 없었다. 자기가 뛰어다니던 학교에 온 것 같지 않고, 먼 나라 남의 학교에 침입한 것만 같은 어설픈 심정이었다.

그는 사월 학생기념탑 앞으로 다시 지팡이를 옮겼다. 벤치에 앉아 있는 학생들이 구경거리나 생긴 듯이 바라보고 있는 것이 열적게 느껴졌다.

그는 탑 앞에 가 눈을 감고 한참 서 있었다. 피를 흘리며 죽어간 학우들의 모습이 스쳐갔다. 그러나 사람들은 벌써 그 핏자국을 잊어가고 있겠지. 여기 앉아 있는 학생들이 자기를 알아보지 못하듯이…… 이렇게 될 바에야 자기도 그때 아주 숨겨버렸다면, 하는 생각이 뒤따랐다. 아니, 어차피 나는 나 스스로 내 목숨을 끊어야 한다. 이 이상 욕되게 살지 않기 위해서, 그리고 그날의 내가 간직했던 신념과 그 순수한 행동이 더 더럽혀지기 전에…… 탑 앞 화병에 꽂혀 있는 꽃송이가 외롭게 하늘거렸다. 전신이 땀에 흠뻑 젖어 왔다.

혁은 탑 가까이에 있는 벤치 모서리의 빈자리에 가 앉았다. 옆에 앉아서 조잘대고 있던 여학생들이 자리를 뜬다. 아무 데를 가도 병신인 자기는 꺼려지는 존재인가보다. 처음 당하는 일은 아니지만 바로 이 교정에서 당하는 것은 서글펐다.

도서관 쪽에서 빠른 걸음으로 뛰어오는 학생이 보였다.

"아니, 한혁 형님 아니세요?"

고등학교 때 중학생이던 후배다. 같은 문예반에서 교지를 편집하느라고 같이 애쓴 얼굴을 혁은 기억하고 있다.

"나를 어떻게 알아봤어?"

혁은 겨우 아는 얼굴 하나 만난 것이 너무 기뻤다.

"아니, 형님을 몰라보겠어요. 그래 상처는 다 나았어요?"

"내가 상처 입은 줄 알았었어?"

"알고 말구요. 4·19때 학교 신문에도 크게 났는데요."

"어느 과에 입학했어?"

"영문과에요."

어디선가 확성기 소리가 교정에까지 들려오고 있었다.

"저 소리는 뭔데?"

"한일 문제에 대한 초청 강연회의 연사가 이야기하는 거야요. 강당에 다 들어가지 못해 스피커를 밖에 달아놓았어요."

"그래."

"요새, 대학제 행사 때문에 아주 야단법석이에요. 수업도 하는 둥 마는 둥 하고요."

형은 자기가 다니던 때의 그 연례행사를 생각하고 있었다. 자기는 얼마나 신이 나서 행사 준비에 뛰어다녔던 것인가. 모두가 허무하기만 했다.

"형님, 저기 식당으로 갑시다."

화창한 봄마저 싸늘해 뵈던 혁에게, 후배의 따뜻한 정은 가슴을 쓰리게 했다.

"나는 여기 이렇게 앉았는 게 편한데……."

"글쎄 가봅시다. 식당도 새로 꾸몄어요. 제가 부축할게요."

형은 후배의 어깨에 팔을 얹고 낯익은 교정을 두리번거리며 천천히 걸었다.

식당에는 음악 시설까지 되어 있었다. 많이 달라졌구나 생각하면서 그는 후배가 권하는 커피를 들었다.

"학생들이 들먹이는 게 한일 문제도 순탄하지 않을 것 같아요."

후배가 말했다.

"글쎄, 학생들의 피가 값이 있어야지."

"그래도, 부정한걸 보구야 가만있을 수 있어요?"

후배의 표정은 결연했다. 혁은 후배의 얼굴에서 4·19 때의 자기를 바라보고 있는 것이었다.

차를 마시고 밖으로 나온 혁은 후배의 진정에 싸여 오래간만에 사람 대접을 받은 것 같은 감격에 젖었다.

후배와 갈라진 그는 나온 김에 형의 연구실에 가볼까 하고 그쪽으로 지팡이를 옮겼다. 전에는 학교 안의 모든 것이 자기를 위해 있는 것만 같이 생각되던 그 캠퍼스가, 이제는 모두 자기와는 전연 관계가 없는 것 같게만 보여졌다.

연구실에 들어선 혁을 보고 한민은 깜짝 놀랐다.

"너, 어떻게 여길 나왔니?"

한민은 강의안을 준비하던 손을 멈추고 혁을 넋 빠진 듯 바라보고 있었다.

"전 여길 못 오는 덴가요?"

혁의 말은 순탄하지 않았다.

"아니, 몸이 불편한데, 어떻게 올 수 있었나 그래 그러지. 자, 여기 앉아."

한민은 의자를 혁의 옆으로 당겨놓았다.

"형님, 오늘 같은 날 제가 가만히 있게 됐어요?"

"왜, 집에 무슨 일이라도 생겼니?"

"오늘이 십구일이 아니에요!"

그제야 한민은 아침에 캘린더를 보면서, 혁의 심중을 헤아리던 일이 떠올랐다. 그러나 그는 동생에게 무어라 할 말이 없었다. 교정에서 자유롭게 즐기고 있는 학생들을 바라보고 있는 한민은 가슴이 저려왔다.

"형님도 생각을 좀 돌리세요."

혁이 밑도 끝도 없는 말을 했다.

"뭐 말이냐?"

"밤낮 이렇게 연구실에만 틀어박혀 있지 말고……."

한민은 저번에 최 사장을 만난 날 저녁, 취중에 집에 와서 떠들어댄 것을 혁이 들었구나 하는 생각을 하고 있었다.

"좀 휴식도 하세요. 죽도록 해봤댔자 집안은 밤낮 그 꼴인걸."

한민은 아무 말 없이 담배에 불을 붙여 연거푸 빨아선 뱉었다.

"그렇게 침울해 하지 말고, 오늘은 저하고 구경 갑시다."

혁은 엉뚱한 방향으로 나왔다. 부상 후 한 번도 구경 소리를 꺼낸 일이 없는 혁이, 이런 이야기를 하는걸 보니 마음에 어떤 변화라도 오지 않았나 싶어 한민은 혁의 얼굴을 똑바로 건너다보았다. 다른 때보다는 확실히 명랑한 표정이었다.

"난, 바빠서 나갈 수 없으니, 돈 줄게 너 구경 갔다 오렴."

"형님도, 누가 돈 달라구 그래요. 형님하고 한 번 같이 구경 가고 싶어서 그러는데……."

한민은 혁의 말이 이상하게만 들렸다.

"그러지 말구 같이 갑시다. 형님이 없으면, 학교가 문닫을까봐 그래요?"

"그런 건 아니지만, 일이 밀려서……."

"그러지 말구 오늘 한 번 시간 내세요. 다시는 아마 형님께 이런 청을 안 하게 될 겁니다."

혁이 끈덕지게 나올수록 한민은 심상치 않게만 들렸다.

"자, 일어나세요."

혁이 한민의 팔을 잡아끌며 말했다.

"글쎄, 나는 바빠서 못 간대두. 혼자 가서 구경하구 오렴."

한민은 타이르듯이 말했다.

"형, 내가 병신이니까, 같이 다니기 비굴해서 그러죠?"

혁의 말은 비꼬아져 나왔다. 한민은 선뜩한 충격을 받았다.

"너, 뭐 그런 소릴 하니."

"사실 그렇지 않아요. 형, 내가 짐스럽죠?"

"야, 그런 소리 집어치워."

한민은 코허리가 시큰해 왔다.

"그럼, 가죠?"

"응 갈게, 너 여기 좀 기다려. 내 조금 나갔다 올게."

한민은 경리계로 갔다. 동생하고 같이 거리로 나선다면, 구경시킨 후 점심이라도 사먹여야 하겠다는 생각으로 돈을 구해 가지고 왔다.

"형님, 저하구 가는 게 정말 싫지요?"

"싫긴 왜 싫어. 다시 그따위 소리는 하지 마."

한민은 약간 소리를 높였다. 비틀려만 가는 동생이 안타까워서였다.

한민은 혁의 팔을 끼고 밖으로 나왔다.

"이젠 놓으세요, 남들도 보는데."

"보는 게 어떠냐?"

"저 혼자도 걸을 수 있어요."

교문에 나선 한민은 몸이 불편한 혁을 데리고 버스나 합승을 탈 수 없 겠다는 생각에서 택시를 불러 세웠다. 혁을 부축해 태우고 지팡이를 넣 은 다음 자기가 탔다.

"너 어느 극장으로 가구 싶니?"

"시민회관으로 가겠어요."

"시민회관?"

"네, 생각하며 보는 건 골치 아파 싫어요. 그저 유쾌하게 구경하다 나 오면 돼요. 그래, 가요 쇼를 보겠어요."

"그럼, 시민회관으로 갑시다."

한민은 운전수에게 말했다.

혁이 어쩌다 자기하고 같이 구경 갈 생각이 들어나 싶어 한민은 신기 하기만 했다. 여느 때는 좀처럼 웃지도 않고 상을 찡그리기만 하던 혁이 웃는 것만 보아도 마음이 후련했다.

차에서 내려 표를 사가지고 들어가니 공연은 벌써 진행 중이었다. 한민은 어두운 복도를 조심하며 혁을 이끌고 안내원이 불을 비추는 자리에 가 앉았다.

코미디 쇼는 얼굴이 간지러울 정도로 저속한 장면도 있었지만, 계속 웃음을 터뜨리게 했다. 한민은 간간히 혁 쪽에서 신경을 쓰며 시선을 돌렸다. 혁은 몹시 유쾌한 듯이 즐겁게 웃고 있었다. 그러한 혁을 보는 한민의 마음도 기뻤다. 앞으로는 혁을 데리고 자주 구경을 와야겠다는 생각이 들었다.

극장이 파한 후, 한민은 다른 손님들이 다 나가기를 기다려 혁을 붙잡고 밖으로 나왔다.

"형님, 오래간만에 실컷 웃었어요. 뱃가죽이 다 아픈데요."

혁은 싱글벙글했다.

"그래, 그렇게 좋으면 자주 오자꾸나."

그는 혁이 힘들지 않게 하기 위해 시민회관 그릴로 들어갔다.

"너, 뭘 먹겠니?"

한민은 아우에게 메뉴를 건네주며 물었다.

"형님, 어디서 원고료라도 생겼어요?"

"응, 너 먹구 싶은 걸 먹어."

"난 하도 웃고 났더니 당기지 않는데요."

"그래도 뭘 먹어야지. 비프 스테이크 할까?"

한민은 혁의 의향을 물었다.

"네, 그래요."

한민은 음식을 주문했다.

웨이터가 날라온 수프를 떠 넣으며 혁이 말했다.

"형님, 형님은 그 좋아하시는 술 한잔 하세요."

"그럴까."

한민은 맥주를 주문하여, 혁에게도 한잔 따라주었다.

혁은 싱글벙글하며 맥주잔을 들고 있었다.

한민은 4·19 전의 씩씩하고 쾌활하던 동생을 오래간만에 만난 것만 같았다.

"형님."

혁은 또다시 한민을 불렀다.

"왜?"

"우리 집안 식구끼리 모두 한 번 같이 나옵시다. 지금껏 한 번이나 어디 그런 기회가 있었어요?"

혁의 말이 옳았다. 자기는 한 번도 가족과 같이 함께 즐길 수 있는 기회를 가지지 못하고 지내왔었다. 가장 움직이기 힘든 혁이 솔선하여 제의하니, 그것이 더 반가웠다.

"응, 한 번 나오도록 하자."

"형님, 이젠 우리두 좀 멋지게 살아봅시다."

"어떻게 사는 게 멋진데?"

한민은 웃으며 받았다.

"이렇게 같이 극장도 오고, 창경원이나 덕수궁도 함께 놀러 가구."

한민은 참말 자기는 너무나 그런 것에 등한했었다는 자책이 들었다. 그러나 그것도 시간과 경제적 여유가 뒤따라야 되는 일이 아니냐는 생각이 뒤따랐으나, 그대로 삼켜갔다.

그릴에서 나온 한민은 학교 앞에서 자기만 내리고, 동생은 차에 태운 채로 집까지 보냈다.

교정에 들어선 그는 기분이 아주 상쾌했다. 참말 오래간만에, 아니 4·19 이후 처음으로 그는 동생과 함께 즐거운 시간을 보낼 수 있었다.

"어이, 빨리 빨리."

륙색을 지고 교문을 뛰어 들어오고 있는 강세훈을 보고 조교 고인환이 손을 흔들며 소리쳤다.

"선생님, 이젠 전원이 다 왔습니다."

과 회장 유응수 군이 한민에게 알려왔다.

"그래, 그럼 떠나도 괜찮지?"

"네, 선생님 타십시오. 곧 출발하도록 하겠습니다."

차에 오른 한민은 운전수 옆 맨 앞 복스에 자리 잡고 있는 남궁 박사의 바로 뒤에, 김 선생과 같이 앉았다.

"자, 모두들 타요."

유응수는 아래 남아 있는 학생들을 모조리 차칸에 불러 올렸다.

"그럼, 떠나기 전에 다시 한번 점명하겠습니다."

유응수는 명단을 꺼내 들고 하나씩 호명해 갔다.

한민은 뒷좌석의 학생들을 둘러보았다. 대부분은 재학생이지만, 아직 직장이 결정되지 않은 지난번 졸업생 몇과 대학원 학생들도 끼어 있었다. 잠바·스웨터·군대 작업복·남방셔츠·교복 등 제각기 다른 옷차림에, 모자도 등산모·헌팅·캡·수병·모자·베레모 등 가지각색이었다. 더욱이 여학생들은 평소에는 보지 못하던 산뜻한 옷차림에 제각기 어울리는 자기 특색의 모자들을 쓰고 있어, 그 시원한 인상만으로도 여생의 분위기는 싱그러운 것이었다. 모두들 웃음 띤 얼굴에 희망과 환희가 넘쳐흐르고 있었다.

"자, 그러면 발차해도 좋아요."

호명을 끝마친 유응수가 차장에게 알렸다.

"출발!"

그는 다시 차내의 전원이 들으라는 듯이 소리 높여 외쳤다.

"오라이!"

뒤이어 차장의 좀 쉰 듯한 목소리가 따랐다.

관광버스는 오월의 신록이 짙어가는 캠퍼스를 뒤에 두고, 속리산을 향해 출발했다.

　도심지를 통과하는 동안, 차속은 비교적 조용했다. 한강 인도교를 지나 노량진 거리를 벗어나자, 차칸에 비치된 확성기에서 음악이 울려나오기 시작했다. 차속의 침묵을 깨뜨린 갑작스러운 음향에 학생들은 와아 하고 함성을 울리며 박수를 쳤다. 젊음의 도가니에 점화된 불꽃은 차츰 붙어 오르기 시작했다. 어느 사이엔가 그들은 음악의 선율에 맞추어 손뼉을 치며 발까지 굴러댔다. 그것이 조금도 부자연스럽지 않고, 저절로 어울려 하모니를 이루어갔다.

　한민은 그 열띤 분위기에 저도 모르게 휩싸여 오래간만에 학생들과 함께 떠나는 여행의 즐거움에 흐뭇이 젖어갔다.

　"참, 젊음이 보배야……. 저렇게 고와대도 밉지 않으니……."

　남궁 박사가 뒷좌석을 돌아보며 말했다.

　"억지가 없이 자연스럽습니다."

　한민이 받았다.

　"세월도 많이 변했어……."

　남궁 선생의 이 말은 개탄이 아니라, 변모해 가는 세태에 대한 감탄어린 어조였다.

　"제가 학교 다닐 때하구는 전연 달라졌습니다."

　아직 삼십 대인 김 선생도 동감인 모양이었다.

　"김 선생이야 아직 젊은데, 비슷한 심정이겠지……."

　남궁 박사는 김 선생을 바라보며 웃음을 머금고 있었다.

　"선생님 앞에서는 외람됩니다만, 저희도 이제는 낡은 세대에 속합니다."

　김 선생이 머리를 긁으며 멋쩍게 웃었다.

　"뭐니뭐니 해도 인생은 역시 이십대가 꽃이야."

　남궁 박사는 혼잣소리처럼 중얼거렸다.

　마이크 꼭지를 손에 들고 뒤쪽까지 줄을 늘이고 난 조수가,

"아, 아, 마이크 시험 중입니다."

하며 병긋이 웃고 있었다.

"여러분, 이 마이크를 이용하여 유쾌한 여행을 가지시기 바랍니다."

차 안에는 다시 박수가 터졌다.

"조수 양반, 이름이 뭐요?"

"저는 이 차에선 김 군이라고 부릅니다."

차속에는 한바탕 웃음소리가 터졌다.

그는 싱글벙글한 명랑한 인상이었다.

"자, 우리의 안내자, 김 군을 박수로 환영합시다."

유응수의 말이 떨어지자, 일제히 박수소리가 차속이 떠나갈 듯이 울렸다. 여행의 분위기는 더욱 고조되어 갔다.

"자, 그러면 지금부터 노래의 페스티벌을 시작하겠습니다."

유응수가 마이크를 들고 버스 앞줄 공간 한가운데 나섰다.

"맨 처음 선수는 대학원의 퀸, 김영옥 양."

박수가 또다시 울려 터졌다. 학생들은 얼굴에 홍조를 띠고 흥분되어 있었다.

"아니, 왜 하필이면 여학생을 먼저 시켜요. 남학생부터 해요."

영옥이 몸을 움츠리며 항의조로 말했다.

"영광이지 뭐."

"빨리 해요, 빨리."

"사회자에 절대 복종."

학생들 속에서는 갖가지 소리가 터져 나왔다.

"여러분, 박수가 모자라는 모양입니다. 다시 한번 노래가 나올 때까지 힘찬 박수를 부탁합니다."

유응수의 어조는 거의 선동적이었다. 그는 마이크를 영옥이 앞에 갖다 대고 있었다. 오래 계속되는 박수에 이기지 못해 영옥이 마이크를 받아

들었다.

"테네시 왈츠를 부르겠어요."

"좋아요."

뒤쪽에 앉은 노뽀가 소리쳤다.

영옥의 노래가 끝나자 좌석은 다시 박수와 함성에 휘말린 속에 들끓었다.

"앙코르, 앙코르."

영옥이 바로 뒤에 앉은 리처드 군이 더 크게 소리치고 있었다.

"조용히 하세요, 조용히. 한꺼번에 다 하면 저녁에 할 게 없으니까…….
그리고 다른 선수들이 대기하고 있어요."

유응수는 영옥이에게서 마이크를 받아들고 좌중을 진정시켜갔다.

"다음은 우리 대학의 호프 미스터 노뽀의 노래가 있겠습니다."

노뽀 조태호군이 일어섰다. 그는 버스 천장에 닿은 머리를 약간 수그
리고, 손짓 발짓을 해가며 신나게 불러댔다.

노래가 끝나자 앙코르 소리와 함께 박수가 그치질 않았다. 사회자의
제지도 듣지 않는 양 앙코르는 연발되었다. 노뽀는 신이 나서 한 곡 더
불렀다.

"이번에는 이색적인 가수 한 사람을 소개하겠습니다. 우리 과의 에뜨
랑제, 미스터 리처드."

박수 속에 리처드 군이 일어나, 우리 민요 아리랑을 영어로 번역하여
부르고 있었다. 후렴은 학생들의 합창으로 이끌려갔다.

사회자의 지명은 계속 진행되고, 학생들은 제각기 장기를 드러내 놓았
다. 트위스트 곡이 나오자 모두들 자리에서 일어나 궁둥이를 내흔들며
꽈배기 춤을 추어댔다.

"이렇게 밖에 내놓아야, 그 적나라한 인간을 알 수 있다니까."

한민은 평소에 얌전하게만 보이던 학생이 더 판을 치는 데 놀랐다.

"그런 줄 몰랐는데, 모두들 제 장기들은 가지고 있군요."

김선생도 감탄어린 말투였다.

"술 한 잔도 마시지 않고 저렇게 놀 수 있다니, 참……."

"아니요, 저 뒤쪽은 얼굴들이 불그레한 것을 보니 벌써 한 잔씩들 걸친 모양입니다."

한민의 말을 김 선생이 받았다.

"설마, 그러기야 했겠소."

"아니, 저걸 보세요. 저 병나발을 불구 있는 학생말이요. 저게 어디 사이다 병이요, 소주병이지."

"참말 그렇군, 내버려 둡시다. 여기까지 데리구 나와서 잔소리할 수야 있어요."

"요샌 학생들 모임이 있으면, 으레 저렇게 되기 마련인걸."

독창에 이중창에 합창으로 노래는 그칠 줄 모르고 계속되었다.

"선생님, 이거 드세요."

강세훈이 술병과 종이컵을 들고 왔다. 그 옆에 혜숙이 안주를 들고 서 있었다. 한민과 김 선생은 세훈이 따라주는 잔을 받았다. 찬 술을 조금씩 마셔가며 한민은 자기의 학생시대를 회고하고 있었다.

그때는 술만 마셨지, 놀 줄은 몰랐다. 여학생하고도 저렇게 어울려 보지도 못했다. 기껏 마시고 취해 토하고 곤드라 떨어지는 것이 고작이었다. 여학생과 남학생이 저렇게 자연스럽게 어울려진 것도 수복 후 아니 4·19 전후부터 이 수년래의 일인 것 같았다. 그사이 세상도 많이 변했지만, 캠퍼스 내의 생리도 무척 변해 왔다는 느낌이었다.

강세훈이 다시 와서 술을 따랐다. 차의 진동으로 술잔이 넘쳐흐르기에 한민은 반쯤 쭉 들이키고 숨을 돌린 다음 다 마셔버렸다. 큰 컵으로 깡술 두 잔을 쏟아 넣고 나니 속이 화끈거려왔다.

"에, 다음은 외국 풍물에 젖어 많은 견문을 넓히시고 귀국한 한민 선생님의 이국정서에 넘치는 노래를 듣기로 하겠습니다."

유응수의 익살어린 소리였다.

"한 선생 걸렸습니다."

김 선생이 한민의 옆구리를 찌르며 말했다.

한민은 자기 이름은 분명히 들었지만 전후의 이야기는 잘 알아듣지 못해 어리둥절하고 있었다.

"플레이 플레이 한 교수, 플레이 플레이 한 교수……."

학생들은 응원단처럼 억양을 붙여가며 함께 외치고 있었다.

"선생님, 하나 불러주세요."

혜숙이 마이크를 들고 와서 한민의 입 가까이 대며 권했다.

"내가 어디 노래를 부를 줄 알아야지."

"그 미국에 가서 배워오신 노래가 있지 않으세요."

혜숙이는 웃지도 않고 능청스럽게 빗대어갔다.

한민은 미국에 가서 노래를 배우기는커녕, 노래를 들을 기회조차 가지지 못한 자신을 생각하고 있었다.

"김 선생님더러 하시라구 그래. 김 선생은 잘하지 않아?"

한민은 김 선생에게 슬쩍 밀었다.

"아니, 천만에요."

김 선생인 막고 나왔다.

"김 선생님은 따로 차례가 있는데 대리로 할 수 있어요?"

혜숙이는 물러서지 않고 학생들은 플레이 플레이를 멈추지 않았다.

한민은 그 이상 끌어서 모처럼 익어가는 분위기를 깨뜨릴 수 없어, 음정도 제대로 맞지 않는 노래 한 곡조를 겨우 불렀다. 그 뒤는 남궁 박사의 시조창과 김 선생의 테너가 장식하여 교수 팀의 체면은 세워진 꼴이었다.

"자, 이번에는 우리 김 군의 노래를 듣기로 하겠습니다."

낯선 초청객에 학생들은 더 거센 박수를 보내고 있었다.

"난 할 줄 몰라요."

김 군은 처음에는 조금 사양하는 눈치였으나, 곧 마이크를 잡고 가운데로 나섰다.

"잘 부르는지 못합니다만 여러분의 요청을 저버릴 수 없어 '오 데니 보이'를 부르겠습니다.

"좋아요."

박수가 터졌다. 김 군의 허스키 보이스의 베이스 음정은 학생들을 위압하듯이 흘러나왔다. 노래가 끝나자 참았던 숨을 내쉬며 박수가 한참 계속되었다.

"앙코르."

"이건 진짜 앙코르감이야."

여학생들이 감명 깊은 눈매로 더 열광적인 박수를 보냈다.

김 군은 앙코르에 답하여 '성불사의 밤'을 불렀다.

"유행가 하나 하시오. 유행가."

학생들의 강권에 못 이겨 김 군은 한창 인기를 모으고 있는 유행가 한 곡조를 불렀다. 학생들은 그래도 미진한 듯 계속 앙코르를 청했으나, 김 군은 버스 양쪽 불룩한 철판 위에 가 털썩 주저앉았다.

김 군에 대한 학생들의 태도는 그 다음부터 달라져갔다.

"자, 한 잔 드시오."

강세훈이 술병을 들고 가 김 군에게 잔을 권했다.

"아니, 술 못해요."

"못하긴 한 잔만 드시오. 같은 식구끼린데."

"근무 중에는 절대로 술을 못 먹어요. 이따가 저녁에 먹지요."

끝까지 사양하는 바람에 강세훈은 그대로 물러났다.

지루한 줄 모르고 차는 청주 보은을 거쳐 속리산에 가까워져갔다. 그 사이 학생들의 노래는 거의 끊일 사이 없이 계속되었다.

범주사를 앞에 둔 '말티재'의 가파른 고갯길 밑에서 버스는 멈췄다. 승

객은 모두 차에서 내렸다. 위험한 코스여서 걸어 올라가기로 되어 있다고 했다.

학생들은 급경사가 진 지름길을 막 뛰어올라가고 있었다. 한민은 남궁 박사의 뒤를 따라 김 선생과 함께 꾸불꾸불 굽이진 신작로를 천천히 걸어 올라갔다. 이들이 아직 절반도 못 올라갔을 때 선두에 선 남학생들은 벌써 고갯마루에 올라가 손을 흔들고 있었다. 그들은 아무데 풀어놓아도 혈기에 넘쳐 풀풀 뛰고 있는 것만 같았다.

고개 마루에서 땀을 흘리며 한숨 돌리는 사이에, 학생들은 김 군과 정답게 이야기를 나누고 있었다. 김 군이 대학을 나오고도 직장을 얻지 못해, 우선 급한 대로 관광 버스회사에 임시 근무하고 있다는 말을 듣자, 학생들은 말씨부터 달라졌고, 친구처럼 대하고 있었다.

차에 다시 오른 일행은 가는 길 한가운데 서 있는 정이품(正二品) 소나무를 잠시 내려 구경하고 법주사 입구에 닿았다.

긴 봄날의 해는 아직 넘어가지 않았다. 학생들은 하루 종일 차에 시달린 피로도 느끼지 않는 양 여관에 짐을 팽개치자 재빨리 법주사 경내로 올라가고 있었다. 그 젊음으론 무엇이든 안 되는 일이 없을 것만 같았다.

한민은 여장을 풀고 세수를 한 다음 남궁 선생을 모시고 여사를 나왔다.

몇 해 전에 왔을 때보다는 무척 달라져 있었다. 버스 정류장도 아래로 옮겨졌지만 여관이니 상점이니 하는 집들도 부쩍 늘어 거리를 이루었다. 속세를 떠난 심산유곡, 그래 그 이름마저 굳이 속리(俗離)라고 불렀을 것이지만, 이제는 속화되어 도시의 연장 같은 인상이었다.

여관 거리를 지나 수림이 우거진 경내에 접어들었다. 하늘을 찌르는 소나무·전나무·잣나무, 그 옆으로 산을 덮은 활엽수의 고목과 관목, 신록의 따뜻한 새잎에서 우러나는 향기가 훈풍 속에 코끝을 싱싱하게 자극해왔다. 번잡한 서울 거리를 잠시나마 잊는 것이 즐거웠다. 거기다가 학생들의 젊음에 부딪히는 쾌감……. 한민은 될 수 있는 대로 이런 행사를 피해 왔던 자신을 스스로 나무라는 심정이기도 했다.

"한 선생님은 전에 오신 일 있으세요?"

김 선생이 물었다.

"네, 여러 해 전에 한두 번 왔댔어요."

"전 처음인데, 참 좋구만요."

"아, 김 선생 처음이시오?"

"글쎄, 늘 온다 온다 벼르면서 기회를 얻지 못했습니다. 이번에 오기를 참 잘했는데요."

세 사람은 돌다리를 건너 법주사의 산문에 들어섰다. 보기만 해도 오싹하는 사천왕의 험상궂은 목상을 스쳐, 국보인 목탑 오층의 팔상전(捌相殿) 앞에 닿았다. 그 왼쪽으로 하늘에 우뚝 솟은 미륵불(彌勒佛), 그 사이에 나란히 서 있는 석련지(石蓮池)와 쌍사자등(雙獅子燈), 그러나 경내는 오래 보수를 하지 않아 퍽 황폐해 보였다.

"병화 속에서 겨우 남아 있는 고적도 제대로 보존하지 못하니 원, 뭣들 하고 있는 건지……."

남궁 박사가 개탄어린 어조로 말했다.

"문화보다 경제가 더 시급하지 않습니까?"

한민도 한쪽으로 기울어진 쌍사자등을 바라보며 불쾌한 인상의 단면을 털어놓았다.

"글쎄, 이 나라에서 어디 시급하지 않는 일이 하나나 있는가. 물론 경제도 중요하지만, 정신문화를 무시한 국가나 민족으로 역사에 빛을 남긴 것이 있는가?"

팔상전 꼭대기의 첨탑에 눈길을 던지며 남궁 박사는 말을 이었다.

"문화에 그렇게 무관심할 법이 어디 있어……. 남아 있는 유산을 아끼지 않는데, 감히 새로운 창조에 대한 이야기야 해서 무얼 하겠는가…….

왜놈들이 패전 후에 저렇게 빨리 재기한 것은, 백년동안 인재를 길러내고 문화를 소중히 해온 덕이야……."

석양에 비긴 남궁 선생의 주름진 얼굴은 더 한층 쓸쓸해 보였다.

간 데마다 폐허나 다름없이 허물어져가는 유적들을 가지고, 관광은 무슨 이름 좋은 관광인가 싶은 생각을 하면서 한민은 대웅전 쪽으로 발을 옮겼다.

학생들은 사진을 찍느라고 짝을 지어 몰려다니고 있었다. 여기저기 되는 대로 내버려진 휴지 조각들이 저녁 바람에 휘날려 더욱 삭막함을 느끼게 했다.

"선생님, 전원이 사진 한 장 찍겠습니다."

유응수가 뛰어왔다. 한민은 학생들과 함께 미륵불 앞에서 기념 촬영을 했다.

대웅전 옆으로 돌아 동쪽에 있는 돌독과 큰 쇠가마를 본 다음, 한민은 남궁 박사와 함께 미륵불 앞으로 되돌아와 여승당인 수정암 쪽으로 내려갔다.

날은 어지간히 어두워져 산사의 경내는 황혼에 싸여져갔다.

학생들은 캠프파이어가 끝난 다음도 밤늦게까지 자지 않고 노래를 부르며 떠들고 있었다. 남학생 뿐 아니라, 여학생의 웃음소리가 더 크게 들려왔다.

한민은 눈을 붙였다가 그 소란 소리에 이따금 잠을 깼다. 지금쯤은 자겠지 하고 눈을 떠도 여전히 떠들고 있었다. 몇몇은 아침까지 자지 않고 철야를 한 모양이었다. 한민은 새벽녘에야 다른 손님들 시비에 못 이겨 주의를 시켰지만, 결국 그들의 지칠 줄 모르는 정력에 손을 들고 말았다.

아침 후 일행은 복천암(福泉庵)을 거쳐 문장대(文臟臺)로 올라가기 시작했다. 그 가파른 산길을 오르면서도 남궁 선생은 먼저 쉬자는 소리 한 마디 없이 돌계단 하나하나를 다져가며 밟아 올라가고 있었다. 오히려 한민이나 김 선생 편이 헐떡이며 따라가는 형편없었다. 간밤 한잠도 이루지 못한 남학생 몇몇은 기운 좋게 올라는 가나, 갈증이 심한 모양이어서, 계속 계곡의 찬물을 마셔대고 있었다.

중사자암(中獅子庵)에 닿자 한민은 산목련의 청초한 꽃을 바라보며 바위 사이에서 흘러나오는 이 시린 샘물을 실컷 마셨다. 신록이 우거져가는 계곡과 능선을 굽이돌아, 정오가 지나서야 한민은 남궁 박사와 함께 문장대 정상에 올랐다.

"선생님, 힘드시지요?"

한민은 남궁 박사에게 말했다.

"아니, 법주사엔 여러 번 왔지만, 여기 올라온 것은 처음이야."

"저도 처음입니다."

"이번 길은 참 잘 왔어. 내 나이에 언제 또 올 기회가 있겠는가?"

정년퇴직 후 무료히 지내는 남궁 선생을 굳이 모시고 온 것을 한민은 참 잘했다는 생각이 들었다. 그는 땀에 흠뻑 젖어 등골에 시원한 바람을 맞으며 상쾌한 기분에서 지친 줄도 몰랐다.

사방을 둘러보아야 끝없이 펼쳐진 첩첩한 산맥, 그는 부풀은 심정에서 안계가 닿는 한끝을 더듬어갔다.

"선생님, 참 좋습니다."

유응수가 한민을 돌아보며 말했다.

"응, 속이 탁 트이는 것 같아."

"데모 때, 울적하던 것이 이제 다 씻겨 내려가는 것 같습니다."

"나도 기분이 좋아."

"이런 자연 속에 오래 파묻히면 속세에서 자질구레한 일들을 가지고 아귀다툼하는 것이 우습게 보일 겁니다."

한민은 식은땀을 닦으며 웃었다. 유응수의 이야기는 어쩌면 자기가 하고 싶은 말이었는지도 몰랐다.

"가을 단풍 때 왔으면 더 좋을 것 같습니다."

"그럴 거야. 우리 단풍철에 다시 한 번 올까?"

"네, 그럽시다."

정상 마루 아래에 있는 여관에서 점심을 지어 먹은 다음, 일행은 올라가던 길과는 달리, 전에 왔다 간 일이 있다는 경험자를 앞세우고 입석대(立石臺) 쪽으로 돌아 내려왔다.

이날 밤도 몇몇 학생은 거의 자지 않고 밤을 새워 놀고 있었다.

삼일째 돌아오는 버스를 탔을 때 한민은 너무도 신기한 심정에서 물었다.

"그렇게 이틀씩이나 안자도 괜찮은가?"

"이틀이 뭡니까. 일주일 안자도 끄떡없습니다."

노쁘가 대답했다.

그들은 다시 차속의 마이크를 들고, 서울을 떠나올 때처럼 노래를 부르기 시작했다. 여행의 마지막 날이라서 그런지 더 기승을 부리며 법석댔다.

젊음, 젊음, 한민은 계속 감탄했다. 저러니까 데모도 될 거야. 그는 입속으로 뇌었다. 그는 자질구레한 잘못에 신경을 쓰며 나무라던 자신이 좀 더 폭 넓고 관대하게 그들을 접하며, 그들의 진정한 마음속에 더 밀접하게 부닥쳐야만 하겠다는 생각을 곱씹었다. 그러고 보면 이번 여행은 학생들을 위한 여행이 아니라 자기 자신이 더 젊어지고 마음의 폭이 넓어질 수 있는 계기를 얻은 뜻있는 여행인 것만 같았다.

학생들의 얼굴과 이름을 따로따로 알았던 것이 서로 합치되고, 개개인의 생각이나 특색이 드러나게 알려지는 기회이기도 했었다.

제10장

한민은 책상 위에 놓인 편지 봉투를 뜯었다. 하버드 대학의 연경학회

(蓮京學會) 관계 연구비 지불에 대한 확정 통지서였다. 얼마 전 인상된 환율 이백오십오대 일로 환산하면 대충 쳐도 이십오만 원이 넘는 액수였다. 한 달 평균 이만 원씩 치면, 앞으로 일년동안은 조금 시름을 놓고 연구 활동을 할 수 있을 것 같았다.

"뭔데요?"

옆에서 보고 있던 현숙이 물었다.

"응, 지난번에 신청한 연구비가 결정된 모양이야."

"그래요, 얼마나 되는데요?"

"천 달러야."

"참 잘 됐어요. 천 달러면……."

현숙은 속으로 환산하는 모양이었다.

"그거면 빚을 물 수 있겠네요."

돈도 오기 전에 현숙은 벌써 쓸 구멍부터 생각하는 눈치였다.

"어디 한꺼번에 줘야지."

"어떻게 주는데요?"

"석 달에 한 번씩 네 번 나누어서 지불할 거야."

"아무튼 일 년 안에 다 줄 거 아니에요?"

"그러기야 하겠지."

"참 잘됐어요. 이제 좀 숨 돌리겠어요."

현숙의 오래간만에 싱글벙글 기뻐하는 모습을 보고 한민도 마음의 구김살이 좀 펴지는 것 같았다.

"외국 사람에게 구걸을 해가며 연구하는 셈이니……."

한민은 독백처럼 뇌까렸다.

"당신도, 별말씀을 다 하세요. 나라 예산도 미국 원조가 없으면 못 세운다는 판인데, 당신 혼자 그걸 안 받는다고 더 청렴해지겠어요?"

현숙의 말에도 일리가 없는 것은 아니었다. 그러나 한민은 조영호가 늘 청부 연구란 말을 쓰던 것이 생각났다. 사실, 미국에서 오는 연구비란, 대개의 경우 자기네의 연구에 필요한 분야에서 그 자료의 수집·발굴·정리 등 말하자면 그네들의 연구에 보조 역할을 할 수 있는 대상의 프로젝트에 우선적으로 지급되는 경향이 없지 않는 실정을 한민도 잘 알고 있다. 하지만 국가에서나 대학 자체에서 속수무책으로 있는 판에 아쉬운대로 그거나마 받지 않으면, 연구란 엄두도 낼 수 없는 판이니 하는 수 없는 일이었다. 결국은 국가나 정권에까지 연결되고, 그것은 다시 현실 정책의 맹점으로 귀착되는 결과밖에 되지 않았다.

"그럼, 그 돈이 언제 나와요?"

현숙은 갈증에 허덕이는 사람이 물소리라도 들은 듯이 조급히 물었다.

"글쎄, 팔월이나 구월에 가면 제 일차분이 나오겠지."

"그렇게 아득해요?"

금방 내일이라도 쓸 수 있는 돈인 줄로 생각했던 현숙은 약간 실망하는 빛을 보였다.

"그쪽 회계연도는 칠월부터야……."

"글쎄, 이왕 줄 거라면 빨리 주었으면 좋겠어요."

"안 나왔다면 어쩔려구?"

한민은 오래간만에 아내에게 빈정댈 수 있는 가장으로서의 여유를 가질 수 있었다.

"그럴 땐 할 수 없지만……. 한꺼번에 주었으면 쓸모 있게 이용할 수 있겠는데……."

"당신은 욕심도 많고."

"아니, 당신은 살림을 전연 몰라서 그래요. 쌀이 없으니 아나, 연탄이 떨어지니 아나, 이자가 어떻게 늘어가는지 관심이 있나……."

현숙의 푸념이 또 시작되었다.

"다 알았어, 그만, 그만."

한민은 손을 쳐들며 현숙을 막았다. 그는 그 이상 집에 앉았다간, 모처럼 부드러워진 분위기가 망가질까봐 학교로 나가려고 옷을 차려입었다. 대문을 나설 때까지 현숙은 상냥한 얼굴로 그를 배웅해 주었다.

대문 앞길에 나선 한민은 돈이 좋기는 좋구나 하며 아내의 웃음진 얼굴을 떠올리고 있었다.

이제부터 좀 안정된 자세로 일을 시작해야 되겠다고 생각하며 버스 정류장을 향해 걷고 있는 그의 걸음도 햇갑고 가벼워지는 느낌이었다.

오월 하순에 들어서자 학교 안은 다시 수선거리기 시작했다. '대일 굴욕외교 반대 학생 총연합회' 주최로 서울 시내 십일 개 종합대학 학생 약 삼만 명이 모여 '민족적 민주주의 장례식'을 거행하고 대일 굴욕 외교와 학원 사찰에 대한 성토 대회를 갖는다는 소식은 캠퍼스 안을 다시 긴장 속으로 휘몰아 넣었다.

이에 대하여 당국은 집회를 허가하지 않을 방침을 표명했고, 학생 측은 만약 당국이 이 행사를 끝까지 방해하는 경우 피의 투쟁도 불사하겠다는 강경한 태도를 내세웠다. 거기에 일부 대학 총학생회장들은 이 성토대회는 각 대학 학생회에서 논의한 바 없으므로 전연 관계없다는 의사 표시를 하여, 학생간의 분열과 배신이 노출되는 징조가 보이기도 했다.

좀 안정된 자세로 일을 시작해야 되겠다고 생각하던 한민도 일손이 잡혀지지 않아 긴장 속에 흔들리고 있었다.

오후의 강의실은 또다시 텅 비었다. 한민은 허탕을 치고 교실 밖으로 나왔다.

교정 복판엔 검은 관이 놓여 있고, 그 주위에는 각 대학에서 모여든 학생들이 겹겹이 둘러섰고, 한 학생이 마이크에서 조사(弔辭)를 낭독하고 있었다.

"시체여, 너는 오래 전에 이미 죽었다. 죽어서까지도 개악(改惡)과 조어(造語)와 식언(食言)과 번의(飜意)와 난동과 불안과 탑 안의 명수요 천재요 거장(巨匠)이었다. 구악을 신악으로 개악하여 세대를 교체하고 골백번 번의하여 권태감의 응분으로 국민 정서를 쇄신하고 부정 불하, 부정축재, 매판(買辦)자본 육성, 빠찡꼬에, 새나라 차에⋯⋯. 오월 십육일만의 민주주의여! 백의민족이 너에게 내리는 마지막의 이 새하얀 수의(壽衣)를 감고 훌훌히 떠나가거라."

박수와 함성 속에 학생들은 더욱 흥분되어갔다. 조사 뒤에 선언문 낭독이 박수로 끝나고 다른 학생에 의해서 결의문이 낭독되고 있었다. 찬찬히 보니 유응수였다. 한민은 전번 데모 후, 연구실에 자기를 찾아와 약간 항의조로 질문하던 그를 떠올렸다. 유응수는 극도로 흥분되어 격한 목소리로 컥컥거리며 읽어가고 있었다.

"일본 예속으로 직행하는 대일 굴욕 회담을 전면 중지하라. 농민·노동자·소시민의 피눈물을 밟고 서서 홀로 살쪄만 가는 매판성 악덕 재벌을 처형하고 몰수하라. 5·16 이래의 온갖 부정·부패 사건을 자진 폭로하고 그 원흉을 조사 처형하라. 불법 상행위를 자행한 일인 상사를 즉각 추방하고, 그 주구와 방조자를 즉각 처형하라. 학원 사찰을 비롯한 온갖 민족 분열 공작을 자진 폭로, 그 총지휘자를 처형하고, 반공·방첩에 전력을 경주하라. 오월 군사정부는 5·16 이래의 부정·부패·독선·무능·극악의 경제난, 민족 분열, 굴욕적 한일회담 등, 역사적 범죄를 자인하고 국민의 심판에 붙이라. 5·16 이래 구속된 정치범을 즉각 석방하라. 민족적 양심의 학생과 국민은 우리의 정당한 요구가 관철될 때까지 피의 투쟁을 계속하려 한다."

결의문 뒤에 계속된 성토연설에서도 격렬한 구절이 튀어나와, 한민은 점차 극한으로 번지는 학생들의 항거태세에 최악의 사태가 예측되어 불안을 금할 수 없었다.

성토대회를 끝마친 후, 수건을 쓴 상주가 검은 관을 메고 '민족적 민주주의 장례식'이란 조기(弔旗)를 선두로 학생들은 데모에 나서고 있었다.

이것을 본 한민은 몸이 오싹하는 전율을 느꼈다. 이 극한 투쟁 이외의 다른 방법은 없을 것인가. 앞일은 암담하기만 했다.

교문을 벗어나 한길을 행진하고 있던 데모대는 아래쪽에서 밀려오는 기동경찰과 충돌했다. 밀고 밀리고, 흩어졌다 다시 모이고, 곤봉과 돌과 최루탄의 접전은 일곱 시간이나 끌었다.

경찰과 학생 쌍방에 육십오 명의 중상자를 내고, 학생 · 시민 할 것 없이 십오 명이나 연행되었다는 것은 한민이 이튿날 조간 기사에서 보고 안 일이었다. 아침에 학교에 나와 알아보니 한민이 궁금해 하던 유응수는 용케 붙잡혀가지 않았다고 했다. 한민으론 유응수만이라도 체포되지 않은 것이 다행이라고 생각하면서도, 연행된 학생들이 보복적인 취조나 당하지 않을까 하는 걱정과 점차 폭력화해 가는 데모가 우려되기만 했다.

무장 군인의 법원(法院) 난입에 뒤이은 경찰관의 학원 침입, 폭력 구타 사건 및 소위 학원 사꾸라로 불리는 와이 티 피 비밀조직 계보의 폭로는 국민을 격분케 했고, 학생들을 더욱 자극시켰다. 모든 일이 해결의 방향으로 풀려가는 것이 아니라, 복잡하게 꼬여가는 것만 같게 한민에게는 느껴졌다. 겉으로 잠시 잠잠해진 것 같던 캠퍼스는 다시 수선스러워졌다.

학생들은 교정에 모여 난국 타개 총학생 궐기대회를 열고 구국비상경의 선언에 이어 행동강령을 결의했다.

"오늘 우리는 민족의 진보와 번영을 위한 혁명 대열의 전위임을 재차 확인하면서 전국 학도의 이름으로 우리의 행동 노선을 천명한다. 오늘 우리의 총궐기는 백만 학도와 삼천만 민족의 절실한 요구임을 확신하다. 오늘의 행동은 헌정(憲政) 수호와 자유민주주의의 원칙하에 무질서한 파괴 활동 행위가 아님을 명시한다. 오늘의 행동은 전국 대학생의 공동 의사와 공동 행동의 결의임을 선포한다. 오늘 우리의 행동에 편승하려는 여하한 당파도 이를 배제 규탄한다. 금주 내에 우리의 의로운 주장이 관철될 획기적 전기가 이룩되지 안을 시는 4·19 정신으로 실력 투쟁도 불사할 것을 천명한다."

이 행동강령 뒤에는 전국의 삼십사 개 대학의 이름이 붙어 있었다.

궐기대회가 끝나자 학생들은 구속학생 즉각 석방하라는 플래카드를 들고 데모에 돌입할 기세를 보였다.

학생들은 극도로 흥분되어 살기가 등등했다. 한민은 그대로 보구만 있을 수가 없었다. 경찰도 학생에 대한 적의에 차 있는 이때 이대로 나가면 꼭 큰 희생이 날 것만 같았다. 극도로 격앙된 감정의 냉각을 기다려, 좀더 냉정한 판단 위에서 행동해야만 할 것이었다. 그는 학생과장 및 다른 교수들과 함께 교문을 뛰쳐나가려는 학생들을 가로막아서며 제지했다. 그러나 눈에 벌겋게 핏발이 선 학생들은 선생을 한쪽으로 밀어젖히고 그대로 뛰어나가고 있었다.

한민은 넘어지려는 몸뚱이를 가누고 넋 빠진 사람처럼, 달려가는 그들의 뒤를 힘없이 바라보고 있었다. 꼭 데모가 하나의 유행처럼 되어버린 것만 같은 서글픈 기분이었다.

한민은 시국수습 대책을 논의하는 긴급 교수회에 나갔다. 무거운 공기로 깔린 회의장, 토의는 시종 긴장된 분위기 속에 진행되어갔다.

"데모에 나간 학생을 붙들기 위해 무단 침입한 수십 명의 경찰관이 강의실에까지 침입하여 수업 중인 학생들을 끌어내어 교정에 꿇어앉히고, 그뿐만 아니라 학생들은 물론 학장과 교수들에게도 입에 담지 못할 폭언을 하고 폭행까지 했습니다."

경찰 학원 침입의 직접 피해자인 K교수는 격한 감정을 억제하며 당시의 실정을 설명하고 있었다.

"경찰관이 글쎄, 데모를 막지 못한 교수가 교수냐고 대들면서 학생과

시민들이 보는 앞에서 모욕을 주지 않겠습니까."

이 말에 참석한 교수들은 모두 격분하고 있었다. 한민은 파출소 순경만도 신분 보장이 안된 교수를 생각하며, 복받치는 울분을 억눌러갔다.

"정부는 금반 사태에 대하여 그 책임을 전가하거나 실력 행사만을 능사로 할 것이 아니라, 사태 혼란의 근본 원인을 정시하고, 모든 국민이 납득할 수 있는 과감하고 발본적인 시책을 단행하라. 군은 정치에 엄정중립을 지키고 국토방위에만 전력할 것이며, 학생들은 그 행동이 미치는 정치적·사회적 영향을 고려하여 조국을 건지기 위한 최후 순간을 제외하고는 그 본분인 학업에만 전심하라. 정부는 학원의 자유를 보장하고 학원 사찰을 즉각 중지하기 위한 명확한 결단을 보이라. 경찰관 학원 침입 사건에 대하여 국무총리와 관계 장관은 공개 사과하고, 사태 재발을 막기 위한 구체적 방안을 공포하라. 현 시국 타개의 관점에서 구속된 학생을 전원 석방하라. 생활고에 허덕이는 교수에게 그 사명을 다하게 하라."

이 같은 요지의 결의문은 만장일치로 채택되었다. 한민은 현재의 긴박한 사태가 이 이상 악화되지만 말고, 이 건의문처럼 위정자의 현명과 학생들의 냉철한 판단이 그 해결점으로 집중되었으면 하는 가느다란 기대를 걸며 회의장을 나왔다.

오월도 어수선한 속에서 이틀밖에 남기지 않았다.

이날 서울 시내 각 대학의 학생 대표 이십팔 명은 난국 타개 학생대책위원회 제 삼차 본회의를 열고 오일 전 난국 타개 총학생 궐기 대회에서 채택한 요구 사항이 삼십일 밤 열두시까지 관철되지 않을 때는 과감한 실력투쟁을 벌이겠다는 대 정부 통고문을 채택했다. 이 통고문은 이날 밤 학생 대표가 국무총리를 방문 전달하려고 했으나 뜻을 이루지 못하고, 말일을 하루 앞둔 다음날 순화동 공관으로 총리를 방문 직접 전달했다. 이 자리에서 학생 대표들은 구속된 학생을 전원 석방하고 지명 수배를 받고 있는 대표들은 구속된 학생을 전원 석방하고 지명 수배를 받고 있는 학생을 모두 해제할 것을 강력히 건의했으나, 총리는 구속 학생은 사법부의 소관이기 때문에 행정부로서는 뭐라고 말할 수 없다고 밝히고, 지명 수배된 학생에 대해서는 일절 답변하지 않았다. 건의를 마치고 나온 학생 대표가 '만족할 것이 못된다'는 태도를 밝혔을 때 학생들은 크게 실망했다.

한민은 요 며칠 동안 거의 연구실에 붙어 있지 못하고 어정대기만 했다.
교정에서는 학생들이 또다시 자유 쟁취 궐기대회를 열고 모의 최루탄을 불사른 다음, 한일회담 성토를 했다. 그것만이 아니라 세시부터는 교정에 가마니를 깔고 사십여 명이 단식 투쟁에 들어갔다. 그들은 구속 학생의 석방 등 대 정부 요구가 관철될 때까지 투쟁을 계속할 결의를 표명했다.

彈아 彈아 催淚彈아.
八軍으로 돌아가라
우리 눈에 눈물지면
朴哥粉이 지워진다.

머릿수건을 질끈 동여매고 녹두장군 곡(曲)에 맞추어 이 같은 즉흥의 최루탄 노래를 부르며 그들은 기세를 올리고 있었다.
책임자를 비롯한 학교측의 만류도 아랑곳없이 철야 단식 농성을 계속했다.
이튿날은 백여 학생이 더 가담했고, 여학생도 십수 명이나 참가했다. 사흘째는 졸도하는 학생이 생겼고 나흘째가 되자 실신해서 입원하는 학생이 십여 명에 달했다.

수습 대책을 위한 긴급 교수회가 또 열렸다. 데모 주동 학생에 대한 학교측의 처벌 문제는 구속된 학생이 법의 처벌을 받을 때 다시 논의할 것으로 중의는 모아졌다. 학생 단식 투쟁에 관해서는 총장으로 하여금 정부 요로에 수습책을 직접 건의토록 하고, 만일 그것이 실현되지 않을 때는 전 교수의 사퇴도 불사한다는 내용으로 매듭을 지었다.

교수회의가 끝난 다음, 참석했던 교수 전원은 교정 텐트 속에서 비를 맞으며 단식 농성을 계속하고 있는 학생들에게 가서 희생자가 나지 않도록 일을 중지할 것을 간곡하게 호소했다.

그러나 학생들은 국무총리나 대통령 상대지, 학장이나 교수는 상대가 안된다고 일축할뿐더러, 마치 적을 대하는 듯한 냉담하고도 오만한 태도를 취해 왔다. 선생도 제자도 법도 질서도 없는 혼돈사회를 연상시키는 분위기였다. 한민은 유응수를 한쪽으로 불러냈다. 그는 여러 끼니 굶은 데다, 비를 맞아 창백한 얼굴에 입술은 파랗게 질려 있었다.

"몸들이 쇠약해 병원으로 실려가는데, 이 이상 희생자가 나지 않도록 일단 중지하고 내일이라도 다시 행동을 취하면 어떤가?"

"정부측에서 성의 있는 답변이 올 때까지 당연코 계속해야 합니다."

유응수는 한민의 말엔 귀를 기울이는 둥 마는 둥 제 편에서 오히려 강경하게 나왔다.

"그러나 투쟁 방법이 꼭 단식 하나 뿐일 수는 없지 않은가?"

"이렇게 시작한 바에는 끝까지 관철해야죠. 선생님, 염려 마십시오. 저희들의 투쟁 대상은 학교가 아닙니다. 정부 당국자의 책임 있는 답변을 들어야 합니다. 내일까지 대답이 없으면 실력 행사로 나설 겁니다."

한민은 그 이상 말이 나가지 않았다. 대학 내에서 학장이나 교수가 학생의 상대역이 될 수 없고, 꼭 정치의 최고 책임자만이 학생들의 현실 참여의 상대가 된다면 이건 본말 전도도 분수가 있지, 이만저만한 비극이 아니라고 생각되었다. 교수와 학생의 대화가 끊긴 이 마당엔 교권이고 뭐고 있을 수 없는 공백지대라는 느낌이었다. 학생의 사고를 이렇게까지 왜곡하게 만들어 놓은 근본책임은 무능한 현실 집권자에게 있겠지만, 한민은 그 직접적인 책임의 일부를 모면할 수 없다는 교수로서의 자신의 위치를 가늠하고 있었다. 선생의 말을 마이동풍(馬耳東風)으로 아는 학생, 부모의 말을 아무것도 아닌 것으로 생각하는 자식, 위정자가 국민을 기만하고, 국민이 위정자를 불신하는 사회, 여기서는 인간 대 인간의 건전한 교류가 이루어질 수 없을 뿐 더러, 그 국가나 민족의 앞날에 밝음보다 어둠이 짙어오는 징조라고 밖에 해석될 수 없는 심정이었다. 슬프고도 괴로운 밤이었다. 가장 믿었던 대상에게서 배신을 당한 그러한 서운함이 치밀어왔다.

단식 데모를 취재하러 온 신문기자들의 카메라 플래시가 빗속에 번쩍번쩍 섬광을 비쳤다. 외국인 기자 한 사람이 교수들이 있는 쪽에 대고 카메라의 셔터를 누르고 있었다.

한민은 그에게로 눈을 돌렸다. 미국에서 돌아오는 비행기에서 같은 복스에 앉았고, 그 후 연구실에도 한두 번 찾아온 일이 있는 미국 통신사 특파원 미스터 제임스였다. 제임스도 한민을 알아보고 앞으로 다가오며 악수를 청했다.

"가까운 이웃나라끼리 국교를 정상화하는 것은 당연한 일인데 왜들 반대 데모를 합니까?"

제임스의 돌연한 질문에 한민은 이 외국인에게 오해가 안갈 대답을 찾고 있었다.

"우리 상식으로는 이해할 수 없는데요?"

제임스는 말을 덧붙였다.

"원칙은 그렇지만, 거기 대한 대답은 간단한 한 마디로 할 수는 없는데……."

학생들이 선생은 아무것도 아니라는 듯이 유아독존의 기세를 보이고 있는 앞에서 한민은 길다란 사설을 늘어놓고 싶지 않아 대답을 회피해 갔다.

"대체 학생들이 데모를 하는 가장 큰 이유는 무엇입니까?"

"그것이 그렇게 간단하지 않단 말입니다."

"그러나 이렇게 극한적인 행동을 취하는 데는, 그렇게 되지 않을 수 없는 키 포인트가 있을 거 아닙니까?"

"당신은 남의 일을 구경하고 있으니까 그렇게 단순하게 생각하지만, 일본에 대한 과거의 감정이나 현실적인 이해관계가 직결되어 있는 피해 자인 우리로서는, 여러 가지 복잡한 문제가 가로놓여 있는 것입니다."

제임스는 이해할 수 없다는 듯이 고개를 갸웃거렸다.

한민은 제임스와 함께 단식 현장을 벗어나 연구실 쪽으로 걸었다. 그렇지 않아도 이번 한일회담이 미국의 배후조종 역할이 커서, 학생들이 내건 결의문 속에도 그 구절이 포함되어 있는 것을 알고 있는 한민으로 선, 그 자리에 그대로 외인 기자와 같이 있을 수도 없었고, 또 그 질문을 일축해 버릴 수도 없는 딱한 입장이었다.

"공산주의 위협 속에 있는 한국으로선 고립해서 나갈 수는 없지 않습니까?"

이것은 한민도 잘 알고 있는 일이었고, 또한 여당이나 정부에서도 귀 아프게 브리핑이나 성명으로 발표한 한일 협상 조기 타개의 가장 큰 방패인 것은 국민 누구나 잘 알고 있는 사실이었다.

"그렇다고 자기에게 불리한 조건을 덮어놓고 받아들일 수야 없지 않아 요? 원칙에 반대하는 것이 아니라, 그 조건으론 수락할 수 없다는 거지요."

"육억 불 조건이 그렇게 한국에 불리하다는 겁니까?"

제임스는 반문해 왔다.

"글쎄, 나는 그 방면의 전문가가 아니어서 상세한 계수는 모르지만, 육억 불이라면 한국의 삼천만 인구에 일인당 이십 불밖에 안 된다는 경제 전문가의 분석도 있었어요. 한국이 반세기에 가까운 일본 지배 하에서 수탈당한 경제적 보상도 그것으론 어림도 없는 것이지만, 거기다 인명 피해, 정신적인 학대, 그런 걸 생각하면, 정상적인 국가 간의 일대 일의 국교처럼 단순한 것은 아닙니다."

제임스는 좀 납득이 가는 듯한 눈매로 머리를 끄덕였다.

"그것만이 아니라, 그러한 과거의 상처가 있기 때문에 지금까지의 교육이 철저한 반일주의로 일관했던 것입니다. 학생들은 그 교육이 머리에 젖어 일본에 대한 기성관념이 극도로 나쁜 데다, 그러한 과거의 감정을 청산하거나 새로운 각도로 전환시킬 준비 단계의 가정이 전연 마련되어 있지 않았다는 것이, 정신면에서의 반발을 일으킨 큰 원인이 되겠지요."

"아이 씨, 아이 씨!"

제임스는 몇 번이나 고개를 끄덕거리며 알았다는 듯 '아이 씨'를 연발했다.

"사실 미국에서도 남북전쟁이 있는 지 백여 년이 지났지만, 아직도 서로 감정의 델리케이트한 점이 없지 않거든요. 흑인 문제라든가, 선거 운동 같은 경우에……."

제임스는 공감이 간다는 듯 이렇게 중얼거리곤 총총히 떠나갔다. 한민은 어둠 속으로 사라지는 제임스의 뒷모습을 바라보며, 또 무엇이라고 헐뜯는 기사를 쓸 것인가를 생각하며 꺼림칙한 기분을 막을 길 없었다.

단식 농성 닷새째, 참가 학생 삼백칠십여 명, 가운을 입은 채 뛰어든 의과대학생, 군사 훈련을 마치고 군가를 부르며 나타난 ROTC 간부후보생, 궂은비 내리는 캠퍼스의 오후는 처절의 극에 달했다. 입원 중인 학생 십여 명에 다시 졸도하는 학생 사십여 명. 저물녘이 되자 이들은 반응 없는 정부에 대해 피의 투쟁을 벌이겠다고 외치며 단식을 중지하고 실력

행사로 나섰다.

거리에는 이미 각 대학의 학생, 만여 명의 데모대가 현 정권 하야하라, 독재정권 물러가라는 등, 격렬한 구호를 외치며 태평로·세종로를 누벼 청와대 부근까지 몰렸고, 그들은 방독면을 쓰고 나선 기동 경찰대와 곳곳에서 충돌을 일으켜 피의 수라장을 이루었다. 연행된 학생 육백여 명, 삼엄한 유월의 밤은 최루탄의 초연에 휩싸여 가랑비 속에 깊어갔다.

삼일 밤 아홉시 오십분, 이날 하오 여덟시를 기해 서울특별시 일원에 비상계엄을 선포한다는 정부대변인의 발표가 있었다. 이어 옥내의 집회 및 시위를 금지하고, 언론·출판·보도는 군의 사전 검열을 받아야 하고, 일체의 보복행위를 금하며, 직장을 이탈하지 못하고, 유언비어를 날조 유포하지 못하며, 시내 대학·중고등학교 및 국민학교 등 각급 학교는 유월 사일을 기해 일체 휴교하고, 통금 시간은 하오 아홉시부터 익일 상오 네시까지 한다는 계엄 포고(布告) 제 일호가 발표되었다. 계속하여 비상계엄 지역 내에서는 압수·수색·체포·구속에 관하여 법관의 영장 없이 이를 집행 한다는 포고 제 이호가 발표되었다. 노도와 같이 들끓던 거리는 공포와 불안에 싸인 침묵 속에 파묻혀 밝아오는 새 아침을 전전긍긍히 기다리고 있었다.

한민은 비상계엄 선포라는 주먹만큼한 활자가 박혀진 조간신문을 들고 군데군데 연판이 긁힌 검열의 자국을 바라보며 우울한 기분에 젖어 있었다. 이러다간 장차 어떻게 될 것인가, 예측할 수 없이 막막하기만 했다.

국민학교에 다니는 딸 명심이 임시 방학이 되어 학교를 안 가는 것이 좋다면서 뛰노는 것을 보며 굳은 표정이었다.

그는 학교 앞 정류장에서 버스를 내렸다. 교문 앞을 가로질러 나간 큰 길에는 거의 오가는 사람이 없었다. 그는 교문 쪽으로 다가갔다. 보호색 군복 차림에 가슴에 수류탄을 단 군인들이 교문 앞쪽에 일렬횡대로 집총

한 채 막아서 있고 그 양쪽에는 기관총구가 앞을 노리고 있었다. 삼엄한 분위기에 한민은 기분이 섬찍했다. 교문 기둥 양쪽에는 무장 군인 한 명씩 마주섰고 그 옆에는 '無期休校, 學長'의 게시가 나붙어 있었다. 교문 바로 안에는 무장 군인 십여 명이 양쪽으로 갈라서 세워총 자세로 마주서 있었다. 저 안쪽 운동장에는 군용 트럭이 수두룩 늘어선 옆에서 군대가 집총훈련을 하고 그 모퉁이에는 역시 기관총이 배치되어 있었다.

한민은 통용문 옆에 카아빈 총을 메고 선 젊은 장교 앞으로 다가갔다.

"연구실로 들어가려고 왔는데요."

장교는 부동자세를 취했다.

"수하를 막론하고 들어갈 수 없습니다. 상부에서 지시가 있을 때까지는 안됩니다."

그는 딱 잘라 말하는 것이었다.

한민은 자기의 직함을 대고 사정해 보았으나, 장교는 긴장된 표정에 똑같은 대답을 반복할 뿐이었다. 우리의 국군이 아니라 남의 나라 군대만 같게 여겨졌다.

한민은 교문 앞에서 돌아섰다. 머릿속은 착잡했다. 어디로 갈까 생각해 보았으나 갈 곳이 없었다. 하는 수 없이 그는 집으로 돌아왔다.

아침에 보고 난 신문을 뒤적이다가 그는 라디오 다이얼을 돌렸다. 뉴스가 흘러나오고 있었다. 비상계엄의 선포는 불행한 일이나 부득이한 것이었으며, 여야 영수회담이 조속한 시일 안에 이루어질 것이라는 국회의장의 담화 내용이 보도되었다. 이어 국가안녕과 사회질서를 확립하기 위하여 불법 소지 무기를 자진 신고하라는 계엄 포고 제 삼호가 발표되었다. 이 질식할 것만 같은 험악한 사태가 당분간은 해제될 것 같지 않았다.

다음날, 한민은 그 무시무시한 경계를 생각하면 학교 부근에 접근하기도 싫었지만, 집안에 그대로 앉아 견딜 수 없어 다시 학교로 나갔다. 학교측에서 무슨 조처가 있었는가 보아, 신분증을 제시하고 출입자 명단에 직함과 성명을 기입한 후 교문을 통과할 수 있었다. 꼭 낯선 남의 학교에 찾아온 기분이었다. 학생은 단 하나도 보이지 않는 학교, 나무 밑 야영 텐트에는 군인들이 득실거리고, 도서관은 굳게 잠겨 있었다. 전시를 방불케 하는 살벌한 분위기, 마주치는 눈과 눈에는 적의가 번득이는 것만 같았다.

한민은 연구실로 들어갔다. 창문을 열어 젖혀놓고 소파에 가 비스듬히 기대앉았다. 유월의 짙은 녹음이 조금도 윤택하지 않고 싸늘하게만 내다 보였다. 자기는 이 험상한 분위기 속에, 왜 이렇게 나와 청승을 떨고 있는 것일까, 자기 자신에 대한 회의가 감싸져 왔다. 인간과 인간의 상호 신뢰가 없는 불신의 사회, 개인 대 개인은 물론, 국민도 위정자를 믿지 못하고, 위정자는 국민이 안중에 없는 불협화음. 학생은 선생을 불신하여 위정자와 직접 거래하려 들고, 스승은 학생에게 정을 주지 않는 삭막한 학원. 국가 사회의 모든 구조가 절름발이로 되어 있는 현실, 자기도 그 고질 속에서 허우적거리는 하나의 환자에 불과한 것만 같았다.

'무기 휴교'는 용어를 바꾸어 '조기 방학'이라는 명칭 아래, 한 달음 당겨 하기 방학이 시작되었지만, 모두가 눈감고 아웅하는 식의 미봉책으로밖에 보이지 않았다. 왜들 속을 툭 털어놓고 허심탄회하게 서로의 의견을 교환하여 위기를 타개할 적극적인 수습책을 마련할 수 없는 것일까. 거기엔 개인의 사욕이든 집단의 공동이해든 간에, 부당하고 비정상적인 욕망이 잠재해 있기 때문이 아닐까. 적게는 개인의 부귀영달에서부터 크게는 정권의 쟁탈에 이르기까지 모두가 불순한 야욕의 충족을 감싸두고, 애족이니 우국이니 하는 허울 좋은 간판만 내거는 데서 오는, 감투싸움의 여파가 아닐까. 시민이나 학생이 현실에 관심을 가지고 그것을 행동으로 표시할 수 있는 시기, 그것이 파괴적인 극단의 행위에까지 나가지 않는 한, 아직은 어떤 희망을 바랄 수 있지 않을까. 그러나 이와 반대로 모든 국민이 위정자나 현실에 대해서 전연 무관심해질 때, 그 때는 참말 절망밖에 올 것이 없을 것만 같았다. 그러한 의미에서 한민은 국민이 현실에 적극적인 관심을 가지고 온 결과로 빚어진 현사태가 발전적인 단계가 될지도 모른다는 자아류의 낙관적인 방향의 해석도 해보는 것이었다.

오후에 개최된 시내 총학장 회의에서, 문교부는 학생선도책 및 학원 정화 방안을 제시했다고 발표되었다.

학원의 순수성을 파괴하고 질서를 문란케 한 주동자는 퇴학 처분, 데모를 주동했거나 기물 파손 등을 한 학생에게는 그 정도에 따라 퇴학 또는 무기정학 처분을 하고, 그 결과를 보고토록 했다는 것이다. 그것만이 아니었다. 또한 학생 난동에 영향을 줄 만한 언동을 했거나, 학생 지도에 비협조적인 교수는 징계위원회에 회부, 파면, 기타 엄벌도 조치하고 그 결과를 문교부에 보고할뿐더러, 학생 지도를 위해서는 각 교수가 학생 지도의 책임을 분담하라고 했다는 것이었다.

남발로 인한 대학의 양적 확대 속에 질적 저하를 가져오게 하고, 학원 재단의 재벌화 된 비대와는 반비례하여 파산 지경으로 전락해 가는 교수의 불균형을 조장한 책임자가 바로 문교 당국인데, 일조일석에 그 다량의 학생에 대한 개인적인 데모 책임까지 교수에게로 전환시키겠다는 발뺌, 해방 이후 언제 한 번 인권으로나 경제 조건으로나 교직자를 우대해본 기억조차 찾을 수 없는 당국이, 이번에는 바쁜 목에서 이러한 비상 조건을 제시하는 것은 책임 전가밖에 되지 않는다는 얄궂은 생각이 들기도 했다. 장관이 바뀔 때마다 변하는 일과성 없는 시책, 교육의 백년대계는 고사하고 삼년 앞도 내다보지 못하는 급급한 고식책, 학제 하나만 해도 그 동안 몇 번이나 엎치락뒤치락한 것인가. 한민은 될 대로 되려무나 하는 포기된 심정이었다.

예기치 않은 불안한 사태 속에서의 방학, 그 시간은 정상적인 안정된 휴가보다는 효과 있게 이용되지 않았다. 더욱이 연구실 밖으로 한 발짝만 나서면 캠퍼스에 우글우글하는 무장 군인 속에서, 마음을 가라앉히고 연구에 몰두한다는 것은 신경이 무감각하지 않는 한 어려운 일이었다.

계엄 닷새 후 국민학교가 개교되고, 이주일 후 중학교가, 그리고 삼주일 후 고등학교가 개교됨에 따라 거리의 질식할 것 같은 분위기는 조금씩 완화되어갔으나, 군대가 계속 주둔하고 있는 대학 캠퍼스는 계속 삼엄한 공기가 감돌고 있었다. 거기에 국회에 제출된 해엄안(解嚴案)이 여당의 기권으로 폐기되고, 구속 송치된 학생 수가 삼백사십팔 명이나 된다는 국무총리의 발표는 긴장된 가슴들을 더 얽어매 놓기만 했다.

연구실은 오후 다섯 시가 되면 문을 닫아걸기에 한민은 일거리를 보따리에 싸들고 집으로 돌아와야만 했다. 무엇 때문에 사는가. 하필이면 고되고 욕된 이런 일을 하고 있는 것인가……. 자신에 대한 반문이 거듭되는 속에 회의는 더욱 짙어갔다.

칠월 이십구일 영시를 기해 오십육일 네 시간 만에 비상계엄은 해제되었다. 이날 하오 세시 삼십구분 국회에서 재석 백오십이명 중 가 백사십구, 부 영, 기권 삼의 거의 만장일치로 해엄 결의안이 가결된 직후인 네 시, 정부는 임시 국무회의를 열고 국회 결의를 받아들여 계엄을 해제하기로 의결했고, 대통령은 하오 다섯 시 반 이를 재가 공포했다.

시민들은 홍역이라도 치르고 난 듯이 큰 숨을 내쉬었다. 한민은 묶였던 사슬에서 풀려난 기분이었다. 캠퍼스에 얼마 남지 않은 군대도 마지막 철수를 했다. 그러나 구속 중인 학생 백십오 명은 석방되지 않고 민재(民裁)로 넘어간다는 보도는 시민의 마음속을 흐려놓기만 했다.

한민은 서대문 교도소로 유응수 군을 면회하러 갔다. 밖에서 시간을 기다려 붉은 벽돌의 높은 담으로 싸여 있는 철문 안으로 들어섰다. 면회 온 사람들은 줄을 짓고 있었다. 먼 시골에서 온 듯 보퉁이를 들고 있는 할머니, 정복 군인, 제복 입은 학생, 어린 소녀, 거의 다 수심이 깃든 얼굴들이었다.

한민은 순번에 따라 접수구로 갔다. 피의자의 육친이 아닌 한 면회할 수 없다는 계원의 말을 듣고, 그는 학교에서 준비해 가지고 간 신분증명서와 공무 면회의 학장 증명서를 제출했다. 복잡한 수속 절차를 밟으면서 그는 외국 여권 수속에 시달리던 번거로움을 되새기고 있었다. 왜 모든 일이 간단하게 치루어질 수 없이 복잡한 방향으로만 가게끔 되어 있는 것일까. 번호표를 받고 나온 그는 무료한 시간을, 자기 차례를 기다리며, 벽돌담 밑에서 대기하고 있었다.

범죄자 내지 그 피의자들로만 가득 찬 이방 지대, 이 단절된 세계 속에는 바깥 세계에서 악이라고 규정짓는 낙인이 찍힌 사람들만이 생명을 부지해 가고 있는 것이다. 선과 악이란 상대적인 것이며 종이 한 장 차의 거리밖에 되지 않는 것이 아닐까. 전 시대의 악이 오늘날에는 선이라고 해석될 수 있는 것이 있는가 하면, 같은 시간 속에서도 이 땅에서 선이라고 규정짓는 것이 다른 곳에서는 악으로 해석되는 것도 있지 않는가. 더욱이 사상면에서는 한쪽의 반역자가 상대쪽의 영웅이 되고, 상대측의 악이 이쪽의 선으로 단정되고 있지는 않는가. 도덕이나 법률은 절대적인 것보다 상대적인 비중이 자구만 넓어져가는 것이 아닐까. 아무튼 교도소가 자꾸만 늘어가고, 죄인이 불어간다는 것은, 개인의 잘잘못보다 그것에 선행되는 사회제도나 국가 시책 또는 환경 조건에 짐 지어야 할 근본적인 더 큰 문제가 있지나 않을까. 한 조각의 빵을 훔치다 절도범이 되는 굶주린 순진한 소녀와, 자기의 권세를 이용하여 국유지를 부정 불하 받고도 법망에서 교묘히 빠져 나오는 고관과의 비중은 대체 어떻게 저울질할 것인가.

혼탁한 현실 속에선 선과 악의 개념이 그만큼 흐려지는 것만 같았다.

한민은 자기 차례가 되어 교도관을 따라 면회실로 들어갔다. 유응수가 교도관에 이끌려 나오고 있었다. 덥수룩하게 긴 머리와 수염, 그 탓인지 창백한 얼굴은 야위어 보였다.

"아, 선생님!"

응수는 한민을 보자마자 한 마디 소리를 치고는, 굵다란 눈물방울을 떨구고 있었다. 한민도 눈을 깜박거리며 글썽한 눈물을 참아갔다. 이야기할 것이 많았는데 가슴이 꽉 막히어 말이 나오지 않았다. 유응수는 곧 눈물을 닦고 제 자세로 돌아왔다. 유응수의 눈물이 한민을 만난 순간적인 감격에서인지, 또는 자기가 한 일에 대한 어떤 뉘우침에선지, 한민으로선 그것을 분간할 수 없었다.

"그래, 몸은 이상이 없어?"

"네, 없어요. 선생님, 일부러 와 주셔서 감사합니다."

"계엄도 해제됐고, 학교도 불원 개학이 될 테니까, 모든 것이 차츰 순조롭게 될 거야."

유응수는 무엇인가 생각하는 표정 속에 묵묵히 듣고 있었다.

"무엇보다도 건강에 유의해야지."

"네, 조심하고 있습니다."

"이 문제만 해결되면 학교 문제도 자동적으로 해결될 것이고……."

"저는 학교 문제가 궁금합니다."

유응수는 자기가 갇혀 있는 것보다 학적 문제가 더 우려되는 모양이었다.

"학교 문제는 너무 걱정 말고 건강에만 유의해요."

"저희들이야 무슨 죄가 있습니까. 정의에 입각한 행동을 했는데……."

역시 그 의기는 꺾이지 않았구나 생각하면서, 한민은 옆에 서 있는 간수의 눈치를 살폈다.

"그건 여기서 할 이야기가 아니구……. 아무튼 마음을 굳게 먹구 끝까지 건강을 해치지 않도록 해."

한민은 그 제약된 조건과 시간 속에서 더 할 말이 없었다.

"선생님, 모든 거 잘 부탁합니다."

입회 간수가 시간이 다 됐다고 제지했다.

"모든 걸 안심하고, 응."

한민은 교도관에게 인도되어 가는 응수를 바라보며 뒤에다 대고 한 마디 덧붙였다.

"네, 선생님……."

응수는 고개를 한 번 돌리고는 저쪽으로 이끌려갔다.

밖에 나온 한민은 허무하기 짝이 없었다. 하고 싶은 말을 한 마디도 하지 못하고 나온 것만 같은 허전한 심정이었다. 교정 마이크 앞에 서서 결의문을 낭독하며 열을 내뿜던 응수의 얼굴 위에 지금의 창백한 모습이 자꾸만 겹쳐져 왔다. 무엇을 잃어버린 사람처럼 그는 한참 동안 교도소 안을 두리번거리다가 철문을 나왔다.

이번 데모 사태에 관해 문교부가 발표한 징계 학생 총수는 삼백오십이 명, 그 중 퇴학이 사십오 명, 무기정학이 백삼십칠 명이었다. 팔월 초 각 대학 총장들은 문교부의 강경한 지시와는 별도로 구속된 학생의 석방 진정을 서둘렀다.

팔월 십칠일 전국 대학은 칠십일 간의 방학 아닌 방학에 종지부를 찍고 각기 개학했으며, 대학의 굳게 닫혔던 문은 오래간만에 다시 열렸다.

그 동안 발이 묶여 기가 질렸던 학생들은 활기를 띠고 등교했다. 그러나 그들은 석방되지 못한 학우들 문제로 구석구석에서 수군덕거리고 있었다. 그러면서도 동료들 속에 어떤 이단자나 배신자가 끼어 있을지 몰라, 그들은 서로 의아의 눈초리로 상대를 살피는 비열한 풍조 속에서 호흡해야만 했다. 4·19 때와는 달리 학생들 상호간에 불신의 징조가 짙어져갔다. 가장 순수하고 곱게 자라야 할 시기에 외부의 불순한 여파로 솔직하고 적나라한 기풍을 상실하고, 반대로 인간의 신뢰도가 엷어져가는 더러운 물결에 휩싸인다는 것은, 먼 훗날을 위해서도 퍽 한심스러운 일이라고 한민에게는 느껴져 왔다. 순수한 그대로 성장해서 졸업하고 나가도 사회의 흐린 물결에 휩싸여 금방 부정과 부패에 물들기 일쑤인데, 재학 중부터 등록금을 비롯한 몇 푼의 금품에 눈이 팔려 자기 지조를 꺾고, 신의를 저버려 친구를 배신하게 된다는 것은, 건강한 학원 내에 불의와 부정의 씨를 뿌려놓는 독소라는 생각을 금할 수 없었다.

학생들 대화 속에는 '사꾸라'니 '이중간첩'이니 하는 불쾌한 어휘를 자주 떠오를 정도로 그들도 이 문제에 신경을 쓰는 모양이었다.

수업이 일주일 정도 진행된 팔월 하순 구속 학생의 일부가 석방되어 유웅수도 풀려나왔다.

한민은 학교에 나온 유웅수를 타일러 무리를 하지 말고, 고향에 내려가 얼마 동안 정양하여 몸을 회복해 가지고 돌아올 것을 권했다. 그대로 학우들과 다시 접촉하게 되면 자연 흥분 끝에 허약한 몸에 어떤 일이 생길지 몰라서였다. 유웅수는 전처럼 자기 고집을 세우지 않고 한민의 말에 순응해 왔다. 한민도 유웅수가 교도소에서 고초를 겪고 나와 그만큼 약해진 것인가, 그렇잖으면 자기 자신을 똑바른 자세로 생각하고 비판할 수 있는 안목이 확대된 탓인가 하고 두 갈래로 생각하고 있었다.

구속된 학생들의 징계 문제는 그 당시의 교수회에서 위의 압력이 있는데도 불구하고, 출석자의 대다수가 우겨 법의 판정이 내리기 전에는 학교 자체로서의 처벌은 보류한다는 줏대 있는 결의 그대로였다. 그 후 다시 그 결의를 번복하지 않는 것만도 적으나마 교수회의 권위를 유지한 것만 같아 한민도 퍽 다행스럽게 느꼈었다.

그러나 아직 풀려나오지 못한 몇몇 학생의 석방 문제를 앞에 놓고 학교 사무 책임자뿐 아니라 모든 교수들은 그 해결책에 부심하고 있었다.

계엄령은 해제되었다 하지만 냉각기에 들어선 한일 회담이 다시 진행되는 날 또 무슨 사태가 터질지 모를 폭발들을 안은 것만 같은 진통 속에서, 학원은 외형적인 평온을 억지로 유지해 가는 형편이었다.

전광용의 현실인식과 소설적 기법

권영민(서울대 교수)

1

작가 전광용의 작품세계를 논한다는 것은 나에게 매우 부담스러운 일이다. 그분은 내가 문학 공부를 시작하면서 모셔온 엄한 스승이며, 나는 지금껏 그분 앞에서는 말 한 마디 제대로 놀릴 수 없는 평범한 문학도에 지나지 않기 때문이다. 현대문학사를 배우고 소설론을 익히는 동안, 나의 머릿속에는 국문학자로서의 전광용 교수의 모습만이 깊이 자리잡고 있을 뿐, 그 꼼꼼하고 무섭게도 엄격하신 성품으로 어떻게 소설을 써오셨는지 상상하기조차 어려웠던 적이 한두 번이 아니다.

대학원에서 국문학을 공부하는 동안 나는 전광용 교수의 연구실에 조교로 3년을 지낸 바 있다. 당시 3년의 기간은 나 자신에게 매우 중요한 삶의 고비가 된 셈인데 그 무렵의 이 어른은 거의 작품창작에서 손을 떼고 계신 상태였다. 나는 창작생활과 학문 연구 활동의 병행에서 오는 어려움을 생각해 보기도 하였고, 모든 일에 철저하신 어른의 성품이 소설을 쓰는 일과 점점 더 거리를 두게 하는 것이 아닌가 추측하기도 하였다. 내가 대학원을 마치고 강단에 서게 되면서 비평에 손을 대기 시작하자, 글쓰기의 어려움을 누구보다도 먼저 내게 충고해 주신 분이 바로 전광용 교수였다. 문장 속의 단어 하나하나까지도 세심하게 읽어주시는 엄정하신 가르침 덕분에 나는 언어의 논리를 배반하지 않는 글을 쓰는 데에 조금씩 자신을 가지게 되었으나 항상 선생님을 대하기가 어려웠다.

그러므로, 나는 작가로서의 전광용의 작품을 논하는 자리에 나설 수가 없었다. 문학전집의 해설이나 작품집의 소개를 의뢰받았을 때에도 나는 이 어른이 나의 지도교수라는 사실 하나를 들어 피할 궁리만 내세웠다. 공개된 자리에서 이 어른의 이야기를 꺼내는 것조차 내게는 쑥스러운 일처럼 생각되었고, 나의 이야기가 자칫 어른의 입장을 난처하게 만들지도 모른다는 걱정도 없지 않았다. 특히 나 자신의 소심함을 드러낼 수밖에 없을 것 같은 두려움도 적지 않았던 것이다.

그렇지만, 나는 굳이 부담스런 개인적 견해를 전제하면서도, 이제 작가 전광용의 작품세계를 논해야만 한다는 점을 밝혀 두고 싶다.

이제 고인이 되신 어른이지만, 지금도 환력(還曆)의 시기에 펴내신 작품집 『牡丹江行列車』로 한 권의 창작집을 묶어 본다. 이들 작품은 그것들이 지닌 그대로 내 사고의 바탕이요, 내 재능의 표상이랄 수밖에 없는 적나라한 자기 평가의 척도인 동시에 새로운 지향에 대한 가능성의 전초점으로 가늠될 수밖에 없는 엄연한 실증이기도 하다.

그러나 안고수비(眼高手卑), 창작의 길은 갈수록 험하여 스스로의 마음속에서 모색과 갈등이 거듭되는 종착역 없는 영원한 과정으로만 느껴진다. 참말 이제부터 무엇을 어떻게 쓸 것인가 하고 곰곰이 다져가며 자문자답해 보는 준엄한 시간이기도 하다.

자신의 작품세계를 이처럼 담담하게 돌아보고 있는 이 어른의 암중모색이 어떤 의미를 지니는 것인지 나는 단언할 수 없다. 그러나 '종착역 없는 영원한 과정'으로 창작의 길을 더듬고 있는 앞의 인용 속에, 글을 쓰지 않으면 안되는 작가로서의 고뇌가 자리 잡고 있음을 확인할 수 있다.

2

작가 전광용의 문단활동은 단편소설 「黑山島」가 조선일보 신춘문예에 당선된 1955년부터 시작된다. 물론 해방되기 전에 「별나라 공주와 토끼」라는 작품으로 동아일보 신춘문예에 입선(1939)했던 경력도 있고, 해방 직후 대학 시절에 '주막(酒幕)', '시탑(時塔)' 등의 문학 동인으로 창작에 뜻을 두었던 시절도 있다. 그러나 「흑산도」를 통해 자신의 문학적 지향을 분명히 하게 되었고, 작가로서의 이름을 얻게 되었음은 물론이다. 소설 「흑산도」는 토착세계에 대한 애정을 담고 있지만, 운명적 순응주의를 작가 자신이 용납하고자 하지는 않는다. 가난을 천명으로 생각하면서도 위선과 거짓을 받아들이지 않는 의지의 인간들이 「흑산도」를 통해 소설적으로 형상화되고 있는 것이다. 이 작품에서 확인할 수 있는 대상에 대한 엄격한 서술적 간격, 행위와 성격을 제한된 공간 속에 조화시키는 구조적 완결성 등은 모두 작가 전광용의 소설적 기법이 유별나다는 점을 말해 주는 요건이 된다.

「흑산도」이후의 작품들에서 작가 전광용은 다양한 소재의 발굴에 주력하고 있다. 그의 소설에서 가장 주목을 끌었던 것은 착상의 특이함인데, 이것은 바로 새로운 소재의 발견과 직결되는 것이라고 하겠다. 그의 초기 단편소설들은 모두 인간관계의 내밀한 구석을 예리하게 묘파하는 작품들로서, 그 소재의 영역이 다채롭게 전개되고 있다. 어떤 작품에서는 육지와 멀리 떨어진 외딴 섬(「흑산도」「海圖抄」「郭書房」)이 무대가 되기도 하고, 휴전선 부근의 후미진 골짜기(「塵芥圈」)나 태백산맥의 탄광지대(「地層」)로 그 배경이 옮겨지고 있다. 비어홀의 구석(「크라운 莊」)이나 병원의 진료실(「蟲媒花」)로 작가의 시선이 이동되기도 한다.

그런데 이러한 다양한 소재들은 작가 전광용의 소설적 수법에 의해 하나의 완결된 소설형식으로 형상화되고 있다. 기법의 측면에서 볼 때, 전광용의 소설은 구도의 치밀성과 묘사의 정확성을 높이 평가할 수 있다. 소설의 구성에서 문제가 되고 있는 극적인 사건의 전환은 전광용의 소설에서 흔히 볼 수 있는 방법이다. 「진개권」에서의 결말의 처리나 「射手」에서의 심리적 대결과 그 긴장 그리고 「충매화」에서의 사건의 전환 등은 모두 소재 내용의 극적 효과를 최대한 살려낸 예에 속한다. 「G·M·C」에서의 풍자적 시선과 비판적인 사회의식도 결말의 처리에서 더욱 냉소적인 분위기를 자아낼 수 있도록 고안되고 있음은 물론이다.

그런데 이와 같은 구도상의 치밀성은 반드시 행위의 인과적인 해석에 의존하여 이루어지는 것이 아님을 주목할 필요가 있다. 작가 전광용은 작품 속에서 시간의 계기적 연속성을 중요시하지 않는다. 그의 소설에서는 현재의 순간과 과거의 장면이 교체되기도 하고 경험적 행위와 의식의 내면이 겹치기도 한다. 아무리 사소한 소재라 하더라도, 작가 전광용의 작품 속에서는 진실로 창조의 삶을 그려 나갈 수 있는 바탕이 되고 있다. 「사수」를 비롯한 몇 작품에서 볼 수 있는 주인공의 내면의식의 갈등은 경험적 시간의 법칙성을 뛰어넘은 작가의 상상력에 의해 더욱 구체적으로 형상화된 셈이다.

전광용의 소설이 삶의 한 단면을 인상적으로 포착하고 있는 것은 그의 치밀한 묘사에 힘입은 바 크다. 그는 경험적 자아로서의 작가적 입장과 허구적 자아로서의 등장인물의 성격화의 과정에 언제나 엄격한 거리를 지키고 있다. 작품 내적인 세계에 대한 작가 자신의 개입을 철저히 막고 있기 때문에, 대상에 대한 접근에 있어서 그만큼 객관성을 유지할 수 있는 것이다. 그의 소설 문장은 다양한 변화를 보여주고 있는데, 대담한 생략과 섬세한 묘사를 적절하게 배합하는 것이 특징이다. 특히 문장의 정확성은 작가적 태도의 진지성을 말해 주는 근거가 되고 있다.

3

전광용의 초기 작품세계는 소설 「꺼삐딴 리」를 통해 집약되고 있다. 이 작품은 1962년도 '동인문학상'의 수상작으로 더욱 유명해졌는데, 전광용의 소설적 관심이 이 작품 이후 폭넓은 시야를 갖출 수 있게 되었다는 점에서 더욱 주목된다.

소설 「꺼삐딴 리」의 주인공 이인국은 일제시대 제국대학 의학부를 수석으로 졸업한 외과의사이다. 일본 관리들을 주로 상대하면서 철저한 친일파로 성공한 그는 일본인 행세에 앞장선다. 그러나 해방이 되고 북쪽에 소련군이 진주하게 되자, 민족과 조국을 배반했다는 이유로 감옥에 갇혀 총살의 위협을 받게 된다. 위기의 상황에 잘 적응하는 이인국은 입을 다문 채, 누군가가 감방 안에 버리고 간 러시아어 회화책을 공부한다. 때마침 감방 안에 전염병이 생기자 의사인 이인국은 감방에서 풀려나와 환자를 돌보게 되며, 그 사이에 소련군 장교와도 안면을 익히게 된다. 그리고 소련군 장교의 얼굴에 붙은 혹을 수술해 줌으로써 궁지에서 벗어난다. '꺼삐딴 리'라는 명칭은 소련군 장교에서 얻은 것이다. 그 후 전쟁이 터지고, 이인국은 1·4후퇴 때에 가방 하나만 챙겨 들고 월남하여, 서울 수복 후에는 어엿한 종합병원장 행세까지 하게 된다. 피난 때에 죽은 아내 대신에 젊은 간호원과 재혼한 이인국은 전처 소생의 딸을 미국으로 유학 보낸다. 그런데 그 딸이 미국인과 결혼하겠다고 통보하자 이인국은 고심 끝에 미국행을 결심한다. 그는 "그 사마귀 같은 일본놈들 틈에서 살았고, 닥싸귀 같은 로스케 속에서도 살았는데 양키라고 다를까…… 혁명이 일겠으면 일구, 나라가 바뀌겠으면 바뀌고, 아직 이인국의 살 구멍은 막히지 않았다"고 위로하면서 미국 여행을 준비하는 것이다.

이러한 내용을 근간으로 하고 있는 「꺼삐딴 리」는 두 가지 측면에서 그 소설적 의미를 규정해 볼 수 있다. 첫째는 이 작품의 주인공으로 등장하고 있는 이인국이라는 인물의 성격화의 특성을 주목할 필요가 있다. 작가 전광용은 이인국이라는 인물의 성격을 창조하기 위해 그의 행위만을 뒤쫓고 있지만, 인물 자체에 대한 직접적인 설명을 덧붙이면서 그 자신의 내적 체험을 나타내 보이는 방식을 취하는 것이다. 그러므로 독자들은 행위자체의 의미보다는 그 모든 행위가 주인공의 내적 자아에 어떤 영향을 미치고 있는가를 주시해야 한다. 이인국이 보여주는 능란한 처세술과 함께 그 내면세계의 움직임을 동시에 꿰뚫어볼 수 있어야 하는 것이다. 이인국의 행위와 의식의 추이는 모두 살아남기 위한 타협으로 시종된다. 교활한 기회주의로 나타나기도 하고, 비굴한 권력 지향성을 대변하기도 한다. 이러한 성격은 그의 여러 가지 행위를 통해 구체화되지만, 그것이 한 개의 내면세계로서의 의미로 고정되는 것이 아니라 시대적 속성으로 전형화 되고 있다. 이인국의 존재가 개인적인 차원을 넘어서서 사회·역사적 의미를 갖게 되는 것은 이 때문이다.

둘째로 소설 「꺼삐딴 리」에서 주목되는 것은 작품의 서술구조와 연관되는 문제이다. 이 소설은 행위의 인과적 연결이나 기억의 단편이나 생각들이 얽혀 과거의 시간과 현재의 시간이 교차된다. 이야기의 전개를 위해 행위의 논리적 일관성을 유도하지 않고, 오히려 인물의 성격을 특징짓는 삽화들을 덧붙일 뿐이다. 그러므로, 이 작품에서는 플롯의 단계를 구분하기 어렵고, 갈등의 고조 상태나 그 파국 등을 찾아볼 수 없다. 현실의 행위 속에 과거의 기억들이 끼어들고 있어서 사건이 시간적 순서를 잃고 있다. 이것은 행위의 연결보다는 인물의 성격화에 주력하기 위해 고안된 구성방법이라고 할 수 있는데, 구조적 완결성을 목표로 하는 단편형식의 이완을 피할 수 없게 하고 있다. 결국 이 소설은 구성의 요건을 희생시키면서 인간성의 내면과 그 변모과정을 추적하고 있는 특이한 작품이라고 할 것이다.

4

작가 전광용의 작품세계는 소재 영역의 확대와 주제의식의 심화를 꾀하며 「꺼삐딴 리」에까지 이르고 있다. 그러나 단편소설이 지니고 있는 장르적 한계성으로 인하여 삶의 다양한 모습을 총체적으로 형상화하는 데에까지 그의 작가적 역량이 발휘되지 못하고 있었던 것이 사실이다. 그는 인간 존재의 조건을 헤아리며 의식의 내면을 더듬기도 하였고, 토속적 공간에서 비정의 현실로 비판적 시선을 돌리기도 하였으나, 작가적 열정을 마음껏 발휘할 수는 없었던 것 같다. 「꺼삐딴 리」는 이 작가의 관심이 단편소설의 장르적 한계성에 직면하고 있음을 암시해 주는 작품인데, 그 근거는 이 작품의 서사성에서 확인할 수 있다. 소설 「꺼삐딴 리」에는 삶의 단면성이 아닌 역사성의 의미가 스며들어 있다. 그리고 인간성의 한 측면을 제시한다기보다는 내면의식과 시대상황이 충돌하는 가운데 빚어진 전형적 성격을 표출하고 있다. 이러한 역사성과 성격의 전형화는 단편소설의 형식이 좀처럼 감당하기 어려운 과제에 해당된다. 작가 전광용이 자신의 소설적 관심을 확대하기 위해 삶의 총체적 인식을 포괄할 수 있는 장편소설에 착안하게 되는 것은 바로 이러한 인식과 직결되는 것이다.

「꺼삐딴 리」 이후 전광용은 「太白山脈」「裸身」「젊은 소용돌이」「窓과 壁」 등의 장편을 발표한다. 이 작품들은 모두 당대적 삶의 역사성과 등장인물의 전형화의 방법을 포괄하는 방향으로 그 성격이 확립되고 있다.

소설 「나신」은 전쟁이 끝난 후의 혼란된 사회상과 세태의 변화를 비판적 안목으로 그려낸 작품이다. 이 작품의 주인공 오은애는 세 끼의 밥과 동생의 학비와 어머니의 약값을 구하기 위해 대학을 중퇴하고 비어홀의 여급으로 일하게 된다. 그녀는 어느 날 미군수 물자를 취급하는 단골손님 한식에게 순결을 뺏기고 임신하게 된다. 생활의 곤궁과 자신의 떳떳치 못한 직업 때문에 고민에 빠져 있던 오은애는 기지촌의 한식을 찾아간다. 한식의 의외로 성실하게 오은애를 맞아들인다. 그러나 이러한 새로운 삶이 제대로 꽃을 피우기도 전에 병석에 누워 있던 어머니가 세상을 떠나게 되고, 한식도 군수물자를 불법취급 했다는 이유로 미군부대에 끌려간다. 오은애는 한식의 면회를 갔다가 미군부대의 철조망 근처에서 미군의 총을 맞아 부상까지 당하게 된다. 한식이 풀려나오던 날, 두 사람은 더욱 굳세게 살아 나갈 것을 다짐한다. 이 소설의 주인공들이 보여주고 있는 개인적 운명은 그 성격에서 연유된 것이 아니라 전후의 궁핍한 현실 속에서 빚어진 것이다. 육체를 수단으로 삼아 돈을 벌지 않으면 안 되는 오은애와 그녀의 친구 미숙, 미군의 쓰레기통을 뒤지며 살아야 하는 한식 등의 삶은 모두 당대적 현실상황 속에서 문제적인 상태로 노출되고 있다. 작가 전광용은 비어홀의 여급으로 전락하는 주인공을 통해 전후 현실의 세태를 추적하면서 그 관심을 기지촌의 비리와 병폐를 직시하는 데에까지 확대시킨다. 이 소설의 내용은 통속적인 흥미를 불러일으킬 수 있는 것이지만, 비정의 현실을 바라보는 작가의 비판적 태도와 삶의 밑바닥에서 진실하게 살아보고자 노력하는 주인공들의 끈질긴 생명력이 감동적인 요건으로 부각되고 있다.

소설 「나신」이 전후 사회의 풍속적 재현에 주력한 작품이라고 한다면, 「젊은 소용돌이」 「태백산맥」 「창과 벽」은 우리 현대사의 격동기라고 할 수 있는 1960년대 초반의 정치적 현실을 대상으로 한 작품들이다. 이 작품들은 모두 제1부만으로 끝나고 있기 때문에 소설적인 구조의 완결을 기하지 못하고 있지만, 사회의 밑바닥을 살아가는 서민층을 대상으로 하지 않고 지식층의 삶의 고뇌를 포착하고자 했다는 점에서 새로운 관심을 불러일으켰던 것이다.

4월 혁명의 과정을 추적하고 있는 「젊은 소용돌이」는 인간의 삶과 그 가치관의 지향을 근간으로 하여 혼란기를 살아가는 젊은 세대들의 의지를 그려 내고 있으며, 「태백산맥」은 5·16 직후 병역 미필자를 색출하여 구성했던 국토 건설단의 이야기가 바탕이 되고 있다. 전자의 경우가 역사의 흐름의 한복판에서 그 올바른 방향을 모색하는 주동적인 인물들을 위주로 하고 있다면, 후자의 경우에는 현실의 상황적 변화에서 한발을 내밀린 국외자들의 시선을 따르고 있다는 점이 특징이라고 하겠다. 소설 「창과 벽」은 5·16 이후 민정 이양에 이르는 과정 속에서 크게 관심을 모았던 지식인의 현실 참여 문제가 그 핵심을 이루고 있다. 젊은 대학교수 한민과 그 주변의 인물들을 통해 작가는 지식인의 의지와 그 속성을 자못 시니컬하게 그려 낸다. 허영에 매달려 살거나, 물질적인 유혹을 뿌리치지 못하는 지식인의 나약성도 함께 그려지고 있음은 물론이다. 이소설의 한일회담을 계기로 야기된 정국의 혼란과 학원의 소용돌이에 접어드는 60년대 중반에서 1부로 매듭지어진 것은 안타까운 일이지만, 상황에 대응하는 지식인의 태도 문제를 체험적 요건을 근거로 하여 구체화시키고 있다는 것은 특기할 만한 일이다.

「젊은 소용돌이」「태백산맥」「창과 벽」은 4·19에서 5·16을 거치는 역사 단계를 소설적으로 재구성하고 있는 것들이지만, 그 궁극적 의미는 역사성의 인식만이 아니라 진실한 삶의 가치에 대한 추구에 있다고 할 것이다. 이들 작품에서 소설적인 미완결 못지않게 그 상황성의 미결 상태가 한 세대를 지나온 오늘의 현실에서도 여전히 지속되고 있다는 것은 작가 전광용의 고뇌만이 아닌 우리 모두의 불행이다. 전광용은 작품집『牡丹江行列車』(1978)를 펴낸 후에 창작에 거의 손을 대지 않았다. 그의 고뇌와 침묵이 어떤 의미를 지니는 것인지를 헤아리기는 어렵다. 그러나 미완의 상태로 남아 있는 「젊은 소용돌이」의 격동의 언어가 우리 소설사에서 누군가에 의해 보다 높은 지성의 차원으로 가다듬어지고, 「창과 벽」의 자조적인 한숨이 삶에 대한 확신의 언어로 뒤바뀔 수 있길 기대한다. 그리고 이러한 기대가 오늘의 현실을 향한 우리 모두의 소망일 수 있다는 점도 아울러 밝혀 두는 바이다.

작가 연보

1918년		음 9월 5일(호적부 1919년 3월 1일로 출생 신고) 咸南 北青郡 居山面 下立石里 城川村 1011번지에서 부친 全周協(본관 慶州)과 모친 李潒春(본관 靑海)의 2남 4녀 중 장남으로 출생.
1925년	**4월**	향리 소재 사립 又新學校 입학.
1929년	**3월**	又新學校 4학년 졸업.
	4월	北青郡 陽化공립보통학교 제 5학년 편입.
1931년	**3월**	陽化공립보통학교 졸업.
1934년	**4월**	北青공립농업학교 입학.
1937년	**3월**	北青공립농업학교 졸업.
1939년	**1월**	동아일보 신춘문예에 「별나라 공주와 토끼」 입선. 동화 「별나라 공주와 토끼」(東亞日報, 1939.1)
1943년	**10월**	專檢 합격.
1944년	**11월**	韓貞子(본관 淸州)와 결혼.
1945년	**9월**	京城經濟專門學校(서울대학교 상과대학) 경제학과 입학.
1947년	**7월**	서울대학교 상과대학 2년 수료.
	9월	서울대학교 문리과대학 국어국문학과 입학. 高明중학교 야간부 교사 취임(사임 1949.10). 희곡 「물레방아」(公演, 1947.1)
1948년	**11월**	鄭漢淑, 鄭漢模, 南相圭, 金鳳赫 諸友와 『酒幕』 동인 창립.

1949년	10월	漢城日報 기자 취임(사임 1950.12).

1949년 10월 　漢城日報 기자 취임(사임 1950.12).

　　　　　　　단편 「鴨綠江」(大學新聞, 1949.3)

1951년 　9월 　서울대학교 문리과대학 졸업.

　　　　　　　서울대학교 대학원 국어국문학과 입학.

1952년 　4월 　숙명여자고등학교 교사 취임(사임 1953.3).

　　　　11월 　부산 피난지에서 國語國文學會 창립에 참여.

1953년 　4월 　휘문고등학교 교사 취임(사임 1954.6).

　　　　　　　서울대학교 문리과대학 강사 피촉.

　　　　　9월 　서울대학교 대학원 수료.

1954년 　4월 　덕성여자대학 강사 피촉(사임 1960.3).

　　　　　6월 　서울대학교 사범대학 부속고등학교 교사 취임(사임 1955.3).

　　　　　　　논문 「昭陽亭攷」(국어국문학 10, 1954)

1955년 　1월 　조선일보 신춘문예에 단편소설 「黑山島」 당선.

　　　　　4월 　수도여자사범대학 교수 취임(사임 1957.3).

　　　　11월 　서울대학교 문리과대학 조교수 취임.

　　　　　　　논문 「黑山島民謠硏究」(思想界, 1955.1)

　　　　　　　　　　「雪中梅」(思想界, 1955.10)

　　　　　　　　　　「雉岳山」(思想界, 1955.11)

　　　　　　　단편 「黑山島」(朝鮮日報, 1955.1)

　　　　　　　　　　「鹿芥圈」(文學藝術, 1955.8)

1956년 　4월 　학술논문 「雪中梅」 사상계 논문상 수상.

　　　　　　　서울대학교 음악대학 및 서울문리사범대학 강사 피촉
　　　　　　　(사임 1961.9).

　　　　　　　논문 「遺産繼承과 創作의 方向」(自由文學, 1956.12)

　　　　　　　　　　「鬼의 聲」(思想界, 1956.1)

　　　　　　　　　　「銀世界」(思想界, 1956.2)

　　　　　　　　　　「血의 淚」(思想界, 1956.3)

　　　　　　　　　　「牧丹峰」(思想界, 1956.4)

　　　　　　　　　　「花의 血」(思想界, 1956.6)

　　　　　　　　　　「春外春」(思想界, 1956.7)

　　　　　　　　　　「自由鍾」(思想界, 1956.8)

「秋月色」(思想界, 1956.9)

단편 「凍血人間」(朝鮮日報, 1956.1)

「硬動脈」(文學藝術, 1956.3)

1957년 3월 서울대학교에서 「李人稙研究」로 문학석사 학위 받음.

4월 동덕여자대학(사임 1972.8), 외국어대학(사임 1959.3)
및 수도여자사범대학(사임 1958.3) 강사 피촉.

논문 「李人稙研究」(서울大學校 論文集 6 人文社會科學, 1957)

1958년 논문 「祖國과 文學」(知性, 1958. 가을)

「素月과 小說」(知性, 1958. 겨울)

「玄鎭健論」(새벽, 1958)

단편 「地層」(思想界, 1958.6)

「海圖抄」(思潮, 1958.11)

「霹靂」(現代文學, 1958.12)

1959년 단편집 『黑山島』(乙酉文化社, 1959) 출간.

단편 「주봉氏」(自由公論, 1959.1)

「G.M.C.」(思想界, 1959.2)

「褪色된 勳章」(自由文學, 1959.2)

「영 1 2 3 4」(新太陽, 1959.3)

「射手」(現代文學, 1959.6)

「크라운莊」(思想界, 1959.9)

1960년 단편 「蟲媒花」(思想界, 1960.9)

「招魂曲」(現代文學, 1960.12)

1961년 4월 성균관대학교 강사 피촉(사임 1962.2).

1962년 10월 단편소설 「꺼삐딴 리」로 제7회 東仁文學賞 수상.

논문 「雁의 聲' 攷」(국어국문학 25, 1962)

단편 「반편들」(思想界, 1962.1, 「바닷가에서」 개제)

「免許狀」(미사일, 1962.1)

「꺼삐딴 리」(思想界, 1962.7)

「郭書房」(週刊 새나라, 1962.7)

「南宮博士」(「擬古堂實記」 改題)(大學新聞, 1962.9)

1963년 11월 국제 P.E.N.클럽 한국본부 사무국장 취임(사임 1964.12).

논문 「解放後 文學 二十年」(解放二十年, 1963)

장편 「太白山脈」(新世界 連載, 1963.2 - 1964.3)

　　　 「裸身」(女苑 連載, 1963.5-1964.9)

단편 「죽음의 姿勢」(現代文學, 1963.7)

1964년　　논문 「古典文學에 나타난 庶民像」(韓國大觀, 1964)

단편 「모르모트의 反應」(思想界, 1964.5)

　　　 「第三者」(文學春秋, 1964.7)

1965년　　장편 『裸身』(徽文出版社, 1965) 출간.

단편 「세끼미」(思想界, 1965.4)

1966년　3월　서울대학교 미술대학(사임 1970.2) 및 서강대학(사임 1967.2) 강사 피촉.

논문 「常綠樹考」(東亞文化 5, 1966)

단편 「머루와 老人」(思想界, 1966.11)

장편 「젊은 소용돌이」(現代文學, 1966.6 - 1968.2)

1967년　　논문 「韓國小說發達史(新小說)」(韓國文化史大系 5, 1967)

장편 『窓과 壁』(乙酉文化社, 1967)

1968년　3월　서울대학교 문리대 의·치의예과부장 피촉(사임 1970.3).

　　　9월　고려대학교 교육대학원(사임 1972.8) 및 단국대학교 대학원(사임 1969.2) 강사 피촉.

논문 「小說 六十年의 問題點」(新東亞, 1968.7)

1969년　3월　서울대학교 약학대학 강사 피촉(사임 1970.2).

　　　6월　國語國文學科 대표이사 피선(사임 1971.5).

논문 「3·1運動의 文學創作面에 끼친 影響」(3·1運動 五十周年 紀念論文集, 1969)

1970년　3월　성심여자대학 강사 피촉(사임 1978.2).

제37차 국제 P.E.N. 대회(世界作家大會, 1970년 6월 27일 서울에서 개최) 준비사무국장 피촉.

논문 「韓國作家의 社會的 地位」(文化批評, 1970.1)

1971년　3월　숙명여자대학교 대학원 강사 피촉(사임 1977.8).

　　　8월　아일랜드 더블린에서 개최된 제38차 국제 P.E.N. 대회에 한국 대표로 참석.

논문 「韓國語 文章의 時代的 變貌」(月刊文學, 1971.1)

1972년　3월　서울대학교 문리과대학 문학부장(사임 1974.3).

　　　　6월　서울대학교 문리과대학 학장 직무대리(사임 1972.8).

1973년　2월　서울대학교에서 「新小說研究」로 문학박사 학위 받음.

　　　　3월　이화여자대학교 대학원 강사 피촉(사임 1974.2).

논문 「新小說研究」(서울대학교박사학위논문, 1973)

「白翎島地方 民謠調査報告」(文理大學報 28, 1973)

1974년　1월　문교부 파견으로 중화민국 교육·문화계 시찰.

　　　11월　국제 P.E.N.클럽 한국본부 부회장 피선.

　　　12월　이스라엘 예루살렘에서 개최된 제39차 국제 P.E.N.대
회에 한국 대표로 참석.

논문 「民族文學의 意義와 그 方向」(月刊文學, 1974.6)

「李光洙研究序說」(東洋學 4, 1974.10)

단편 「牡丹江行列車」(北韓, 1974.9)

1975년　4월　서울대학교 교수협의회 회장 피선(사임 1977.5).

　　　　9월　명지대학 대학원 강사 피촉(사임 1976.2).

단편집 『꺼삐딴 리』(1975) 출간.

논문 「近代 初期 小說에 나타난 性倫理의 限界性」(藝術論文
集 14, 1975)

1976년　1월　韓國比較文學會 부회장 피선.

　　　　4월　중화민국 臺北에서 개최된 국제 P.E.N.아세아작가대회
에 한국 대표로 참석.

　　　　8월　영국 런던에서 개최된 제41차 국제 P.E.N.대회에 한국
대표로 참석.

편저 『新小說選集』(同和出判公社, 1976) 출간.

논문 「枯木花에 대하여」(국어국문학 71, 1976)

「祖國統一과 文學」(統一政策, 1976)

1977년　　　단편집 『凍血人間』(三中堂, 1977)

논문 「韓國現代小說의 向方」(冠岳語文研究 2, 1977)

「兒童文學과 歷史意識」(兒童文學評論, 1977)

「國語와 現代文學」(文協심포지움, 1977)

1978년	3월	인하대학교 교육대학원 강사 피촉(사임 1979.2).
	5월	스웨덴 스톡홀름에서 개최된 제43차 국제 P.E.N.대회에 한국 대표로 참석.
	12월	韓國現代文學研究會 회장 피선.
		단편집 『牡丹江行列車』(泰昌出版社, 1978)
		장편 『太白山脈』(韓國現代文學全集)(三省出版社, 1978)
1979년	3월	서울대학교 含春苑에서 『白史全光鏞博士華甲紀念論叢』 봉정식 가짐(10일).
	7월	중화민국 臺北에서 개최된 韓·中 學者會議에 한국 대표로 참석.
	12월	소설 「郭書房」으로 대한민국문학상(흙의 문학상 부문) 수상.
		단편 「時計」(서울대학교 동창회보, 1979.6)
		「표범과 쥐 이야기」(韓國文學, 1979.8)
1980년	4월	韓國比較文學會 회장 피선.
	5월	한미 친선 관계로 미국 방문.
		논문 「독립신문에 나타난 近代的意識」(국어국문학 84, 1980)
		「百年來 韓中文學交流考」(比較文學 5, 1980)
1981년	3월	한국정신문화연구원의 한국학대학원 강사 피촉(사임 1981.8).
	8월	미국 피닉스에서 개최된 제15차 世界現代語文學大會에 한국 대표로 참석.
	10월	중화민국 臺北에서 개최된 제1차 韓·中作家會議에 한국 대표로 참석.
		논문 「李光洙의 文學史的 位置」(崔南善과 李光洙의 文學, 새문사, 1981)
		「李人稙의 生涯와 文學」(新文學과 時代意識, 새문사, 1981)
		「戰後 韓國文學의 特色」(比較文學 6, 1981)
1982년	8월	미국 뉴욕에서 개최된 제10차 世界比較文學大會에 한국 대표로 참석.
	9월	연세대학교 대학원 강사 피촉.

1983년	1월	서울시 교육회 주관 해외교육연수단 참가, 남태평양지역 교육 문화계 시찰.
	2월	北靑 民俗藝術保存會 이사장 피선.
	3월	문교부의 교류교수 계획에 의하여 청주사범대학에 1년간 근무차 부임(사임 1984.2).
	8월	중화민국 臺北에서 개최된 比較文學大會에 한국 대표로 참석.

편저 『韓國近代小說의 理解』(民音社, 1983)

논문 「金東仁의 創作觀」(金東仁研究, 새문사, 1982)
      「韓國小說에 있어서의 漢字表記問題」(比較文學 8, 1983)

1984년	1월	서울시 교육회 주관 해외교육연수단 참가, 유럽 교육 문화계 시찰.
	8월	서울대학교 교수 정년퇴임. 국민훈장 동백장 수훈.
	9월	세종대학 초빙교수 취임.

北靑 民俗藝術保存會 등 5개 단체로 구성된 대한민국 民俗藝術公演團을 인솔, 일본 방문.

서울대학교 정년퇴임기념논문집 『韓國現代小說史研究』(民音社, 1984)를 편저 형식으로 발간.

1986년		저서 『韓國現代文學論攷』(民音社, 1986)
		『新小說研究』(새문사, 1986)
1988년		6월 21일 별세.